Presented To

Margie Ellen Sorosky

By

Valley Beth Shalom

Sisterhood

October 3, 1980

סדר תפלות ישראל

לשבת ולשלש רגלים

עם

תרגום אנגלי חדש

הוספות והערות

הוצאת

כנסית הרבנים באמריקה

ובתי הכנסת המאוחדים באמריקה

m[illegible]

Va[illegible]

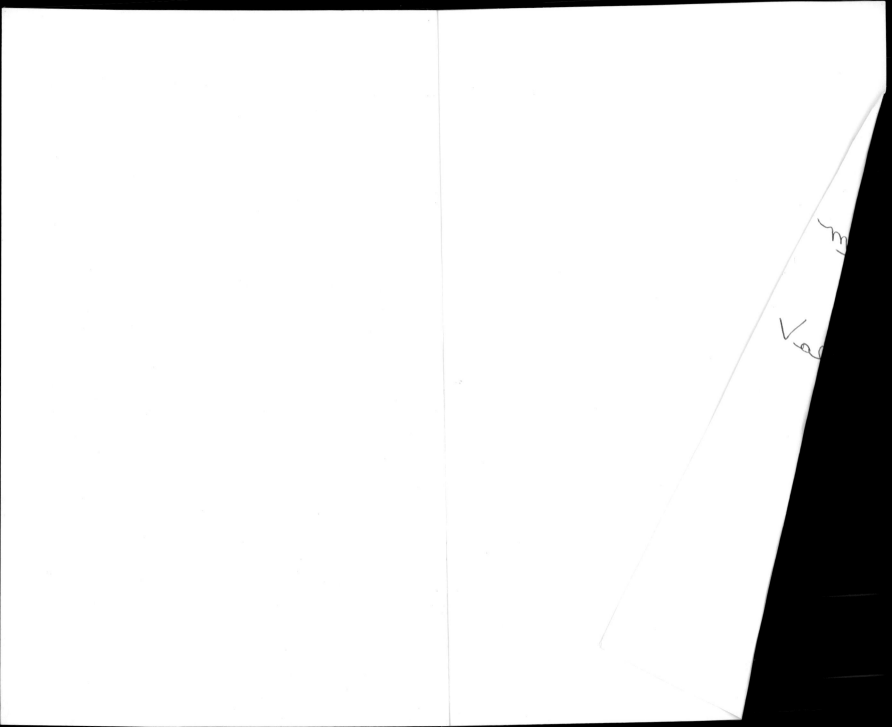

סדר תפלות ישראל
לשבת ולשלש רגלים

עם

תרגום אנגלי חדש
הוספות והערות

הוצאת
כנסית הרבנים באמריקה
ובתי הכנסת המאוחדים באמריקה

...ted To

...llen Sorosky

By

...eth Shalom

...isterhood

October 3, 1980

SABBATH AND FESTIVAL PRAYER BOOK

with

A New Translation, Supplementary Readings and Notes

THE RABBINICAL ASSEMBLY OF AMERICA
AND
THE UNITED SYNAGOGUE OF AMERICA

This Prayer Book was prepared by the Joint
Prayer Book Commission of the Rabbinical As-
sembly of America and the United Synagogue of
America on the basis of the manuscript submitted
by Rabbi Morris Silverman, Editor for the Com-
mission.

FOREWORD

This Sabbath and Festival Prayer Book is presented with the hope that it will serve the needs of all who are striving to perpetuate traditional Judaism in the modern spirit.

The past century and a half has witnessed a number of attempts to achieve a living synthesis of the old and the new, of Jewish tradition and the contemporary scene. To attain this goal in the realm of public and private worship, a number of teachers of Conservative Judaism during the past few decades published prayer books for the various occasions of the year under individual auspices. The only collective enterprise in the field was the United Synagogue Festival Prayer Book, undoubtedly the most attractive traditional Mahzor hitherto issued. As time went on, it was increasingly recognized that the principles and techniques of a traditional Prayer Book for the modern age needed to be reconsidered. Everywhere the conviction grew that the time was ripe for the issuance of a Prayer Book that would express the viewpoint of Conservative Judaism and bear the official imprint of the Rabbinical Assembly of America, representing the spiritual leadership of the movement and of the United Synagogue, the lay congregational organization.

This goal might have long remained unrealized were it not for the fortunate circumstance that Rabbi Morris Silverman of Hartford, Conn. who had been working in the field for many years, had prepared a manuscript for a Sabbath and Festival Prayer Book containing a new English translation, much supplementary material and original prayers. In his work he had drawn upon the counsel and aid of many of his colleagues and of several distinguished scholars, notably Professors Louis Ginzberg and H. L. Ginsberg of the Jewish Theological Seminary of America, to whom we wish to record our grateful acknowledgment, though responsibility for the final form of the work attaches to the Joint Prayer Book Commission alone, as is indicated below.

In the Fall of 1944, the Rabbinical Assembly and United Synagogue agreed to adopt Rabbi Silverman's manuscript as the basis for a Prayer Book to be issued jointly by them. A Commission was created by the two bodies, with authority to revise, supplement and edit the material. This Joint Prayer Book Commission consisted of the following rabbis:

> ROBERT GORDIS, *Chairman*
> MORRIS SILVERMAN, *Editor*
> MAX ARZT, *Secretary*
> SIMON GREENBERG
> JACOB KOHN
> ISRAEL H. LEVINTHAL
> LOUIS M. LEVITSKY
> ABRAHAM A. NEUMAN
> ELIAS L. SOLOMON

The procedure adopted by the Commission was as follows: The members of the Commission met at frequent intervals, for the study and consideration of the Hebrew text and the English version in the light of previous efforts in the field, the best available scholarship and our own approach to Jewish tradition. Research on special points and the preparation of supplementary notes were undertaken by individual members whose names are indicated in the Index. To expedite the work, a special sub-committee consisting of Rabbis Arzt, Gordis and Silverman met between plenary sessions. The Commission voices its deep gratitude to Rabbi Silverman who, as Editor, undertook the onerous task of seeing the manuscript through the press.

Three fundamental principles guided the Commission in the preparation of this prayerbook:*

First is the principle of continuity with tradition. Continuity is important for every faith and culture, but infinitely more so for Judaism. This is true not only because, as Ranke declared, Jews are the most historical of peoples, but also because loyalty to tradition is the strongest bulwark against the centrifugal forces that threaten Jewish survival everywhere. This emphasis upon maintaining tradition is no blind ancestor worship. Whatever other virtues our generation may possess, it cannot pretend to a genius for religious expression, a gift which is so beautifully exemplified in the traditional Prayer Book. This consideration does not free us from the obligation to strive perpetually after fresh and creative devotional forms. But it should prevent us from rashly laying hands on the product of the piety of earlier generations.

Relevance to the needs and ideals of our generation is the second basic principle. A Prayer Book is not a museum piece. It must express our own aspirations, and not merely those of our ancestors, however much we may revere them. This problem of relevance has two aspects. There are modern ideals that are expressed inadequately or too briefly in the traditional liturgy. This lack can be met with relative ease by supplementing the accepted service and thus incidentally stimulating religious and literary activity. The second and more difficult aspect lies in the fact that there are passages in the traditional Prayer Book that no longer seem to express the convictions and hopes of our day. Such passages require sympathetic study and skillful treatment in order to be made relevant to our age.

Intellectual integrity, the third criterion for a modern Jewish Prayer Book, demands that we do not seek to deny

*For a more detailed treatment of the principles and techniques of procedure required in preparing a modern traditional ritual, see Robert Gordis, "A Jewish Prayer Book for the Modern Age," in *Conservative Judaism*, Oct. 1945.

or evade the difficult problem of bringing tradition into focus with contemporary life. Thus, we cannot take refuge in the procedure of printing a traditional Hebrew text and a parallel English version that has little or nothing in common with the original.

These basic principles, continuity with tradition, relevance to the modern age, and intellectual integrity, are obviously not easy to harmonize. The extent to which one or another principle ought to prevail in a given case will naturally be the subject of differences of opinion. Our procedure has varied with the circumstances involved in each instance.

In many cases, apparent divergences of outlook between tradition and the modern age disappear when the true intent of the Prayer Book is grasped and its mode of expression is understood. The concept of Israel as a people chosen by God which is so prominent in Jewish tradition, is a striking case in point. To eliminate it from the Prayer Book because it has been vulgarized and misunderstood in some circles would mean surrendering to error and incidentally perpetrating an injustice upon the prophets and sages of Israel who understood the concept aright.

Moreover, in affirming God's election of Israel, we stand on solid historical ground. The great religions of Christianity and Islam, the modern humanitarian ideals and the basic principles of democracy are all rooted in the Hebrew Bible. They testify to the central role that Israel has played in the religious and ethical development of Western man.

Recalling this historical truth is no mere concession to group vanity. If our generation is to accept loyalty to Judaism willingly and joyously, notwithstanding the disabilities of Jewish life and the many temptations to desert the fellowship of Israel, it requires a sense of consecration, a conviction that the Jewish people has played and yet will play a noble and significant role in the world. They must feel that Jewish loyalty is nothing petty and insular, but that on the contrary, it ministers to the progress of humanity. This concept is therefore a psychological necessity as well as a historical truth, and therefore, an indispensable factor for Jewish survival today.

Besides, the idea of the election of Israel is invariably linked in Judaism with the great instruments of Jewish living, the Torah and the Mitzvot. In every instance, the Prayer Book associates the election of Israel, not with any inherent personal or group superiority, but with the higher responsibilities which come to the Jew as the custodian of Torah and the devotee of the Jewish way of life. This is no modern reinterpretation, but an instance of the correct understanding of both the letter and the spirit of tradition.

There are, to be sure, instances where the modern attitude varies from the traditional understanding of a concept. Often, it is possible to reinterpret traditional phrases in order to express our own convictions. Thus, the word *abodah* which in Hebrew means "religious worship" was referred by our ancestors to public worship in the Temple which centered about the sacrificial system. The word may quite properly mean for us the entire system of public religious worship. Nor need the prayer for the re-establishment of a great religious center in Jerusalem include for us, as it did for our fathers, the hope for the restoration of the sacrifices. The same connotation exists in the Festival Musaf prayer *Vehashev Kohanim L'avodatam U'Leviim Leshiram U'lezimram*, etc. There our rendering voices our aspiration for the restoration of Temple worship on Mount Zion with the Kohanim pronouncing the Priestly benediction and the Levites offering song and psalmody as elements in the historical continuity of Israel's religion. The rendering of the phrase *mehayyai hametim* "who calls the dead to everlasting life" is linguistically sound and rich in meaning for those who cherish the faith in human immortality, as much as for those who maintain the belief in resurrection.

It may be added that the older rendering of this phrase is itself a reinterpretation of a still older Biblical idiom.

In all our striving for intellectual integrity and historical truth, it must not be forgotten that the Prayer Book is couched in poetry and not in prose. It must be approached with warm emotion and not in a mood of cold intellectuality. Thus, the emphasis in the Prayer Book upon the Messiah need not mean for us the belief in a personal redeemer, but it serves superbly as the poetic and infinitely moving symbol of the Messianic age. To have eliminated reference to the Messiah from the Prayer Book would have meant the impoverishment of the Jewish spirit, the loss of one of the most picturesque elements of Jewish belief, culture, music and art. The Prayer Book, like all poetry and truth, has things in it too exalted for literalness.

There will naturally be instances, however, where reinterpretation is impossible and the traditional formulation cannot be made to serve our modern outlook. Such pre-eminently are the passages dealing concretely with animal sacrifices. Passages like *ezehu mekoman* and *pittum haketoret* or the phrase *v'ishei Yisrael* "the fire offerings of Israel in *"Retzeh,"* can be dropped without injuring the rubric of the service. The deletion of the Musaf service as a whole, however, would mean destroying the entire structure of the traditional liturgy, besides eliminating several valuable ideas and aspirations from the Prayer Book. Primarily, the Musaf service voices our hope for the restoration of Palestine as the homeland of the Jewish people. But that is not all. Also implied in the prayer is the recognition that sacrifice is essential for the fulfillment of all human ideals. Then too, we cherish the hope that Palestine will again become significant not only for Israel but for the spiritual life of mankind as a whole. Finally, it is characteristic of Judaism to recall the sacrificial system which represents a legitimate stage in the evolution of

Judaism and religion generally. As Israel Abrahams wrote, "This is the virtue of a historical religion, that the traces of history are never obliterated.... The lower did not perish in the birth of the higher, but persisted." For all these reasons, neither the deletion of the Musaf nor its retention unchanged would satisfy the basic principles of a Jewish Prayer Book for the modern age.

The Prayer Book Commission accordingly decided upon the following procedure. Both *Tikkanta Shabbat* and *Umipne Hata'enu* are retained as a reminiscence of Israel's glorious past by changing the tense of two verbs and a few other minor modifications. The other ideas we wished to express are embodied in a *Bakashah* preceding *Tikkanta Shabbat* and *Umipne Hata'enu*. Both for the sake of variety and in order to interpret the distinctive spirit of the Sabbath and the different Festivals, two distinct *Bakashot* have been included.

Another section of the Prayer Book where re-interpretation did not suffice is to be found in the Preliminary Blessings *shelo asani goy*, *ebhed*, *ishah*. As their position near the benedictions dealing with the Torah indicates, these blessings express the sense of privilege that the Jew felt in being able to fulfill the Torah and the Mitzvot, which were not obligatory in equal measure for non-Jews, slaves and women. However, the negative form in which these blessings are couched caused Jewish leadership much concern through the ages. Supported by the trend of tradition, the Commission decided to rephrase the blessings in the positive form.

In a few instances, the traditional text was made more relevant to our aspirations by adding brief supplementary phrases. Thus, the Babylonian prayer, *Yekum Purkan* with its prayer for the welfare of the scholars preserves a noble Jewish tradition appropriate to our age, in spite of its archaic flavor. All that was required was the addition of the phrase *bekhol arat galvatana* "and in all the lands of our dispersion." In the following blessing, *Mishebarah la'avotenu*, we have added the phrase *ubhebhinyan eretz yisrael* "for the upbuilding of Palestine" to express our conviction that therein lies one of the great mitzvot of Judaism today.

In *Sim Shalom*, the concluding blessing of the *Amidah*, it was felt that the universal note should be made more explicit. Basing itself upon a reading in the Siddur of Rabbenu Saadya Gaon *sim shalom ba'olam*, the Commission therefore has amplified the passage to read: *sim shalom tovah ubrakhah ba'olam ḥen vaḥesed v'raḥamim alenu v'al kol yisrael amekha.*

The creative approach to tradition means not only the surrender of out-worn material and the reinterpretation of what can still be made viable, but also the enrichment of the Prayer Book by new material. Consequently, a large number of supplementary readings, both for unison and congregational reading, have been included. This material, both in prose and verse, is drawn from all ages of Jewish experience and is concerned with all the fundamental elements of Israel's life and thought. These readings may be integrated with the weekly Sidrah or the sermon themes. In addition, many of them are appropriate for the special occasions of the year. To this end, a list of suggestions for such use will be found in the back of the volume. The sources for all the supplementary readings are indicated in a special Index.

While the content of the Prayer Book is naturally our first concern, the form is scarcely less important. Here, too, certain principles and techniques emerged in the course of the work.

A modern Prayer Book should contain as accurate a text as possible and here S. Baer's *Abodat Israel* has been generally followed. The excellent innovation of the United Synagogue Mahzor of printing Biblical poetry in verse form has been adopted and even extended. The various sections of the service as well as necessary directions have been indicated for the guidance of congregations and individuals.

Hebrew and English differ radically in spirit and structure and a literal translation is often a distortion of the meaning. Thus much of the objection raised to the concept of the Chosen People is due to a failure to recognize the intent of the Hebrew text, which uses a coordinate clause where English uses a subordinate construction. Nor is this all. Hebrew is an Oriental language abounding in imagery. The use of many synonyms, which was stimulated by Biblical parallelism, is a characteristic feature. To eliminate these synonyms in the Hebrew means to commit the literary sin of judging Hebrew style by Western standards. On the other hand, to translate them all violates the spirit of the English language. Obviously, a briefer formulation is required in the English, while the Hebrew text requires no change. In general, the reader deserves an idiomatic English version exactly as the worshipper requires an authentic Hebrew text. Hence long phrases may be shortened, the word-order may be varied and the syntax modified when necessary. The changes of person and number that are characteristic of Biblical literature and hence are frequent in the Prayer Book should be brought into harmony with one another in the English. For the requirements of an English version are that it be clear, succinct and true to the meaning and spirit of the original.

A comment is in order on the treatment of the Biblical passages in the Prayer Book. Since the issuance of the excellent Jewish Publication Society Version of the Holy Scriptures in 1917, Biblical studies have made considerable progress. This improved understanding of the Book of Books should be registered in Jewish life and thought and nowhere more effectively than through the Prayer Book, which is pre-eminently the possession of the people. To be sure, the Masoretic text which has been hallowed through centuries should not be emended in a work intended for popular use, but the English version offers an excellent opportunity for new and better interpretations. A few examples in our translation out of many are Num. 10:36, Ps. 29:9; 90:5; 116:15; 19; 135:9; 147:17.

Finally, practical utility has been taken into account at many points. The Minhah and Maariv services for weekdays have been added to the Prayer Book to make its use convenient at the inauguration and the conclusion of Sabbaths and Festivals. Hebrew and English hymns have been included for the further enrichment of the service.

The Prayer Book is a repository of a rich religious culture, and therefore cannot be understood or appreciated without a background of Jewish knowledge. This is supplied by brief introductory notes at important points of the service as well as by titles for some prayers. Where a subject requires more extensive treatment, supplementary notes have been added. The themes treated include the Shema, the Preliminary Blessings, Sacrifices in Judaism, the Chosen People and the Messiah idea in Israel.

A number of other innovations that will aid, we hope, in the fruitful use of the Prayer Book have been introduced in the content, form and arrangement of the Hebrew text and in the character of the English version.

Conscious of our limitations, the members of the Prayer Book Commission venture to hope that this Prayer Book may help advance the great cause of spiritual revival in American Israel. We have sought to keep before us the ideal proclaimed by Chief Rabbi Kook of blessed memory, *hayashan yitḥadesh, haḥadash yitkadesh*, "The old must be renewed and the new become sacred." For the privilege of sharing in this enterprise, we are humbly thankful to Almighty God.

ROBERT GORDIS,
Chairman, Joint Prayer Book Commission

תוכן

TABLE OF CONTENTS

תפלה

מַה־טֹּבוּ אֹהָלֶיךָ יַעֲקֹב. מִשְׁכְּנֹתֶיךָ יִשְׂרָאֵל: וַאֲנִי בְּרֹב חַסְדְּךָ. אָבוֹא בֵיתֶךָ. אֶשְׁתַּחֲוֶה אֶל־הֵיכַל קָדְשְׁךָ בְּיִרְאָתֶךָ: יְיָ אָהַבְתִּי מְעוֹן בֵּיתֶךָ. וּמְקוֹם מִשְׁכַּן כְּבוֹדֶךָ: וַאֲנִי אֶשְׁתַּחֲוֶה וְאֶכְרָעָה. אֶבְרְכָה לִפְנֵי־יְיָ עֹשִׂי: וַאֲנִי תְפִלָּתִי לְךָ יְיָ. עֵת רָצוֹן אֱלֹהִים. בְּרָב־חַסְדֶּךָ עֲנֵנִי בֶּאֱמֶת יִשְׁעֶךָ:

מַה יְדִידוֹת מִשְׁכְּנוֹתֶיךָ יְיָ צְבָאוֹת:\
נִכְסְפָה וְגַם כָּלְתָה נַפְשִׁי לְחַצְרוֹת יְיָ\
לִבִּי וּבְשָׂרִי יְרַנְּנוּ אֶל אֵל חָי:\
אַחַת שָׁאַלְתִּי מֵאֵת יְיָ אוֹתָהּ אֲבַקֵּשׁ\
שִׁבְתִּי בְּבֵית־יְיָ כָּל־יְמֵי חַיַּי\
לַחֲזוֹת בְּנֹעַם־יְיָ וּלְבַקֵּר בְּהֵיכָלוֹ:\
הוֹרֵנִי יְיָ דַּרְכֶּךָ וּנְחֵנִי בְּאֹרַח מִישׁוֹר:\
כִּי עִמְּךָ מְקוֹר חַיִּים בְּאוֹרְךָ נִרְאֶה אוֹר:

INTRODUCTORY PRAYERS

How goodly are your tents, O Jacob, your dwelling places, O Israel. O Lord, through Thine abundant kindness I come into Thy house, and reverently I worship Thee in Thy holy sanctuary. I love the habitation of Thy house, the place where Thy glory dwelleth. Here I bow down and worship Thee, my Lord and Maker. Accept my prayer, O Lord, and answer me with Thy great mercy and with Thy saving truth. Amen.

How lovely are Thy tabernacles, O Lord of hosts!
My soul yearns, yea, even pines for the courts of the Lord;
My heart sings for joy unto the living God.
One thing have I asked of the Lord, that will I seek after:
That I may dwell in the house of the Lord all the days of
    my life,
To behold the graciousness of the Lord, and to enter His
    sanctuary.
Teach me Thy way, O Lord,
And lead me in an even path.
With Thee is the fountain of life,
In Thy light do we see light.

Almighty God, we have come into Thy sanctuary to commune with Thee. Be Thou our strength, our hope, our guide. Give purpose to our work, meaning to our struggle and direction to our striving. Cause us to understand that only through human betterment, true fellowship and deeds of kindness can we feel Thy presence. May this, our Sabbath worship, bring peace to our hearts and strengthen our desire to live in peace with all our fellowmen.

Amen.

Reader

Our God and God of our fathers, on this Festival of Joy and Gladness, our hearts are filled with gratitude to Thee.

On Pesaḥ add:

Recalling the redemption of Israel from Egyptian bondage, we pray, O Lord, that the day may soon dawn when all Thy children shall be free.

On Shavuot add:

Recalling this day the revelation of Thy Law on Sinai, we reaffirm our unswerving devotion to Thy Torah. We pray that Thine eternal Law shall guide the lives of all Thy children.

On Sukkot add:

Recalling on this Sukkot Festival Thy sheltering care of our forefathers, may we, too, be ever grateful for Thy protecting love and bounty.

On all Festivals

Just as our forefathers laid their offerings on Thy altar in the Temple at Jerusalem on the Three Festivals, so may we, O God, with like devotion, help in the rebuilding and restoration of Zion. Grant that our homeless and exiled brothers may soon return to the land of our fathers, there to dwell in peace. And may the observance of this Festival quicken anew our faith in Thee and our loyalty to Thy commandments. Amen.

When a Festival occurs on a Sabbath, the Service begins with Psalm 92, page 13. When a Festival falls on a week-day, the Service begins on page 15.

קבלת שבת

WELCOMING THE SABBATH

קבלת שבת

תהלים צ״ה

לְכוּ נְרַנְּנָה לַייָ נָרִיעָה לְצוּר יִשְׁעֵנוּ:

נְקַדְּמָה פָנָיו בְּתוֹדָה בִּזְמִרוֹת נָרִיעַ לוֹ:

כִּי אֵל גָּדוֹל יְיָ וּמֶלֶךְ גָּדוֹל עַל־כָּל־אֱלֹהִים:

אֲשֶׁר בְּיָדוֹ מֶחְקְרֵי־אָרֶץ וְתוֹעֲפוֹת הָרִים לוֹ:

אֲשֶׁר־לוֹ הַיָּם וְהוּא עָשָׂהוּ וְיַבֶּשֶׁת יָדָיו יָצָרוּ:

בֹּאוּ נִשְׁתַּחֲוֶה וְנִכְרָעָה נִבְרְכָה לִפְנֵי־יְיָ עֹשֵׂנוּ:

כִּי הוּא אֱלֹהֵינוּ וַאֲנַחְנוּ עַם מַרְעִיתוֹ וְצֹאן יָדוֹ

הַיּוֹם אִם־בְּקֹלוֹ תִשְׁמָעוּ:

אַל־תַּקְשׁוּ לְבַבְכֶם כִּמְרִיבָה כְּיוֹם מַסָּה בַּמִּדְבָּר:

אֲשֶׁר נִסּוּנִי אֲבוֹתֵיכֶם בְּחָנוּנִי גַּם־רָאוּ פָעֳלִי:

אַרְבָּעִים שָׁנָה אָקוּט בְּדוֹר וָאֹמַר עַם תֹּעֵי לֵבָב הֵם

וְהֵם לֹא־יָדְעוּ דְרָכָי:

אֲשֶׁר נִשְׁבַּעְתִּי בְאַפִּי אִם־יְבֹאוּן אֶל־מְנוּחָתִי:

WELCOMING THE SABBATH

Come Let Us Sing

Psalm 95

O come, let us sing unto the Lord;
Let us joyfully acclaim the Rock of our salvation.

Let us approach Him with thanksgiving,
And acclaim Him with songs of praise.

For great is the Lord,
A King greater than all the mighty.

In His hands are the depths of the earth;
His also are the heights of the mountains.

The sea is His for He made it;
And His hands formed the dry land.

Come, let us worship and bow down;
Let us bend the knee before the Lord, our Maker.

He is our God, and we are the people He shepherds;
Yea, we are the flock He tends.

O hearken today to His voice:

Harden not your hearts
As you did at Meribah and Massah,
As in the days of trial in the wilderness;

When your forefathers tried My patience,
Yea, they tested Me, though they had seen My work.

For forty years was I wroth with that generation,
A people who erred in their hearts,
And did not know My ways.

Vherefore I vowed in My indignation
t they should not enter the land where My glory
lleth.

תהלים צ״ו

שִׁירוּ לַייָ שִׁיר חָדָשׁ שִׁירוּ לַייָ כָּל־הָאָרֶץ:

שִׁירוּ לַייָ בָּרְכוּ שְׁמוֹ בַּשְּׂרוּ מִיּוֹם לְיוֹם יְשׁוּעָתוֹ:

סַפְּרוּ בַגּוֹיִם כְּבוֹדוֹ בְּכָל־הָעַמִּים נִפְלְאוֹתָיו:

כִּי גָדוֹל יְיָ וּמְהֻלָּל מְאֹד נוֹרָא הוּא עַל־כָּל־אֱלֹהִים:

כִּי כָּל־אֱלֹהֵי הָעַמִּים אֱלִילִים · וַייָ שָׁמַיִם עָשָׂה:

הוֹד־וְהָדָר לְפָנָיו עֹז וְתִפְאֶרֶת בְּמִקְדָּשׁוֹ:

הָבוּ לַייָ מִשְׁפְּחוֹת עַמִּים הָבוּ לַייָ כָּבוֹד וָעֹז:

הָבוּ לַייָ כְּבוֹד שְׁמוֹ שְׂאוּ מִנְחָה וּבֹאוּ לְחַצְרוֹתָיו:

הִשְׁתַּחֲווּ לַייָ בְּהַדְרַת־קֹדֶשׁ חִילוּ מִפָּנָיו כָּל־הָאָרֶץ:

אִמְרוּ בַגּוֹיִם יְיָ מָלָךְ אַף־תִּכּוֹן תֵּבֵל בַּל־תִּמּוֹט

יָדִין עַמִּים בְּמֵישָׁרִים:

יִשְׂמְחוּ הַשָּׁמַיִם וְתָגֵל הָאָרֶץ יִרְעַם הַיָּם וּמְלֹאוֹ:

יַעֲלֹז שָׂדַי וְכָל־אֲשֶׁר־בּוֹ אָז יְרַנְּנוּ כָּל־עֲצֵי־יָעַר:

לִפְנֵי יְיָ כִּי בָא כִּי בָא לִשְׁפֹּט הָאָרֶץ

יִשְׁפֹּט־תֵּבֵל בְּצֶדֶק וְעַמִּים בֶּאֱמוּנָתוֹ:

A New Song

Psalm 96

O sing unto the Lord a new song;
Sing unto the Lord all the earth.

Sing unto the Lord, bless His name;
Proclaim His salvation from day to day.

Declare His glory among the nations,
His marvelous works among all the peoples.

Great is the Lord and highly to be praised;
He is to be revered above all who are worshipped as **gods.**

For all the gods of the heathens are things of naught,
But the Lord created the heavens.

Honor and majesty are before Him;
Strength and beauty are in His sanctuary.

Ascribe unto the Lord, O families of mankind,
Ascribe unto the Lord glory and strength.

Render unto the Lord the glory due unto His name;
With offerings of homage, come into His courts.

Worship the Lord in the beauty of holiness;
Revere Him all that inhabit the earth.

Declare among the nations: 'The Lord reigneth.'
Now is the earth firmly established;
He will judge peoples in equity.

Let the heavens be glad and the earth rejoice;
Let the sea roar, and all within it give praise.

Let the field and all within it exult;
Let all the trees of the forest sing before the Lord;

Before the Lord, as He cometh;
He cometh to judge the earth,

To judge the world in righteousness,
And the nations by His truth.

תהלים צ״ז

יְיָ מָלָךְ תָּגֵל הָאָרֶץ   יִשְׂמְחוּ אִיִּים רַבִּים:

עָנָן וַעֲרָפֶל סְבִיבָיו   צֶדֶק וּמִשְׁפָּט מְכוֹן כִּסְאוֹ:

אֵשׁ לְפָנָיו תֵּלֵךְ   וּתְלַהֵט סָבִיב צָרָיו:

הֵאִירוּ בְרָקָיו תֵּבֵל   רָאֲתָה וַתָּחֵל הָאָרֶץ:

הָרִים כַּדּוֹנַג נָמַסּוּ מִלִּפְנֵי יְיָ   מִלִּפְנֵי אֲדוֹן כָּל־הָאָרֶץ:

הִגִּידוּ הַשָּׁמַיִם צִדְקוֹ   וְרָאוּ כָל־הָעַמִּים כְּבוֹדוֹ:

יֵבֹשׁוּ כָּל־עֹבְדֵי פֶסֶל   הַמִּתְהַלְלִים בָּאֱלִילִים

הִשְׁתַּחֲווּ־לוֹ כָּל־אֱלֹהִים:

שָׁמְעָה וַתִּשְׂמַח צִיּוֹן   וַתָּגֵלְנָה בְּנוֹת יְהוּדָה

לְמַעַן מִשְׁפָּטֶיךָ יְיָ:

כִּי־אַתָּה יְיָ עֶלְיוֹן   עַל־כָּל־הָאָרֶץ

מְאֹד נַעֲלֵיתָ   עַל־כָּל־אֱלֹהִים:

אֹהֲבֵי יְיָ שִׂנְאוּ רָע   שֹׁמֵר נַפְשׁוֹת חֲסִידָיו

מִיַּד רְשָׁעִים יַצִּילֵם:

אוֹר זָרֻעַ לַצַּדִּיק   וּלְיִשְׁרֵי־לֵב שִׂמְחָה:

שִׂמְחוּ צַדִּיקִים בַּייָ   וְהוֹדוּ לְזֵכֶר קָדְשׁוֹ:

The Lord Reigneth

Psalm 97

The Lord reigneth; may the earth be glad;
Let the multitude of islands rejoice.

Clouds and darkness surround Him;
Righteousness and justice are the foundation of His
throne.

Fire goes before Him,
Consuming His adversaries round about.

His lightnings illumine the world;
The earth beholds and trembles.

The mountains melt like wax before the Lord,
Before the Lord of all the earth.

The heavens declare His righteousness,
And all the people witness His glory.

Confounded be all that serve graven images,
And take pride in things of naught.
Bow down to the Lord, ye idols!

Zion hears and rejoices,
And the cities of Judah are glad
Because of Thy judgments, O Lord.

For Thou, Lord, art supreme above all the earth;
Thou art exalted far above all that are worshipped as gods.

Ye that love the Lord, hate evil;
He guardeth those who love Him,
And delivereth them out of the hand of the wicked.

Light is sown for the righteous,
And gladness for the upright in heart.

Rejoice in the Lord, ye righteous,
And give thanks unto His holy name.

תהלים צ״ח

מִזְמוֹר. שִׁירוּ לַיְיָ שִׁיר חָדָשׁ   כִּי־נִפְלָאוֹת עָשָׂה

הוֹשִׁיעָה־לּוֹ יְמִינוֹ   וּזְרוֹעַ קָדְשׁוֹ:

הוֹדִיעַ יְיָ יְשׁוּעָתוֹ   לְעֵינֵי הַגּוֹיִם גִּלָּה צִדְקָתוֹ:

זָכַר חַסְדּוֹ וֶאֱמוּנָתוֹ   לְבֵית יִשְׂרָאֵל

רָאוּ כָל־אַפְסֵי־אָרֶץ   אֵת יְשׁוּעַת אֱלֹהֵינוּ:

הָרִיעוּ לַיְיָ כָּל־הָאָרֶץ   פִּצְחוּ וְרַנְּנוּ וְזַמֵּרוּ:

זַמְּרוּ לַיְיָ בְּכִנּוֹר   בְּכִנּוֹר וְקוֹל זִמְרָה:

בַּחֲצֹצְרוֹת וְקוֹל שׁוֹפָר   הָרִיעוּ לִפְנֵי הַמֶּלֶךְ יְיָ:

יִרְעַם הַיָּם וּמְלֹאוֹ   תֵּבֵל וְיֹשְׁבֵי בָהּ:

נְהָרוֹת יִמְחֲאוּ־כָף   יַחַד הָרִים יְרַנֵּנוּ:

לִפְנֵי יְיָ כִּי בָא לִשְׁפֹּט הָאָרֶץ   יִשְׁפֹּט תֵּבֵל בְּצֶדֶק

וְעַמִּים בְּמֵישָׁרִים:

A Song of Triumph

Psalm 98

O sing unto the Lord a new song,
For He hath done marvellous things;
His right hand and holy might have brought Him victory.

The Lord hath made known His triumph;
In the sight of the nations hath He revealed His victory.

He hath remembered His mercy and His faithfulness toward
the house of Israel;
The very ends of the earth have seen the triumph of our
God.

Acclaim the Lord, all the earth;
Break forth and sing, yea, sing praises.

Sing praises unto the Lord with the harp;
With the harp and the voice of melody.

With trumpets and the sound of the horn,
Acclaim the King, the Lord.

Let the sea roar and all within it give praise,
The world and all that dwell therein.

Let the rivers clap hands in gladness;
Let all the mountains sing before the Lord,

For the Lord cometh to judge the earth;
He will judge the world in righteousness,
And the peoples in equity.

תהלים צ״ט

יְיָ מָלָךְ יִרְגְּזוּ עַמִּים　　יֹשֵׁב כְּרוּבִים תָּנוּט הָאָרֶץ:

יְיָ בְּצִיּוֹן גָּדוֹל　　וְרָם הוּא עַל־כָּל־הָעַמִּים:

יוֹדוּ שִׁמְךָ גָּדוֹל וְנוֹרָא　　קָדוֹשׁ הוּא:

וְעֹז מֶלֶךְ מִשְׁפָּט אָהֵב　　אַתָּה כּוֹנַנְתָּ מֵישָׁרִים

מִשְׁפָּט וּצְדָקָה בְּיַעֲקֹב　　אַתָּה עָשִׂיתָ:

רוֹמְמוּ יְיָ אֱלֹהֵינוּ　　וְהִשְׁתַּחֲווּ לַהֲדֹם רַגְלָיו

קָדוֹשׁ הוּא:

מֹשֶׁה וְאַהֲרֹן בְּכֹהֲנָיו　　וּשְׁמוּאֵל בְּקֹרְאֵי שְׁמוֹ

קֹרְאִים אֶל־יְיָ　　וְהוּא יַעֲנֵם:

בְּעַמּוּד עָנָן יְדַבֵּר אֲלֵיהֶם　　שָׁמְרוּ עֵדֹתָיו וְחֹק נָתַן־לָמוֹ:

יְיָ אֱלֹהֵינוּ אַתָּה עֲנִיתָם　　אֵל נֹשֵׂא הָיִיתָ לָהֶם

וְנֹקֵם עַל־עֲלִילוֹתָם:

רוֹמְמוּ יְיָ אֱלֹהֵינוּ　　וְהִשְׁתַּחֲווּ לְהַר קָדְשׁוֹ

כִּי־קָדוֹשׁ יְיָ אֱלֹהֵינוּ:

GOD, THE HOLY KING!

PSALM 99

The Lord reigneth while the people stand in awe;
He is enthroned upon His judgment seat,
While the earth trembles.

The Lord is mighty in Zion;
He is exalted over all peoples.

They praise His name:
"God, great and revered, is holy."

Mighty King who loveth justice,
Thou hast established equity;
Justice and righteousness hast Thou wrought in Jacob.

Exalt the Lord our God,
And worship at His footstool, declaring:
"Holy is He!"

Moses and Aaron were among His priests;
Samuel was among those that called upon His name,
Calling upon the Lord and being answered.

He would speak unto them out of a pillar of cloud;
They kept His testimonies and the laws He gave them.

Thou, O Lord, didst answer them;
Thou wast a forgiving God unto them,
Though punishing them for their evil.

Exalt the Lord our God,
And worship at His holy mountain;
For the Lord our God is holy.

תהלים כ״ט

מִזְמוֹר לְדָוִד

הָבוּ לַייָ בְּנֵי אֵלִים הָבוּ לַייָ כָּבוֹד וָעֹז:

הָבוּ לַייָ כְּבוֹד שְׁמוֹ הִשְׁתַּחֲווּ לַייָ בְּהַדְרַת־קֹדֶשׁ:

קוֹל יְיָ עַל־הַמָּיִם אֵל־הַכָּבוֹד הִרְעִים

יְיָ עַל־מַיִם רַבִּים:

קוֹל יְיָ בַּכֹּחַ קוֹל יְיָ בֶּהָדָר:

קוֹל יְיָ שֹׁבֵר אֲרָזִים וַיְשַׁבֵּר יְיָ אֶת־אַרְזֵי הַלְּבָנוֹן:

וַיַּרְקִידֵם כְּמוֹ־עֵגֶל לְבָנוֹן וְשִׂרְיוֹן כְּמוֹ בֶן־רְאֵמִים:

קוֹל יְיָ חֹצֵב לַהֲבוֹת אֵשׁ:

קוֹל יְיָ יָחִיל מִדְבָּר יָחִיל יְיָ מִדְבַּר קָדֵשׁ:

קוֹל יְיָ יְחוֹלֵל אַיָּלוֹת וַיֶּחֱשֹׂף יְעָרוֹת

וּבְהֵיכָלוֹ כֻּלּוֹ אֹמֵר כָּבוֹד:

יְיָ לַמַּבּוּל יָשָׁב וַיֵּשֶׁב יְיָ מֶלֶךְ לְעוֹלָם:

יְיָ עֹז לְעַמּוֹ יִתֵּן יְיָ יְבָרֵךְ אֶת־עַמּוֹ בַשָּׁלוֹם:

THE MAJESTY OF GOD IN THE STORM

PSALM 29

A Psalm of David

Ascribe unto the Lord, ye ministering angels,
Ascribe unto the Lord glory and power.

Render unto the Lord the glory due unto His name;
Worship the Lord in the beauty of holiness.

The voice of the Lord is over the waters;
The God of glory thundereth!
The Lord is over the great waters.

The voice of the Lord is mighty;
The voice of the Lord is full of majesty.

The voice of the Lord breaketh the cedars;
Yea, the Lord shattereth the cedars of Lebanon.

He maketh the mountains leap like a calf,
Lebanon and Sirion like a wild ox.

The voice of the Lord heweth out flames;
The Lord heweth out flames of fire.

The voice of the Lord causeth the desert to tremble;
The Lord maketh the desert of Kadesh tremble.

The voice of the Lord maketh the oak trees dance,
And strippeth the forests bare;
While in His Temple everything proclaims His glory.

The Lord was King at the Flood;
The Lord shall remain King forever.

May the Lord give strength unto His people;
May the Lord bless His people with peace.

לכה דודי

לְכָה דוֹדִי לִקְרַאת כַּלָּה. פְּנֵי שַׁבָּת נְקַבְּלָה:

שָׁמוֹר וְזָכוֹר בְּדִבּוּר אֶחָד.
הִשְׁמִיעָנוּ אֵל הַמְיֻחָד.
יְיָ אֶחָד וּשְׁמוֹ אֶחָד.
לְשֵׁם וּלְתִפְאֶרֶת וְלִתְהִלָּה: לכה דודי...

לִקְרַאת שַׁבָּת לְכוּ וְנֵלְכָה.
כִּי הִיא מְקוֹר הַבְּרָכָה.
מֵרֹאשׁ מִקֶּדֶם נְסוּכָה.
סוֹף מַעֲשֶׂה בְּמַחֲשָׁבָה תְּחִלָּה: לכה דודי...

מִקְדַּשׁ מֶלֶךְ עִיר מְלוּכָה.
קוּמִי צְאִי מִתּוֹךְ הַהֲפֵכָה.
רַב לָךְ שֶׁבֶת בְּעֵמֶק הַבָּכָא.
וְהוּא יַחֲמֹל עָלַיִךְ חֶמְלָה: לכה דודי...

הִתְנַעֲרִי מֵעָפָר קוּמִי.
לִבְשִׁי בִּגְדֵי תִפְאַרְתֵּךְ עַמִּי.
עַל־יַד בֶּן יִשַׁי בֵּית הַלַּחְמִי.
קָרְבָה אֶל נַפְשִׁי גְאָלָהּ: לכה דודי...

הִתְעוֹרְרִי הִתְעוֹרְרִי.
כִּי בָא אוֹרֵךְ קוּמִי אוֹרִי.
עוּרִי עוּרִי שִׁיר דַּבֵּרִי.
כְּבוֹד יְיָ עָלַיִךְ נִגְלָה: לכה דודי...

SABBATH, THE QUEEN

Come, my beloved, with chorus of praise,
Welcome Bride Sabbath, the Queen of the days.

"Keep and Remember"! — in one divine Word
He that is One Alone, made His will heard;
One is the name of Him, One is the Lord!
   His are the fame and the glory and praise

Sabbath, to welcome thee, joyous we haste;
Fountain of blessing from ever thou wast —
First in God's planning, though fashioned the last,
   Crown of His handiwork, chiefest of days.

City of holiness, filled are the years;
Up from thine overthrow! Forth from thy fears!
Long hast thou dwelt in the valley of tears,
   Now shall God's tenderness shepherd thy ways.

Rise, O my folk, from the dust of the earth,
Garb thee in raiment beseeming thy worth;
Nigh draws the hour of the redeemer's birth,
   Freedom who bringeth, and glorious days.

Wake and bestir thee, for come is thy light!
Up! With thy shining, the world shall be bright;
Sing! For the Lord is revealed in His might —
   Thine is the splendor His glory displays!

לֹא תֵבֹשִׁי וְלֹא תִכָּלְמִי.
מַה תִּשְׁתּוֹחֲחִי וּמַה תֶּהֱמִי.
בָּךְ יֶחֱסוּ עֲנִיֵּי עַמִּי.
וְנִבְנְתָה עִיר עַל תִּלָּהּ: לכה דודי...

וְהָיוּ לִמְשִׁסָּה שֹׁאסָיִךְ.
וְרָחֲקוּ כָּל־מְבַלְּעָיִךְ.
יָשִׂישׂ עָלַיִךְ אֱלֹהָיִךְ.
כִּמְשׂוֹשׂ חָתָן עַל כַּלָּה: לכה דודי...

יָמִין וּשְׂמֹאל תִּפְרֹצִי.
וְאֶת יְיָ תַּעֲרִיצִי.
עַל יַד אִישׁ בֶּן פַּרְצִי.
וְנִשְׂמְחָה וְנָגִילָה: לכה דודי...

בּוֹאִי בְשָׁלוֹם עֲטֶרֶת בַּעְלָהּ.
גַּם בְּשִׂמְחָה וּבְצָהֳלָה.
תּוֹךְ אֱמוּנֵי עַם סְגֻלָּה:
בּוֹאִי כַלָּה בּוֹאִי כַלָּה: לכה דודי...

CONSOLING THE MOURNERS

הַמָּקוֹם יְנַחֵם אֶתְכֶם בְּתוֹךְ שְׁאָר אֲבֵלֵי צִיּוֹן וִירוּשָׁלָיִם:

"Be not ashamed," saith the Lord, "nor distressed;
Fear not and doubt not. The people oppressed,
Zion, My city, in thee shall find rest —
   Thee, that anew on thy ruins I raise."

Spoiled shall thy spoilers be; banished afar,
They that devoured.   But in thee, evermore,
God shall take joy; as the bridegroom, what hour,
   Blushing, the bride lifts her veil to his gaze.

Stretch out thy borders to left and to right;
Fear but the Lord, whom to fear is delight —
The man, son of Perez, shall gladden our sight,
   And we shall rejoice to the fullness of days.

Come in thy joyousness, Crown of thy Lord;
Come, bringing peace to the folk of the Word;
Come where the faithful in gladsome accord,
   Hail thee as Sabbath-Bride, Queen of the days.

Come where the faithful are hymning thy praise;
Come as a bride cometh, Queen of the days!

CONSOLING THE MOURNERS

*On the first appearance of mourners in the Synagogue during the
Shiva — week of mourning — it is customary to greet the mourn-
ers with the following words of consolation:*

May the Lord comfort and sustain you among the other mourners
for Zion and Jerusalem. Amen.

תהלים צ"ב

מִזְמוֹר שִׁיר לְיוֹם הַשַּׁבָּת:

טוֹב לְהֹדוֹת לַייָ וּלְזַמֵּר לְשִׁמְךָ עֶלְיוֹן:

לְהַגִּיד בַּבֹּקֶר חַסְדֶּךָ וֶאֱמוּנָתְךָ בַּלֵּילוֹת:

עֲלֵי־עָשׂוֹר וַעֲלֵי־נָבֶל עֲלֵי הִגָּיוֹן בְּכִנּוֹר:

כִּי שִׂמַּחְתַּנִי יְיָ בְּפָעֳלֶךָ בְּמַעֲשֵׂי יָדֶיךָ אֲרַנֵּן:

מַה־גָּדְלוּ מַעֲשֶׂיךָ יְיָ מְאֹד עָמְקוּ מַחְשְׁבֹתֶיךָ:

אִישׁ־בַּעַר לֹא יֵדָע וּכְסִיל לֹא־יָבִין אֶת־זֹאת:

בִּפְרֹחַ רְשָׁעִים כְּמוֹ־עֵשֶׂב וַיָּצִיצוּ כָּל־פֹּעֲלֵי אָוֶן

לְהִשָּׁמְדָם עֲדֵי־עַד:

וְאַתָּה מָרוֹם לְעֹלָם יְיָ:

כִּי הִנֵּה אֹיְבֶיךָ יְיָ כִּי־הִנֵּה אֹיְבֶיךָ יֹאבֵדוּ

יִתְפָּרְדוּ כָּל־פֹּעֲלֵי אָוֶן:

וַתָּרֶם כִּרְאֵים קַרְנִי בַּלֹּתִי בְּשֶׁמֶן רַעֲנָן:

וַתַּבֵּט עֵינִי בְּשׁוּרָי בַּקָּמִים עָלַי מְרֵעִים

תִּשְׁמַעְנָה אָזְנָי:

צַדִּיק כַּתָּמָר יִפְרָח כְּאֶרֶז בַּלְּבָנוֹן יִשְׂגֶּה:

שְׁתוּלִים בְּבֵית יְיָ בְּחַצְרוֹת אֱלֹהֵינוּ יַפְרִיחוּ:

עוֹד יְנוּבוּן בְּשֵׂיבָה דְּשֵׁנִים וְרַעֲנַנִּים יִהְיוּ:

לְהַגִּיד כִּי־יָשָׁר יְיָ צוּרִי וְלֹא־עַוְלָתָה בּוֹ:

THE TRIUMPH OF RIGHTEOUSNESS

PSALM 92

A Psalm, a song. For the Sabbath Day.

It is good to give thanks unto the Lord,
And to sing praises unto Thy name, O Most High;

> To declare Thy lovingkindness each morning,
> And Thy faithfulness every night,

With an instrument of ten strings and the lute,
With sacred music upon the harp.

> For Thou, O Lord, hast made me rejoice in Thy work;
> I will glory in the works of Thy hands.

How great are Thy deeds, O Lord!
Thy thoughts are very deep.

> The ignorant man does not know,
> Nor does the fool understand this —

The wicked may spring up as the grass,
And the workers of iniquity may flourish,
Only to be destroyed forever.

> But Thou, O Lord, shalt be exalted forever.

For lo, Thine enemies, O Lord,
For lo, Thine enemies shall perish;
All the workers of iniquity shall be scattered.

> But Thou dost raise me to high honor;
> I am anointed with fragrant oil.

Mine eyes have seen the defeat of my foes,
Mine ears have heard the doom of evil doers
That rise up against me.

> The righteous shall flourish like the palm tree,
> And grow mighty like a cedar in Lebanon.

Planted in the house of the Lord,
They shall flourish in the courts of our God.

> Even in old age they shall bring forth fruit,
> They shall be full of vigor and strength,

Declaring that the Lord is just,
My Rock in whom there is no unrighteousness.

תהלים צ״ג

יְיָ מָלָךְ גֵּאוּת לָבֵשׁ לָבֵשׁ יְיָ עֹז הִתְאַזָּר

אַף־תִּכּוֹן תֵּבֵל בַּל־תִּמּוֹט:

נָכוֹן כִּסְאֲךָ מֵאָז מֵעוֹלָם אָתָּה:

נָשְׂאוּ נְהָרוֹת יְיָ נָשְׂאוּ נְהָרוֹת קוֹלָם

יִשְׂאוּ נְהָרוֹת דָּכְיָם:

מִקֹּלוֹת מַיִם רַבִּים אַדִּירִים מִשְׁבְּרֵי־יָם

אַדִּיר בַּמָּרוֹם יְיָ:

עֵדֹתֶיךָ נֶאֶמְנוּ מְאֹד לְבֵיתְךָ נַאֲוָה־קֹדֶשׁ

יְיָ לְאֹרֶךְ יָמִים:

For Mourners' Kaddish, see page 39.

GOD EVERLASTING

PSALM 93

The Lord reigneth; He is robed in majesty;
The Lord is robed, He hath girded Himself with strength.

Now is the earth firmly established;
It shall not be moved.

Thy throne is established of old;
Thou art from everlasting.

The waters lift up their voices, O Lord,
The waters lift up their roaring;

Yet above the voices of many waters,
The mighty waters, breakers of the sea,
Thou, O Lord, art mighty on high.

Thy law is true and unfailing;
Holiness is becoming to Thy house, O Lord, forevermore.

For Mourners' Kaddish, see page 39.

ערבית לשבת ולרגלים

Reader

בָּרְכוּ אֶת־יְיָ הַמְבֹרָךְ:

Congregation and Reader

בָּרוּךְ יְיָ הַמְבֹרָךְ לְעוֹלָם וָעֶד:

בָּרוּךְ אַתָּה יְיָ אֱלֹהֵינוּ מֶלֶךְ הָעוֹלָם אֲשֶׁר בִּדְבָרוֹ מַעֲרִיב עֲרָבִים בְּחָכְמָה פּוֹתֵחַ שְׁעָרִים וּבִתְבוּנָה מְשַׁנֶּה עִתִּים וּמַחֲלִיף אֶת־הַזְּמַנִּים וּמְסַדֵּר אֶת־הַכּוֹכָבִים בְּמִשְׁמְרוֹתֵיהֶם בָּרָקִיעַ כִּרְצוֹנוֹ. בּוֹרֵא יוֹם וָלָיְלָה גּוֹלֵל אוֹר מִפְּנֵי חֹשֶׁךְ וְחֹשֶׁךְ מִפְּנֵי אוֹר. וּמַעֲבִיר יוֹם וּמֵבִיא לָיְלָה וּמַבְדִּיל בֵּין יוֹם וּבֵין לָיְלָה. יְיָ צְבָאוֹת שְׁמוֹ. אֵל חַי וְקַיָּם תָּמִיד יִמְלוֹךְ עָלֵינוּ לְעוֹלָם וָעֶד. בָּרוּךְ אַתָּה יְיָ הַמַּעֲרִיב עֲרָבִים:

אַהֲבַת עוֹלָם בֵּית יִשְׂרָאֵל עַמְּךָ אָהָבְתָּ. תּוֹרָה וּמִצְוֹת חֻקִּים וּמִשְׁפָּטִים אוֹתָנוּ לִמַּדְתָּ. עַל־כֵּן יְיָ אֱלֹהֵינוּ בְּשָׁכְבֵנוּ וּבְקוּמֵנוּ נָשִׂיחַ בְּחֻקֶּיךָ. וְנִשְׂמַח בְּדִבְרֵי תוֹרָתֶךָ וּבְמִצְוֹתֶיךָ לְעוֹלָם וָעֶד. כִּי הֵם חַיֵּינוּ וְאֹרֶךְ יָמֵינוּ וּבָהֶם נֶהְגֶּה יוֹמָם וָלָיְלָה. וְאַהֲבָתְךָ אַל תָּסִיר מִמֶּנּוּ לְעוֹלָמִים. בָּרוּךְ אַתָּה יְיָ אוֹהֵב עַמּוֹ יִשְׂרָאֵל:

EVENING SERVICE—SABBATH AND FESTIVALS

Reader

Bless the Lord who is to be praised.

Congregation and Reader

Praised be the Lord who is blessed for all eternity.

Praised be Thou, O Lord our God, Ruler of the universe, who with Thy word bringest on the evening twilight, and with Thy wisdom openest the gates of the heavens. With understanding Thou dost order the cycles of time and variest the seasons, setting the stars in their courses in the sky, according to Thy will. Thou createst day and night, rolling away the light before the darkness and the darkness before the light. By Thy will the day passes into night; the Lord of heavenly hosts is Thy name. O ever-living God, mayest Thou rule over us forever. Blessed be Thou, O Lord, who bringest on the evening twilight.

With everlasting love hast Thou loved the house of Israel, teaching us Thy Torah and commandments, Thy statutes and judgments. Therefore, O Lord our God, when we lie down and when we rise up, we will meditate on Thy teachings and rejoice forever in the words of Thy Torah and in its commandments, for they are our life and the length of our days. Day and night will we meditate upon them. O may Thy love never depart from us. Blessed be Thou, O Lord, who lovest Thy people Israel.

דברים ו' ד'—ט'

שְׁמַע יִשְׂרָאֵל יְהֹוָה אֱלֹהֵינוּ יְהֹוָה אֶחָד:

בָּרוּךְ שֵׁם כְּבוֹד מַלְכוּתוֹ לְעוֹלָם וָעֶד:

וְאָהַבְתָּ אֵת יְהֹוָה אֱלֹהֶיךָ בְּכָל-לְבָבְךָ וּבְכָל-נַפְשְׁךָ
וּבְכָל-מְאֹדֶךָ: וְהָיוּ הַדְּבָרִים הָאֵלֶּה אֲשֶׁר אָנֹכִי מְצַוְּךָ
הַיּוֹם עַל-לְבָבֶךָ: וְשִׁנַּנְתָּם לְבָנֶיךָ וְדִבַּרְתָּ בָּם בְּשִׁבְתְּךָ
בְּבֵיתֶךָ וּבְלֶכְתְּךָ בַדֶּרֶךְ וּבְשָׁכְבְּךָ וּבְקוּמֶךָ: וּקְשַׁרְתָּם
לְאוֹת עַל-יָדֶךָ וְהָיוּ לְטֹטָפֹת בֵּין עֵינֶיךָ: וּכְתַבְתָּם עַל-
מְזֻזוֹת בֵּיתֶךָ וּבִשְׁעָרֶיךָ:

דברים י"א י"ג—כ"א

וְהָיָה אִם-שָׁמֹעַ תִּשְׁמְעוּ אֶל-מִצְוֹתַי אֲשֶׁר אָנֹכִי מְצַוֶּה
אֶתְכֶם הַיּוֹם לְאַהֲבָה אֶת-יְהֹוָה אֱלֹהֵיכֶם וּלְעָבְדוֹ בְּכָל-
לְבַבְכֶם וּבְכָל-נַפְשְׁכֶם: וְנָתַתִּי מְטַר-אַרְצְכֶם בְּעִתּוֹ יוֹרֶה
וּמַלְקוֹשׁ וְאָסַפְתָּ דְגָנֶךָ וְתִירֹשְׁךָ וְיִצְהָרֶךָ: וְנָתַתִּי עֵשֶׂב
בְּשָׂדְךָ לִבְהֶמְתֶּךָ וְאָכַלְתָּ וְשָׂבָעְתָּ: הִשָּׁמְרוּ לָכֶם פֶּן
יִפְתֶּה לְבַבְכֶם וְסַרְתֶּם וַעֲבַדְתֶּם אֱלֹהִים אֲחֵרִים
וְהִשְׁתַּחֲוִיתֶם לָהֶם: וְחָרָה אַף-יְהֹוָה בָּכֶם וְעָצַר אֶת-
הַשָּׁמַיִם וְלֹא-יִהְיֶה מָטָר וְהָאֲדָמָה לֹא תִתֵּן אֶת-יְבוּלָהּ
וַאֲבַדְתֶּם מְהֵרָה מֵעַל הָאָרֶץ הַטֹּבָה אֲשֶׁר יְהֹוָה נֹתֵן

Deuteronomy 6:4–9

Hear, O Israel: the Lord our God, the Lord is One.

Blessed be His glorious kingdom for ever and ever.

Thou shalt love the Lord thy God with all thy heart, with all thy soul, and with all thy might. And these words which I command thee this day shall be in thy heart. Thou shalt teach them diligently unto thy children, speaking of them when thou sittest in thy house, when thou walkest by the way, when thou liest down and when thou risest up. And thou shalt bind them for a sign upon thine hand, and they shall be for frontlets between thine eyes. And thou shalt write them upon the door posts of thy house and upon thy gates.

Deuteronomy 11:13–21

It shall come to pass, if ye shall hearken diligently unto My commandments which I command you this day, to love the Lord your God, and to serve Him with all your heart, and with all your soul, that I will give the rain of your land in its season, the former rain and the latter rain, that thou mayest gather in thy corn, and thy wine, and thine oil. And I will give grass in thy fields for thy cattle, and thou shalt eat and be satisfied. Take heed to yourselves, lest your heart be deceived and ye turn aside, and serve other gods, and worship them; and the displeasure of the Lord will be aroused against you, and He shut up the heaven, so that there shall be no rain, and the ground shall not yield her fruit; and ye perish quickly from off the good

לָכֶם: וְשַׂמְתֶּם אֶת־דְּבָרַי אֵלֶּה עַל־לְבַבְכֶם וְעַל־נַפְשְׁכֶם וּקְשַׁרְתֶּם אֹתָם לְאוֹת עַל־יֶדְכֶם וְהָיוּ לְטוֹטָפֹת בֵּין עֵינֵיכֶם: וְלִמַּדְתֶּם אֹתָם אֶת־בְּנֵיכֶם לְדַבֵּר בָּם בְּשִׁבְתְּךָ בְּבֵיתֶךָ וּבְלֶכְתְּךָ בַדֶּרֶךְ וּבְשָׁכְבְּךָ וּבְקוּמֶךָ: וּכְתַבְתָּם עַל־מְזוּזוֹת בֵּיתֶךָ וּבִשְׁעָרֶיךָ: לְמַעַן יִרְבּוּ יְמֵיכֶם וִימֵי בְנֵיכֶם עַל הָאֲדָמָה אֲשֶׁר נִשְׁבַּע יְהוָה לַאֲבֹתֵיכֶם לָתֵת לָהֶם כִּימֵי הַשָּׁמַיִם עַל־הָאָרֶץ:

במדבר ט״ו ל״ז–מ״א

וַיֹּאמֶר יְהוָה אֶל־מֹשֶׁה לֵּאמֹר: דַּבֵּר אֶל־בְּנֵי יִשְׂרָאֵל וְאָמַרְתָּ אֲלֵהֶם וְעָשׂוּ לָהֶם צִיצִת עַל־כַּנְפֵי בִגְדֵיהֶם לְדֹרֹתָם וְנָתְנוּ עַל־צִיצִת הַכָּנָף פְּתִיל תְּכֵלֶת: וְהָיָה לָכֶם לְצִיצִת וּרְאִיתֶם אֹתוֹ וּזְכַרְתֶּם אֶת־כָּל־מִצְוֹת יְהוָה וַעֲשִׂיתֶם אֹתָם וְלֹא תָתֻרוּ אַחֲרֵי לְבַבְכֶם וְאַחֲרֵי עֵינֵיכֶם אֲשֶׁר־אַתֶּם זֹנִים אַחֲרֵיהֶם: לְמַעַן תִּזְכְּרוּ וַעֲשִׂיתֶם אֶת־כָּל־מִצְוֹתָי וִהְיִיתֶם קְדֹשִׁים לֵאלֹהֵיכֶם: אֲנִי יְהוָה אֱלֹהֵיכֶם אֲשֶׁר הוֹצֵאתִי אֶתְכֶם מֵאֶרֶץ מִצְרַיִם לִהְיוֹת לָכֶם לֵאלֹהִים אֲנִי יְהוָה אֱלֹהֵיכֶם:

יְהוָה אֱלֹהֵיכֶם אֱמֶת:

land which the Lord giveth you. Therefore shall ye lay up these My words in your heart and in your soul; and ye shall bind them for a sign upon your hand, and they shall be for frontlets between your eyes. And ye shall teach them to your children, talking of them, when thou sittest in thy house, and when thou walkest by the way, and when thou liest down, and when thou risest up. And thou shalt write them upon the doorposts of thy house, and upon thy gates; that your days may be multiplied, and the days of your children, upon the land which the Lord promised unto your fathers to give them, as the days of the heavens above the earth.

Numbers 15:37–41

The Lord spoke unto Moses, saying: Speak unto the children of Israel, and bid them make fringes in the corners of their garments throughout their generations, putting upon the fringe of each corner a thread of blue. And it shall be unto you for a fringe, that ye may look upon it and remember all the commandments of the Lord, and do them; and that ye go not about after your own heart and your own eyes, after which ye use to go astray:–

That ye may remember to do all My commandments, and be holy unto your God. I am the Lord your God, who brought you out of the land of Egypt to be your God; I am the Lord your God.

אֱמֶת וֶאֱמוּנָה כָּל־זֹאת וְקַיָּם עָלֵינוּ כִּי הוּא יְיָ אֱלֹהֵינוּ וְאֵין זוּלָתוֹ וַאֲנַחְנוּ יִשְׂרָאֵל עַמּוֹ: הַפּוֹדֵנוּ מִיַּד מְלָכִים מַלְכֵּנוּ הַגּוֹאֲלֵנוּ מִכַּף כָּל־הֶעָרִיצִים: הָאֵל הַנִּפְרָע לָנוּ מִצָּרֵינוּ וְהַמְשַׁלֵּם גְּמוּל לְכָל־אוֹיְבֵי נַפְשֵׁנוּ: הָעֹשֶׂה גְדֹלוֹת עַד אֵין חֵקֶר וְנִפְלָאוֹת עַד אֵין מִסְפָּר: הַשָּׂם נַפְשֵׁנוּ בַּחַיִּים וְלֹא נָתַן לַמּוֹט רַגְלֵנוּ: הַמַּדְרִיכֵנוּ עַל בָּמוֹת אוֹיְבֵינוּ וַיָּרֶם קַרְנֵנוּ עַל כָּל־שׂנְאֵינוּ: הָעֹשֶׂה לָּנוּ נִסִּים וּנְקָמָה בְּפַרְעֹה אוֹתוֹת וּמוֹפְתִים בְּאַדְמַת בְּנֵי חָם: הַמַּכֶּה בְעֶבְרָתוֹ כָּל־בְּכוֹרֵי מִצְרָיִם וַיּוֹצֵא אֶת עַמּוֹ יִשְׂרָאֵל מִתּוֹכָם לְחֵרוּת עוֹלָם: הַמַּעֲבִיר בָּנָיו בֵּין גִּזְרֵי יַם־סוּף אֶת רוֹדְפֵיהֶם וְאֶת שׂוֹנְאֵיהֶם בִּתְהוֹמוֹת טִבַּע: וְרָאוּ בָנָיו גְּבוּרָתוֹ שִׁבְּחוּ וְהוֹדוּ לִשְׁמוֹ: וּמַלְכוּתוֹ בְּרָצוֹן קִבְּלוּ עֲלֵיהֶם. מֹשֶׁה וּבְנֵי יִשְׂרָאֵל לְךָ עָנוּ שִׁירָה בְּשִׂמְחָה רַבָּה וְאָמְרוּ כֻלָּם.

מִי־כָמֹכָה בָּאֵלִם יְיָ מִי כָּמֹכָה נֶאְדָּר בַּקֹּדֶשׁ נוֹרָא תְהִלֹּת עֹשֵׂה פֶלֶא:

מַלְכוּתְךָ רָאוּ בָנֶיךָ בּוֹקֵעַ יָם לִפְנֵי מֹשֶׁה זֶה אֵלִי עָנוּ וְאָמְרוּ.

יְיָ יִמְלֹךְ לְעֹלָם וָעֶד:

וְנֶאֱמַר כִּי־פָדָה יְיָ אֶת־יַעֲקֹב וּגְאָלוֹ מִיַּד חָזָק מִמֶּנּוּ. בָּרוּךְ אַתָּה יְיָ גָּאַל יִשְׂרָאֵל:

Adapted from the Hebrew

True and certain it is that there is one God,
And there is none like unto Him.

It is He who redeemed us from the might of tyrants,
And executed judgment upon all our oppressors.

Great are the things that God hath done;
His wonders are without number.

He causes us to triumph over our enemies,
And raises up our glory above our foes.

Wondrously He visited judgment upon Pharoah,
Performing signs and wonders in the land of Egypt.

He brought forth the children of Israel from bondage,
And delivered them from slavery unto freedom.

In every age the Lord hath been our hope;
He rescued us from enemies who sought to destroy us.

May He continue His protecting care over Israel,
And guard all His children from disaster.

When the children of Israel beheld the might of the Lord,
They gave thanks unto Him and praised His name.

They accepted His Sovereignty willingly,
And sang a song unto Him.

Moses and the Children of Israel exultingly proclaimed:
Who is like unto Thee, O Lord, among the mighty?
Who is like unto Thee, glorious in holiness,
Revered in praises, doing wonders?

When Thou didst rescue Israel at the Red Sea,
Thy children beheld Thy supreme power.

This is my God! they exclaimed, and said:
The Lord shall reign for ever and ever.

As Thou didst deliver Israel from a power mightier
than he,
So mayest Thou redeem all Thy children from oppression.

Blessed art Thou, O Lord,
Redeemer of Israel.

הַשְׁכִּיבֵנוּ יְיָ אֱלֹהֵינוּ לְשָׁלוֹם וְהַעֲמִידֵנוּ מַלְכֵּנוּ לְחַיִּים.
וּפְרוֹשׂ עָלֵינוּ סֻכַּת שְׁלוֹמֶךָ וְתַקְּנֵנוּ בְּעֵצָה טוֹבָה מִלְּפָנֶיךָ
וְהוֹשִׁיעֵנוּ לְמַעַן שְׁמֶךָ. וְהָגֵן בַּעֲדֵנוּ וְהָסֵר מֵעָלֵינוּ אוֹיֵב
דֶּבֶר וְחֶרֶב וְרָעָב וְיָגוֹן וְהָסֵר שָׂטָן מִלְּפָנֵינוּ וּמֵאַחֲרֵינוּ.
וּבְצֵל כְּנָפֶיךָ תַּסְתִּירֵנוּ כִּי אֵל שׁוֹמְרֵנוּ וּמַצִּילֵנוּ אָתָּה כִּי
אֵל מֶלֶךְ חַנּוּן וְרַחוּם אָתָּה. וּשְׁמוֹר צֵאתֵנוּ וּבוֹאֵנוּ לְחַיִּים
וּלְשָׁלוֹם מֵעַתָּה וְעַד עוֹלָם. וּפְרוֹשׂ עָלֵינוּ סֻכַּת שְׁלוֹמֶךָ.
בָּרוּךְ אַתָּה יְיָ הַפּוֹרֵשׂ סֻכַּת שָׁלוֹם עָלֵינוּ וְעַל כָּל־עַמּוֹ
יִשְׂרָאֵל וְעַל יְרוּשָׁלָיִם:

Select one of the following:

1

Cause us, O Lord our God, to lie down in peace, and raise us up again, O our King, unto life. Spread over us Thy tabernacle of peace. Direct us aright through Thine own good counsel. Save us for Thy name's sake. Be Thou a shield about us. Remove from us every enemy, pestilence, sword, famine and sorrow. Help us, O Lord, to resist temptation. Shelter us with Thy protecting love for Thou art our guardian and deliverer. Yea, Thou God and King art gracious and compassionate. Guard our going out and our coming in unto life and peace, henceforth and forevermore. Yea, do Thou spread over us the tabernacle of Thy peace. Blessed be Thou, O Lord, who spreadest the tabernacle of peace over us, over Israel and over Jerusalem.

2

Grant that we lie down in peace,
Secure in Thy protecting love,

And shelter us beneath Thy wings
To keep us safe throughout the night.

On the morrow raise us up
In perfect peace to life, O God,

To face each task with faith in Thee,
Our zeal renewed and strength restored.

Save us for Thine own name's sake,
And guard us from all lurking foes.

Remove all sorrow, hatred, strife,
And turn Thy children's hearts to Thee.

Spread Thy tent of peace, O Lord,
Above Jerusalem, we pray,

And shield Thy people Israel,
Dispersed abroad in every land.

Praised be Thou, our Lord and King,
Whose sheltering love spreads over us,

Enfolding all who seek Thy peace,
Who find their hope and strength in Thee. **Amen.**

On Sabbath

שמות ל״א ט״ז–י״ז

וְשָׁמְרוּ בְנֵי־יִשְׂרָאֵל אֶת־הַשַּׁבָּת לַעֲשׂוֹת אֶת־הַשַּׁבָּת
לְדֹרֹתָם בְּרִית עוֹלָם: בֵּינִי וּבֵין בְּנֵי יִשְׂרָאֵל אוֹת הִיא
לְעֹלָם כִּי־שֵׁשֶׁת יָמִים עָשָׂה יְהוָֹה אֶת־הַשָּׁמַיִם וְאֶת־הָאָרֶץ
וּבַיּוֹם הַשְּׁבִיעִי שָׁבַת וַיִּנָּפַשׁ:

On Festivals

ויקרא כ״ג–מ״ד

וַיְדַבֵּר משֶׁה אֶת־מֹעֲדֵי יְיָ אֶל־בְּנֵי יִשְׂרָאֵל:

Reader

יִתְגַּדַּל וְיִתְקַדַּשׁ שְׁמֵהּ רַבָּא. בְּעָלְמָא דִּי בְרָא כִרְעוּתֵהּ. וְיַמְלִיךְ
מַלְכוּתֵהּ בְּחַיֵּיכוֹן וּבְיוֹמֵיכוֹן וּבְחַיֵּי דְכָל בֵּית יִשְׂרָאֵל בַּעֲגָלָא
וּבִזְמַן קָרִיב. וְאִמְרוּ אָמֵן:

Congregation and Reader

יְהֵא שְׁמֵהּ רַבָּא מְבָרַךְ לְעָלַם וּלְעָלְמֵי עָלְמַיָּא:

Reader

יִתְבָּרַךְ וְיִשְׁתַּבַּח וְיִתְפָּאַר וְיִתְרוֹמַם וְיִתְנַשֵּׂא וְיִתְהַדָּר וְיִתְעַלֶּה
וְיִתְהַלָּל שְׁמֵהּ דְּקֻדְשָׁא. בְּרִיךְ הוּא. לְעֵלָּא (וּלְעֵלָּא) מִן כָּל
בִּרְכָתָא וְשִׁירָתָא תֻּשְׁבְּחָתָא וְנֶחֱמָתָא דַּאֲמִירָן בְּעָלְמָא. וְאִמְרוּ
אָמֵן:

Sabbath Amidah, pages 21–25.
Festival Amidah, pages 29–33.

On Sabbath

Exodus 31:16–17

The children of Israel shall keep the Sabbath and observe it throughout their generations as an everlasting covenant. It is a sign between Me and the children of Israel forever; for in six days the Lord made heaven and earth, and on the seventh day He ceased from work and rested.

On Festivals

Leviticus 23:44

And Moses proclaimed the Festivals of the Lord unto the children of Israel.

Reader

Magnified and sanctified be the name of God throughout the world which He hath created according to His will. May He establish His kingdom during the days of your life and during the life of all the house of Israel, speedily, yea, soon; and say ye, Amen.

Congregation and Reader

May His great name be blessed for ever and ever.

Reader

Exalted and honored be the name of the Holy One, blessed be He, whose glory transcends, yea, is beyond all praises, hymns and blessings that man can render unto Him; and say ye, Amen.

Sabbath Amidah, pages 21–25.
Festival Amidah, pages 29–33.

עמידה

אֲדֹנָי שְׂפָתַי תִּפְתָּח וּפִי יַגִּיד תְּהִלָּתֶךָ:

בָּרוּךְ אַתָּה יְיָ אֱלֹהֵינוּ וֵאלֹהֵי אֲבוֹתֵינוּ. אֱלֹהֵי אַבְרָהָם אֱלֹהֵי יִצְחָק וֵאלֹהֵי יַעֲקֹב. הָאֵל הַגָּדוֹל הַגִּבּוֹר וְהַנּוֹרָא אֵל עֶלְיוֹן. גּוֹמֵל חֲסָדִים טוֹבִים וְקוֹנֵה הַכֹּל. וְזוֹכֵר חַסְדֵי אָבוֹת וּמֵבִיא גוֹאֵל לִבְנֵי בְנֵיהֶם לְמַעַן שְׁמוֹ בְּאַהֲבָה:

On Shabbat Shuvah add:

זָכְרֵנוּ לַחַיִּים. מֶלֶךְ חָפֵץ בַּחַיִּים. וְכָתְבֵנוּ בְּסֵפֶר הַחַיִּים. לְמַעַנְךָ אֱלֹהִים חַיִּים.

מֶלֶךְ עוֹזֵר וּמוֹשִׁיעַ וּמָגֵן. בָּרוּךְ אַתָּה יְיָ מָגֵן אַבְרָהָם:

אַתָּה גִּבּוֹר לְעוֹלָם אֲדֹנָי מְחַיֵּה מֵתִים אַתָּה רַב לְהוֹשִׁיעַ.

From Shemini Aẓeret until Pesaḥ add:

מַשִּׁיב הָרוּחַ וּמוֹרִיד הַגֶּשֶׁם:

מְכַלְכֵּל חַיִּים בְּחֶסֶד מְחַיֵּה מֵתִים בְּרַחֲמִים רַבִּים. סוֹמֵךְ נוֹפְלִים וְרוֹפֵא חוֹלִים וּמַתִּיר אֲסוּרִים וּמְקַיֵּם אֱמוּנָתוֹ לִישֵׁנֵי עָפָר. מִי כָמוֹךָ בַּעַל גְּבוּרוֹת וּמִי דּוֹמֶה לָּךְ. מֶלֶךְ מֵמִית וּמְחַיֶּה וּמַצְמִיחַ יְשׁוּעָה:

On Shabbat Shuvah add:

מִי כָמוֹךָ אַב הָרַחֲמִים. זוֹכֵר יְצוּרָיו לְחַיִּים בְּרַחֲמִים.

The Amidah is said standing, in silent devotion.

O Lord, open Thou my lips and my mouth shall declare Thy praise.

Praised art Thou, O Lord our God and God of our fathers, God of Abraham, God of Isaac, and God of Jacob, mighty, revered and exalted God. Thou bestowest lovingkindness and possessest all things. Mindful of the patriarchs' love for Thee, Thou wilt in Thy love bring a redeemer to their children's children for the sake of Thy name.

On the Sabbath of Repentance add:

Remember us unto life, O King who delightest in life, and inscribe us in the Book of Life so that we may live worthily for Thy sake, O Lord of life.

O King, Thou Helper, Redeemer and Shield, be Thou praised, O Lord, Shield of Abraham.

Thou, O Lord, art mighty forever. Thou callest the dead to immortal life for Thou art mighty in deliverance.

From Shemini Aẓeret until Pesaḥ add:

Thou causest the wind to blow and the rain to fall.

Thou sustainest the living with lovingkindness, and in great mercy callest the departed to everlasting life. Thou upholdest the falling, healest the sick, settest free those in bondage, and keepest faith with those that sleep in the dust. Who is like unto Thee, Almighty King, who decreest death and life and bringest forth salvation?

On the Sabbath of Repentance add:

Who may be compared to Thee, Father of mercy, who in love rememberest Thy creatures unto life?

וְנֶאֱמָן אַתָּה לְהַחֲיוֹת מֵתִים. בָּרוּךְ אַתָּה יְיָ מְחַיֵּה
הַמֵּתִים:

אַתָּה קָדוֹשׁ וְשִׁמְךָ קָדוֹשׁ וּקְדוֹשִׁים בְּכָל־יוֹם יְהַלְלוּךָ
סֶּלָה. *בָּרוּךְ אַתָּה יְיָ הָאֵל הַקָּדוֹשׁ:

*On Shabbat Shuvah conclude thus:

בָּרוּךְ אַתָּה יְיָ הַמֶּלֶךְ הַקָּדוֹשׁ:

אַתָּה קִדַּשְׁתָּ אֶת־יוֹם הַשְּׁבִיעִי לִשְׁמֶךָ. תַּכְלִית מַעֲשֵׂה
שָׁמַיִם וָאָרֶץ. וּבֵרַכְתּוֹ מִכָּל הַיָּמִים וְקִדַּשְׁתּוֹ מִכָּל־הַזְּמַנִּים
וְכֵן כָּתוּב בְּתוֹרָתֶךָ:

וַיְכֻלּוּ הַשָּׁמַיִם וְהָאָרֶץ וְכָל־צְבָאָם: וַיְכַל אֱלֹהִים
בַּיּוֹם הַשְּׁבִיעִי מְלַאכְתּוֹ אֲשֶׁר עָשָׂה וַיִּשְׁבֹּת בַּיּוֹם הַשְּׁבִיעִי
מִכָּל־מְלַאכְתּוֹ אֲשֶׁר עָשָׂה: וַיְבָרֶךְ אֱלֹהִים אֶת־יוֹם
הַשְּׁבִיעִי וַיְקַדֵּשׁ אֹתוֹ. כִּי בוֹ שָׁבַת מִכָּל־מְלַאכְתּוֹ אֲשֶׁר־
בָּרָא אֱלֹהִים לַעֲשׂוֹת:

אֱלֹהֵינוּ וֵאלֹהֵי אֲבוֹתֵינוּ. רְצֵה בִמְנוּחָתֵנוּ קַדְּשֵׁנוּ
בְּמִצְוֹתֶיךָ וְתֵן חֶלְקֵנוּ בְּתוֹרָתֶךָ. שַׂבְּעֵנוּ מִטּוּבֶךָ וְשַׂמְּחֵנוּ
בִּישׁוּעָתֶךָ. וְטַהֵר לִבֵּנוּ לְעָבְדְּךָ בֶּאֱמֶת. וְהַנְחִילֵנוּ יְיָ
אֱלֹהֵינוּ בְּאַהֲבָה וּבְרָצוֹן שַׁבַּת קָדְשֶׁךָ. וְיָנוּחוּ בָהּ יִשְׂרָאֵל
מְקַדְּשֵׁי שְׁמֶךָ. בָּרוּךְ אַתָּה יְיָ מְקַדֵּשׁ הַשַּׁבָּת:

Faithful art Thou to grant eternal life to the departed. Blessed art Thou, O Lord, who callest the dead to life everlasting.

Holy art Thou and holy is Thy name and unto Thee holy beings render praise daily. *Blessed art Thou, O Lord, the holy God.

*On the Sabbath of Repentance conclude thus:

Blessed art Thou, O Lord, the holy King.

Thou hast sanctified the seventh day unto Thy name, marking the end of the creation of heaven and earth; Thou didst bless it above all days, hallowing it above all seasons; as it is written in Thy Torah:

The heaven and the earth were finished, and all their host. And on the seventh day God had finished His work which He had made; and He rested on the seventh day from all His work which He had made. And God blessed the seventh day, and hallowed it, because He rested thereon from all His work which God created and made.

Our God and God of our fathers, accept our rest. Sanctify us through Thy commandments, and grant our portion in Thy Torah. Give us abundantly of Thy goodness and make us rejoice in Thy salvation. Purify our hearts to serve Thee in truth. In Thy loving favor, O Lord our God, grant that Thy holy Sabbath be our joyous heritage, and may Israel who sanctifies Thy name, rest thereon. Blessed art Thou, O Lord, who hallowest the Sabbath.

רְצֵה יְיָ אֱלֹהֵינוּ בְּעַמְּךָ יִשְׂרָאֵל וּבִתְפִלָּתָם. וְהָשֵׁב אֶת־הָעֲבוֹדָה לִדְבִיר בֵּיתֶךָ וּתְפִלָּתָם בְּאַהֲבָה תְקַבֵּל בְּרָצוֹן. וּתְהִי לְרָצוֹן תָּמִיד עֲבוֹדַת יִשְׂרָאֵל עַמֶּךָ.

On Rosh Ḥodesh and Ḥol Hamoed add:

אֱלֹהֵינוּ וֵאלֹהֵי אֲבוֹתֵינוּ יַעֲלֶה וְיָבֹא וְיַגִּיעַ וְיֵרָאֶה וְיֵרָצֶה וְיִשָּׁמַע וְיִפָּקֵד וְיִזָּכֵר זִכְרוֹנֵנוּ וּפִקְדוֹנֵנוּ וְזִכְרוֹן אֲבוֹתֵינוּ. וְזִכְרוֹן מָשִׁיחַ בֶּן דָּוִד עַבְדֶּךָ. וְזִכְרוֹן יְרוּשָׁלַיִם עִיר קָדְשֶׁךָ. וְזִכְרוֹן כָּל־עַמְּךָ בֵּית יִשְׂרָאֵל לְפָנֶיךָ. לִפְלֵיטָה לְטוֹבָה לְחֵן וּלְחֶסֶד וּלְרַחֲמִים לְחַיִּים וּלְשָׁלוֹם בְּיוֹם

On Rosh Ḥodesh say:	*On Pesaḥ say:*	*On Sukkot say:*
רֹאשׁ הַחֹדֶשׁ	חַג הַמַּצּוֹת	חַג הַסֻּכּוֹת

הַזֶּה. זָכְרֵנוּ יְיָ אֱלֹהֵינוּ בּוֹ לְטוֹבָה וּפָקְדֵנוּ בוֹ לִבְרָכָה וְהוֹשִׁיעֵנוּ בוֹ לְחַיִּים. וּבִדְבַר יְשׁוּעָה וְרַחֲמִים חוּס וְחָנֵּנוּ וְרַחֵם עָלֵינוּ וְהוֹשִׁיעֵנוּ. כִּי אֵלֶיךָ עֵינֵינוּ. כִּי אֵל מֶלֶךְ חַנּוּן וְרַחוּם אָתָּה:

וְתֶחֱזֶינָה עֵינֵינוּ בְּשׁוּבְךָ לְצִיּוֹן בְּרַחֲמִים. בָּרוּךְ אַתָּה יְיָ הַמַּחֲזִיר שְׁכִינָתוֹ לְצִיּוֹן:

מוֹדִים אֲנַחְנוּ לָךְ שָׁאַתָּה הוּא יְיָ אֱלֹהֵינוּ וֵאלֹהֵי אֲבוֹתֵינוּ לְעוֹלָם וָעֶד. צוּר חַיֵּינוּ מָגֵן יִשְׁעֵנוּ אַתָּה הוּא לְדוֹר וָדוֹר. נוֹדֶה לְּךָ וּנְסַפֵּר תְּהִלָּתֶךָ עַל חַיֵּינוּ הַמְּסוּרִים בְּיָדֶךָ וְעַל נִשְׁמוֹתֵינוּ הַפְּקוּדוֹת לָךְ. וְעַל נִסֶּיךָ שֶׁבְּכָל־יוֹם עִמָּנוּ וְעַל נִפְלְאוֹתֶיךָ וְטוֹבוֹתֶיךָ שֶׁבְּכָל־עֵת עֶרֶב וָבֹקֶר וְצָהֳרָיִם. הַטּוֹב כִּי לֹא־כָלוּ רַחֲמֶיךָ וְהַמְרַחֵם כִּי לֹא־תַמּוּ חֲסָדֶיךָ מֵעוֹלָם קִוִּינוּ לָךְ:

O Lord our God, be gracious unto Thy people Israel and accept their prayer. Restore the worship to Thy sanctuary and receive in love and favor the supplication of Israel. May the worship of Thy people be ever acceptable unto Thee.

On New Moon and the Intermediate Days of Festivals add:

Our God and God of our fathers, may our remembrance and the remembrance of our forefathers come before Thee. Remember the Messiah of the house of David, Thy servant, and Jerusalem, Thy holy city, and all Thy people, the house of Israel. Grant us deliverance and well being, lovingkindness, life and peace on this day of

On Rosh Ḥodesh say:	*On Pesaḥ say:*	*On Sukkot say:*
the New Moon.	the Feast of Unleavened Bread.	the Feast of Tabernacles.

Remember us this day, O Lord our God, for our good, and be mindful of us for a life of blessing. With Thy promise of salvation and mercy, deliver us and be gracious unto us, have compassion upon us and save us. Unto Thee do we lift our eyes for Thou art a gracious and merciful God and King.

O may our eyes witness Thy return to Zion. Blessed art Thou, O Lord, who restorest Thy divine presence unto Zion.

We thankfully acknowledge Thee, O Lord our God, our fathers' God to all eternity. Our Rock art Thou, our Shield that saves through every generation. We give Thee thanks and we declare Thy praise for all Thy tender care. Our lives we trust into Thy loving hand. Our souls are ever in Thy charge; Thy wonders and Thy miracles are daily with us, evening morn and noon. O Thou who art all-good, whose mercies never fail us, Compassionate One, whose lovingkindnesses never cease, we ever hope in Thee.

On Ḥanukkah add:

עַל הַנִּסִּים וְעַל הַפֻּרְקָן וְעַל הַגְּבוּרוֹת וְעַל הַתְּשׁוּעוֹת וְעַל
הַמִּלְחָמוֹת שֶׁעָשִׂיתָ לַאֲבוֹתֵינוּ בַּיָּמִים הָהֵם בַּזְּמַן הַזֶּה:

בִּימֵי מַתִּתְיָהוּ בֶּן־יוֹחָנָן כֹּהֵן גָּדוֹל חַשְׁמוֹנַאי וּבָנָיו. כְּשֶׁעָמְדָה
מַלְכוּת יָוָן הָרְשָׁעָה עַל־עַמְּךָ יִשְׂרָאֵל. לְהַשְׁכִּיחָם תּוֹרָתֶךָ
וּלְהַעֲבִירָם מֵחֻקֵּי רְצוֹנֶךָ. וְאַתָּה בְּרַחֲמֶיךָ הָרַבִּים עָמַדְתָּ לָהֶם
בְּעֵת צָרָתָם. רַבְתָּ אֶת־רִיבָם דַּנְתָּ אֶת־דִּינָם נָקַמְתָּ אֶת נִקְמָתָם.
מָסַרְתָּ גִּבּוֹרִים בְּיַד חַלָּשִׁים. וְרַבִּים בְּיַד מְעַטִּים. וּטְמֵאִים בְּיַד
טְהוֹרִים. וּרְשָׁעִים בְּיַד צַדִּיקִים. וְזֵדִים בְּיַד עוֹסְקֵי תוֹרָתֶךָ. וּלְךָ
עָשִׂיתָ שֵׁם גָּדוֹל וְקָדוֹשׁ בְּעוֹלָמֶךָ. וּלְעַמְּךָ יִשְׂרָאֵל עָשִׂיתָ תְּשׁוּעָה
גְדוֹלָה וּפֻרְקָן כְּהַיּוֹם הַזֶּה: וְאַחַר כֵּן בָּאוּ בָנֶיךָ לִדְבִיר בֵּיתֶךָ.
וּפִנּוּ אֶת־הֵיכָלֶךָ וְטִהֲרוּ אֶת־מִקְדָּשֶׁךָ. וְהִדְלִיקוּ נֵרוֹת בְּחַצְרוֹת
קָדְשֶׁךָ. וְקָבְעוּ שְׁמוֹנַת יְמֵי חֲנֻכָּה אֵלּוּ. לְהוֹדוֹת וּלְהַלֵּל לְשִׁמְךָ
הַגָּדוֹל:

וְעַל כֻּלָּם יִתְבָּרַךְ וְיִתְרוֹמַם שִׁמְךָ מַלְכֵּנוּ תָּמִיד
לְעוֹלָם וָעֶד:

On Shabbat Shuvah add:

וּכְתוֹב לְחַיִּים טוֹבִים כָּל בְּנֵי־בְרִיתֶךָ:

וְכֹל הַחַיִּים יוֹדוּךָ סֶּלָה וִיהַלְלוּ אֶת שִׁמְךָ בֶּאֱמֶת הָאֵל
יְשׁוּעָתֵנוּ וְעֶזְרָתֵנוּ סֶלָה. בָּרוּךְ אַתָּה יְיָ הַטּוֹב שִׁמְךָ וּלְךָ
נָאֶה לְהוֹדוֹת:

שָׁלוֹם רָב עַל־יִשְׂרָאֵל עַמְּךָ תָּשִׂים לְעוֹלָם. כִּי אַתָּה
הוּא מֶלֶךְ אָדוֹן לְכָל הַשָּׁלוֹם. וְטוֹב בְּעֵינֶיךָ לְבָרֵךְ אֶת־
עַמְּךָ יִשְׂרָאֵל בְּכָל־עֵת וּבְכָל־שָׁעָה בִּשְׁלוֹמֶךָ.

On Ḥanukkah add:

We thank Thee also for the miraculous and mighty deeds of liberation wrought by Thee, and for Thy victories in the battles our forefathers fought in days of old, at this season of the year.

In the days of the High Priest Mattathias, son of Johanan, of the Hasmonean family, a tyrannical power rose up against Thy people Israel to compel them to forsake Thy Torah, and to force them to transgress Thy commandments. In Thine abundant mercy Thou didst stand by them in time of distress. Thou didst rise to their defense and didst vindicate their cause. Thou didst bring retribution upon the evil doers, delivering the strong into the hands of the weak, the many into the hands of the few, the wicked into the hands of the just, and the arrogant into the hands of those devoted to Thy Torah. Thou didst thus make Thy greatness and holiness known in Thy world, and didst bring great deliverance to Israel. Then Thy children came into Thy dwelling place, cleansed the Temple, purified the Sanctuary, kindled lights in Thy sacred courts, and they designated these eight days of Hanukkah for giving thanks and praise unto Thy great name.

For all this, Thy name, O our King, shall be blessed and exalted for ever and ever.

On the Sabbath of Repentance add:

O inscribe all the children of Thy covenant for a happy life.

May all the living do homage unto Thee forever and praise Thy name in truth, O God, who art our salvation and our help. Blessed be Thou, O Lord, Beneficent One, unto whom our thanks are due.

Grant lasting peace unto Israel Thy people, for Thou art the Sovereign Lord of peace; and may it be good in Thy sight to bless Thy people Israel at all times with Thy peace.

*בָּרוּךְ אַתָּה יְיָ הַמְבָרֵךְ אֶת־עַמּוֹ יִשְׂרָאֵל בַּשָּׁלוֹם:

**On Shabbat Shuvah conclude thus:*

בְּסֵפֶר חַיִּים בְּרָכָה וְשָׁלוֹם וּפַרְנָסָה טוֹבָה נִזָּכֵר וְנִכָּתֵב לְפָנֶיךָ אֲנַחְנוּ וְכָל עַמְּךָ בֵּית יִשְׂרָאֵל לְחַיִּים טוֹבִים וּלְשָׁלוֹם. בָּרוּךְ אַתָּה יְיָ עוֹשֵׂה הַשָּׁלוֹם:

אֱלֹהַי נְצוֹר לְשׁוֹנִי מֵרָע וּשְׂפָתַי מִדַּבֵּר מִרְמָה וְלִמְקַלְלַי נַפְשִׁי תִדּוֹם וְנַפְשִׁי כֶּעָפָר לַכֹּל תִּהְיֶה: פְּתַח לִבִּי בְּתוֹרָתֶךָ וּבְמִצְוֹתֶיךָ תִּרְדּוֹף נַפְשִׁי. וְכָל הַחוֹשְׁבִים עָלַי רָעָה. מְהֵרָה הָפֵר עֲצָתָם וְקַלְקֵל מַחֲשַׁבְתָּם: עֲשֵׂה לְמַעַן שְׁמֶךָ עֲשֵׂה לְמַעַן יְמִינֶךָ עֲשֵׂה לְמַעַן קְדֻשָּׁתֶךָ עֲשֵׂה לְמַעַן תּוֹרָתֶךָ: לְמַעַן יֵחָלְצוּן יְדִידֶיךָ. הוֹשִׁיעָה יְמִינְךָ וַעֲנֵנִי: יִהְיוּ לְרָצוֹן אִמְרֵי־פִי וְהֶגְיוֹן לִבִּי לְפָנֶיךָ. יְיָ צוּרִי וְגוֹאֲלִי: עֹשֶׂה שָׁלוֹם בִּמְרוֹמָיו. הוּא יַעֲשֶׂה שָׁלוֹם עָלֵינוּ וְעַל כָּל־יִשְׂרָאֵל וְאִמְרוּ אָמֵן:

יְהִי רָצוֹן מִלְּפָנֶיךָ יְיָ אֱלֹהֵינוּ וֵאלֹהֵי אֲבוֹתֵינוּ שֶׁיִּבָּנֶה בֵּית הַמִּקְדָּשׁ בִּמְהֵרָה בְיָמֵינוּ וְתֵן חֶלְקֵנוּ בְּתוֹרָתֶךָ: וְשָׁם נַעֲבָדְךָ בְּיִרְאָה כִּימֵי עוֹלָם וּכְשָׁנִים קַדְמוֹנִיּוֹת:

*Blessed art Thou, O Lord, who blessest Thy people Israel with peace.

On the Sabbath of Repentance conclude thus:

In the book of life, blessing, peace and ample sustenance, may we, together with all Thy people, the house of Israel, be remembered and inscribed before Thee for a happy life and for peace. Blessed art Thou, O Lord, who establishest peace.

O Lord,
Guard my tongue from evil and my lips from speaking guile,
And to those who slander me, let me give no heed.
May my soul be humble and forgiving unto all.
Open Thou my heart, O Lord, unto Thy sacred Law,
That Thy statutes I may know and all Thy truths pursue.
Bring to naught designs of those who seek to do me ill;
Speedily defeat their aims and thwart their purposes
For Thine own sake, for Thine own power,
For Thy holiness and Law.
That Thy loved ones be delivered,
Answer us, O Lord, and save with Thy redeeming power.

May the words of my mouth and the meditation of my heart be acceptable unto Thee, O Lord, my Rock and my Redeemer. Thou who establishest peace in the heavens, grant peace unto us and unto all Israel. Amen.

May it be Thy will, O Lord our God and God of our fathers, to grant our portion in Thy Torah and may the Temple be rebuilt in our day. There we will serve Thee with awe as in the days of old.

בראשית ב׳ א׳–ג׳

וַיְכֻלּוּ הַשָּׁמַיִם וְהָאָרֶץ וְכָל־צְבָאָם: וַיְכַל אֱלֹהִים בַּיּוֹם הַשְּׁבִיעִי מְלַאכְתּוֹ אֲשֶׁר עָשָׂה וַיִּשְׁבֹּת בַּיּוֹם הַשְּׁבִיעִי מִכָּל־מְלַאכְתּוֹ אֲשֶׁר עָשָׂה: וַיְבָרֶךְ אֱלֹהִים אֶת־יוֹם הַשְּׁבִיעִי וַיְקַדֵּשׁ אֹתוֹ. כִּי בוֹ שָׁבַת מִכָּל־מְלַאכְתּוֹ אֲשֶׁר־בָּרָא אֱלֹהִים לַעֲשׂוֹת:

Reader

בָּרוּךְ אַתָּה יְיָ אֱלֹהֵינוּ וֵאלֹהֵי אֲבוֹתֵינוּ. אֱלֹהֵי אַבְרָהָם. אֱלֹהֵי יִצְחָק וֵאלֹהֵי יַעֲקֹב. הָאֵל הַגָּדוֹל הַגִּבּוֹר וְהַנּוֹרָא. אֵל עֶלְיוֹן קֹנֵה שָׁמַיִם וָאָרֶץ:

Congregation and Reader

מָגֵן אָבוֹת בִּדְבָרוֹ מְחַיֵּה מֵתִים בְּמַאֲמָרוֹ *הָאֵל הַקָּדוֹשׁ שֶׁאֵין כָּמוֹהוּ הַמֵּנִיחַ לְעַמּוֹ בְּיוֹם שַׁבַּת קָדְשׁוֹ. כִּי בָם רָצָה לְהָנִיחַ לָהֶם. לְפָנָיו נַעֲבוֹד בְּיִרְאָה וָפַחַד וְנוֹדֶה לִשְׁמוֹ בְּכָל־יוֹם תָּמִיד מֵעֵין הַבְּרָכוֹת. אֵל הַהוֹדָאוֹת אֲדוֹן הַשָּׁלוֹם מְקַדֵּשׁ הַשַּׁבָּת וּמְבָרֵךְ שְׁבִיעִי. וּמֵנִיחַ בִּקְדֻשָּׁה לְעַם מְדֻשְּׁנֵי עֹנֶג. זֵכֶר לְמַעֲשֵׂה בְרֵאשִׁית:

******On Shabbat Shuvah say:* הַמֶּלֶךְ הַקָּדוֹשׁ

Genesis 2:1–3

The heaven and the earth were finished, and all their host. And on the seventh day God had finished His work which He had made; and He rested on the seventh day from all His work which He had made. And God blessed the seventh day, and hallowed it, because He rested thereon from all His work which God created and made.

Reader

Blessed art Thou, O Lord our God and God of our fathers, God of Abraham, Isaac and Jacob, the great, mighty, revered and most high God, Master of heaven and earth.

Congregation and Reader

Our fathers' shield, God's word has ever been;
He giveth life eternal to the dead.
Holy is He; no other can compare
With Him who giveth rest each Sabbath day
Unto His people whom He loves.
With veneration and with awe we serve Him;
We praise Him every day and bless His name.
To God all thanks are due, the Lord of peace,
He halloweth the Sabbath and doth bless the
    seventh day;
He giveth rest unto a people knowing its delight,
In remembrance of creation.

Reader

אֱלֹהֵינוּ וֵאלֹהֵי אֲבוֹתֵינוּ רְצֵה בִמְנוּחָתֵנוּ קַדְּשֵׁנוּ בְּמִצְוֹתֶיךָ וְתֵן חֶלְקֵנוּ בְּתוֹרָתֶךָ. שַׂבְּעֵנוּ מִטּוּבֶךָ וְשַׂמְּחֵנוּ בִּישׁוּעָתֶךָ. וְטַהֵר לִבֵּנוּ לְעָבְדְּךָ בֶּאֱמֶת. וְהַנְחִילֵנוּ יְיָ אֱלֹהֵינוּ בְּאַהֲבָה וּבְרָצוֹן שַׁבַּת קָדְשֶׁךָ. וְיָנוּחוּ בָהּ יִשְׂרָאֵל מְקַדְּשֵׁי שְׁמֶךָ. בָּרוּךְ אַתָּה יְיָ מְקַדֵּשׁ הַשַּׁבָּת:

Reader

יִתְגַּדַּל וְיִתְקַדַּשׁ שְׁמֵהּ רַבָּא. בְּעָלְמָא דִּי בְרָא כִרְעוּתֵהּ. וְיַמְלִיךְ מַלְכוּתֵהּ בְּחַיֵּיכוֹן וּבְיוֹמֵיכוֹן וּבְחַיֵּי דְכָל בֵּית יִשְׂרָאֵל בַּעֲגָלָא וּבִזְמַן קָרִיב. וְאִמְרוּ אָמֵן:

Congregation and Reader

יְהֵא שְׁמֵהּ רַבָּא מְבָרַךְ לְעָלַם וּלְעָלְמֵי עָלְמַיָּא:

Reader

יִתְבָּרַךְ וְיִשְׁתַּבַּח וְיִתְפָּאַר וְיִתְרוֹמַם וְיִתְנַשֵּׂא וְיִתְהַדַּר וְיִתְעַלֶּה וְיִתְהַלָּל שְׁמֵהּ דְּקֻדְשָׁא. בְּרִיךְ הוּא. לְעֵלָּא (וּלְעֵלָּא) מִן כָּל בִּרְכָתָא וְשִׁירָתָא תֻּשְׁבְּחָתָא וְנֶחֱמָתָא דַּאֲמִירָן בְּעָלְמָא. וְאִמְרוּ אָמֵן:

תִּתְקַבַּל צְלוֹתְהוֹן וּבָעוּתְהוֹן דְּכָל־יִשְׂרָאֵל קֳדָם אֲבוּהוֹן דִּי בִשְׁמַיָּא. וְאִמְרוּ אָמֵן:

יְהֵא שְׁלָמָא רַבָּא מִן שְׁמַיָּא וְחַיִּים עָלֵינוּ וְעַל כָּל־יִשְׂרָאֵל וְאִמְרוּ אָמֵן:

עֹשֶׂה שָׁלוֹם בִּמְרוֹמָיו הוּא יַעֲשֶׂה שָׁלוֹם עָלֵינוּ וְעַל כָּל־יִשְׂרָאֵל וְאִמְרוּ אָמֵן:

Reader

Our God and God of our fathers, accept our rest. Sanctify us through Thy commandments, and grant our portion in Thy Torah. Give us abundantly of Thy goodness and make us rejoice in Thy salvation. Purify our hearts to serve Thee in truth. In Thy loving favor, O Lord our God, grant that Thy holy Sabbath be our joyous heritage, and may Israel who sanctifies Thy name, rest thereon. Blessed art Thou, O Lord, who hallowest the Sabbath.

Reader

Magnified and sanctified be the name of God throughout the world which He hath created according to His will. May He establish His kingdom during the days of your life and during the life of all the house of Israel, speedily, yea, soon; and say ye, Amen.

Congregation and Reader

May His great name be blessed for ever and ever.

Reader

Exalted and honored be the name of the Holy One, blessed be He, whose glory transcends, yea, is beyond all praises, hymns and blessings that man can render unto Him; and say ye, Amen.

May the prayers and supplications of the whole house of Israel be acceptable unto their Father in heaven; and say ye, Amen.

May there be abundant peace from heaven, and life for us and for all Israel; and say ye, Amen.

May He who establisheth peace in the heavens, grant peace unto us and unto all Israel; and say ye, Amen.

קדוש

בָּרוּךְ אַתָּה יְיָ אֱלֹהֵינוּ מֶלֶךְ הָעוֹלָם. בּוֹרֵא פְּרִי הַגָּפֶן:

בָּרוּךְ אַתָּה יְיָ אֱלֹהֵינוּ מֶלֶךְ הָעוֹלָם. אֲשֶׁר קִדְּשָׁנוּ בְּמִצְוֹתָיו וְרָצָה בָנוּ. וְשַׁבַּת קָדְשׁוֹ בְּאַהֲבָה וּבְרָצוֹן הִנְחִילָנוּ זִכָּרוֹן לְמַעֲשֵׂה בְרֵאשִׁית. כִּי הוּא יוֹם תְּחִלָּה לְמִקְרָאֵי קֹדֶשׁ זֵכֶר לִיצִיאַת מִצְרָיִם. כִּי־בָנוּ בָחַרְתָּ וְאוֹתָנוּ קִדַּשְׁתָּ מִכָּל־הָעַמִּים וְשַׁבַּת קָדְשְׁךָ בְּאַהֲבָה וּבְרָצוֹן הִנְחַלְתָּנוּ. בָּרוּךְ אַתָּה יְיָ. מְקַדֵּשׁ הַשַּׁבָּת:

From the second night of Pesaḥ until the night before Shavuot, the Omer is counted. *See page 212.*

עלינו, *page 37.*

KIDDUSH

Praised art Thou, O Lord our God, King of the universe, who createst the fruit of the vine.

Praised art Thou, O Lord our God, Ruler of the universe, who hast sanctified us through Thy commandments and hast taken delight in us. In love and favor Thou hast given us the holy Sabbath as a heritage, a reminder of Thy work of creation, first of our sacred days recalling our liberation from Egypt. Thou didst choose us from among the peoples and in Thy love and favor didst sanctify us in giving us Thy holy Sabbath as a joyous heritage. Blessed art Thou, O Lord our God, who hallowest the Sabbath.

From the second night of Pesaḥ until the night before Shavuot, the Omer is counted. See page 212.

Alenu, page 37.

עמידה

אֲדֹנָי שְׂפָתַי תִּפְתָּח וּפִי יַגִּיד תְּהִלָּתֶךָ:

בָּרוּךְ אַתָּה יְיָ אֱלֹהֵינוּ וֵאלֹהֵי אֲבוֹתֵינוּ. אֱלֹהֵי אַבְרָהָם אֱלֹהֵי יִצְחָק וֵאלֹהֵי יַעֲקֹב. הָאֵל הַגָּדוֹל הַגִּבּוֹר וְהַנּוֹרָא אֵל עֶלְיוֹן. גּוֹמֵל חֲסָדִים טוֹבִים וְקֹנֵה הַכֹּל. וְזוֹכֵר חַסְדֵי אָבוֹת וּמֵבִיא גוֹאֵל לִבְנֵי בְנֵיהֶם לְמַעַן שְׁמוֹ בְּאַהֲבָה: מֶלֶךְ עוֹזֵר וּמוֹשִׁיעַ וּמָגֵן. בָּרוּךְ אַתָּה יְיָ מָגֵן אַבְרָהָם:

אַתָּה גִּבּוֹר לְעוֹלָם אֲדֹנָי מְחַיֵּה מֵתִים אַתָּה רַב לְהוֹשִׁיעַ.

On Simhat Torah and the First Evening of Pesah add:

מַשִּׁיב הָרוּחַ וּמוֹרִיד הַגָּשֶׁם:

מְכַלְכֵּל חַיִּים בְּחֶסֶד מְחַיֵּה מֵתִים בְּרַחֲמִים רַבִּים. סוֹמֵךְ נוֹפְלִים וְרוֹפֵא חוֹלִים וּמַתִּיר אֲסוּרִים וּמְקַיֵּם אֱמוּנָתוֹ לִישֵׁנֵי עָפָר. מִי כָמוֹךְ בַּעַל גְּבוּרוֹת וּמִי דּוֹמֶה לָּךְ. מֶלֶךְ מֵמִית וּמְחַיֶּה וּמַצְמִיחַ יְשׁוּעָה: וְנֶאֱמָן אַתָּה לְהַחֲיוֹת מֵתִים. בָּרוּךְ אַתָּה יְיָ מְחַיֵּה הַמֵּתִים:

אַתָּה קָדוֹשׁ וְשִׁמְךָ קָדוֹשׁ וּקְדוֹשִׁים בְּכָל יוֹם יְהַלְלוּךָ סֶּלָה. בָּרוּךְ אַתָּה יְיָ הָאֵל הַקָּדוֹשׁ:

אַתָּה בְחַרְתָּנוּ מִכָּל־הָעַמִּים. אָהַבְתָּ אוֹתָנוּ. וְרָצִיתָ בָּנוּ. וְרוֹמַמְתָּנוּ מִכָּל־הַלְּשׁוֹנוֹת. וְקִדַּשְׁתָּנוּ בְּמִצְוֹתֶיךָ. וְקֵרַבְתָּנוּ מַלְכֵּנוּ לַעֲבוֹדָתֶךָ. וְשִׁמְךָ הַגָּדוֹל וְהַקָּדוֹשׁ עָלֵינוּ קָרָאתָ:

The Amidah is said standing, in silent devotion.

O Lord, open Thou my lips and my mouth shall declare Thy praise.

Praised art Thou, O Lord our God and God of our fathers, God of Abraham, God of Isaac, and God of Jacob, mighty, revered and exalted God. Thou bestowest lovingkindness and possessest all things. Mindful of the patriarchs' love for Thee, Thou wilt in Thy love bring a redeemer to their children's children for the sake of Thy name.

O King, Thou Helper, Redeemer and Shield, be Thou praised, O Lord, Shield of Abraham.

Thou, O Lord, art mighty forever. Thou callest the dead to immortal life for Thou art mighty in deliverance.

On Simḥat Torah and the First Evening of Pesaḥ add:

Thou causest the wind to blow and the rain to fall.

Thou sustainest the living with lovingkindness, and in great mercy callest the departed to everlasting life. Thou upholdest the falling, healest the sick, settest free those in bondage, and keepest faith with those that sleep in the dust. Who is like unto Thee, Almighty King, who decreest death and life and bringest forth salvation? Faithful art Thou to grant eternal life to the departed. Blessed art Thou, O Lord, who callest the dead to life everlasting.

Holy art Thou and holy is Thy name and unto Thee holy beings render praise daily. Blessed art Thou, O Lord, the holy God.

Thou didst choose us for Thy service from among all peoples, loving us and taking delight in us. Thou didst exalt us above all tongues by making us holy through Thy commandments. Thou hast drawn us near, O our King, unto Thy service and hast called us by Thy great and holy name.

On Saturday night add:

וַתּוֹדִיעֵנוּ יְיָ אֱלֹהֵינוּ אֶת־מִשְׁפְּטֵי צִדְקֶךָ וַתְּלַמְּדֵנוּ לַעֲשׂוֹת חֻקֵּי רְצוֹנֶךָ. וַתִּתֶּן לָנוּ יְיָ אֱלֹהֵינוּ מִשְׁפָּטִים יְשָׁרִים וְתוֹרוֹת אֱמֶת חֻקִּים וּמִצְוֹת טוֹבִים. וַתַּנְחִילֵנוּ זְמַנֵּי שָׂשׂוֹן וּמוֹעֲדֵי קֹדֶשׁ וְחַגֵּי נְדָבָה. וַתּוֹרִישֵׁנוּ קְדֻשַּׁת שַׁבָּת וּכְבוֹד מוֹעֵד וַחֲגִיגַת הָרֶגֶל. וַתַּבְדֵּל יְיָ אֱלֹהֵינוּ בֵּין קֹדֶשׁ לְחוֹל בֵּין אוֹר לְחֹשֶׁךְ בֵּין יִשְׂרָאֵל לָעַמִּים בֵּין יוֹם הַשְּׁבִיעִי לְשֵׁשֶׁת יְמֵי הַמַּעֲשֶׂה. בֵּין קְדֻשַּׁת שַׁבָּת לִקְדֻשַּׁת יוֹם טוֹב הִבְדַּלְתָּ וְאֶת־יוֹם הַשְּׁבִיעִי מִשֵּׁשֶׁת יְמֵי הַמַּעֲשֶׂה קִדַּשְׁתָּ. הִבְדַּלְתָּ וְקִדַּשְׁתָּ אֶת־עַמְּךָ יִשְׂרָאֵל בִּקְדֻשָּׁתֶךָ:

On Sabbath include the words in brackets

וַתִּתֶּן לָנוּ יְיָ אֱלֹהֵינוּ בְּאַהֲבָה [שַׁבָּתוֹת לִמְנוּחָה וּ] מוֹעֲדִים לְשִׂמְחָה חַגִּים וּזְמַנִּים לְשָׂשׂוֹן. אֶת־יוֹם [הַשַּׁבָּת הַזֶּה וְאֶת־יוֹם]

On Pesaḥ say:

חַג הַמַּצּוֹת הַזֶּה. זְמַן חֵרוּתֵנוּ

On Shavuot say:

חַג הַשָּׁבֻעוֹת הַזֶּה. זְמַן מַתַּן תּוֹרָתֵנוּ

On Sukkot say:

חַג הַסֻּכּוֹת הַזֶּה. זְמַן שִׂמְחָתֵנוּ

On Shemini Aẓeret and on Simḥat Torah say:

הַשְּׁמִינִי חַג הָעֲצֶרֶת הַזֶּה. זְמַן שִׂמְחָתֵנוּ

[בְּאַהֲבָה] מִקְרָא קֹדֶשׁ זֵכֶר לִיצִיאַת מִצְרָיִם:

אֱלֹהֵינוּ וֵאלֹהֵי אֲבוֹתֵינוּ יַעֲלֶה וְיָבֹא וְיַגִּיעַ וְיֵרָאֶה וְיֵרָצֶה וְיִשָּׁמַע וְיִפָּקֵד וְיִזָּכֵר זִכְרוֹנֵנוּ וּפִקְדוֹנֵנוּ חֶזְכְרוֹן

On Saturday night add:

Thou hast made known unto us, O Lord our God, Thy righteous judgments, and hast taught us to perform Thy statutes. Thou hast given us, O Lord our God, ordinances that are just and true, statutes and commandments that are good. Thou hast enriched our lives with joyous seasons and holy days and festivals to bring free will offerings, giving us as a sacred possession the Sabbath Day and Holy Days, and the joyous delight of the Three Festivals. Thou hast made distinction, O Lord our God, between the sacred and the secular, between light and darkness, between Israel and the heathens, between the seventh day of rest and the six days of work. Thou hast set a distinction between the higher sanctity of the Sabbath and the lesser sanctity of the Festival, and hast hallowed the seventh day above the six days of work. Thus hast Thou distinguished and sanctified Thy people Israel through Thy holiness.

On Sabbath include the words in brackets

And Thou hast given us in love, O Lord our God, [Sabbaths for rest,] holidays for gladness, festivals and seasons for rejoicing. Thou hast granted us [this Sabbath day and]

On Pesaḥ say:

This Feast of Unleavened Bread, the Season of our Freedom,

On Shavuot say:

This Feast of Weeks, the Season of the Giving of our Torah,

On Sukkot say:

This Feast of Tabernacles, the Season of our Gladness,

On Shemini Aẓeret and on Simḥat Torah say:

This Eighth Day Feast of Assembly, the Season of our Gladness,

as a holy convocation, commemorating our liberation from Egypt.

Our God and God of our fathers, may our remembrance and the remembrance of our forefathers come before Thee.

אֲבוֹתֵינוּ וְזִכְרוֹן מָשִׁיחַ בֶּן־דָּוִד עַבְדֶּךָ וְזִכְרוֹן יְרוּשָׁלַיִם עִיר קָדְשֶׁךָ וְזִכְרוֹן כָּל־עַמְּךָ בֵּית יִשְׂרָאֵל לְפָנֶיךָ לִפְלֵיטָה לְטוֹבָה לְחֵן וּלְחֶסֶד וּלְרַחֲמִים לְחַיִּים וּלְשָׁלוֹם בְּיוֹם

On Pesaḥ say:

חַג הַמַּצּוֹת

On Shavuot say:

חַג הַשָּׁבֻעוֹת

On Sukkot say:

חַג הַסֻּכּוֹת

On Shemini Aẓeret and on Simḥat Torah say:

הַשְּׁמִינִי חַג הָעֲצֶרֶת

הַזֶּה. זָכְרֵנוּ יְיָ אֱלֹהֵינוּ בּוֹ לְטוֹבָה. וּפָקְדֵנוּ בוֹ לִבְרָכָה. וְהוֹשִׁיעֵנוּ בוֹ לְחַיִּים: וּבִדְבַר יְשׁוּעָה וְרַחֲמִים חוּס וְחָנֵּנוּ וְרַחֵם עָלֵינוּ וְהוֹשִׁיעֵנוּ כִּי אֵלֶיךָ עֵינֵינוּ. כִּי אֵל מֶלֶךְ חַנּוּן וְרַחוּם אָתָּה:

וְהַשִּׂיאֵנוּ יְיָ אֱלֹהֵינוּ אֶת־בִּרְכַּת מוֹעֲדֶיךָ לְחַיִּים וּלְשָׁלוֹם לְשִׂמְחָה וּלְשָׂשׂוֹן כַּאֲשֶׁר רָצִיתָ וְאָמַרְתָּ לְבָרְכֵנוּ: (אֱלֹהֵינוּ וֵאלֹהֵי אֲבוֹתֵינוּ רְצֵה בִמְנוּחָתֵנוּ) קַדְּשֵׁנוּ בְּמִצְוֹתֶיךָ וְתֵן חֶלְקֵנוּ בְּתוֹרָתֶךָ שַׂבְּעֵנוּ מִטּוּבֶךָ וְשַׂמְּחֵנוּ בִּישׁוּעָתֶךָ וְטַהֵר לִבֵּנוּ לְעָבְדְּךָ בֶּאֱמֶת. וְהַנְחִילֵנוּ יְיָ אֱלֹהֵינוּ (בְּאַהֲבָה וּבְרָצוֹן) בְּשִׂמְחָה וּבְשָׂשׂוֹן (שַׁבָּת וּ) מוֹעֲדֵי קָדְשֶׁךָ. וְיִשְׂמְחוּ בְךָ יִשְׂרָאֵל מְקַדְּשֵׁי שְׁמֶךָ. בָּרוּךְ אַתָּה יְיָ מְקַדֵּשׁ (הַשַּׁבָּת וְ) יִשְׂרָאֵל וְהַזְּמַנִּים:

Remember the Messiah of the house of David, Thy servant, and Jerusalem, Thy holy city, and all Thy people, the house of Israel. Grant us deliverance and wellbeing, lovingkindness, life and peace on this day of

On Pesaḥ say:

The Feast of Unleavened Bread.

On Shavuot say:

The Feast of Weeks.

On Sukkot say:

The Feast of Tabernacles.

On Shemini Aẓeret and Simḥat Torah say:

The Eighth-Day Feast of Assembly.

Remember us this day, O Lord our God, for our good, and be mindful of us for a life of blessing. With Thy promise of salvation and mercy, deliver us and be gracious unto us, have compassion upon us and save us. Unto Thee do we lift our eyes for Thou art a gracious and merciful God and King.

O Lord our God, bestow upon us the blessing of Thy festivals for life and peace, for joy and gladness, even as Thou hast graciously promised to bless us. [Our God and God of our fathers, accept our rest.] Sanctify us through Thy commandments, and grant our portion in Thy Torah; give us abundantly of Thy goodness and make us rejoice in Thy salvation. Purify our hearts to serve Thee in truth. In Thy loving favor, O Lord our God, let us inherit with joy and gladness Thy holy [Sabbath and] festivals; and may Israel who sanctifies Thy name, rejoice in Thee. Blessed art Thou, O Lord, who hallowest [the Sabbath and] Israel and the seasons.

רְצֵה יְיָ אֱלֹהֵינוּ בְּעַמְּךָ יִשְׂרָאֵל וּבִתְפִלָּתָם. וְהָשֵׁב אֶת־הָעֲבוֹדָה לִדְבִיר בֵּיתֶךָ וּתְפִלָּתָם בְּאַהֲבָה תְקַבֵּל בְּרָצוֹן. וּתְהִי לְרָצוֹן תָּמִיד עֲבוֹדַת יִשְׂרָאֵל עַמֶּךָ. וְתֶחֱזֶינָה עֵינֵינוּ בְּשׁוּבְךָ לְצִיּוֹן בְּרַחֲמִים. בָּרוּךְ אַתָּה יְיָ הַמַּחֲזִיר שְׁכִינָתוֹ לְצִיּוֹן:

מוֹדִים אֲנַחְנוּ לָךְ שָׁאַתָּה הוּא יְיָ אֱלֹהֵינוּ וֵאלֹהֵי אֲבוֹתֵינוּ לְעוֹלָם וָעֶד. צוּר חַיֵּינוּ מָגֵן יִשְׁעֵנוּ אַתָּה הוּא לְדוֹר וָדוֹר. נוֹדֶה לְּךָ וּנְסַפֵּר תְּהִלָּתֶךָ עַל חַיֵּינוּ הַמְּסוּרִים בְּיָדֶךָ וְעַל נִשְׁמוֹתֵינוּ הַפְּקוּדוֹת לָךְ וְעַל נִסֶּיךָ שֶׁבְּכָל־יוֹם עִמָּנוּ וְעַל נִפְלְאוֹתֶיךָ וְטוֹבוֹתֶיךָ שֶׁבְּכָל־עֵת עֶרֶב וָבֹקֶר וְצָהֳרָיִם. הַטּוֹב כִּי לֹא־כָלוּ רַחֲמֶיךָ. וְהַמְרַחֵם כִּי לֹא־תַמּוּ חֲסָדֶיךָ מֵעוֹלָם קִוִּינוּ לָךְ:

וְעַל כֻּלָּם יִתְבָּרַךְ וְיִתְרוֹמַם שִׁמְךָ מַלְכֵּנוּ תָּמִיד לְעוֹלָם וָעֶד: וְכֹל הַחַיִּים יוֹדוּךָ סֶּלָה וִיהַלְלוּ אֶת־שִׁמְךָ בֶּאֱמֶת הָאֵל יְשׁוּעָתֵנוּ וְעֶזְרָתֵנוּ סֶלָה. בָּרוּךְ אַתָּה יְיָ הַטּוֹב שִׁמְךָ וּלְךָ נָאֶה לְהוֹדוֹת:

שָׁלוֹם רָב עַל יִשְׂרָאֵל עַמְּךָ תָּשִׂים לְעוֹלָם. כִּי אַתָּה הוּא מֶלֶךְ אָדוֹן לְכָל הַשָּׁלוֹם. וְטוֹב בְּעֵינֶיךָ לְבָרֵךְ אֶת־עַמְּךָ יִשְׂרָאֵל בְּכָל־עֵת וּבְכָל־שָׁעָה בִּשְׁלוֹמֶךָ. בָּרוּךְ אַתָּה יְיָ הַמְבָרֵךְ אֶת עַמּוֹ יִשְׂרָאֵל בַּשָּׁלוֹם:

O Lord our God, be gracious unto Thy people Israel and accept their prayer. Restore the worship to Thy sanctuary and receive in love and favor the supplication of Israel. May the worship of Thy people be ever acceptable unto Thee. O may our eyes witness Thy return to Zion. Blessed art Thou, O Lord, who restorest Thy divine presence unto Zion.

We thankfully acknowledge Thee, O Lord our God, our fathers' God to all eternity. Our Rock art Thou, our Shield that saves through every generation. We give Thee thanks and we declare Thy praise for all Thy tender care. Our lives we trust into Thy loving hand. Our souls are ever in Thy charge; Thy wonders and Thy miracles are daily with us, evening morn and noon. O Thou who art all-good, whose mercies never fail us, Compassionate One, whose lovingkindnesses never cease, we ever hope in Thee.

For all this, Thy name, O our King, shall be blessed and exalted for ever and ever. May all the living do homage unto Thee forever and praise Thy name in truth, O God, who art our salvation and our help. Blessed be Thou, O Lord, Beneficent One, unto whom our thanks are due.

Grant lasting peace unto Israel Thy people, for Thou art the Sovereign Lord of peace; and may it be good in Thy sight to bless Thy people Israel at all times with Thy peace. Blessed art Thou, O Lord, who blessest Thy people Israel with peace.

אֱלֹהַי נְצוֹר לְשׁוֹנִי מֵרָע וּשְׂפָתַי מִדַּבֵּר מִרְמָה וְלִמְקַלְלַי נַפְשִׁי תִדּוֹם וְנַפְשִׁי כֶּעָפָר לַכֹּל תִּהְיֶה: פְּתַח לִבִּי בְּתוֹרָתֶךָ וּבְמִצְוֹתֶיךָ תִּרְדּוֹף נַפְשִׁי. וְכֹל הַחוֹשְׁבִים עָלַי רָעָה. מְהֵרָה הָפֵר עֲצָתָם וְקַלְקֵל מַחֲשַׁבְתָּם: עֲשֵׂה לְמַעַן שְׁמֶךָ עֲשֵׂה לְמַעַן יְמִינֶךָ עֲשֵׂה לְמַעַן קְדֻשָּׁתֶךָ עֲשֵׂה לְמַעַן תּוֹרָתֶךָ: לְמַעַן יֵחָלְצוּן יְדִידֶיךָ הוֹשִׁיעָה יְמִינְךָ וַעֲנֵנִי: יִהְיוּ לְרָצוֹן אִמְרֵי־פִי וְהֶגְיוֹן לִבִּי לְפָנֶיךָ יְיָ צוּרִי וְגוֹאֲלִי: עֹשֶׂה שָׁלוֹם בִּמְרוֹמָיו הוּא יַעֲשֶׂה שָׁלוֹם עָלֵינוּ וְעַל כָּל־יִשְׂרָאֵל וְאִמְרוּ אָמֵן:

יְהִי רָצוֹן מִלְּפָנֶיךָ יְיָ אֱלֹהֵינוּ וֵאלֹהֵי אֲבוֹתֵינוּ שֶׁיִּבָּנֶה בֵּית הַמִּקְדָּשׁ בִּמְהֵרָה בְיָמֵינוּ וְתֵן חֶלְקֵנוּ בְּתוֹרָתֶךָ: וְשָׁם נַעֲבָדְךָ בְּיִרְאָה כִּימֵי עוֹלָם וּכְשָׁנִים קַדְמוֹנִיּוֹת:

On Sabbath add:

בראשית ב׳ א׳–ג׳

וַיְכֻלּוּ הַשָּׁמַיִם וְהָאָרֶץ וְכָל־צְבָאָם: וַיְכַל אֱלֹהִים בַּיּוֹם הַשְּׁבִיעִי מְלַאכְתּוֹ אֲשֶׁר עָשָׂה וַיִּשְׁבֹּת בַּיּוֹם הַשְּׁבִיעִי מִכָּל־מְלַאכְתּוֹ אֲשֶׁר עָשָׂה: וַיְבָרֶךְ אֱלֹהִים אֶת־יוֹם הַשְּׁבִיעִי וַיְקַדֵּשׁ אֹתוֹ. כִּי בוֹ שָׁבַת מִכָּל־מְלַאכְתּוֹ אֲשֶׁר־בָּרָא אֱלֹהִים לַעֲשׂוֹת:

Should the First Evening of Pesaḥ occur on Sabbath, the Service continues with Reader's Kaddish, page 34.

בָּרוּךְ אַתָּה יְיָ אֱלֹהֵינוּ וֵאלֹהֵי אֲבוֹתֵינוּ. אֱלֹהֵי אַבְרָהָם. אֱלֹהֵי יִצְחָק וֵאלֹהֵי יַעֲקֹב. הָאֵל הַגָּדוֹל הַגִּבּוֹר וְהַנּוֹרָא. אֵל עֶלְיוֹן קֹנֵה שָׁמַיִם וָאָרֶץ:

O Lord,

Guard my tongue from evil and my lips from speaking guile,
And to those who slander me, let me give no heed.
May my soul be humble and forgiving unto all.
Open Thou my heart, O Lord, unto Thy sacred Law,
That Thy statutes I may know and all Thy truths pursue.
Bring to naught designs of those who seek to do me ill;
Speedily defeat their aims and thwart their purposes
For Thine own sake, for Thine own power,
For Thy holiness and Law.
That Thy loved ones be delivered,
Answer us, O Lord, and save with Thy redeeming power.

May the words of my mouth and the meditation of my heart be acceptable unto Thee, O Lord, my Rock and my Redeemer. Thou who establishest peace in the heavens, grant peace unto us and unto all Israel. Amen.

May it be Thy will, O Lord our God and God of our fathers, to grant our portion in Thy Torah, and may the Temple be rebuilt in our day. There we will serve Thee with awe as in the days of old.

On Sabbath add:

Genesis 2:1–3

The heaven and the earth were finished, and all their host. And on the seventh day God finished His work which He had made; and He rested on the seventh day from all His work which He had made. And God blessed the seventh day, and hallowed it, because He rested thereon from all His work which God created and made.

*Should the First Evening of Pesaḥ occur on Sabbath, the
Service continues with Reader's Kaddish, page 34.*

Blessed art Thou, O Lord our God and God of our fathers, God of Abraham, Isaac and Jacob, the great, mighty, revered and most high God, Master of heaven and earth.

מָגֵן אָבוֹת בִּדְבָרוֹ מְחַיֵּה מֵתִים בְּמַאֲמָרוֹ. הָאֵל הַקָּדוֹשׁ שֶׁאֵין כָּמוֹהוּ. הַמֵּנִיחַ לְעַמּוֹ בְּיוֹם שַׁבַּת קָדְשׁוֹ. כִּי בָם רָצָה לְהָנִיחַ לָהֶם. לְפָנָיו נַעֲבוֹד בְּיִרְאָה וָפַחַד וְנוֹדֶה לִשְׁמוֹ בְּכָל־יוֹם תָּמִיד מֵעֵין הַבְּרָכוֹת. אֵל הַהוֹדָאוֹת אֲדוֹן הַשָּׁלוֹם מְקַדֵּשׁ הַשַּׁבָּת וּמְבָרֵךְ שְׁבִיעִי. וּמֵנִיחַ בִּקְדֻשָּׁה לְעַם מְדֻשְּׁנֵי עֹנֶג. זֵכֶר לְמַעֲשֵׂה בְרֵאשִׁית:

אֱלֹהֵינוּ וֵאלֹהֵי אֲבוֹתֵינוּ רְצֵה בִמְנוּחָתֵנוּ קַדְּשֵׁנוּ בְּמִצְוֹתֶיךָ וְתֵן חֶלְקֵנוּ בְּתוֹרָתֶךָ. שַׂבְּעֵנוּ מִטּוּבֶךָ וְשַׂמְּחֵנוּ בִּישׁוּעָתֶךָ. וְטַהֵר לִבֵּנוּ לְעָבְדְּךָ בֶּאֱמֶת. וְהַנְחִילֵנוּ יְיָ אֱלֹהֵינוּ בְּאַהֲבָה וּבְרָצוֹן שַׁבַּת קָדְשֶׁךָ. וְיָנוּחוּ בָהּ יִשְׂרָאֵל מְקַדְּשֵׁי שְׁמֶךָ. בָּרוּךְ אַתָּה יְיָ מְקַדֵּשׁ הַשַּׁבָּת:

Reader's Kaddish

יִתְגַּדַּל וְיִתְקַדַּשׁ שְׁמֵהּ רַבָּא. בְּעָלְמָא דִּי בְרָא כִרְעוּתֵהּ. וְיַמְלִיךְ מַלְכוּתֵהּ בְּחַיֵּיכוֹן וּבְיוֹמֵיכוֹן וּבְחַיֵּי דְכָל בֵּית יִשְׂרָאֵל בַּעֲגָלָא וּבִזְמַן קָרִיב. וְאִמְרוּ אָמֵן:

Congregation and Reader

יְהֵא שְׁמֵהּ רַבָּא מְבָרַךְ לְעָלַם וּלְעָלְמֵי עָלְמַיָּא:

Reader

יִתְבָּרַךְ וְיִשְׁתַּבַּח וְיִתְפָּאַר וְיִתְרוֹמַם וְיִתְנַשֵּׂא וְיִתְהַדַּר וְיִתְעַלֶּה וְיִתְהַלַּל שְׁמֵהּ דְּקֻדְשָׁא. בְּרִיךְ הוּא. לְעֵלָּא מִן כָּל בִּרְכָתָא וְשִׁירָתָא תֻּשְׁבְּחָתָא וְנֶחֱמָתָא דַּאֲמִירָן בְּעָלְמָא. וְאִמְרוּ אָמֵן:

תִּתְקַבַּל צְלוֹתְהוֹן וּבָעוּתְהוֹן דְּכָל־יִשְׂרָאֵל קֳדָם אֲבוּהוֹן דִּי בִשְׁמַיָּא. וְאִמְרוּ אָמֵן:

יְהֵא שְׁלָמָא רַבָּא מִן שְׁמַיָּא וְחַיִּים עָלֵינוּ וְעַל כָּל־יִשְׂרָאֵל וְאִמְרוּ אָמֵן:

עֹשֶׂה שָׁלוֹם בִּמְרוֹמָיו הוּא יַעֲשֶׂה שָׁלוֹם עָלֵינוּ וְעַל כָּל־יִשְׂרָאֵל וְאִמְרוּ אָמֵן:

On Simḥat Torah, continue on page 215.

Our fathers' shield, God's word has ever been;
He giveth life eternal to the dead.
Holy is He; no other can compare
With Him who giveth rest each Sabbath day
Unto His people whom He loves.
With veneration and with awe we serve Him;
We praise Him every day and bless His name.
To God all thanks are due, the Lord of peace,
He halloweth the Sabbath and doth bless the seventh day;
He giveth rest unto a people knowing its delight,
In remembrance of creation.

Our God and God of our fathers, accept our rest. Sanctify us through Thy commandments, and grant our portion in Thy Torah. Give us abundantly of Thy goodness and make us rejoice in Thy salvation. Purify our hearts to serve Thee in truth. In Thy loving favor, O Lord our God, grant that Thy holy Sabbath be our joyous heritage, and may Israel who sanctifies Thy name, rest thereon. Blessed art Thou, O Lord, who hallowest the Sabbath.

Reader's Kaddish

Magnified and sanctified be the name of God throughout the world which He hath created according to His will. May He establish His kingdom during the days of your life and during the life of all the house of Israel, speedily, yea, soon; and say ye, Amen.

Congregation and Reader

May His great name be blessed for ever and ever.

Reader

Exalted and honored be the name of the Holy One, blessed be He, whose glory transcends, yea, is beyond all praises, hymns and blessings that man can render unto Him; and say ye, Amen.

May the prayers and supplications of the whole house of Israel be acceptable unto their Father in heaven; and say ye, Amen.

May there be abundant peace from heaven, and life for us and for all Israel; and say ye, Amen.

May He who establisheth peace in the heavens, grant peace unto us and unto all Israel; and say ye, Amen.

On Simhat Torah, continue on page 215.

קדוש

On the First and Second Evenings of Pesaḥ the Kiddush is not said at the Synagogue Service. On Sabbath add the words in brackets.

בָּרוּךְ אַתָּה יְיָ אֱלֹהֵינוּ מֶלֶךְ הָעוֹלָם בּוֹרֵא פְּרִי הַגָּפֶן:

בָּרוּךְ אַתָּה יְיָ אֱלֹהֵינוּ מֶלֶךְ הָעוֹלָם אֲשֶׁר בָּחַר בָּנוּ מִכָּל־עָם וְרוֹמְמָנוּ מִכָּל־לָשׁוֹן וְקִדְּשָׁנוּ בְּמִצְוֹתָיו. וַתִּתֶּן לָנוּ יְיָ אֱלֹהֵינוּ בְּאַהֲבָה [שַׁבָּתוֹת לִמְנוּחָה וּ] מוֹעֲדִים לְשִׂמְחָה חַגִּים וּזְמַנִּים לְשָׂשׂוֹן. אֶת־יוֹם [הַשַּׁבָּת הַזֶּה וְאֶת־יוֹם]

On Pesaḥ say:

חַג הַמַּצּוֹת הַזֶּה. זְמַן חֵרוּתֵנוּ

On Shavuot say:

חַג הַשָּׁבֻעוֹת הַזֶּה. זְמַן מַתַּן תּוֹרָתֵנוּ

On Sukkot say:

חַג הַסֻּכּוֹת הַזֶּה. זְמַן שִׂמְחָתֵנוּ

On Shemini Aẓeret and on Simḥat Torah say:

הַשְּׁמִינִי חַג הָעֲצֶרֶת הַזֶּה. זְמַן שִׂמְחָתֵנוּ

[בְּאַהֲבָה] מִקְרָא קֹדֶשׁ זֵכֶר לִיצִיאַת מִצְרָיִם. כִּי בָנוּ בָחַרְתָּ וְאוֹתָנוּ קִדַּשְׁתָּ מִכָּל־הָעַמִּים. [וְשַׁבָּת] וּמוֹעֲדֵי קָדְשֶׁךָ [בְּאַהֲבָה וּבְרָצוֹן] בְּשִׂמְחָה וּבְשָׂשׂוֹן הִנְחַלְתָּנוּ. בָּרוּךְ אַתָּה יְיָ מְקַדֵּשׁ [הַשַּׁבָּת וְ] יִשְׂרָאֵל וְהַזְּמַנִּים:

On Saturday night add:

בָּרוּךְ אַתָּה יְיָ אֱלֹהֵינוּ מֶלֶךְ הָעוֹלָם בּוֹרֵא מְאוֹרֵי הָאֵשׁ:

בָּרוּךְ אַתָּה יְיָ אֱלֹהֵינוּ מֶלֶךְ הָעוֹלָם הַמַּבְדִּיל בֵּין קֹדֶשׁ לְחוֹל בֵּין אוֹר לְחֹשֶׁךְ בֵּין יִשְׂרָאֵל לָעַמִּים בֵּין יוֹם הַשְּׁבִיעִי לְשֵׁשֶׁת יְמֵי

KIDDUSH

On the First and Second Evenings of Pesaḥ the Kiddush is not said at the Synagogue Service. On Sabbath add the words in brackets.

Blessed art Thou, O Lord our God, **Ruler of the universe**, who createst the fruit of the vine.

Blessed art Thou, O Lord our God, King of the universe, who didst choose us for Thy service from among all peoples. Thou didst exalt us above all tongues by making us holy through Thy commandments. In love hast Thou given us, O Lord our God, [Sabbaths for rest] holidays for gladness, festivals and seasons for rejoicing. Thou hast granted us [this Sabbath day and] this day of

On Pesaḥ say:

The Feast of Unleavened Bread, the Season of our Freedom,

On Shavuot say:

The Feast of Weeks, the Season of the Giving of our Torah,

On Sukkot say:

The Feast of Tabernacles, the Season of our Gladness,

On Shemini Aẓeret and on Simḥat Torah say:

The Eighth Day Feast of Assembly, the Season of our Gladness,

as a holy convocation, commemorating our liberation from Egypt. Thou didst choose us from among all peoples and didst sanctify us by giving us Thy holy [Sabbath and] Festivals as a joyous heritage. Blessed art Thou, O Lord, who hallowest [the Sabbath] Israel and the Festivals.

On Saturday night add:

Blessed art Thou, O Lord our God, King of the universe, who createst the light of fire.

Blessed art Thou, O Lord our God, King of the universe, who hast made a distinction between the sacred and the secular, between light and darkness, between Israel and the heathens, between

הַמַּעֲשֶׂה. בֵּין קְדֻשַּׁת שַׁבָּת לִקְדֻשַּׁת יוֹם טוֹב הִבְדַּלְתָּ וְאֶת־יוֹם הַשְּׁבִיעִי מִשֵּׁשֶׁת יְמֵי הַמַּעֲשֶׂה קִדַּשְׁתָּ. הִבְדַּלְתָּ וְקִדַּשְׁתָּ אֶת־עַמְּךָ יִשְׂרָאֵל בִּקְדֻשָּׁתֶךָ. בָּרוּךְ אַתָּה יְיָ הַמַּבְדִּיל בֵּין קֹדֶשׁ לְקֹדֶשׁ:

Omit on the last two nights of Pesaḥ.

בָּרוּךְ אַתָּה יְיָ אֱלֹהֵינוּ מֶלֶךְ הָעוֹלָם
שֶׁהֶחֱיָנוּ וְקִיְּמָנוּ וְהִגִּיעָנוּ לַזְּמַן הַזֶּה:*

COUNTING THE OMER

Commencing the Second Night of Pesaḥ, the Omer is counted.

הִנְנִי מְקַיֵּם מִצְוַת עֲשֵׂה שֶׁל־סְפִירַת הָעֹמֶר כְּמוֹ שֶׁכָּתוּב בַּתּוֹרָה, וּסְפַרְתֶּם לָכֶם מִמָּחֳרַת הַשַּׁבָּת מִיּוֹם הֲבִיאֲכֶם אֶת־עֹמֶר הַתְּנוּפָה שֶׁבַע שַׁבָּתוֹת תְּמִימֹת תִּהְיֶינָה עַד מִמָּחֳרַת הַשַּׁבָּת הַשְּׁבִיעִית תִּסְפְּרוּ חֲמִשִּׁים יוֹם:

בָּרוּךְ אַתָּה יְיָ אֱלֹהֵינוּ מֶלֶךְ הָעוֹלָם. אֲשֶׁר
קִדְּשָׁנוּ בְּמִצְוֹתָיו וְצִוָּנוּ עַל סְפִירַת הָעֹמֶר:

הַיּוֹם יוֹם אֶחָד לָעֹמֶר:

On the First Evening of the Concluding Days of Pesaḥ

הַיּוֹם שִׁשָּׁה יָמִים לָעֹמֶר:

On the Second Evening of the Concluding Days of Pesaḥ

הַיּוֹם שִׁבְעָה יָמִים שֶׁהֵם שָׁבוּעַ אֶחָד לָעֹמֶר:

הָרַחֲמָן הוּא יַחֲזִיר עֲבוֹדַת בֵּית הַמִּקְדָּשׁ לִמְקוֹמָהּ: יְהִי רָצוֹן מִלְּפָנֶיךָ יְיָ אֱלֹהֵינוּ וֵאלֹהֵי אֲבוֹתֵינוּ שֶׁיִּבָּנֶה בֵּית הַמִּקְדָּשׁ בִּמְהֵרָה בְיָמֵינוּ וְתֵן חֶלְקֵנוּ בְּתוֹרָתֶךָ: וְשָׁם נַעֲבָדְךָ בְּיִרְאָה כִּימֵי עוֹלָם וּכְשָׁנִים קַדְמוֹנִיּוֹת:

**On Sukkot, when the Kiddush is said in the Sukkah, the following blessing is included:*

בָּרוּךְ אַתָּה יְיָ אֱלֹהֵינוּ מֶלֶךְ הָעוֹלָם אֲשֶׁר
קִדְּשָׁנוּ בְּמִצְוֹתָיו וְצִוָּנוּ לֵישֵׁב בַּסֻּכָּה:

the seventh day of rest and the six days of work. Thou hast set a distinction between the higher sanctity of the Sabbath and the lesser sanctity of the Festival, and hast hallowed the Sabbath above the six days of work. Thus Thou hast sanctified Israel by Thy holiness. Blessed art Thou, O Lord, who distinguishest between the Sabbath and the Festivals.

Omit on the last two nights of Pesaḥ.

Blessed art Thou, O Lord our God, King of the universe, who hast kept us in life, and hast preserved us, and enabled us to reach this season.*

COUNTING THE OMER

Commencing the Second Night of Pesaḥ, the Omer is counted.

I am about to fulfill the precept of the counting of the Omer, as it is written in the Law: Ye shall count unto you from the morrow after the day of rest, from the day that ye brought an omer of grain as a wave-offering, seven complete weeks they shall be; until the morrow of the seventh week shall ye number fifty days. (Leviticus 23:15)

Blessed art Thou, O Lord our God, Ruler of the universe, who hast sanctified us by Thy precepts and hast enjoined upon us the counting of the Omer.

This is the first day of the Omer.

On the First Evening of the Concluding Days of Pesaḥ

This is the sixth day of the Omer.

On the Second Evening of the Concluding Days of Pesaḥ

This is the seventh day, making one week of the Omer.

May the All-merciful restore worship in the Temple on its ancient site. May it be Thy will, O Lord our God and God of our fathers, to grant our portion in Thy Torah and may the Temple be rebuilt in our day. There we will serve Thee with awe as in the days of old.

On the Festival of Tabernacles, when the Kiddush is said in the Sukkah, the following blessing is included:

Blessed art Thou, O Lord our God, King of the universe, who hast sanctified us with Thy precepts and commanded us to dwell in the Sukkah.

עָלֵינוּ לְשַׁבֵּחַ לַאֲדוֹן הַכֹּל לָתֵת גְּדֻלָּה לְיוֹצֵר בְּרֵאשִׁית שֶׁלֹּא עָשָׂנוּ כְּגוֹיֵי הָאֲרָצוֹת וְלֹא שָׂמָנוּ כְּמִשְׁפְּחוֹת הָאֲדָמָה שֶׁלֹּא שָׂם חֶלְקֵנוּ כָּהֶם וְגֹרָלֵנוּ כְּכָל הֲמוֹנָם:

וַאֲנַחְנוּ כּוֹרְעִים וּמִשְׁתַּחֲוִים וּמוֹדִים

לִפְנֵי מֶלֶךְ מַלְכֵי הַמְּלָכִים הַקָּדוֹשׁ בָּרוּךְ הוּא.

שֶׁהוּא נוֹטֶה שָׁמַיִם וְיוֹסֵד אָרֶץ וּמוֹשַׁב יְקָרוֹ בַּשָּׁמַיִם מִמַּעַל וּשְׁכִינַת עֻזּוֹ בְּגָבְהֵי מְרוֹמִים: הוּא אֱלֹהֵינוּ אֵין עוֹד. אֱמֶת מַלְכֵּנוּ אֶפֶס זוּלָתוֹ כַּכָּתוּב בְּתוֹרָתוֹ וְיָדַעְתָּ הַיּוֹם וַהֲשֵׁבֹתָ אֶל לְבָבֶךָ כִּי יְיָ הוּא הָאֱלֹהִים בַּשָּׁמַיִם מִמַּעַל וְעַל־הָאָרֶץ מִתָּחַת. אֵין עוֹד:

עַל־כֵּן נְקַוֶּה לְךָ יְיָ אֱלֹהֵינוּ לִרְאוֹת מְהֵרָה בְּתִפְאֶרֶת עֻזֶּךָ לְהַעֲבִיר גִּלּוּלִים מִן הָאָרֶץ וְהָאֱלִילִים כָּרוֹת יִכָּרֵתוּן. לְתַקֵּן עוֹלָם בְּמַלְכוּת שַׁדַּי. וְכָל־בְּנֵי בָשָׂר יִקְרְאוּ בִשְׁמֶךָ לְהַפְנוֹת אֵלֶיךָ כָּל־רִשְׁעֵי אָרֶץ. יַכִּירוּ וְיֵדְעוּ כָּל־יוֹשְׁבֵי תֵבֵל. כִּי־לְךָ תִּכְרַע כָּל־בֶּרֶךְ תִּשָּׁבַע כָּל־לָשׁוֹן: לְפָנֶיךָ יְיָ אֱלֹהֵינוּ יִכְרְעוּ וְיִפֹּלוּ. וְלִכְבוֹד שִׁמְךָ יְקָר יִתֵּנוּ. וִיקַבְּלוּ כֻלָּם אֶת עוֹל מַלְכוּתֶךָ. וְתִמְלוֹךְ עֲלֵיהֶם מְהֵרָה לְעוֹלָם וָעֶד. כִּי הַמַּלְכוּת שֶׁלְּךָ הִיא וּלְעוֹלְמֵי עַד תִּמְלוֹךְ בְּכָבוֹד: כַּכָּתוּב בְּתוֹרָתֶךָ יְיָ יִמְלֹךְ לְעֹלָם וָעֶד: וְנֶאֱמַר וְהָיָה יְיָ לְמֶלֶךְ עַל־כָּל־הָאָרֶץ בַּיּוֹם הַהוּא יִהְיֶה יְיָ אֶחָד וּשְׁמוֹ אֶחָד:

From the beginning of Elul until Hoshana Rabba, add Psalm 27, page 56.

It is for us to praise the Lord of all, to proclaim the greatness of the Creator of the universe for He hath not made us like the pagans of the world, nor placed us like the heathen tribes of the earth; He hath not made our destiny as theirs, nor cast our lot with all their multitude.

We bend the knee, worship and give thanks unto the King of kings, the Holy One, blessed be He.

He stretched forth the heavens and laid the foundations of the earth. His glory is revealed in the heavens above, and His might is manifest in the loftiest heights. He is our God; there is none else. In truth He is our King, there is none besides Him; as it is written in His Torah: Know this day, and consider it in thy heart that the Lord is God in the heavens above and on the earth beneath; there is none else.

We therefore hope in Thee, O Lord our God, that we may soon behold the glory of Thy might, when Thou wilt remove the abominations from the earth and when all idolatry will be abolished. We hope for the day when the world will be perfected under the kingdom of the Almighty, and all mankind will call upon Thy name; when Thou wilt turn unto Thyself all the wicked of the earth. May all the inhabitants of the world perceive and know that unto Thee every knee must bend, every tongue vow loyalty. Before Thee, O Lord our God, may they bow in worship, giving honor unto Thy glorious name. May they all accept the yoke of Thy kingdom and do Thou rule over them speedily and forevermore. For the kingdom is Thine and to all eternity Thou wilt reign in glory; as it is written in Thy Torah: The Lord shall reign for ever and ever. And it has been foretold: The Lord shall be King over all the earth; on that day the Lord shall be One, and His name One.

From the beginning of Elul until Hoshana Rabba, add Psalm 27, page 56.

MEDITATION BEFORE KADDISH

1

Because the Kaddish voices the spirit of the imperishable in man, because it refuses to acknowledge death as triumphant, because it permits the withered blossom, fallen from the tree of mankind to flower and develop again in the human heart, it possesses sanctifying power. To know that when you die there will remain those who, wherever they may be on this wide earth, whether they be poor or rich, will send this prayer after you, to know that they will cherish your memory as their dearest inheritance — what more satisfying or sanctifying knowledge can you ever hope for? And such is the knowledge bequeathed to us all by the Kaddish.

2

While the Kaddish is recited in memory of the departed, it contains no reference to death. Rather is it an avowal made in the midst of our sorrow, that God is just, though we do not always comprehend His ways. When death seems to overwhelm us, negating life, the Kaddish renews our faith in the worthwhileness of life. Through the Kaddish, we publicly manifest our desire and intention to assume the relation to the Jewish community which our parents had in their life-time. Continuing the chain of tradition that binds generation to generation, we express our undying faith in God's love and justice, and pray that He will speed the day when His kingdom shall finally be established and His peace pervade the world.

PRAYER BEFORE KADDISH

1

O Lord and King who art full of compassion, in whose hand is the soul of every living thing and the breath of all flesh, to Thine all-wise care do we commit the souls of our dear ones, who have departed from this earth. Teach all who mourn to accept the judgment of Thine inscrutable will and cause them to know the sweetness of Thy consolation. Quicken by Thy holy words those bowed in sorrow, that like all the faithful in Israel who have gone before, they too may be faithful to Thy Torah and thus advance the reign of Thy Kingdom upon earth.

In solemn testimony to that unbroken faith which links the generations one to another, let those who mourn now rise to magnify and sanctify Thy holy name.

PRAYER BEFORE KADDISH

2

Eternal God, who sendest consolation unto all sorrowing hearts, we turn to Thee for solace in this, our trying hour. Though bowed in grief at the passing of our loved ones, we affirm our faith in Thee, our Father, who art just and merciful, who healest broken hearts and art ever near to those who are afflicted. May the Kaddish prayer, proclaiming Israel's hope for Thy true kingdom here on earth, impel us to help speed that day when peace shall be established through justice, and all men recognize their brotherhood in Thee. With trust in Thy great goodness, we who mourn, rise to sanctify Thy name.

3

As we recite the Kaddish, Israel's hallowed prayer, we aver, despite our woe and anguish, that life is good and life's tasks must be performed. Help us, O Lord, to rise above our sorrow and face the trials of life with courage in our hearts. Give us insight in this hour of grief, that from the depths of suffering may come a deepened sympathy for all who are bereaved, that we may feel the heartbreak of our fellowmen and find our strength in helping them. Heartened by this hymn of praise to Thee, we bear our sorrow with trustful hearts, and knowing Thou art near, shall not despair. With faith in Thine eternal wisdom, we who mourn, rise to sanctify Thy name.

4

Almighty and eternal Father, in adversity as in joy, Thou, our source of life, art ever with us. As we recall with affection those whom Thou hast summoned unto Thee, we thank Thee for the example of their lives, for our sweet companionship with them, for the cherished memories and the undying inspiration they leave behind. In tribute to our departed who are bound with Thee in the bond of everlasting life, may our lives be consecrated to Thy service. Comfort, we pray Thee, all who mourn. Though they may not comprehend Thy purpose, keep steadfast their trust in Thy wisdom. Do Thou, O God, give them strength in their sorrow, and sustain their faith in Thee as they rise to sanctify Thy name.

Mourners' Kaddish

יִתְגַּדַּל וְיִתְקַדַּשׁ שְׁמֵהּ רַבָּא. בְּעָלְמָא דִּי בְרָא כִרְעוּתֵהּ. וְיַמְלִיךְ מַלְכוּתֵהּ בְּחַיֵּיכוֹן וּבְיוֹמֵיכוֹן וּבְחַיֵּי דְכָל בֵּית יִשְׂרָאֵל בַּעֲגָלָא וּבִזְמַן קָרִיב. וְאִמְרוּ אָמֵן:

Congregation and Mourners

יְהֵא שְׁמֵהּ רַבָּא מְבָרַךְ לְעָלַם וּלְעָלְמֵי עָלְמַיָּא:

Mourners

יִתְבָּרַךְ וְיִשְׁתַּבַּח וְיִתְפָּאַר וְיִתְרוֹמַם וְיִתְנַשֵּׂא וְיִתְהַדַּר וְיִתְעַלֶּה וְיִתְהַלַּל שְׁמֵהּ דְּקֻדְשָׁא. בְּרִיךְ הוּא. לְעֵלָּא «וּלְעֵלָּא» מִן כָּל בִּרְכָתָא וְשִׁירָתָא תֻּשְׁבְּחָתָא וְנֶחֱמָתָא דַּאֲמִירָן בְּעָלְמָא. וְאִמְרוּ אָמֵן:

יְהֵא שְׁלָמָא רַבָּא מִן שְׁמַיָּא וְחַיִּים עָלֵינוּ וְעַל כָּל-יִשְׂרָאֵל. וְאִמְרוּ אָמֵן:

עֹשֶׂה שָׁלוֹם בִּמְרוֹמָיו הוּא יַעֲשֶׂה שָׁלוֹם עָלֵינוּ וְעַל כָּל-יִשְׂרָאֵל. וְאִמְרוּ אָמֵן:

Mourners' Kaddish

Magnified and sanctified be the name of God throughout the world which He hath created according to His will. May He establish His kingdom during the days of your life and during the life of all the house of Israel, speedily, yea, soon; and say ye, Amen.

Congregation and Mourners

May His great name be blessed for ever and ever.

Mourners

Exalted and honored be the name of the Holy One, blessed be He, whose glory transcends, yea, is beyond all praises, hymns and blessings that man can render unto Him; and say ye, Amen.

May there be abundant peace from heaven, and life for us and for all Israel; and say ye, Amen.

May He who establisheth peace in the heavens, grant peace unto us and unto all Israel; and say ye, Amen.

MOURNERS' KADDISH

Yis-ga-dal v'yis-ka-dash sh'may ra-bo,
B'ol-mo dee-v'ro ḥir u-say, v'yam-leeḥ mal-ḥu-say,
B'ḥa-yay-ḥōn uv-yō-may-ḥōn, uv-ḥa-yay d'ḥol bays yis-ro-ayl,
Ba-a-go-lo u-viz'man ko-reev, v'im-ru o-mayn.

Y'hay sh'may ra-bo m'vo-raḥ, l'o-lam ul-ol-may ol-ma-yo.

Yis-bo-raḥ v'yish-ta-baḥ, v'yis-po-ar v'yis-rō-mam,
V'yis-na-say v'yis-ha-dar, v'yis-a-leh, v'yis-ha-lal
    sh'may d'kud-sho b'riḥ hu;

L'ay-lo (ul-ay-lo) min kol bir-ḥo-so v'shee-ro-so,
Tush-b'ḥo-so v'ne-ḥeh-mo-so, da-a-mee-ron b'ol-mo,
V'im-ru o-mayn.

Y'hay sh'lo-mo ra-bo min sh'ma-yo,
V'ḥa-yeem o-lay-nu v'al kol yis-ro-ayl v'im-ru o-mayn.

Ō-se sho-lōm bim-rō-mov hu ya-a-se sho-lōm
O-lay-nu v'al kol yis-ro-ayl v'im-ru o-mayn.

יגדל

יִגְדַּל אֱלֹהִים חַי וְיִשְׁתַּבַּח נִמְצָא וְאֵין עֵת אֶל מְצִיאוּתוֹ:

אֶחָד וְאֵין יָחִיד כְּיִחוּדוֹ נֶעְלָם וְגַם אֵין סוֹף לְאַחְדּוּתוֹ:

אֵין לוֹ דְּמוּת הַגּוּף וְאֵינוֹ גוּף לֹא נַעֲרוֹךְ אֵלָיו קְדֻשָּׁתוֹ:

קַדְמוֹן לְכָל־דָּבָר אֲשֶׁר נִבְרָא רִאשׁוֹן וְאֵין רֵאשִׁית לְרֵאשִׁיתוֹ:

הִנּוֹ אֲדוֹן עוֹלָם לְכָל־נוֹצָר יוֹרֶה גְדֻלָּתוֹ וּמַלְכוּתוֹ:

שֶׁפַע נְבוּאָתוֹ נְתָנוֹ אֶל אַנְשֵׁי סְגֻלָּתוֹ וְתִפְאַרְתּוֹ:

לֹא קָם בְּיִשְׂרָאֵל כְּמֹשֶׁה עוֹד נָבִיא. וּמַבִּיט אֶת־תְּמוּנָתוֹ:

תּוֹרַת אֱמֶת נָתַן לְעַמּוֹ אֵל עַל־יַד נְבִיאוֹ נֶאֱמַן בֵּיתוֹ:

לֹא יַחֲלִיף הָאֵל וְלֹא יָמִיר דָּתוֹ לְעוֹלָמִים לְזוּלָתוֹ:

צוֹפֶה וְיוֹדֵעַ סְתָרֵינוּ מַבִּיט לְסוֹף דָּבָר בְּקַדְמָתוֹ:

גּוֹמֵל לְאִישׁ חֶסֶד כְּמִפְעָלוֹ נוֹתֵן לְרָשָׁע רַע כְּרִשְׁעָתוֹ:

יִשְׁלַח לְקֵץ יָמִין מְשִׁיחֵנוּ לִפְדּוֹת מְחַכֵּי קֵץ יְשׁוּעָתוֹ:

מֵתִים יְחַיֶּה אֵל בְּרֹב חַסְדּוֹ בָּרוּךְ עֲדֵי־עַד שֵׁם תְּהִלָּתוֹ:

YIGDAL

The living God O magnify and bless,
Transcending time and here eternally.

One Being, yet unique in unity;
A mystery of Oneness, measureless.

Lo! form or body He has none, and man
No semblance of His holiness can frame.

Before Creation's dawn He was the same;
The first to be, though never He began.

He is the world's and every creature's Lord;
His rule and majesty are manifest,

And through His chosen, glorious sons exprest
In prophecies that through their lips are poured.

Yet never like to Moses rose a seer,
Permitted glimpse behind the veil divine.

This faithful prince of God's prophetic line
Received the Law of Truth for Israel's ear.

The Law God gave, He never will amend,
Nor ever by another Law replace.

Our secret things are spread before His face;
In all beginnings He beholds the end.

The saint's reward He measures to his meed;
The sinner reaps the harvest of his ways.

Messiah He will send at end of days,
And all the faithful to salvation lead.

God will the dead again to life restore
In His abundance of almighty love.

Then blessèd be His name, all names above,
And let His praise resound forevermore.

Yig-dal e'lō-heem ḥye, v'yish-ta-baḥ, nim-tso v'ayn ays, el m'tsee-u-sō.

E-ḥod v'ayn yo-ḥeed k'yi-ḥu-dō, ne-e'lom v'gam ayn sōf l'aḥ-du-sō.

Ayn lō d'mus ha-guf, v'ay-nō guf, lō na-a'-rōḥ ay-lov k'du-sho-sō.

Kad-mōn l'ḥol do-vor a'-sher niv-ro, ri-shōn v'ayn ray-shees, l'ray-shee-sō.

Hi-nō a-dōn ō-lom, l'ḥol nō-tsor, yō-reh g'du-lo-sō, u-ma-l'ḥu-sō.

Sheh-fa n'vu-o-sō, n'so-nō, el a-n'shay s'gu-lo-sō, v'sif-ar-tō.

Lō kom b'yis-ro-ayl, k'mō-sheh ōd, no-vee u-ma-beet, es t'mu-no-sō.

Tō-ras e'-mes no-san l'a-mō ayl, al yad n'vee-ō, ne-e'man bay-sō.

Lō ya-ḥa'leef ho-ayl, v'lō yo-meer do-sō, l'ō-lo-meem l'zu-lo-sō.

Tsō-fe v-yō-day-a s'so-ray-nu, ma-beet l'sōf do-vor b'kad-mo-sō.

Gō-mayl l'eesh ḥe-sed k'mif-o-lō, nō-sayn l'ro-sho ra, k'rish-o-sō.

Yish-laḥ l'kayts yo-meen, m'shee-ḥay-nu, lif-dōs m'ḥa-kay kaytz y'shu-o-sō.

May-seem y'ḥa-ye ayl b'rōv has-dō, bo-ruḥ a-day ad shaym t'hi-lo-sō.

אדון עולם

אֲדוֹן עוֹלָם אֲשֶׁר מָלַךְ   בְּטֶרֶם כָּל יְצִיר נִבְרָא:

לְעֵת נַעֲשָׂה בְחֶפְצוֹ כֹּל   אֲזַי מֶלֶךְ שְׁמוֹ נִקְרָא:

וְאַחֲרֵי כִּכְלוֹת הַכֹּל   לְבַדּוֹ יִמְלוֹךְ נוֹרָא:

וְהוּא הָיָה וְהוּא הֹוֶה   וְהוּא יִהְיֶה בְּתִפְאָרָה:

וְהוּא אֶחָד וְאֵין שֵׁנִי   לְהַמְשִׁיל לוֹ לְהַחְבִּירָה:

בְּלִי רֵאשִׁית בְּלִי תַכְלִית   וְלוֹ הָעֹז וְהַמִּשְׂרָה:

וְהוּא אֵלִי וְחַי גּוֹאֲלִי   וְצוּר חֶבְלִי בְּעֵת צָרָה:

וְהוּא נִסִּי וּמָנוֹס לִי   מְנָת כּוֹסִי בְּיוֹם אֶקְרָא:

בְּיָדוֹ אַפְקִיד רוּחִי   בְּעֵת אִישַׁן וְאָעִירָה:

וְעִם רוּחִי גְּוִיָּתִי   יְיָ לִי וְלֹא אִירָא:

LORD OF THE WORLD

Lord of the world, the King supreme,
Ere aught was formed, He reigned alone.
When by His will all things were wrought,
Then was His sovereign name made known.

And when in time all things shall cease,
He still shall reign in majesty.
He was, He is, He shall remain
All-glorious eternally.

Incomparable, unique is He,
No other can His Oneness share.
Without beginning, without end,
Dominion's might is His to bear.

He is my living God who saves,
My Rock when grief or trials befall,
My Banner and my Refuge strong,
My bounteous Portion when I call.

My soul I give unto His care,
Asleep, awake, for He is near,
And with my soul, my body, too;
God is with me, I have no fear.

A-dōn ō-lom a-sher mo-laḥ, b'te-rem kol y'tseer niv'ro.
L'ays na-a'so v'ḥef-tsō kōl, a-zye me-leḥ sh'mō-nik-ro.

V'a-ḥa'-ray ki-ḥ'lōs ha-kōl, l'va-dō yim-lōḥ nō-ro.
V'hu ho-yo, v'hu hō-ve, v'hu yi-ye b'sif-o-ro.

V'hu e-ḥod v'ayn shay-nee, l'ham-sheel lō l'haḥ-bee-ro.
B'lee ray-shees b'lee-saḥ-lees, v'lō ho-ōz v'ha-mis-ro.

V'hu ay-lee v'ḥye gō-a'-lee, v'tsur ḥev-lee b'ays tso-ro.
V'hu ni-see u-mo-nōs lee, m'nos kō-see b'yōm ek-ro.

B'yo-dō af-keed ru-ḥee, b'ays ee-shan v'o-ee-ro.
V'im ru-ḥee g'vi-yo-see, A-dō-noy lee v'lō-ee-ro.

ברכות השחר

PRELIMINARY SERVICE

ברכות השחר

מַה־טֹּבוּ אֹהָלֶיךָ יַעֲקֹב מִשְׁכְּנֹתֶיךָ יִשְׂרָאֵל: וַאֲנִי בְּרֹב חַסְדְּךָ אָבוֹא בֵיתֶךָ אֶשְׁתַּחֲוֶה אֶל־הֵיכַל קָדְשְׁךָ בְּיִרְאָתֶךָ: יְיָ אָהַבְתִּי מְעוֹן בֵּיתֶךָ וּמְקוֹם מִשְׁכַּן כְּבוֹדֶךָ: וַאֲנִי אֶשְׁתַּחֲוֶה וְאֶכְרָעָה אֶבְרְכָה לִפְנֵי־יְיָ עֹשִׂי: וַאֲנִי תְפִלָּתִי לְךָ יְיָ עֵת רָצוֹן אֱלֹהִים בְּרָב־חַסְדֶּךָ עֲנֵנִי בֶּאֱמֶת יִשְׁעֶךָ:

Blessing on putting on the Tallit

בָּרוּךְ אַתָּה יְיָ אֱלֹהֵינוּ מֶלֶךְ הָעוֹלָם אֲשֶׁר
קִדְּשָׁנוּ בְּמִצְוֹתָיו וְצִוָּנוּ לְהִתְעַטֵּף בַּצִּיצִת:

מַה־יָּקָר חַסְדְּךָ אֱלֹהִים וּבְנֵי אָדָם בְּצֵל כְּנָפֶיךָ יֶחֱסָיוּן:
יִרְוְיֻן מִדֶּשֶׁן בֵּיתֶךָ וְנַחַל עֲדָנֶיךָ תַשְׁקֵם:
כִּי־עִמְּךָ מְקוֹר חַיִּים בְּאוֹרְךָ נִרְאֶה־אוֹר:
מְשֹׁךְ חַסְדְּךָ לְיֹדְעֶיךָ וְצִדְקָתְךָ לְיִשְׁרֵי־לֵב:

אֲדוֹן עוֹלָם אֲשֶׁר מָלַךְ   בְּטֶרֶם כָּל יְצִיר נִבְרָא:
לְעֵת נַעֲשָׂה בְחֶפְצוֹ כֹּל   אֲזַי מֶלֶךְ שְׁמוֹ נִקְרָא:
וְאַחֲרֵי כִּכְלוֹת הַכֹּל   לְבַדּוֹ יִמְלוֹךְ נוֹרָא:
וְהוּא הָיָה וְהוּא הֹוֶה   וְהוּא יִהְיֶה בְּתִפְאָרָה:
וְהוּא אֶחָד וְאֵין שֵׁנִי   לְהַמְשִׁיל לוֹ לְהַחְבִּירָה:
בְּלִי רֵאשִׁית בְּלִי תַכְלִית   וְלוֹ הָעֹז וְהַמִּשְׂרָה:
וְהוּא אֵלִי וְחַי גּוֹאֲלִי   וְצוּר חֶבְלִי בְּעֵת צָרָה:
וְהוּא נִסִּי וּמָנוֹס לִי   מְנָת כּוֹסִי בְּיוֹם אֶקְרָא:
בְּיָדוֹ אַפְקִיד רוּחִי   בְּעֵת אִישַׁן וְאָעִירָה:
וְעִם רוּחִי גְּוִיָּתִי   יְיָ לִי וְלֹא אִירָא:

PRELIMINARY SERVICE

How goodly are your tents, O Jacob, your dwelling places, O Israel. O Lord, through Thine abundant kindness I come into Thy house and reverently I worship Thee in Thy holy sanctuary. I love the habitation of Thy house, the place where Thy glory dwelleth. Here I bow down and worship Thee, my Lord and Maker. Accept my prayer, O Lord, and answer me with Thy great mercy and with Thy saving truth. Amen.

Blessing on putting on the Tallit

Blessed art Thou, O Lord our God, King of the universe, who having sanctified us with Thy precepts, hast commanded us to wrap ourselves in the fringed prayer-shawl.

How precious is Thy loving kindness, O God! The children of men take refuge under the protection of Thy sheltering care. They shall be abundantly satisfied in Thy house; and Thou shalt refresh them with Thy living waters. For with Thee is the fountain of life; in Thy light do we see light. O continue Thy lovingkindness unto those who know Thee, and Thy righteousness to the upright in heart.

Lord of the world, the King supreme,
Ere aught was formed, He reigned alone.
When by His will all things were wrought,
Then was His sovereign name made known.

And when in time all things shall cease,
He still shall reign in majesty.
He was, He is, He shall remain
All-glorious eternally.

Incomparable, unique is He,
No other can His Oneness share.
Without beginning, without end,
Dominion's might is His to bear.

He is my living God who saves,
My Rock when grief or trials befall,
My Banner and my Refuge strong,
My bounteous Portion when I call.

My soul I give unto His care,
Asleep, awake, for He is near,
And with my soul, my body, too;
God is with me, I have no fear.

יִגְדַּל אֱלֹהִים חַי וְיִשְׁתַּבַּח נִמְצָא וְאֵין עֵת אֶל מְצִיאוּתוֹ:

אֶחָד וְאֵין יָחִיד כְּיִחוּדוֹ נֶעְלָם וְגַם אֵין סוֹף לְאַחְדוּתוֹ:

אֵין לוֹ דְמוּת הַגּוּף וְאֵינוֹ גוּף לֹא נַעֲרוֹךְ אֵלָיו קְדֻשָּׁתוֹ:

קַדְמוֹן לְכָל־דָּבָר אֲשֶׁר נִבְרָא רִאשׁוֹן וְאֵין רֵאשִׁית לְרֵאשִׁיתוֹ:

הִנּוֹ אֲדוֹן עוֹלָם לְכָל־נוֹצָר יוֹרֶה גְדֻלָּתוֹ וּמַלְכוּתוֹ:

שֶׁפַע נְבוּאָתוֹ נְתָנוֹ אֶל אַנְשֵׁי סְגֻלָּתוֹ וְתִפְאַרְתּוֹ:

לֹא קָם בְּיִשְׂרָאֵל כְּמֹשֶׁה עוֹד נָבִיא. וּמַבִּיט אֶת־תְּמוּנָתוֹ:

תּוֹרַת אֱמֶת נָתַן לְעַמּוֹ אֵל עַל־יַד נְבִיאוֹ נֶאֱמַן בֵּיתוֹ:

לֹא יַחֲלִיף הָאֵל וְלֹא יָמִיר דָּתוֹ לְעוֹלָמִים לְזוּלָתוֹ:

צוֹפֶה וְיוֹדֵעַ סְתָרֵינוּ מַבִּיט לְסוֹף דָּבָר בְּקַדְמָתוֹ:

גּוֹמֵל לְאִישׁ חֶסֶד כְּמִפְעָלוֹ נוֹתֵן לְרָשָׁע רָע כְּרִשְׁעָתוֹ:

יִשְׁלַח לְקֵץ יָמִין מְשִׁיחֵנוּ לִפְדּוֹת מְחַכֵּי קֵץ יְשׁוּעָתוֹ:

מֵתִים יְחַיֶּה אֵל בְּרֹב חַסְדּוֹ בָּרוּךְ עֲדֵי־עַד שֵׁם תְּהִלָּתוֹ:

בָּרוּךְ אַתָּה יְיָ אֱלֹהֵינוּ מֶלֶךְ הָעוֹלָם אֲשֶׁר קִדְּשָׁנוּ בְּמִצְוֹתָיו וְצִוָּנוּ עַל נְטִילַת יָדָיִם:

The living God O magnify and bless,
Transcending time and here eternally.

One Being, yet unique in unity;
A mystery of Oneness, measureless.

Lo! form or body He has none, and man
No semblance of His holiness can frame.

Before Creation's dawn He was the same;
The first to be, though never He began.

He is the world's and every creature's Lord;
His rule and majesty are manifest,

And through His chosen, glorious sons exprest
In prophecies that through their lips are poured.

Yet never like to Moses rose a seer,
Permitted glimpse behind the veil divine.

This faithful prince of God's prophetic line
Received the Law of Truth for Israel's ear.

The Law God gave, He never will amend,
Nor ever by another Law replace.

Our secret things are spread before His face;
In all beginnings He beholds the end.

The saint's reward He measures to his meed;
The sinner reaps the harvest of his ways.

Messiah He will send at end of days,
And all the faithful to salvation lead.

God will the dead again to life restore
In His abundance of almighty love.

Then blessèd be His name, all names above,
And let His praise resound forevermore.

> Judaism teaches us that even the routine functions of life
> reveal the wisdom and goodness of the Creator. Hence were
> introduced the following blessings which were originally not
> part of the public Synagogue service.

Blessed art Thou, O Lord our God, King of the universe,
who hast sanctified us with Thy precepts and enjoined
on us the washing of the hands.

בָּרוּךְ אַתָּה יְיָ אֱלֹהֵינוּ מֶלֶךְ הָעוֹלָם אֲשֶׁר יָצַר אֶת־הָאָדָם בְּחָכְמָה וּבָרָא בוֹ נְקָבִים נְקָבִים חֲלוּלִים חֲלוּלִים. גָּלוּי וְיָדוּעַ לִפְנֵי כִסֵּא כְבוֹדֶךָ שֶׁאִם יִפָּתֵחַ אֶחָד מֵהֶם אוֹ יִסָּתֵם אֶחָד מֵהֶם אִי אֶפְשַׁר לְהִתְקַיֵּם וְלַעֲמוֹד לְפָנֶיךָ. בָּרוּךְ אַתָּה יְיָ רוֹפֵא כָל־בָּשָׂר וּמַפְלִיא לַעֲשׂוֹת:

בָּרוּךְ אַתָּה יְיָ אֱלֹהֵינוּ מֶלֶךְ הָעוֹלָם אֲשֶׁר קִדְּשָׁנוּ בְּמִצְוֹתָיו וְצִוָּנוּ לַעֲסוֹק בְּדִבְרֵי תוֹרָה:

וְהַעֲרֶב־נָא יְיָ אֱלֹהֵינוּ אֶת־דִּבְרֵי תוֹרָתְךָ בְּפִינוּ וּבְפִי עַמְּךָ בֵּית יִשְׂרָאֵל. וְנִהְיֶה אֲנַחְנוּ וְצֶאֱצָאֵינוּ וְצֶאֱצָאֵי עַמְּךָ בֵּית יִשְׂרָאֵל כֻּלָּנוּ יוֹדְעֵי שְׁמֶךָ וְלוֹמְדֵי תוֹרָתֶךָ לִשְׁמָהּ. בָּרוּךְ אַתָּה יְיָ הַמְלַמֵּד תּוֹרָה לְעַמּוֹ יִשְׂרָאֵל:

בָּרוּךְ אַתָּה יְיָ אֱלֹהֵינוּ מֶלֶךְ הָעוֹלָם אֲשֶׁר בָּחַר בָּנוּ מִכָּל־הָעַמִּים וְנָתַן לָנוּ אֶת־תּוֹרָתוֹ. בָּרוּךְ אַתָּה יְיָ נוֹתֵן הַתּוֹרָה:

יְבָרֶכְךָ יְיָ וְיִשְׁמְרֶךָ: יָאֵר יְיָ פָּנָיו אֵלֶיךָ וִיחֻנֶּךָּ: יִשָּׂא יְיָ פָּנָיו אֵלֶיךָ וְיָשֵׂם לְךָ שָׁלוֹם:

משנה פאה פ"א ובררייתות

אֵלּוּ דְבָרִים שֶׁאֵין לָהֶם שִׁעוּר. הַפֵּאָה וְהַבִּכּוּרִים וְהָרֵאָיוֹן וּגְמִילוּת חֲסָדִים וְתַלְמוּד תּוֹרָה: אֵלּוּ דְבָרִים שֶׁאָדָם אוֹכֵל פֵּרוֹתֵיהֶם בָּעוֹלָם הַזֶּה וְהַקֶּרֶן קַיֶּמֶת לוֹ לָעוֹלָם הַבָּא וְאֵלּוּ הֵן: כִּבּוּד אָב וָאֵם וּגְמִילוּת חֲסָדִים וְהַשְׁכָּמַת בֵּית הַמִּדְרָשׁ שַׁחֲרִית וְעַרְבִית וְהַכְנָסַת אוֹרְחִים וּבִקּוּר חוֹלִים וְהַכְנָסַת כַּלָּה וּלְוָיַת הַמֵּת וְעִיּוּן תְּפִלָּה וַהֲבָאַת שָׁלוֹם בֵּין אָדָם לַחֲבֵרוֹ. וְתַלְמוּד תּוֹרָה כְּנֶגֶד כֻּלָּם:

Blessed art Thou, O Lord our God, King of the universe, who hast fashioned man in wisdom, and hast created within him life-sustaining organs. It is revealed and known before Thy glorious throne that if but one of these function improperly it would be impossible for man to survive before Thee. Blessed art Thou, O Lord, who endowest man with health and doest wonders.

Blessed art Thou, O Lord our God, King of the universe, who hast sanctified us with Thy precepts and enjoined on us to occupy ourselves with the study of the Torah

O Lord our God, grant that we and all Thy people, the house of Israel, find delight in the study of the Torah. May we and our children and all the future generations of the house of Israel know Thy name and learn Thy Torah for its own sake. Blessed art Thou, O Lord, who teachest the Torah to Thy people Israel.

Blessed art Thou, O Lord our God, King of the universe, who hast chosen us from among all peoples by giving us Thy Torah. Blessed art Thou, O Lord, Giver of the Torah.

The Lord bless thee and keep thee. The Lord make His countenance shine upon thee and be gracious unto thee. The Lord turn His countenance unto thee, and grant thee peace.

Mishnah Peah I and Baraitot

In the fulfillment of the following mitzvot, no fixed measure is imposed: leaving the corner of the field for the poor, the gift of the first-fruits, the pilgrimage offering at the sanctuary on the three festivals, deeds of lovingkindness and the study of the Torah. With regard to the fulfillment of the following mitzvot, a man enjoys their fruit in this life while the principal remains for him to all eternity: honoring one's father and mother, performing deeds of lovingkindness, attending the house of study morning and evening, hospitality to wayfarers, visiting the sick, dowering the bride, attending the dead to the grave, devotion in prayer and the making of peace between man and his fellow; but the study of the Torah is equivalent to them all.

אֱלֹהַי נְשָׁמָה שֶׁנָּתַתָּ בִּי טְהוֹרָה הִיא. אַתָּה בְרָאתָהּ אַתָּה יְצַרְתָּהּ אַתָּה נְפַחְתָּהּ בִּי וְאַתָּה מְשַׁמְּרָהּ בְּקִרְבִּי. וְאַתָּה עָתִיד לִטְּלָהּ מִמֶּנִּי וּלְהַחֲזִירָהּ בִּי לֶעָתִיד לָבֹא: כָּל־זְמַן שֶׁהַנְּשָׁמָה בְקִרְבִּי מוֹדֶה אֲנִי לְפָנֶיךָ יְיָ אֱלֹהַי וֵאלֹהֵי אֲבוֹתַי רִבּוֹן כָּל־הַמַּעֲשִׂים אֲדוֹן כָּל־הַנְּשָׁמוֹת: בָּרוּךְ אַתָּה יְיָ הַמַּחֲזִיר נְשָׁמוֹת לִפְגָרִים מֵתִים:

בָּרוּךְ אַתָּה יְיָ אֱלֹהֵינוּ מֶלֶךְ הָעוֹלָם אֲשֶׁר נָתַן לַשֶּׂכְוִי בִינָה לְהַבְחִין בֵּין יוֹם וּבֵין לָיְלָה:

בָּרוּךְ אַתָּה יְיָ אֱלֹהֵינוּ מֶלֶךְ הָעוֹלָם שֶׁעָשַׂנִי בְּצַלְמוֹ:

בָּרוּךְ אַתָּה יְיָ אֱלֹהֵינוּ מֶלֶךְ הָעוֹלָם שֶׁעָשַׂנִי בֶּן חוֹרִין:

בָּרוּךְ אַתָּה יְיָ אֱלֹהֵינוּ מֶלֶךְ הָעוֹלָם שֶׁעָשַׂנִי יִשְׂרָאֵל:

בָּרוּךְ אַתָּה יְיָ אֱלֹהֵינוּ מֶלֶךְ הָעוֹלָם פּוֹקֵחַ עִוְרִים:

בָּרוּךְ אַתָּה יְיָ אֱלֹהֵינוּ מֶלֶךְ הָעוֹלָם מַלְבִּישׁ עֲרֻמִּים:

בָּרוּךְ אַתָּה יְיָ אֱלֹהֵינוּ מֶלֶךְ הָעוֹלָם מַתִּיר אֲסוּרִים:

בָּרוּךְ אַתָּה יְיָ אֱלֹהֵינוּ מֶלֶךְ הָעוֹלָם זוֹקֵף כְּפוּפִים:

בָּרוּךְ אַתָּה יְיָ אֱלֹהֵינוּ מֶלֶךְ הָעוֹלָם רוֹקַע הָאָרֶץ עַל הַמָּיִם:

בָּרוּךְ אַתָּה יְיָ אֱלֹהֵינוּ מֶלֶךְ הָעוֹלָם שֶׁעָשָׂה לִי כָּל־צָרְכִּי:

בָּרוּךְ אַתָּה יְיָ אֱלֹהֵינוּ מֶלֶךְ הָעוֹלָם אֲשֶׁר הֵכִין מִצְעֲדֵי גָבֶר:

בָּרוּךְ אַתָּה יְיָ אֱלֹהֵינוּ מֶלֶךְ הָעוֹלָם אוֹזֵר יִשְׂרָאֵל בִּגְבוּרָה:

בָּרוּךְ אַתָּה יְיָ אֱלֹהֵינוּ מֶלֶךְ הָעוֹלָם עוֹטֵר יִשְׂרָאֵל בְּתִפְאָרָה:

בָּרוּךְ אַתָּה יְיָ אֱלֹהֵינוּ מֶלֶךְ הָעוֹלָם הַנּוֹתֵן לַיָּעֵף כֹּחַ:

O my God, the soul with which Thou didst endow me is pure. Thou didst create it and fashion it; Thou didst breathe it into me and Thou preservest it within me. Thou wilt reclaim it from me but Thou wilt restore it to me in the life to come. So long as the breath of life is within me, I will give thanks unto Thee, O Lord my God and God of my fathers, Master of all works, Lord of all souls. Blessed art Thou, O Lord, who restorest life to mortal creatures.

Blessed art Thou, O Lord our God, King of the universe, who hast given the mind understanding to distinguish between day and night.

Blessed art Thou, O Lord our God, King of the universe, who hast made me in Thine image.

Blessed art Thou, O Lord our God, King of the universe, who hast made me free.

Blessed art Thou, O Lord our God, King of the universe, who hast made me an Israelite.

Blessed art Thou, O Lord our God, King of the universe, who openest the eyes of the blind.

Blessed art Thou, O Lord our God, King of the universe, who clothest the naked.

Blessed art Thou, O Lord our God, King of the universe, who releasest the bound.

Blessed art Thou, O Lord our God, King of the universe, who raisest up them that are bowed down.

Blessed art Thou, O Lord our God, King of the universe, who stretchest out the earth over the waters.

Blessed art Thou, O Lord our God, King of the universe, who hast provided for all my needs.

Blessed art Thou, O Lord our God, King of the universe, who guidest the steps of man.

Blessed art Thou, O Lord our God, King of the universe, who girdest Israel with strength.

Blessed art Thou, O Lord our God, King of the universe, who crownest Israel with glory.

Blessed art Thou, O Lord our God, King of the universe, who givest strength to the weary.

בָּרוּךְ אַתָּה יְיָ אֱלֹהֵינוּ מֶלֶךְ הָעוֹלָם הַמַּעֲבִיר שֵׁנָה מֵעֵינָי וּתְנוּמָה מֵעַפְעַפָּי: וִיהִי רָצוֹן מִלְּפָנֶיךָ יְיָ אֱלֹהֵינוּ וֵאלֹהֵי אֲבוֹתֵינוּ שֶׁתַּרְגִּילֵנוּ בְּתוֹרָתֶךָ וְדַבְּקֵנוּ בְּמִצְוֹתֶיךָ וְאַל תְּבִיאֵנוּ לֹא לִידֵי חֵטְא וְלֹא לִידֵי עֲבֵרָה וְעָוֹן וְלֹא לִידֵי נִסָּיוֹן וְלֹא לִידֵי בִזָּיוֹן. וְאַל־תַּשְׁלֶט בָּנוּ יֵצֶר הָרָע וְהַרְחִיקֵנוּ מֵאָדָם רָע וּמֵחָבֵר רָע. וְדַבְּקֵנוּ בְּיֵצֶר הַטּוֹב וּבְמַעֲשִׂים טוֹבִים וְכוֹף אֶת יִצְרֵנוּ לְהִשְׁתַּעְבֶּד־לָךְ. וּתְנֵנוּ הַיּוֹם וּבְכָל־יוֹם לְחֵן וּלְחֶסֶד וּלְרַחֲמִים בְּעֵינֶיךָ וּבְעֵינֵי כָל־רוֹאֵינוּ וְתִגְמְלֵנוּ חֲסָדִים טוֹבִים. בָּרוּךְ אַתָּה יְיָ גּוֹמֵל חֲסָדִים טוֹבִים לְעַמּוֹ יִשְׂרָאֵל:

יְהִי רָצוֹן מִלְּפָנֶיךָ יְיָ אֱלֹהַי וֵאלֹהֵי אֲבוֹתַי שֶׁתַּצִּילֵנִי הַיּוֹם וּבְכָל־יוֹם מֵעַזֵּי פָנִים וּמֵעַזּוּת פָּנִים מֵאָדָם רָע וּמֵחָבֵר רָע וּמִשָּׁכֵן רָע וּמִפֶּגַע רָע וּמִשָּׂטָן הַמַּשְׁחִית מִדִּין קָשֶׁה וּמִבַּעַל דִּין קָשֶׁה בֵּין שֶׁהוּא בֶן־בְּרִית וּבֵין שֶׁאֵינוֹ בֶן־בְּרִית:

לְעוֹלָם יְהֵא אָדָם יְרֵא שָׁמַיִם בְּסֵתֶר וּמוֹדֶה עַל הָאֱמֶת וְדוֹבֵר אֱמֶת בִּלְבָבוֹ וְיַשְׁכֵּם וְיֹאמַר.

רִבּוֹן כָּל־הָעוֹלָמִים לֹא עַל־צִדְקוֹתֵינוּ אֲנַחְנוּ מַפִּילִים תַּחֲנוּנֵינוּ לְפָנֶיךָ כִּי עַל־רַחֲמֶיךָ הָרַבִּים. מָה אֲנַחְנוּ. מֶה חַיֵּינוּ. מֶה חַסְדֵּנוּ. מַה־צִּדְקֵנוּ. מַה־יְשׁוּעָתֵנוּ. מַה־כֹּחֵנוּ. מַה־גְּבוּרָתֵנוּ. מַה־נֹּאמַר לְפָנֶיךָ יְיָ אֱלֹהֵינוּ וֵאלֹהֵי אֲבוֹתֵינוּ. הֲלֹא כָּל־הַגִּבּוֹרִים כְּאַיִן לְפָנֶיךָ. וְאַנְשֵׁי הַשֵּׁם כְּלֹא הָיוּ וַחֲכָמִים כִּבְלִי מַדָּע וּנְבוֹנִים כִּבְלִי הַשְׂכֵּל. כִּי רֹב מַעֲשֵׂיהֶם תֹּהוּ וִימֵי חַיֵּיהֶם הֶבֶל לְפָנֶיךָ. וּמוֹתַר הָאָדָם מִן הַבְּהֵמָה אָיִן כִּי הַכֹּל הָבֶל:

Blessed art Thou, O Lord our God, King of the universe, who removest sleep from mine eyes and slumber from mine eyelids.

May it be Thy will, O Lord our God and God of our fathers, to cause us to walk in the way of Thy Law and to cleave to Thy precepts. Let us not fall into the power of sin, transgression or iniquity, nor succumb to temptation or shame. Let not the sinful inclination hold sway over us. Keep us far from the influence of wicked men and corrupt companions. Make us cleave to our good inclination and to perform good deeds. O bend our will to Thy service, and grant us this day and every day, grace, kindness and mercy, both in Thy sight and in the sight of all men, and bestow Thy lovingkindness upon us. Blessed art Thou, O Lord, who bestowest Thy bountiful love upon the people of Israel.

May it be Thy will, O Lord my God and God of my fathers, to deliver me this day and every day from arrogance and from arrogant men, from every corrupt person, from every evil companion and neighbor, and from all mishap; from the dangers that lurk about me, from a harsh judgment and an implacable opponent, whether or not he be an adherent of our faith.

At all times man should revere God even in private, acknowledging the truth and speaking the truth in his heart. As he rises in the morning let him declare:

Sovereign of all worlds! Not because of our righteousness do we offer our supplications before Thee, but because of Thy great mercies. What are we? What is our life? What is our goodness? What our righteousness? What our help? What is our strength? What is our might? What can we say before Thee, O Lord our God and God of our fathers? Are not the mightiest as naught before Thee, and men of renown as though they were not, wise men as if they were without knowledge, and men of understanding as though they were lacking in discernment? For in Thine eyes the multitude of their works is emptiness, and the days of their life mere vanity. The pre-eminence of man over beast would be naught; all would be vanity —

אֲבָל אֲנַחְנוּ עַמְּךָ בְּנֵי בְרִיתֶךָ. בְּנֵי אַבְרָהָם אֹהַבְךָ שֶׁנִּשְׁבַּעְתָּ לּוֹ בְּהַר הַמֹּרִיָּה. זֶרַע יִצְחָק יְחִידוֹ שֶׁנֶּעֱקַד עַל־גַּב הַמִּזְבֵּחַ. עֲדַת יַעֲקֹב בִּנְךָ בְּכוֹרֶךָ שֶׁמֵּאַהֲבָתְךָ שֶׁאָהַבְתָּ אֹתוֹ וּמִשִּׂמְחָתְךָ שֶׁשָּׂמַחְתָּ בּוֹ קָרָאתָ אֶת־שְׁמוֹ יִשְׂרָאֵל וִישֻׁרוּן:

לְפִיכָךְ אֲנַחְנוּ חַיָּבִים לְהוֹדוֹת לְךָ וּלְשַׁבֵּחֲךָ וּלְפָאֶרְךָ. וּלְבָרֵךְ וּלְקַדֵּשׁ וְלָתֶת־שֶׁבַח וְהוֹדָיָה לִשְׁמֶךָ: אַשְׁרֵינוּ. מַה־טּוֹב חֶלְקֵנוּ וּמַה־נָּעִים גּוֹרָלֵנוּ וּמַה־יָּפָה יְרֻשָּׁתֵנוּ. אַשְׁרֵינוּ שֶׁאֲנַחְנוּ מַשְׁכִּימִים וּמַעֲרִיבִים עֶרֶב וָבֹקֶר וְאוֹמְרִים פַּעֲמַיִם בְּכָל יוֹם

שְׁמַע יִשְׂרָאֵל יְיָ אֱלֹהֵינוּ יְיָ אֶחָד:

בָּרוּךְ שֵׁם כְּבוֹד מַלְכוּתוֹ לְעוֹלָם וָעֶד:

אַתָּה הוּא עַד שֶׁלֹּא נִבְרָא הָעוֹלָם. אַתָּה הוּא מִשֶּׁנִּבְרָא הָעוֹלָם. אַתָּה הוּא בָּעוֹלָם הַזֶּה וְאַתָּה הוּא לָעוֹלָם הַבָּא: קַדֵּשׁ אֶת־שִׁמְךָ עַל־מַקְדִּישֵׁי שְׁמֶךָ וְקַדֵּשׁ אֶת־שִׁמְךָ בְּעוֹלָמֶךָ וּבִישׁוּעָתְךָ תָּרִים וְתַגְבִּיהַּ קַרְנֵנוּ. בָּרוּךְ אַתָּה יְיָ מְקַדֵּשׁ אֶת־שִׁמְךָ בָּרַבִּים:

אַתָּה הוּא יְיָ אֱלֹהֵינוּ בַּשָּׁמַיִם וּבָאָרֶץ וּבִשְׁמֵי הַשָּׁמַיִם הָעֶלְיוֹנִים. אֱמֶת אַתָּה הוּא רִאשׁוֹן וְאַתָּה הוּא אַחֲרוֹן וּמִבַּלְעָדֶיךָ אֵין אֱלֹהִים: קַבֵּץ קֹוֶיךָ מֵאַרְבַּע כַּנְפוֹת הָאָרֶץ. יַכִּירוּ וְיֵדְעוּ כָּל־בָּאֵי עוֹלָם כִּי אַתָּה הוּא הָאֱלֹהִים לְבַדְּךָ לְכֹל מַמְלְכוֹת הָאָרֶץ. אַתָּה עָשִׂיתָ אֶת־הַשָּׁמַיִם

Were it not that we are Thy people, children of **Thy** covenant, descendants of Abraham Thy beloved, to whom, at Mt. Moriah Thou didst give Thy promise, seed of Isaac his only son, who was bound upon the altar, the congregation of Jacob Thy first born, whom Thou didst name Israel and Jeshurun out of Thy love for him and Thy delight in him.

It is therefore our duty to give thanks unto Thee and extol **Thee,** to bless and hallow Thy name in offering Thee praise and thanksgiving.   Happy are we!   How goodly is our portion, how pleasant our lot, how beautiful our heritage!   Happy are we who pray morning and evening, declaring twice every day:

Hear, O Israel: the Lord our God, the Lord is One.

Blessed be His glorious kingdom for ever and ever.

Thou, O Lord, wast God before the world was created. Thou art God since the world was formed; Thou art God both in this world and in the world to come.   Sanctify Thy name through those who call Thee holy.   Yea, hallow Thy name in Thy world, and through Thy salvation raise up and exalt our destiny.   Blessed art Thou, O Lord, who hallowest Thy name before all men.

Thou art the Lord our God in heaven and on earth and in all the heavenly spheres.   In truth Thou art the first and Thou art the last, and besides Thee there is no God. O gather from the four corners of the earth those that hope in Thee.   Then all mankind shall understand and acknowledge that Thou alone art God over all the kingdoms of the earth.   Thou hast made the heavens and the earth,

וְאֶת־הָאָרֶץ אֶת־הַיָּם וְאֶת־כָּל־אֲשֶׁר בָּם. וּמִי בְּכָל־מַעֲשֵׂה יָדֶיךָ בָּעֶלְיוֹנִים אוֹ בַתַּחְתּוֹנִים שֶׁיֹּאמַר לְךָ מַה תַּעֲשֶׂה: אָבִינוּ שֶׁבַּשָּׁמַיִם עֲשֵׂה עִמָּנוּ חֶסֶד בַּעֲבוּר שִׁמְךָ הַגָּדוֹל שֶׁנִּקְרָא עָלֵינוּ. וְקַיֶּם־לָנוּ יְיָ אֱלֹהֵינוּ מַה שֶּׁכָּתוּב. בָּעֵת הַהִיא אָבִיא אֶתְכֶם וּבָעֵת קַבְּצִי אֶתְכֶם כִּי־אֶתֵּן אֶתְכֶם לְשֵׁם וְלִתְהִלָּה בְּכֹל עַמֵּי הָאָרֶץ בְּשׁוּבִי אֶת־שְׁבוּתֵיכֶם לְעֵינֵיכֶם אָמַר יְיָ:

ספרא א'

רַבִּי יִשְׁמָעֵאל אוֹמֵר בִּשְׁלֹשׁ עֶשְׂרֵה מִדּוֹת הַתּוֹרָה נִדְרֶשֶׁת:

מִקַּל וָחֹמֶר.

וּמִגְּזֵרָה שָׁוָה.

מִבִּנְיַן אָב מִכָּתוּב אֶחָד. וּמִבִּנְיַן אָב מִשְּׁנֵי כְתוּבִים.

מִכְּלָל וּפְרָט.

וּמִפְּרָט וּכְלָל.

כְּלָל וּפְרָט וּכְלָל אִי אַתָּה דָן אֶלָּא כְּעֵין הַפְּרָט.

מִכְּלָל שֶׁהוּא צָרִיךְ לִפְרָט. וּמִפְּרָט שֶׁהוּא צָרִיךְ לִכְלָל.

כָּל־דָּבָר שֶׁהָיָה בִּכְלָל וְיָצָא מִן הַכְּלָל לְלַמֵּד לֹא לְלַמֵּד עַל עַצְמוֹ יָצָא אֶלָּא לְלַמֵּד עַל הַכְּלָל כֻּלּוֹ יָצָא.

כָּל־דָּבָר שֶׁהָיָה בִּכְלָל וְיָצָא לִטְעוֹן טֹעַן אֶחָד שֶׁהוּא כְעִנְיָנוֹ יָצָא לְהָקֵל וְלֹא לְהַחֲמִיר.

כָּל־דָּבָר שֶׁהָיָה בִּכְלָל וְיָצָא לִטְעוֹן טֹעַן אַחֵר שֶׁלֹּא כְעִנְיָנוֹ יָצָא לְהָקֵל וּלְהַחֲמִיר.

כָּל־דָּבָר שֶׁהָיָה בִּכְלָל וְיָצָא לִדּוֹן בַּדָּבָר הֶחָדָשׁ אִי אַתָּה יָכוֹל לְהַחֲזִירוֹ לִכְלָלוֹ עַד שֶׁיַּחֲזִירֶנּוּ הַכָּתוּב לִכְלָלוֹ בְּפֵרוּשׁ.

דָּבָר הַלָּמֵד מֵעִנְיָנוֹ. וְדָבָר הַלָּמֵד מִסּוֹפוֹ.

וְכֵן שְׁנֵי כְתוּבִים הַמַּכְחִישִׁים זֶה אֶת־זֶה עַד שֶׁיָּבוֹא הַכָּתוּב הַשְּׁלִישִׁי וְיַכְרִיעַ בֵּינֵיהֶם:

the sea and all that is therein. Who of all Thy handiwork, both above and below, can say unto Thee: What doest Thou? Our Father who art in heaven, deal mercifully with us for the sake of Thy great name by which we are called; and fulfil unto us, O Lord our God, the words of Holy Scripture: At that time will I bring you in, and at that time will I gather you; for I will make you a name and a praise among all the peoples of the earth, when I redeem you from captivity before your very eyes, saith the Lord.

Sifra: Chapter 1

Rabbi Ishmael says the Torah may be expounded by these thirteen principles of logic:

1. Inference from minor to major, or from major to minor.

2. Inference from similarity of phrases in texts.

3. A comprehensive principle derived from one text, or from two related texts.

4. A general proposition followed by a specifying particular.

5. A particular term followed by a general proposition.

6. A general law limited by a specific application and then treated again in general terms must be interpreted according to the tenor of the specific limitation.

7. A general proposition requiring a particular or specific term to explain it, and conversely, a particular term requiring a general one to complement it.

8. When a subject included in a general proposition is afterwards particularly excepted to give information concerning it, the exception is made not for that one instance only, but to apply to the general proposition as a whole.

9. Whenever anything is first included in a general proposition and is then excepted to prove another similar proposition, this specifying alleviates and does not aggravate the law's restriction.

10. But when anything is first included in a general proposition and is then excepted to state a case that is not a similar proposition, such specifying alleviates in some respects and in other aggravates the law's restriction.

11. Anything included in a general proposition and afterwards excepted to determine a new matter can not be applied to the general proposition unless this be expressly done in the text.

12. An interpretation may be deduced from the text or from subsequent terms of the text.

13. In like manner when two texts contradict each other, we follow the second, until a third text is found which reconciles the contradiction.

יְהִי רָצוֹן מִלְּפָנֶיךָ יְיָ אֱלֹהֵינוּ וֵאלֹהֵי אֲבוֹתֵינוּ שֶׁיִּבָּנֶה בֵּית הַמִּקְדָּשׁ בִּמְהֵרָה בְיָמֵינוּ וְתֵן חֶלְקֵנוּ בְּתוֹרָתֶךָ: וְשָׁם נַעֲבָדְךָ בְּיִרְאָה כִּימֵי עוֹלָם וּכְשָׁנִים קַדְמֹנִיּוֹת:

קַדִּישׁ דְּרַבָּנָן

יִתְגַּדַּל וְיִתְקַדַּשׁ שְׁמֵהּ רַבָּא. בְּעָלְמָא דִּי בְרָא כִרְעוּתֵהּ. וְיַמְלִיךְ מַלְכוּתֵהּ. בְּחַיֵּיכוֹן וּבְיוֹמֵיכוֹן וּבְחַיֵּי דְכָל בֵּית יִשְׂרָאֵל. בַּעֲגָלָא וּבִזְמַן קָרִיב. וְאִמְרוּ אָמֵן:

יְהֵא שְׁמֵהּ רַבָּא מְבָרַךְ לְעָלַם וּלְעָלְמֵי עָלְמַיָּא:

יִתְבָּרַךְ וְיִשְׁתַּבַּח. וְיִתְפָּאַר וְיִתְרוֹמַם. וְיִתְנַשֵּׂא וְיִתְהַדָּר. וְיִתְעַלֶּה וְיִתְהַלָּל שְׁמֵהּ דְּקֻדְשָׁא. בְּרִיךְ הוּא. לְעֵלָּא (וּלְעֵלָּא) מִן כָּל בִּרְכָתָא וְשִׁירָתָא. תֻּשְׁבְּחָתָא וְנֶחֱמָתָא. דַּאֲמִירָן בְּעָלְמָא. וְאִמְרוּ אָמֵן:

עַל יִשְׂרָאֵל וְעַל רַבָּנָן. וְעַל תַּלְמִידֵיהוֹן וְעַל כָּל תַּלְמִידֵי תַלְמִידֵיהוֹן. וְעַל כָּל מָאן דִּי עָסְקִין בְּאוֹרַיְתָא. דִּי בְאַתְרָא הָדֵין וְדִי בְכָל אֲתַר וַאֲתַר. יְהֵא לְהוֹן וּלְכוֹן שְׁלָמָא רַבָּא. חִנָּא וְחִסְדָּא וְרַחֲמִין. וְחַיִּין אֲרִיכִין. וּמְזוֹנָא רְוִיחֵי. וּפֻרְקָנָא מִן קֳדָם אֲבוּהוֹן דִּי בִשְׁמַיָּא וְאַרְעָא. וְאִמְרוּ אָמֵן:

יְהֵא שְׁלָמָא רַבָּא מִן שְׁמַיָּא. וְחַיִּים טוֹבִים עָלֵינוּ וְעַל כָּל יִשְׂרָאֵל. וְאִמְרוּ אָמֵן:

עֹשֶׂה שָׁלוֹם בִּמְרוֹמָיו הוּא בְּרַחֲמָיו יַעֲשֶׂה שָׁלוֹם עָלֵינוּ וְעַל כָּל יִשְׂרָאֵל. וְאִמְרוּ אָמֵן:

May it be Thy will, O Lord our God and God of our fathers, to grant our portion in Thy Torah and may the Temple be rebuilt in our day. There we will serve Thee with awe as in the days of old.

A PRAYER FOR SCHOLARS

Magnified and sanctified be the name of God throughout the world which He hath created according to His will. May He establish His kingdom during the days of your life and during the life of all the house of Israel, speedily, yea, soon; and say ye, Amen.

May His great name be blessed for ever and ever.

Exalted and honored be the name of the Holy One, blessed be He, whose glory transcends, yea, is beyond all praises, hymns and blessings that man can render unto Him; and say ye, Amen.

Unto Israel and unto our scholars, unto their disciples and pupils, and unto all who engage in the study of the Torah, here and everywhere, unto them and unto you, may there be abundant peace, grace, lovingkindness, mercy, long life, sustenance and salvation from their Father in heaven; and say ye, Amen.

May there be abundant peace from heaven, and a happy life for us, and for all Israel; and say ye, Amen.

May He who establisheth peace in the heavens, in His mercy, grant peace unto us and unto all Israel; and say ye, Amen.

On Sabbath, continue on page 55.

Psalm for Sunday

הַיּוֹם יוֹם רִאשׁוֹן בַּשַּׁבָּת שֶׁבּוֹ הָיוּ הַלְוִיִּם אוֹמְרִים בְּבֵית הַמִּקְדָּשׁ:

תהלים כ״ד

לְדָוִד מִזְמוֹר.

לַיהוָֹה הָאָרֶץ וּמְלוֹאָהּ תֵּבֵל וְיֹשְׁבֵי בָהּ:

כִּי־הוּא עַל־יַמִּים יְסָדָהּ וְעַל נְהָרוֹת יְכוֹנְנֶהָ:

מִי־יַעֲלֶה בְהַר־יְהוָֹה וּמִי־יָקוּם בִּמְקוֹם קָדְשׁוֹ:

נְקִי כַפַּיִם וּבַר־לֵבָב אֲשֶׁר לֹא־נָשָׂא לַשָּׁוְא נַפְשִׁי

וְלֹא נִשְׁבַּע לְמִרְמָה:

יִשָּׂא בְרָכָה מֵאֵת יְהוָֹה וּצְדָקָה מֵאֱלֹהֵי יִשְׁעוֹ:

זֶה דּוֹר דֹּרְשָׁו מְבַקְשֵׁי פָנֶיךָ יַעֲקֹב סֶלָה:

שְׂאוּ שְׁעָרִים רָאשֵׁיכֶם וְהִנָּשְׂאוּ פִּתְחֵי עוֹלָם

וְיָבוֹא מֶלֶךְ הַכָּבוֹד:

מִי זֶה מֶלֶךְ הַכָּבוֹד יְהוָֹה עִזּוּז וְגִבּוֹר

יְהוָֹה גִּבּוֹר מִלְחָמָה:

שְׂאוּ שְׁעָרִים רָאשֵׁיכֶם וּשְׂאוּ פִּתְחֵי עוֹלָם

וְיָבֹא מֶלֶךְ הַכָּבוֹד:

מִי הוּא זֶה מֶלֶךְ הַכָּבוֹד יְהוָֹה צְבָאוֹת

הוּא מֶלֶךְ הַכָּבוֹד סֶלָה:

On Sabbath, continue on page 55.

Psalm for Sunday

This is the First Day of the Week, on which the Levites in the Temple recited the following psalm:

PSALM 24

A Psalm of David.

The earth is the Lord's and all its fulness,
The world, and they that dwell therein.

For He hath founded it upon the seas,
And established it upon the floods.

Who shall ascend the mountain of the Lord?
And who shall stand in His holy place?

He that has clean hands, and a pure heart;
Who has not set his mind on what is false,
And has not sworn deceitfully.

He shall receive a blessing from the Lord,
And righteousness from the God of his salvation.

Such is the generation of them that seek Him,
That seek the presence of the God of Jacob.

Lift up your heads, O ye gates,
Yea, lift them up, ye everlasting doors,
That the King of glory may come in.

Who is the King of glory?
The Lord strong and mighty,
The Lord mighty in battle.

Lift up your heads, O ye gates,
Yea, lift them up, ye everlasting doors,
That the King of glory may come in.

Who then is the King of glory?
The Lord of hosts;
He is the King of glory.

Psalm for Monday

הַיּוֹם יוֹם שֵׁנִי בַּשַּׁבָּת שֶׁבּוֹ הָיוּ הַלְוִיִּם אוֹמְרִים בְּבֵית הַמִּקְדָּשׁ:

מ״ח שִׁיר מִזְמוֹר לִבְנֵי־קֹרַח:

גָּדוֹל יְהוָה וּמְהֻלָּל מְאֹד בְּעִיר אֱלֹהֵינוּ הַר־קָדְשׁוֹ:

יְפֵה נוֹף מְשׂוֹשׂ כָּל־הָאָרֶץ הַר־צִיּוֹן יַרְכְּתֵי צָפוֹן

קִרְיַת מֶלֶךְ רָב:

אֱלֹהִים בְּאַרְמְנוֹתֶיהָ נוֹדַע לְמִשְׂגָּב:

כִּי־הִנֵּה הַמְּלָכִים נוֹעֲדוּ עָבְרוּ יַחְדָּו:

הֵמָּה רָאוּ כֵּן תָּמָהוּ נִבְהֲלוּ נֶחְפָּזוּ:

רְעָדָה אֲחָזָתַם שָׁם חִיל כַּיּוֹלֵדָה:

בְּרוּחַ קָדִים תְּשַׁבֵּר אֳנִיּוֹת תַּרְשִׁישׁ:

כַּאֲשֶׁר שָׁמַעְנוּ כֵּן רָאִינוּ

בְּעִיר יְהוָה־צְבָאוֹת בְּעִיר אֱלֹהֵינוּ

אֱלֹהִים יְכוֹנְנֶהָ עַד־עוֹלָם סֶלָה:

דִּמִּינוּ אֱלֹהִים חַסְדֶּךָ בְּקֶרֶב הֵיכָלֶךָ:

כְּשִׁמְךָ אֱלֹהִים כֵּן תְּהִלָּתְךָ עַל־קַצְוֵי־אֶרֶץ

צֶדֶק מָלְאָה יְמִינֶךָ:

יִשְׂמַח הַר־צִיּוֹן תָּגֵלְנָה בְּנוֹת יְהוּדָה

לְמַעַן מִשְׁפָּטֶיךָ:

סֹבּוּ צִיּוֹן וְהַקִּיפוּהָ סִפְרוּ מִגְדָּלֶיהָ:

שִׁיתוּ לִבְּכֶם לְחֵילָה פַּסְּגוּ אַרְמְנוֹתֶיהָ

לְמַעַן תְּסַפְּרוּ לְדוֹר אַחֲרוֹן:

כִּי זֶה אֱלֹהִים אֱלֹהֵינוּ עוֹלָם וָעֶד. הוּא יְנַהֲגֵנוּ עַל־מוּת:

Psalm for Monday

This is the Second Day of the week, on which the Levites in the Temple recited the following psalm:

PSALM 48. A song; A Psalm of the sons of Korah.

Great is the Lord, and highly to be praised,
In the city of our God, His holy mountain;

Beautiful in elevation, the earth's joy
Is Mount Zion in the far north,
The city of the great King.

God in her palaces
Hath made Himself known as a tower of strength.

For lo, the kings assembled themselves,
They came onward together.

They saw, straightway they were amazed;
They were affrighted, they hasted away.

Trembling seized them there,
Shaking, as a woman in travail,
As the east wind that breaks the ships of Tarshish.

As we have heard, so have we seen
In the city of the Lord of hosts, in the city of our God —
God establish it forever.

We have meditated on Thy lovingkindness, O God,
In the midst of Thy Temple.

As is Thy name, O God,
So is Thy praise unto the ends of the earth;
Thy right hand is full of righteousness.

Let Mount Zion be glad,
Let the cities of Judah rejoice,
Because of Thy judgments.

Walk about Zion, and go round about her;
Count her towers.

Mark well her ramparts,
Traverse her palaces,
That you may tell it unto a later generation.

For such is God, our God, forever.
He will guide us eternally.

Psalm for Tuesday

הַיּוֹם יוֹם שְׁלִישִׁי בַּשַּׁבָּת שֶׁבּוֹ הָיוּ הַלְוִיִּם אוֹמְרִים בְּבֵית הַמִּקְדָּשׁ:

תהלים פ״ב

מִזְמוֹר לְאָסָף.

אֱלֹהִים נִצָּב בַּעֲדַת־אֵל בְּקֶרֶב אֱלֹהִים יִשְׁפֹּט:
עַד־מָתַי תִּשְׁפְּטוּ־עָוֶל וּפְנֵי רְשָׁעִים תִּשְׂאוּ־סֶלָה:
שִׁפְטוּ־דַל וְיָתוֹם עָנִי וָרָשׁ הַצְדִּיקוּ:
פַּלְּטוּ־דַל וְאֶבְיוֹן מִיַּד רְשָׁעִים הַצִּילוּ:
לֹא יָדְעוּ וְלֹא יָבִינוּ בַּחֲשֵׁכָה יִתְהַלָּכוּ
יִמּוֹטוּ כָּל־מוֹסְדֵי אָרֶץ:
אֲנִי אָמַרְתִּי אֱלֹהִים אַתֶּם וּבְנֵי עֶלְיוֹן כֻּלְּכֶם:
אָכֵן כְּאָדָם תְּמוּתוּן וּכְאַחַד הַשָּׂרִים תִּפֹּלוּ:
קוּמָה אֱלֹהִים שָׁפְטָה הָאָרֶץ כִּי־אַתָּה תִנְחַל בְּכָל־הַגּוֹיִם:

Psalm for Wednesday

הַיּוֹם יוֹם רְבִיעִי בַּשַּׁבָּת שֶׁבּוֹ הָיוּ הַלְוִיִּם אוֹמְרִים בְּבֵית הַמִּקְדָּשׁ:

תהלים צ״ד

אֵל־נְקָמוֹת יְהוָה אֵל נְקָמוֹת הוֹפִיעַ:
הִנָּשֵׂא שֹׁפֵט הָאָרֶץ הָשֵׁב גְּמוּל עַל־גֵּאִים:
עַד־מָתַי רְשָׁעִים יְהוָה עַד־מָתַי רְשָׁעִים יַעֲלֹזוּ:
יַבִּיעוּ יְדַבְּרוּ עָתָק יִתְאַמְּרוּ כָּל־פֹּעֲלֵי אָוֶן:
עַמְּךָ יְהוָה יְדַכְּאוּ וְנַחֲלָתְךָ יְעַנּוּ:

Psalm for Tuesday

This is the Third Day of the Week, on which the Levites in the Temple recited the following psalm:

PSALM 82

A Psalm of Asaph.

God standeth in the holy assembly,
He pronounceth judgment:
'How long will ye judge unjustly,
And favor the persons of the wicked?
Do justice to the poor and fatherless;
Deal righteously with the afflicted and destitute.
Rescue the poor and needy;
Deliver them out of the hand of the wicked!'
But they neither know nor understand;
They walk about in darkness,
So that the foundations of the land are shaken.
I formerly thought ye were like angels,
That ye were all like sons of the Most High.
Verily ye shall die like mere mortals,
Ye shall fall like one of the princes.
Arise, O God, judge Thou the earth;
For Thou shalt have dominion over all the nations.

Psalm for Wednesday

This is the Fourth Day of the Week, on which the Levites in the Temple recited the following psalm:

PSALM 94

O Lord of retribution,
O Lord of retribution, reveal Thyself!
Rise up, Thou judge of the earth;
Render to the arrogant their recompense.
Lord, how long shall the wicked,
How long shall the wicked exult?
Loudly they vaunt their arrogance;
All the workers of iniquity bear themselves haughtily.
They crush Thy people, O Lord,
And afflict Thy heritage.

אַלְמָנָה וְגֵר יַהֲרֹגוּ וִיתוֹמִים יְרַצֵּחוּ:
וַיֹּאמְרוּ לֹא יִרְאֶה־יָּהּ וְלֹא־יָבִין אֱלֹהֵי יַעֲקֹב:
בִּינוּ בֹּעֲרִים בָּעָם וּכְסִילִים מָתַי תַּשְׂכִּילוּ:
הֲנֹטַע אֹזֶן הֲלֹא יִשְׁמָע אִם־יֹצֵר עַיִן הֲלֹא יַבִּיט:
הֲיֹסֵר גּוֹיִם הֲלֹא יוֹכִיחַ הַמְלַמֵּד אָדָם דָּעַת:
יְהוָה יֹדֵעַ מַחְשְׁבוֹת אָדָם כִּי־הֵמָּה הָבֶל:
אַשְׁרֵי הַגֶּבֶר אֲשֶׁר־תְּיַסְּרֶנּוּ יָּהּ וּמִתּוֹרָתְךָ תְלַמְּדֶנּוּ:
לְהַשְׁקִיט לוֹ מִימֵי רָע עַד יִכָּרֶה לָרָשָׁע שָׁחַת:
כִּי לֹא־יִטֹּשׁ יְהוָה עַמּוֹ וְנַחֲלָתוֹ לֹא יַעֲזֹב:
כִּי־עַד־צֶדֶק יָשׁוּב מִשְׁפָּט וְאַחֲרָיו כָּל־יִשְׁרֵי־לֵב:
מִי־יָקוּם לִי עִם־מְרֵעִים מִי־יִתְיַצֵּב לִי עִם־פֹּעֲלֵי אָוֶן:
לוּלֵי יְהוָה עֶזְרָתָה לִּי כִּמְעַט שָׁכְנָה דוּמָה נַפְשִׁי:
אִם־אָמַרְתִּי מָטָה רַגְלִי חַסְדְּךָ יְהוָה יִסְעָדֵנִי:
בְּרֹב שַׂרְעַפַּי בְּקִרְבִּי תַּנְחוּמֶיךָ יְשַׁעַשְׁעוּ נַפְשִׁי:
הַיְחָבְרְךָ כִּסֵּא הַוּוֹת יֹצֵר עָמָל עֲלֵי־חֹק:
יָגוֹדּוּ עַל־נֶפֶשׁ צַדִּיק וְדָם נָקִי יַרְשִׁיעוּ:
וַיְהִי יְהוָה לִי לְמִשְׂגָּב וֵאלֹהַי לְצוּר מַחְסִי:
וַיָּשֶׁב עֲלֵיהֶם אֶת־אוֹנָם וּבְרָעָתָם יַצְמִיתֵם
יַצְמִיתֵם יְיָ אֱלֹהֵינוּ:

לְכוּ נְרַנְּנָה לַיהוָה נָרִיעָה לְצוּר יִשְׁעֵנוּ:

They slay the widow and the stranger,
And murder the fatherless.
And they say: 'The Lord will not see,
The God of Jacob will give no heed.'
   Consider, ye brutish among the peoples;
   And ye fools, when will ye understand?
Doth not He that fashioned the ear, listen,
Doth not He that formed the eye, see?
   Shall not He that instructeth the nations,
   And teacheth man knowledge, reprove them?
The Lord knoweth the thoughts of man,
That they are mere vanity.
   Happy is the man whom Thou dost discipline, O Lord,
   And teachest out of Thy law;
That Thou mayest give him rest from the days of evil,
Until the pit be digged for the wicked.
   For the Lord will not cast off His people,
   Neither will He forsake His inheritance.
For righteousness shall be again vindicated,
And there is hope for the upright in heart.
   Who will rise up for me against the evil doers?
   Who will stand up for me against the worker of iniquity?
Had the Lord not been my help,
My soul would have dwelt in the silence of death.
   When I thought, 'My foot slips,'
   Thy mercy, O Lord, did hold me up.
When depressing thoughts upset me,
Thy comfort delights my soul.
   Shall the tribunal of wickedness
   Which writes injustice into the law,
   Have fellowship with Thee?
They band together against the soul of the righteous,
And condemn innocent blood.
   But the Lord hath been my high tower,
   My God, the Rock of my refuge.
Surely He will bring upon them their own iniquity,
And will destroy them by their own evil.
The Lord our God will destroy their power.
   O come, let us sing unto the Lord;
   Let us joyously acclaim the Rock of our salvation.

Psalm for Thursday

הַיּוֹם יוֹם חֲמִישִׁי בַּשַּׁבָּת שֶׁבּוֹ הָיוּ הַלְוִיִּם אוֹמְרִים בְּבֵית הַמִּקְדָּשׁ:

תהלים פ״א

לַמְנַצֵּחַ עַל־הַגִּתִּית לְאָסָף:

הַרְנִינוּ לֵאלֹהִים עוּזֵּנוּ הָרִיעוּ לֵאלֹהֵי יַעֲקֹב:
שְׂאוּ־זִמְרָה וּתְנוּ־תֹף כִּנּוֹר נָעִים עִם־נָבֶל:
תִּקְעוּ בַחֹדֶשׁ שׁוֹפָר בַּכֵּסֶה לְיוֹם חַגֵּנוּ:
כִּי חֹק לְיִשְׂרָאֵל הוּא מִשְׁפָּט לֵאלֹהֵי יַעֲקֹב:
עֵדוּת בִּיהוֹסֵף שָׂמוֹ בְּצֵאתוֹ עַל אֶרֶץ מִצְרָיִם
שְׂפַת לֹא־יָדַעְתִּי אֶשְׁמָע:
הֲסִירוֹתִי מִסֵּבֶל שִׁכְמוֹ כַּפָּיו מִדּוּד תַּעֲבֹרְנָה:
בַּצָּרָה קָרָאתָ וָאֲחַלְּצֶךָּ אֶעֶנְךָ בְּסֵתֶר רַעַם
אֶבְחָנְךָ עַל־מֵי מְרִיבָה סֶלָה:
שְׁמַע עַמִּי וְאָעִידָה בָּךְ יִשְׂרָאֵל אִם־תִּשְׁמַע לִי:
לֹא יִהְיֶה בְךָ אֵל זָר וְלֹא תִשְׁתַּחֲוֶה לְאֵל נֵכָר:
אָנֹכִי יְהוָה אֱלֹהֶיךָ הַמַּעַלְךָ מֵאֶרֶץ מִצְרָיִם
הַרְחֶב־פִּיךָ וַאֲמַלְאֵהוּ:
וְלֹא־שָׁמַע עַמִּי לְקוֹלִי וְיִשְׂרָאֵל לֹא־אָבָה לִי:
וָאֲשַׁלְּחֵהוּ בִּשְׁרִירוּת לִבָּם יֵלְכוּ בְּמוֹעֲצוֹתֵיהֶם:
לוּ עַמִּי שֹׁמֵעַ לִי יִשְׂרָאֵל בִּדְרָכַי יְהַלֵּכוּ:
כִּמְעַט אוֹיְבֵיהֶם אַכְנִיעַ וְעַל־צָרֵיהֶם אָשִׁיב יָדִי:
מְשַׂנְאֵי יְהוָה יְכַחֲשׁוּ־לוֹ וִיהִי עִתָּם לְעוֹלָם:
וַיַּאֲכִילֵהוּ מֵחֵלֶב חִטָּה וּמִצּוּר דְּבַשׁ אַשְׂבִּיעֶךָ:

Psalm for Thursday

This is the Fifth Day of the Week, on which the Levites in the Temple recited the following psalm:

PSALM 81

For the Leader; upon the Gittith, a Psalm of Asaph.

Sing joyously unto God our strength;
Sing aloud unto the God of Jacob.

Take up the melody, and sound the timbrel,
The sweet harp with the psaltery.

Blow the Shofar at the new moon,
At the full moon for our festival.

For it is a statute for Israel,
An ordinance of the God of Jacob,

When God made a testimony for Joseph,
When He went forth against the land of Egypt.

I hear a mysterious voice:
"I, the Lord, removed the burden from your shoulder;
Your hands were freed from the heavy hod.

O Israel, you called, and I delivered you;
I answered you in the thunder;
I tested you at the waters of Meribah, saying:

'Hear, O My people, and I will admonish you;
O Israel, if you would only hearken unto Me!

There shall be no strange god in your midst;
Nor shall you worship any foreign god.

I am the Lord your God,
Who brought you up out of the land of Egypt;
Open your mouth, and I will grant you of My bounty.'

But My people hearkened not to My voice;
And Israel would not obey.

So I let them go after the stubborness of their heart.
Let them walk in their own evil counsels!

Oh that My people would hearken unto Me,
That Israel would walk in My ways!

I would soon subdue their enemies,
And place My hand upon their adversaries.

The enemies of the Lord would cringe before Him,
And their doom would be everlasting.

But you would I feed with the fat of wheat;
And with honey out of the rock would I satisfy you."

Psalm for Friday

הַיּוֹם יוֹם שִׁשִּׁי בַּשַּׁבָּת שֶׁבּוֹ הָיוּ הַלְוִיִּם אוֹמְרִים בְּבֵית הַמִּקְדָּשׁ:

תהלים צ״ג

יְהוָֹה מָלָךְ גֵּאוּת לָבֵשׁ לָבֵשׁ יְהוָֹה עֹז הִתְאַזָּר
אַף־תִּכּוֹן תֵּבֵל בַּל־תִּמּוֹט:
נָכוֹן כִּסְאֲךָ מֵאָז מֵעוֹלָם אָתָּה:
נָשְׂאוּ נְהָרוֹת יְהוָֹה נָשְׂאוּ נְהָרוֹת קוֹלָם
יִשְׂאוּ נְהָרוֹת דָּכְיָם:
מִקֹּלוֹת מַיִם רַבִּים אַדִּירִים מִשְׁבְּרֵי־יָם
אַדִּיר בַּמָּרוֹם יְהוָֹה:
עֵדֹתֶיךָ נֶאֶמְנוּ מְאֹד לְבֵיתְךָ נַאֲוָה־קֹדֶשׁ
יְהוָֹה לְאֹרֶךְ יָמִים:

Psalm for the Sabbath Day

הַיּוֹם יוֹם שַׁבַּת קֹדֶשׁ שֶׁבּוֹ הָיוּ הַלְוִיִּם אוֹמְרִים בְּבֵית הַמִּקְדָּשׁ:

תהלים צ״ב

מִזְמוֹר שִׁיר לְיוֹם הַשַּׁבָּת:

טוֹב לְהֹדוֹת לַיהוָֹה וּלְזַמֵּר לְשִׁמְךָ עֶלְיוֹן:
לְהַגִּיד בַּבֹּקֶר חַסְדֶּךָ וֶאֱמוּנָתְךָ בַּלֵּילוֹת:
עֲלֵי־עָשׂוֹר וַעֲלֵי־נָבֶל עֲלֵי הִגָּיוֹן בְּכִנּוֹר:
כִּי שִׂמַּחְתַּנִי יְהוָֹה בְּפָעֳלֶךָ בְּמַעֲשֵׂי יָדֶיךָ אֲרַנֵּן:

Psalm for Friday

This is the Sixth Day of the week, on which the Levites in the Temple recited the following psalm:

PSALM 93

The Lord reigneth; He is robed in majesty;
The Lord is robed, He hath girded Himself with strength.

> Now is the earth firmly established;
> It shall not be moved.

Thy throne is established of old;
Thou art from everlasting.

> The waters lift up their voices, O Lord,
> The waters lift up their roaring;

Yet above the voices of many waters,
Above the breakers of the sea,
Thou, O Lord, art mighty.

> Thy law is true and unfailing;
> Holiness is becoming to Thy house, O Lord,
>   forevermore.

Psalm for the Sabbath Day.

This is the holy Sabbath Day, on which the Levites in the Temple recited the following psalm:

PSALM 92

A Psalm, a Song. For the Sabbath Day.

It is good to give thanks unto the Lord,
And to sing praises unto Thy name, O Most High;

> To declare Thy lovingkindness each morning,
> And Thy faithfulness every night,

With an instrument of ten strings and the lute,
With sacred music upon the harp.

> For Thou, O Lord, hast made me rejoice in Thy work;
> I will glory in the works of Thy hands.

מַה־גָּדְלוּ מַעֲשֶׂיךָ יְהוָֹה מְאֹד עָמְקוּ מַחְשְׁבֹתֶיךָ:
אִישׁ־בַּעַר לֹא יֵדָע וּכְסִיל לֹא־יָבִין אֶת־זֹאת:
בִּפְרֹחַ רְשָׁעִים כְּמוֹ־עֵשֶׂב וַיָּצִיצוּ כָּל־פֹּעֲלֵי אָוֶן
לְהִשָּׁמְדָם עֲדֵי־עַד:
וְאַתָּה מָרוֹם לְעֹלָם יְהוָֹה:
כִּי הִנֵּה אֹיְבֶיךָ יְהוָֹה כִּי־הִנֵּה אֹיְבֶיךָ יֹאבֵדוּ
יִתְפָּרְדוּ כָּל־פֹּעֲלֵי אָוֶן:
וַתָּרֶם כִּרְאֵים קַרְנִי בַּלֹּתִי בְּשֶׁמֶן רַעֲנָן:
וַתַּבֵּט עֵינִי בְּשׁוּרָי בַּקָּמִים עָלַי מְרֵעִים
תִּשְׁמַעְנָה אָזְנָי:
צַדִּיק כַּתָּמָר יִפְרָח כְּאֶרֶז בַּלְּבָנוֹן יִשְׂגֶּה:
שְׁתוּלִים בְּבֵית יְהוָֹה בְּחַצְרוֹת אֱלֹהֵינוּ יַפְרִיחוּ:
עוֹד יְנוּבוּן בְּשֵׂיבָה דְּשֵׁנִים וְרַעֲנַנִּים יִהְיוּ:
לְהַגִּיד כִּי־יָשָׁר יְהוָֹה צוּרִי וְלֹא־עַוְלָתָה בּוֹ:

From the beginning of Elul until Hoshana Rabba, the following psalm is read morning and evening:

תהלים כ״ז

לְדָוִד.

יְהוָֹה אוֹרִי וְיִשְׁעִי מִמִּי אִירָא
יְהוָֹה מָעוֹז־חַיַּי מִמִּי אֶפְחָד:
בִּקְרֹב עָלַי מְרֵעִים לֶאֱכֹל אֶת בְּשָׂרִי
צָרַי וְאֹיְבַי לִי הֵמָּה כָשְׁלוּ וְנָפָלוּ:
אִם־תַּחֲנֶה עָלַי מַחֲנֶה לֹא־יִירָא לִבִּי

How great are Thy deeds, O Lord!
Thy thoughts are very deep.

The ignorant man does not know,
Nor does the fool understand this—

The wicked may spring up as the grass,
And the workers of iniquity may flourish,
Only to be destroyed forever.

But Thou, O Lord, shalt be exalted forever.

For lo, Thine enemies, O Lord,
For lo, Thine enemies shall perish;
All the workers of iniquity shall be scattered.

But Thou dost raise me to high honor;
I am anointed with fragrant oil.

Mine eyes have seen the defeat of my foes,
Mine ears have heard the doom of evil doers
That rise up against me.

The righteous shall flourish like the palm tree,
And grow mighty like a cedar in Lebanon.

Planted in the house of the Lord,
They shall flourish in the courts of our God.

Even in old age they shall bring forth fruit,
They shall be full of vigor and strength,

Declaring that the Lord is just,
My Rock in whom there is no unrighteousness.

*From the beginning of Elul until Hoshana Rabba,
the following Psalm is read morning and evening:*

PSALM 27

A Psalm of David

The Lord is my light and my salvation;
Whom shall I fear?
The Lord is the stronghold of my life;
Of whom shall I be afraid?

When evil-doers drew near to destroy me,
Even mine enemies and my foes, they stumbled and fell.

Though a host should encamp against me,
My heart shall not fear;

אִם־תָּקוּם עָלַי מִלְחָמָה   בְּזֹאת אֲנִי בוֹטֵחַ׃

אַחַת שָׁאַלְתִּי מֵאֵת יְהוָֹה   אוֹתָהּ אֲבַקֵּשׁ

שִׁבְתִּי בְּבֵית־יְהוָֹה   כָּל־יְמֵי חַיַּי

לַחֲזוֹת בְּנֹעַם־יְהוָֹה   וּלְבַקֵּר בְּהֵיכָלוֹ׃

כִּי יִצְפְּנֵנִי בְּסֻכֹּה   בְּיוֹם רָעָה

יַסְתִּרֵנִי בְּסֵתֶר אָהֳלוֹ   בְּצוּר יְרוֹמְמֵנִי׃

וְעַתָּה יָרוּם רֹאשִׁי   עַל אֹיְבַי סְבִיבוֹתַי

וְאֶזְבְּחָה בְאָהֳלוֹ זִבְחֵי תְרוּעָה   אָשִׁירָה וַאֲזַמְּרָה לַיהוָֹה׃

שְׁמַע־יְהוָֹה קוֹלִי אֶקְרָא   וְחָנֵּנִי וַעֲנֵנִי׃

לְךָ אָמַר לִבִּי   בַּקְּשׁוּ פָנָי

אֶת־פָּנֶיךָ יְהוָֹה אֲבַקֵּשׁ׃

אַל־תַּסְתֵּר פָּנֶיךָ מִמֶּנִּי   אַל־תַּט בְּאַף עַבְדֶּךָ

עֶזְרָתִי הָיִיתָ   אַל־תִּטְּשֵׁנִי וְאַל־תַּעַזְבֵנִי אֱלֹהֵי יִשְׁעִי׃

כִּי־אָבִי וְאִמִּי עֲזָבוּנִי   וַיהוָֹה יַאַסְפֵנִי׃

הוֹרֵנִי יְהוָֹה דַּרְכֶּךָ   וּנְחֵנִי בְּאֹרַח מִישׁוֹר

לְמַעַן שֹׁרְרָי׃

אַל־תִּתְּנֵנִי בְּנֶפֶשׁ צָרָי

כִּי קָמוּ־בִי עֵדֵי־שֶׁקֶר   וִיפֵחַ חָמָס׃

לוּלֵא הֶאֱמַנְתִּי לִרְאוֹת בְּטוּב־יְהוָֹה בְּאֶרֶץ חַיִּים׃

קַוֵּה אֶל־יְהוָֹה   חֲזַק וְיַאֲמֵץ לִבֶּךָ   וְקַוֵּה אֶל־יְהוָֹה׃

Though war were waged against me,
Even then would I be confident.

> One thing have I asked of the Lord, this do I desire:
> That I may dwell in the house of the Lord
> All the days of my life,

To behold the graciousness of the Lord,
And to enter into His sanctuary.

> For He concealeth me in His pavilion in the day
> of trouble;
> He hideth me in the shelter of His tent;
> He lifteth me up upon a rock.

Now shall my head be lifted up victoriously
Above mine enemies round about me;

> And I will bring to His tabernacle offerings with
> trumpet-sound;
> I will sing, yea, I will sing praises unto the Lord.

Hear, O Lord, my voice when I call;
Be gracious unto me, and answer me.

> Of Thee, saith my heart, 'Seek God;'
> Indeed, O Lord, I will seek Thee.

Conceal not Thy presence from me,
Turn not away Thy servant in anger.

> Thou hast ever been my help;
> Cast me not off, nor forsake me, O God of my salvation.

Even if my father and mother forsook me,
The Lord would take me under His care.

> Teach me Thy way, O Lord, and lead me in an
> even path,
> Because of them that lie in wait for me.

Hand me not over unto the will of my adversaries;
For false witnesses have risen against me,
And such as breathe out violence.

> Yea, I have faith that I shall yet see the goodness
> of the Lord
> In the land of the living.

Hope in the Lord;
Be strong, and let your heart take courage;
Yea, hope in the Lord.

שיר הכבוד

The Ark is opened

אַנְעִים זְמִירוֹת וְשִׁירִים אֶאֱרוֹג כִּי אֵלֶיךָ נַפְשִׁי תַעֲרוֹג:
נַפְשִׁי חָמְדָה בְּצֵל יָדֶךָ לָדַעַת כָּל־רָז סוֹדֶךָ:

מִדֵּי דַבְּרִי בִּכְבוֹדֶךָ הוֹמֶה לִבִּי אֶל־דּוֹדֶיךָ:
עַל־כֵּן אֲדַבֵּר בְּךָ נִכְבָּדוֹת וְשִׁמְךָ אֲכַבֵּד בְּשִׁירֵי יְדִידוֹת:

אֲסַפְּרָה כְבוֹדְךָ וְלֹא רְאִיתִיךָ אֲדַמְּךָ אֲכַנְּךָ וְלֹא יְדַעְתִּיךָ:
בְּיַד נְבִיאֶיךָ בְּסוֹד עֲבָדֶיךָ דִּמִּיתָ הֲדַר כְּבוֹד הוֹדֶךָ:

גְּדֻלָּתְךָ וּגְבוּרָתֶךָ כִּנּוּ לְתֹקֶף פְּעֻלָּתֶךָ:
דִּמּוּ אוֹתְךָ וְלֹא כְפִי־יֶשְׁךָ וַיְשַׁוּוּךָ לְפִי מַעֲשֶׂיךָ:

הִמְשִׁילוּךָ בְּרֹב חֶזְיוֹנוֹת הִנְּךָ אֶחָד בְּכָל־דִּמְיוֹנוֹת:
וַיֶּחֱזוּ בְךָ זִקְנָה וּבַחֲרוּת וּשְׂעַר רֹאשְׁךָ בְּשֵׂיבָה וְשַׁחֲרוּת:

זִקְנָה בְּיוֹם דִּין וּבַחֲרוּת בְּיוֹם קְרָב. כְּאִישׁ מִלְחָמוֹת יָדָיו לוֹ רָב:
חָבַשׁ כּוֹבַע יְשׁוּעָה בְּרֹאשׁוֹ הוֹשִׁיעָה־לּוֹ יְמִינוֹ וּזְרוֹעַ קָדְשׁוֹ:

טַלְלֵי אוֹרוֹת רֹאשׁוֹ נִמְלָא וּקְוֻצּוֹתָיו רְסִיסֵי לָיְלָה:
יִתְפָּאֵר בִּי כִּי חָפֵץ בִּי וְהוּא יִהְיֶה־לִּי לַעֲטֶרֶת צְבִי:

כֶּתֶם טָהוֹר פָּז דְּמוּת רֹאשׁוֹ וְחַק עַל מֵצַח כְּבוֹד שֵׁם קָדְשׁוֹ:
לְחֵן וּלְכָבוֹד צְבִי תִפְאָרָה אֻמָּתוֹ לוֹ עִטְּרָה עֲטָרָה:

The Hymn of Glory

Selected from the Hebrew

The Ark is opened

Sweet hymns shall be my chant and woven songs,
For Thou art all for which my spirit longs —

To be within the shadow of Thy hand,
And all Thy mystery to understand.

The while Thy glory is upon my tongue,
My inmost heart with love of Thee is wrung.

So though Thy mighty marvels I proclaim,
'Tis songs of love wherewith I greet Thy name.

I have not seen Thee, yet I tell Thy praise,
Nor known Thee, yet I image forth Thy ways.

For by Thy seers' and servants' mystic speech
Thou didst Thy sov'ran splendor darkly teach,

And from the grandeur of Thy work they drew
The measure of Thy inner greatness, too.

They told of Thee, but not as Thou must be,
Since from Thy work they tried to body Thee.

To countless visions did their pictures run,
Behold through all the visions Thou art One.

I glorify Him, for He joys in me,
My crown of beauty He shall ever be!

His head is like pure gold: His forehead's flame
Is graven glory of His holy name.

And with that lovely diadem 'tis graced,
The coronal His people there have placed.

מַחְלְפוֹת רֹאשׁוֹ כְּבִימֵי בְחֻרוֹת קְוֻצּוֹתָיו תַּלְתַּלִּים שְׁחוֹרוֹת:
נְוֵה הַצֶּדֶק צְבִי תִפְאַרְתּוֹ יַעֲלֶה־נָּא עַל רֹאשׁ שִׂמְחָתוֹ:

סְגֻלָּתוֹ תְּהִי בְיָדוֹ עֲטֶרֶת וּצְנִיף מְלוּכָה צְבִי תִפְאֶרֶת:
עֲמוּסִים נְשָׂאָם עֲטֶרֶת עִנְּדָם מֵאֲשֶׁר יָקְרוּ בְעֵינָיו כִּבְּדָם:

פְּאֵרוֹ עָלַי וּפְאֵרִי עָלָיו וְקָרוֹב אֵלַי בְּקָרְאִי אֵלָיו:
צַח וְאָדוֹם לִלְבוּשׁוֹ אָדֹם פּוּרָה בְדָרְכוֹ בְּבוֹאוֹ מֵאֱדוֹם:

קֶשֶׁר תְּפִלִּין הֶרְאָה לֶעָנָו תְּמוּנַת יְיָ לְנֶגֶד עֵינָיו:
רוֹצֶה בְעַמּוֹ עֲנָוִים יְפָאֵר יוֹשֵׁב תְּהִלּוֹת בָּם לְהִתְפָּאֵר:

רֹאשׁ דְּבָרְךָ אֱמֶת קוֹרֵא מֵרֹאשׁ דּוֹר וָדוֹר עַם דּוֹרֶשְׁךָ דְּרוֹשׁ:
שִׁית הֲמוֹן שִׁירַי נָא עָלֶיךָ וְרִנָּתִי תִּקְרַב אֵלֶיךָ:

תְּהִלָּתִי תְּהִי לְרֹאשְׁךָ עֲטֶרֶת וּתְפִלָּתִי תִּכּוֹן קְטֹרֶת:
תִּיקַר שִׁירַת־רָשׁ בְּעֵינֶיךָ כַּשִּׁיר יוּשַׁר עַל־קָרְבָּנֶיךָ:

בִּרְכָתִי תַעֲלֶה לְרֹאשׁ מַשְׁבִּיר מְחוֹלֵל וּמוֹלִיד צַדִּיק כַּבִּיר:
וּבְבִרְכָתִי תְנַעֲנַע לִי רֹאשׁ וְאוֹתָהּ קַח לְךָ כִּבְשָׂמִים רֹאשׁ:

יֶעֱרַב נָא שִׂיחִי עָלֶיךָ כִּי נַפְשִׁי תַעֲרוֹג אֵלֶיךָ:

לְךָ יְיָ הַגְּדֻלָּה וְהַגְּבוּרָה וְהַתִּפְאֶרֶת וְהַנֵּצַח וְהַהוֹד כִּי־כֹל בַּשָּׁמַיִם וּבָאָרֶץ לְךָ יְיָ הַמַּמְלָכָה וְהַמִּתְנַשֵּׂא לְכֹל לְרֹאשׁ: מִי יְמַלֵּל גְּבוּרוֹת יְיָ יַשְׁמִיעַ כָּל־תְּהִלָּתוֹ:

The Ark is closed

And be His treasured people in His hand
A diadem His kingly brow to band.

By him they were uplifted, carried, crowned,
Thus honored inasmuch as precious found.

His glory is on me, and mine on Him,
And when I call He is not far or dim.

He loves His folk; the meek will glorify,
And, shrined in prayer, draw their rapt reply.

Truth is Thy primal word; at Thy behest
The generations pass — O aid our quest

For Thee, and set my host of song on high,
And let my psalmody come very nigh.

My praises as a coronal account,
And let my prayer as Thine incense mount.

Deem precious unto Thee the poor man's song,
As those that to Thine altar did belong.

Rise, O my blessing, to the lord of birth,
The breeding, quickening, righteous force of earth.

Do Thou receive it with acceptant nod,
My choicest incense offered to my God.

And let my meditation grateful be,
For all my being is athirst for Thee.

Thine, O Lord, is the greatness and the power, the glory, the victory and the majesty; for all that is in the heaven and on the earth is Thine. Thine is the kingdom, O Lord, and Thou art exalted supreme above all. Who can recount the mighty acts of the Lord? Who can proclaim all His full praise?

The Ark is closed

תהלים ל׳

מִזְמוֹר שִׁיר־חֲנֻכַּת הַבַּיִת לְדָוִד:

אֲרוֹמִמְךָ יְהוָֹה כִּי דִלִּיתָנִי וְלֹא שִׂמַּחְתָּ אוֹיְבַי לִי:
יְהוָֹה אֱלֹהָי שִׁוַּעְתִּי אֵלֶיךָ וַתִּרְפָּאֵנִי:
יְהוָֹה הֶעֱלִיתָ מִן־שְׁאוֹל נַפְשִׁי חִיִּיתַנִי מִיָּרְדִי בוֹר:
זַמְּרוּ לַיהוָֹה חֲסִידָיו וְהוֹדוּ לְזֵכֶר קָדְשׁוֹ:
כִּי רֶגַע בְּאַפּוֹ חַיִּים בִּרְצוֹנוֹ
בָּעֶרֶב יָלִין בֶּכִי וְלַבֹּקֶר רִנָּה:
וַאֲנִי אָמַרְתִּי בְשַׁלְוִי בַּל־אֶמּוֹט לְעוֹלָם:
יְהוָֹה בִּרְצוֹנְךָ הֶעֱמַדְתָּה לְהַרְרִי עֹז
הִסְתַּרְתָּ פָנֶיךָ הָיִיתִי נִבְהָל:
אֵלֶיךָ יְהוָֹה אֶקְרָא וְאֶל אֲדֹנָי אֶתְחַנָּן:
מַה־בֶּצַע בְּדָמִי בְּרִדְתִּי אֶל־שָׁחַת
הֲיוֹדְךָ עָפָר הֲיַגִּיד אֲמִתֶּךָ:
שְׁמַע־יְהוָֹה וְחָנֵּנִי יְהוָֹה הֱיֵה עֹזֵר לִי:
הָפַכְתָּ מִסְפְּדִי לְמָחוֹל לִי פִּתַּחְתָּ שַׂקִּי וַתְּאַזְּרֵנִי שִׂמְחָה:
לְמַעַן יְזַמֶּרְךָ כָבוֹד וְלֹא יִדֹּם יְהוָֹה אֱלֹהַי לְעוֹלָם אוֹדֶךָּ:

Psalm 30

A Song at the Dedication of the House; a Psalm of David.

I will extol Thee, O Lord, for Thou hast raised me up,
And hast not allowed mine enemies to rejoice in triumph
    over me.

  O Lord, my God,
  I cried unto Thee, and Thou didst heal me;

O Lord, Thou savest me from the peril of death;
Thou didst keep me alive, that I should not go down
    to the grave.

  Sing praises unto the Lord, O ye His faithful ones,
  And give thanks to His holy name.

For while His anger is but for a moment,
His favor is for a lifetime;
Weeping may tarry for the night,
But joy comes in the morning.

  I have said in my security:
  'I shall never be disturbed.'

O Lord, in Thy favor, Thou didst set up for me
    mountains of strength;
But when Thou didst turn away from me, I was affrighted.

  Unto Thee, O Lord, did I call,
  And unto the Lord I made supplication:

'What profit is there in my death,
In my going down to the nether world?
Can the dust praise Thee? Can it declare Thy truth?

  Hear, O Lord, and be gracious unto me;
  Lord, be Thou my helper.'

Then Thou didst turn my mourning into dancing;
Thou didst loose my sackcloth, and gird me with gladness,

  So that my soul might continually sing praise to Thee
    and not be silent;
  O Lord my God, I will give thanks unto Thee forever.

Mourners' Kaddish

יִתְגַּדַּל וְיִתְקַדַּשׁ שְׁמֵהּ רַבָּא. בְּעָלְמָא דִּי בְרָא כִרְעוּתֵהּ. וְיַמְלִיךְ מַלְכוּתֵהּ בְּחַיֵּיכוֹן וּבְיוֹמֵיכוֹן וּבְחַיֵּי דְכָל בֵּית יִשְׂרָאֵל בַּעֲגָלָא וּבִזְמַן קָרִיב. וְאִמְרוּ אָמֵן:

Congregation and Mourners

יְהֵא שְׁמֵהּ רַבָּא מְבָרַךְ לְעָלַם וּלְעָלְמֵי עָלְמַיָּא:

Mourners

יִתְבָּרַךְ וְיִשְׁתַּבַּח וְיִתְפָּאַר וְיִתְרוֹמַם וְיִתְנַשֵּׂא וְיִתְהַדַּר וְיִתְעַלֶּה וְיִתְהַלַּל שְׁמֵהּ דְּקֻדְשָׁא. בְּרִיךְ הוּא. לְעֵלָּא (וּלְעֵלָּא) מִן כָּל בִּרְכָתָא וְשִׁירָתָא תֻּשְׁבְּחָתָא וְנֶחֱמָתָא דַּאֲמִירָן בְּעָלְמָא. וְאִמְרוּ אָמֵן:

יְהֵא שְׁלָמָא רַבָּא מִן שְׁמַיָּא וְחַיִּים עָלֵינוּ וְעַל כָּל־יִשְׂרָאֵל. וְאִמְרוּ אָמֵן:

עֹשֶׂה שָׁלוֹם בִּמְרוֹמָיו הוּא יַעֲשֶׂה שָׁלוֹם עָלֵינוּ וְעַל־כָּל יִשְׂרָאֵל. וְאִמְרוּ אָמֵן:

Mourners' Kaddish

Magnified and sanctified be the name of God throughout the world which He hath created according to His will. May He establish His kingdom during the days of your life and during the life of all the house of Israel, speedily, yea, soon; and say ye, Amen.

Congregation and Mourners

May His great name be blessed for ever and ever.

Mourners

Exalted and honored be the name of the Holy One, blessed be He, whose glory transcends, yea, is beyond all praises, hymns and blessings that man can render unto Him; and say ye, Amen.

May there be abundant peace from heaven, and life for us and for all Israel; and say ye, Amen.

May He who establisheth peace in the heavens, grant peace unto us and unto all Israel; and say ye, Amen.

MOURNER'S KADDISH

Yis-ga-dal v'yis-ka-dash sh'may ra-bo,
B'ol-mo dee-v'ro ḥir u-say, v'yam-leeḥ mal-ḥu-say,
B'ḥa-yay-ḥōn uv-yō-may-ḥōn, uv-ḥa-yay d'ḥol bays yis-ro-ayl;
Ba-a-go-lo u-viz'man ko-reev, v'im-ru o-mayn.

Y'hay sh'may ra-bo m'vo-raḥ, l'o-lam ul-ol-may ol-ma-yo.

Yis-bo-raḥ v'yish-ta-baḥ, v'yis-po-ar v'yis-rō-mam,
V'yis-na-say v'yis-ha-dar, v'yis-a-leh, v'yis-ha-lal
    sh'may d'kud-sho b'riḥ hu;
L'ay-lo (ul-ay-lo) min kol bir-ḥo-so v'shee-ro-so,
Tush-b'ḥo-so v'ne-ḥeh-mo-so, da-a-mee-ron b'ol-mo,
V'im-ru o-mayn.

Y'hay sh'lo-mo ra-bo min sh'ma-yo,
V'ḥa-yeem o-lay-nu v'al kol yis-ro-ayl v'im-ru o-mayn.

Ō-se sho-lōm bim-rō-mov hu ya-a-se sho-lōm
O-lay-nu v'al kol yis-ro-ayl v'im-ru o-mayn.

פסוקי דזמרה

בָּרוּךְ שֶׁאָמַר וְהָיָה הָעוֹלָם.
בָּרוּךְ הוּא:
בָּרוּךְ עוֹשֶׂה בְרֵאשִׁית:
בָּרוּךְ אוֹמֵר וְעוֹשֶׂה:
בָּרוּךְ גּוֹזֵר וּמְקַיֵּם:
בָּרוּךְ מְרַחֵם עַל הָאָרֶץ:
בָּרוּךְ מְרַחֵם עַל הַבְּרִיּוֹת:
בָּרוּךְ מְשַׁלֵּם שָׂכָר טוֹב לִירֵאָיו:
בָּרוּךְ חַי לָעַד וְקַיָּם לָנֶצַח:
בָּרוּךְ פּוֹדֶה וּמַצִּיל.
בָּרוּךְ שְׁמוֹ:

בָּרוּךְ אַתָּה יְיָ אֱלֹהֵינוּ מֶלֶךְ הָעוֹלָם. הָאֵל הָאָב הָרַחֲמָן הַמְהֻלָּל בְּפִי עַמּוֹ. מְשֻׁבָּח וּמְפֹאָר בִּלְשׁוֹן חֲסִידָיו וַעֲבָדָיו. וּבְשִׁירֵי דָוִד עַבְדְּךָ נְהַלֶּלְךָ יְיָ אֱלֹהֵינוּ. בִּשְׁבָחוֹת וּבִזְמִירוֹת נְגַדֶּלְךָ וּנְשַׁבֵּחֲךָ וּנְפָאֶרְךָ וְנַזְכִּיר שִׁמְךָ וְנַמְלִיכְךָ מַלְכֵּנוּ אֱלֹהֵינוּ יָחִיד חֵי הָעוֹלָמִים. מֶלֶךְ מְשֻׁבָּח וּמְפֹאָר עֲדֵי־עַד שְׁמוֹ הַגָּדוֹל. בָּרוּךְ אַתָּה יְיָ מֶלֶךְ מְהֻלָּל בַּתִּשְׁבָּחוֹת:

INTRODUCTORY HYMNS AND PSALMS

Blessed be He who spoke and the world came into being;
Blessed be He.

Blessed be He who created the world in the beginning.

Blessed be He who speaketh and doeth.

Blessed be He who ordaineth and fulfilleth.

Blessed be He who hath compassion upon the earth.

Blessed be He who hath compassion upon His creatures.

Blessed be He who bestoweth a good reward upon them that revere Him.

Blessed be He who liveth forever and endureth to all eternity.

Blessed be He who ransometh and delivereth;
Blessed be His name.

Blessed art Thou, O Lord our God, King of the universe, O God, merciful Father, praised by Thy people, extolled and glorified by Thy servants, Thy faithful ones. With the psalms of David, Thy servant, we will praise Thee, O Lord our God; with hymns and songs we will extol and glorify Thee; we will call upon Thy name and proclaim Thee our King. O Thou who art One, the life of the universe, the King, who art praised and glorified, Thy great name endureth to all eternity. Blessed art Thou, O Lord, divine Ruler, extolled with psalms of praise.

דברי הימים א ט״ז ח׳–ל״ו

הוֹדוּ לַיְיָ קִרְאוּ בִשְׁמוֹ הוֹדִיעוּ בָעַמִּים עֲלִילוֹתָיו:
שִׁירוּ לוֹ זַמְּרוּ־לוֹ שִׂיחוּ בְּכָל־נִפְלְאוֹתָיו:
הִתְהַלְלוּ בְּשֵׁם קָדְשׁוֹ יִשְׂמַח לֵב מְבַקְשֵׁי יְיָ:
דִּרְשׁוּ יְיָ וְעֻזּוֹ בַּקְּשׁוּ פָנָיו תָּמִיד:
זִכְרוּ נִפְלְאֹתָיו אֲשֶׁר עָשָׂה מֹפְתָיו וּמִשְׁפְּטֵי־פִיהוּ:
זֶרַע יִשְׂרָאֵל עַבְדּוֹ בְּנֵי יַעֲקֹב בְּחִירָיו:
הוּא יְיָ אֱלֹהֵינוּ בְּכָל־הָאָרֶץ מִשְׁפָּטָיו:
זִכְרוּ לְעוֹלָם בְּרִיתוֹ דָּבָר צִוָּה לְאֶלֶף דּוֹר:
אֲשֶׁר כָּרַת אֶת־אַבְרָהָם וּשְׁבוּעָתוֹ לְיִצְחָק:
וַיַּעֲמִידֶהָ לְיַעֲקֹב לְחֹק לְיִשְׂרָאֵל בְּרִית עוֹלָם:
לֵאמֹר לְךָ אֶתֵּן אֶרֶץ־כְּנָעַן חֶבֶל נַחֲלַתְכֶם:
בִּהְיוֹתְכֶם מְתֵי מִסְפָּר כִּמְעַט וְגָרִים בָּהּ:
וַיִּתְהַלְּכוּ מִגּוֹי אֶל־גּוֹי וּמִמַּמְלָכָה אֶל־עַם אַחֵר:
לֹא־הִנִּיחַ לְאִישׁ לְעָשְׁקָם וַיּוֹכַח עֲלֵיהֶם מְלָכִים:
אַל־תִּגְּעוּ בִּמְשִׁיחָי וּבִנְבִיאַי אַל־תָּרֵעוּ:
שִׁירוּ לַיְיָ כָּל־הָאָרֶץ בַּשְּׂרוּ מִיּוֹם־אֶל־יוֹם יְשׁוּעָתוֹ:
סַפְּרוּ בַגּוֹיִם אֶת־כְּבוֹדוֹ בְּכָל־הָעַמִּים נִפְלְאֹתָיו:
כִּי גָדוֹל יְיָ וּמְהֻלָּל מְאֹד וְנוֹרָא הוּא עַל־כָּל־אֱלֹהִים:
כִּי כָּל־אֱלֹהֵי הָעַמִּים אֱלִילִים ·וַיְיָ שָׁמַיִם עָשָׂה:

I Chronicles 16:8–36

O give thanks unto the Lord, call upon His name;
Make known His deeds among the peoples.

Sing unto Him, sing praises unto Him;
Speak of all His marvellous works.

Glory in His holy name;
May your heart rejoice, ye who seek the Lord.

Seek the Lord and His strength;
Seek His presence continually.

Remember the marvellous works that He hath done,
His wonders, and the judgments He decreed,

O seed of Israel, His servant,
Children of Jacob, His beloved ones.

He is the Lord our God;
His judgments are throughout the earth.

Remember His covenant forever,
The word which He commanded to a thousand
generations;

The covenant which He made with Abraham,
And His pledge unto Isaac,

Which He established unto Jacob as a statute,
Unto Israel for an everlasting covenant;

Saying: 'Unto you will I give the land of Canaan,
As the portion of your inheritance.'

When you were but few in number,
Yea, very few, mere sojourners in the land,

Wandering from people to people,
And from one kingdom to another,

He permitted no man to oppress you;
Yea, for your sake He reproved kings, saying:

'Touch not Mine anointed
And do My prophets no harm.'

Sing unto the Lord, all the earth;
Proclaim His salvation from day to day.

Declare His glory among the nations,
His marvellous works among all the peoples.

For great is the Lord, and highly to be praised;
He is to be revered above all who are worshipped as **gods.**

The gods of the heathens are things of nought;
But the Lord made the heavens.

הוֹד וְהָדָר לְפָנָיו עֹז וְחֶדְוָה בִּמְקוֹמוֹ:

הָבוּ לַיָי מִשְׁפְּחוֹת עַמִּים הָבוּ לַיָי כָּבוֹד וָעֹז:

הָבוּ לַיָי כְּבוֹד שְׁמוֹ שְׂאוּ מִנְחָה וּבֹאוּ לְפָנָיו

הִשְׁתַּחֲווּ לַיָי בְּהַדְרַת־קֹדֶשׁ:

חִילוּ מִלְּפָנָיו כָּל־הָאָרֶץ אַף־תִּכּוֹן תֵּבֵל בַּל־תִּמּוֹט:

יִשְׂמְחוּ הַשָּׁמַיִם וְתָגֵל הָאָרֶץ וְיֹאמְרוּ בַגּוֹיִם יְיָ מָלָךְ:

יִרְעַם הַיָּם וּמְלוֹאוֹ יַעֲלֹץ הַשָּׂדֶה וְכָל־אֲשֶׁר־בּוֹ:

אָז יְרַנְּנוּ עֲצֵי הַיָּעַר מִלִּפְנֵי יְיָ כִּי בָא לִשְׁפּוֹט אֶת־הָאָרֶץ:

הוֹדוּ לַיָי כִּי טוֹב כִּי לְעוֹלָם חַסְדּוֹ:

וְאִמְרוּ הוֹשִׁיעֵנוּ אֱלֹהֵי יִשְׁעֵנוּ וְקַבְּצֵנוּ וְהַצִּילֵנוּ מִן־הַגּוֹיִם

לְהוֹדוֹת לְשֵׁם קָדְשֶׁךָ לְהִשְׁתַּבֵּחַ בִּתְהִלָּתֶךָ:

בָּרוּךְ יְיָ אֱלֹהֵי יִשְׂרָאֵל מִן־הָעוֹלָם וְעַד־הָעוֹלָם:

וַיֹּאמְרוּ כָל־הָעָם אָמֵן וְהַלֵּל לַיָי:

רוֹמְמוּ יְיָ אֱלֹהֵינוּ וְהִשְׁתַּחֲווּ לַהֲדֹם רַגְלָיו קָדוֹשׁ הוּא:

רוֹמְמוּ יְיָ אֱלֹהֵינוּ וְהִשְׁתַּחֲווּ לְהַר קָדְשׁוֹ כִּי־קָדוֹשׁ יְיָ אֱלֹהֵינוּ:

Honor and majesty are before Him;
Strength and gladness are in His abode.

Ascribe unto the Lord, O families of mankind,
Ascribe unto the Lord glory and strength.

Render unto the Lord the glory due unto His name;
With offerings of homage come into His courts;
Worship the Lord in the beauty of holiness.

Revere Him, all that inhabit the earth;
The world is firmly established that it cannot be moved.

Let the heavens be glad, and the earth rejoice;
Let them declare among the nations: 'The Lord
    reigneth.'

Let the sea roar and all within it give praise;
Let the field, and all within it exult.

Then shall the trees of the forest sing before the Lord,
As He cometh to judge the earth.

O give thanks unto the Lord, for He is good;
For His lovingkindness endureth forever.

And say: 'Save us, O God of our salvation,
Gather us and deliver us from among the nations,

That we may give thanks unto Thy holy name,
And find honor in praising Thee.'

Blessed be the Lord, the God of Israel,
From everlasting even to everlasting.
And all the people said: 'Amen,' and praised the Lord.

Exalt the Lord our God, and worship at His footstool;
holy is He. Exalt the Lord our God, and worship at His
holy mountain; for the Lord our God is holy.

וְהוּא רַחוּם יְכַפֵּר עָוֹן וְלֹא יַשְׁחִית וְהִרְבָּה
לְהָשִׁיב אַפּוֹ וְלֹא יָעִיר כָּל־חֲמָתוֹ: אַתָּה יְיָ לֹא־תִכְלָא
רַחֲמֶיךָ מִמֶּנִּי חַסְדְּךָ וַאֲמִתְּךָ תָּמִיד יִצְּרוּנִי: זְכֹר־רַחֲמֶיךָ
יְיָ וַחֲסָדֶיךָ כִּי מֵעוֹלָם הֵמָּה: תְּנוּ עֹז לֵאלֹהִים עַל־יִשְׂרָאֵל
גַּאֲוָתוֹ וְעֻזּוֹ בַּשְּׁחָקִים: נוֹרָא אֱלֹהִים מִמִּקְדָּשֶׁיךָ אֵל יִשְׂרָאֵל
הוּא נוֹתֵן עֹז וְתַעֲצֻמוֹת לָעָם בָּרוּךְ אֱלֹהִים: אֵל־נְקָמוֹת
יְיָ אֵל נְקָמוֹת הוֹפִיעַ: הִנָּשֵׂא שֹׁפֵט הָאָרֶץ הָשֵׁב גְּמוּל
עַל־גֵּאִים: לַייָ הַיְשׁוּעָה עַל־עַמְּךָ בִרְכָתֶךָ סֶּלָה: יְיָ
צְבָאוֹת עִמָּנוּ מִשְׂגָּב־לָנוּ אֱלֹהֵי יַעֲקֹב סֶלָה: יְיָ צְבָאוֹת
אַשְׁרֵי אָדָם בֹּטֵחַ בָּךְ: יְיָ הוֹשִׁיעָה הַמֶּלֶךְ יַעֲנֵנוּ בְיוֹם־
קָרְאֵנוּ: הוֹשִׁיעָה אֶת־עַמֶּךָ וּבָרֵךְ אֶת־נַחֲלָתֶךָ וּרְעֵם
וְנַשְּׂאֵם עַד־הָעוֹלָם: נַפְשֵׁנוּ חִכְּתָה לַייָ עֶזְרֵנוּ וּמָגִנֵּנוּ הוּא:
כִּי־בוֹ יִשְׂמַח לִבֵּנוּ כִּי בְשֵׁם קָדְשׁוֹ בָטָחְנוּ: יְהִי־חַסְדְּךָ
יְיָ עָלֵינוּ כַּאֲשֶׁר יִחַלְנוּ לָךְ: הַרְאֵנוּ יְיָ חַסְדֶּךָ וְיֶשְׁעֲךָ תִּתֶּן
לָנוּ: קוּמָה עֶזְרָתָה לָּנוּ וּפְדֵנוּ לְמַעַן חַסְדֶּךָ: אָנֹכִי יְיָ
אֱלֹהֶיךָ הַמַּעַלְךָ מֵאֶרֶץ מִצְרָיִם הַרְחֶב־פִּיךָ וַאֲמַלְאֵהוּ:
אַשְׁרֵי הָעָם שֶׁכָּכָה לּוֹ אַשְׁרֵי הָעָם שֶׁיְיָ אֱלֹהָיו: וַאֲנִי
בְּחַסְדְּךָ בָטַחְתִּי יָגֵל לִבִּי בִּישׁוּעָתֶךָ אָשִׁירָה לַייָ כִּי גָמַל
עָלָי:

On Hoshana Rabba, add Psalm 100, page 273.

And He, being full of compassion, forgiveth iniquity and destroyeth not. Yea, often He turneth His anger away and doth not stir up all His indignation. Thou, O Lord wilt not withhold Thy mercies from me; Thy lovingkindness and Thy truth will continually preserve me. Remember O Lord, Thy mercies and Thy lovingkindnesses for they have been from of old. Ascribe power unto God. His majesty is over Israel, and His strength is in the heavens. God is awe-inspiring in your holy places; the God of Israel giveth strength and power unto the people; blessed be God. O Lord of retribution, O Lord of retribution, reveal Thyself! Rise up, Judge of the earth, render to the arrogant their recompense. Deliverance comes from the Lord; Thy blessing be upon Thy people. The Lord of hosts be with us; the God of Jacob be our high tower. O Lord of hosts, happy is the man that trusts in Thee. Save, O Lord; O King, answer us on the day that we call. Save Thy people, and bless Thine inheritance; tend them, and sustain them forever. Our soul has waited for the Lord; He is our help and our shield. For our heart rejoices in Him, because we have trusted in His holy name. Let Thy mercy, O Lord, be upon us, according as we have hoped in Thee. Show us Thy lovingkindness, O Lord, and grant us Thy salvation. Arise for our help and redeem us for Thy mercy's sake. I am the Lord your God, who brought you out of the land of Egypt; open your mouth, and I shall grant you of My bounty. Happy is the people that fares thus, happy is the people whose God is the Lord. As for me, in Thy lovingkindness do I trust; my heart rejoices in Thy salvation. I will sing unto the Lord, because He hath dealt bountifully with me.

On Hoshana Rabba, add Psalm 100, page 273.

י״ט לַמְנַצֵּחַ מִזְמוֹר לְדָוִד:

הַשָּׁמַיִם מְסַפְּרִים כְּבוֹד־אֵל וּמַעֲשֵׂה יָדָיו מַגִּיד הָרָקִיעַ:
יוֹם לְיוֹם יַבִּיעַ אֹמֶר וְלַיְלָה לְּלַיְלָה יְחַוֶּה־דָּעַת:
אֵין־אֹמֶר וְאֵין דְּבָרִים בְּלִי נִשְׁמָע קוֹלָם:
בְּכָל־הָאָרֶץ יָצָא קַוָּם וּבִקְצֵה תֵבֵל מִלֵּיהֶם
לַשֶּׁמֶשׁ שָׂם אֹהֶל בָּהֶם:
וְהוּא כְּחָתָן יֹצֵא מֵחֻפָּתוֹ יָשִׂישׂ כְּגִבּוֹר לָרוּץ אֹרַח:
מִקְצֵה הַשָּׁמַיִם מוֹצָאוֹ וּתְקוּפָתוֹ עַל־קְצוֹתָם
וְאֵין נִסְתָּר מֵחַמָּתוֹ:
תּוֹרַת יְהוָה תְּמִימָה מְשִׁיבַת נָפֶשׁ
עֵדוּת יְהוָה נֶאֱמָנָה מַחְכִּימַת פֶּתִי:
פִּקּוּדֵי יְהוָה יְשָׁרִים מְשַׂמְּחֵי־לֵב
מִצְוַת יְהוָה בָּרָה מְאִירַת עֵינָיִם:
יִרְאַת יְהוָה טְהוֹרָה עוֹמֶדֶת לָעַד
מִשְׁפְּטֵי־יְהוָה אֱמֶת צָדְקוּ יַחְדָּו:
הַנֶּחֱמָדִים מִזָּהָב וּמִפַּז רָב וּמְתוּקִים מִדְּבַשׁ וְנֹפֶת צוּפִים:
גַּם־עַבְדְּךָ נִזְהָר בָּהֶם בְּשָׁמְרָם עֵקֶב רָב:
שְׁגִיאוֹת מִי־יָבִין מִנִּסְתָּרוֹת נַקֵּנִי:
גַּם מִזֵּדִים חֲשֹׂךְ עַבְדֶּךָ אַל־יִמְשְׁלוּ־בִי
אָז אֵיתָם וְנִקֵּיתִי מִפֶּשַׁע רָב:
יִהְיוּ לְרָצוֹן אִמְרֵי־פִי וְהֶגְיוֹן לִבִּי לְפָנֶיךָ
יְהוָה צוּרִי וְגֹאֲלִי:

PSALM 19. For the Leader, A Psalm of David.

The heavens declare the glory of God,
And the firmament shows His handiwork;

Day unto day expresses His greatness;
Night unto night makes Him known.

There is no speech, there are no words,
Their voice is not heard.

Yet their sway extends over all the earth,
And their message to the ends of the world.
In the heavens, He hath set a tent for the sun.

For the sun is as a bridegroom coming out of his chamber,
It rejoices as a strong man to run its course.

Its going forth is from one end of the heaven,
And its circuit unto the other;
Nothing is hidden from its heat.

The law of the Lord is perfect, restoring the soul;
The testimony of the Lord is sure, making wise the simple.

The precepts of the Lord are right, rejoicing the heart;
The commandment of the Lord is clear, enlightening the
eyes.

The fear of the Lord is pure, enduring forever;
The judgments of the Lord are true,
They are righteous altogether;

More to be desired are they than gold,
Yea, than much fine gold;
Sweeter also than honey and the honeycomb.

Moreover by them is Thy servant warned;
In keeping of them there is great reward.

What man can discern his own errors?
Clear me from hidden faults.

Keep back Thy servant also from wilful sins,
That they may not have dominion over me;
Then shall I be blameless,
And I shall be clear from great transgression.

May the words of my mouth
And the meditation of my heart
Be acceptable before Thee,
O Lord, my Rock, and my Redeemer.

לד לְדָוִד בְּשַׁנּוֹתוֹ אֶת־טַעְמוֹ לִפְנֵי אֲבִימֶלֶךְ וַיְגָרְשֵׁהוּ וַיֵּלַךְ:

אֲבָרְכָה אֶת־יְהֹוָה בְּכָל־עֵת תָּמִיד תְּהִלָּתוֹ בְּפִי:
בַּיהוָה תִּתְהַלֵּל נַפְשִׁי יִשְׁמְעוּ עֲנָוִים וְיִשְׂמָחוּ:
גַּדְּלוּ לַיהוָה אִתִּי וּנְרוֹמְמָה שְׁמוֹ יַחְדָּו:
דָּרַשְׁתִּי אֶת־יְהוָה וְעָנָנִי וּמִכָּל־מְגוּרוֹתַי הִצִּילָנִי:
הִבִּיטוּ אֵלָיו וְנָהָרוּ וּפְנֵיהֶם אַל־יֶחְפָּרוּ:
זֶה עָנִי קָרָא וַיהוָה שָׁמֵעַ וּמִכָּל צָרוֹתָיו הוֹשִׁיעוֹ:
חֹנֶה מַלְאַךְ־יְהוָה סָבִיב לִירֵאָיו וַיְחַלְּצֵם:
טַעֲמוּ וּרְאוּ כִּי טוֹב יְהוָה אַשְׁרֵי הַגֶּבֶר יֶחֱסֶה־בּוֹ:
יְראוּ אֶת־יְהוָה קְדֹשָׁיו כִּי־אֵין מַחְסוֹר לִירֵאָיו:
כְּפִירִים רָשׁוּ וְרָעֵבוּ וְדֹרְשֵׁי יְהוָה לֹא־יַחְסְרוּ כָל־טוֹב:
לְכוּ־בָנִים שִׁמְעוּ־לִי יִרְאַת יְהוָה אֲלַמֶּדְכֶם:
מִי־הָאִישׁ הֶחָפֵץ חַיִּים אֹהֵב יָמִים לִרְאוֹת טוֹב:
נְצֹר לְשׁוֹנְךָ מֵרָע וּשְׂפָתֶיךָ מִדַּבֵּר מִרְמָה:
סוּר מֵרָע וַעֲשֵׂה־טוֹב בַּקֵּשׁ שָׁלוֹם וְרָדְפֵהוּ:
עֵינֵי יְהוָה אֶל־צַדִּיקִים וְאָזְנָיו אֶל־שַׁוְעָתָם:
פְּנֵי יְהוָה בְּעֹשֵׂי רָע לְהַכְרִית מֵאֶרֶץ זִכְרָם:
צָעֲקוּ וַיהוָה שָׁמֵעַ וּמִכָּל־צָרוֹתָם הִצִּילָם:
קָרוֹב יְהוָה לְנִשְׁבְּרֵי־לֵב וְאֶת־דַּכְּאֵי־רוּחַ יוֹשִׁיעַ:
רַבּוֹת רָעוֹת צַדִּיק וּמִכֻּלָּם יַצִּילֶנּוּ יְהוָה:
שֹׁמֵר כָּל־עַצְמוֹתָיו אַחַת מֵהֵנָּה לֹא נִשְׁבָּרָה:
תְּמוֹתֵת רָשָׁע רָעָה וְשֹׂנְאֵי צַדִּיק יֶאְשָׁמוּ:
פֹּדֶה יְהוָה נֶפֶשׁ עֲבָדָיו וְלֹא יֶאְשְׁמוּ כָּל־הַחֹסִים בּוֹ:

PSALM 34. A Psalm of David; when he changed his demeanor before Abimeleh who drove him away, and he departed.

I will bless the Lord at all times;
His praise shall continually be on my lips.
My soul shall glory in the Lord;
The humble shall hear of it and be glad.
O exalt the Lord with me,
And let us extol His name together.
I sought the Lord, and He answered me,
And delivered me from all my fears.
The humble looked unto Him and were radiant;
And their faces shall never be abashed.
Here is a poor man who cried out;
The Lord heard him and saved him from all his troubles.
The angel of the Lord encamps round about them that revere Him, and delivers them.
O try and you shall see that the Lord is good;
Happy is the man that takes refuge in Him.
O revere the Lord, you who are His holy ones;
For they who revere Him suffer no want.
They that deny Him may lack, and suffer hunger;
But they that seek the Lord shall not lack any good.
Come, you children, hearken unto me;
I will teach you the fear of the Lord.
Who is the man that loves life,
And desires long life, filled with joy?
Then keep your tongue from evil,
And your lips from speaking guile.
Depart from evil, and do good; seek peace, and pursue it.
The face of the Lord is against them that do evil,
To cut off their memory from the earth.
The eyes of the Lord are toward the righteous,
And His ears are open unto their cry.
They cried, and the Lord heard them,
And delivered them out of all their troubles.
The Lord is nigh unto them that are of a broken heart,
And saveth such as are of a contrite spirit.
Many are the misfortunes of the righteous,
But the Lord delivereth him out of them all.
He protecteth all his limbs; not one of them is broken.
Evil shall destroy the wicked;
And they that hate the righteous shall suffer punishment.
The Lord redeemeth the soul of His servants;
And none shall be condemned who trust in Him.

צ׳ תְּפִלָּה לְמֹשֶׁה אִישׁ־הָאֱלֹהִים.

אֲדֹנָי מָעוֹן אַתָּה הָיִיתָ לָּנוּ בְּדֹר וָדֹר:
בְּטֶרֶם הָרִים יֻלָּדוּ וַתְּחוֹלֵל אֶרֶץ וְתֵבֵל
וּמֵעוֹלָם עַד־עוֹלָם אַתָּה אֵל:
תָּשֵׁב אֱנוֹשׁ עַד־דַּכָּא וַתֹּאמֶר שׁוּבוּ בְנֵי־אָדָם:
כִּי אֶלֶף שָׁנִים בְּעֵינֶיךָ כְּיוֹם אֶתְמוֹל כִּי יַעֲבֹר
וְאַשְׁמוּרָה בַלָּיְלָה:
זְרַמְתָּם שֵׁנָה יִהְיוּ בַּבֹּקֶר כֶּחָצִיר יַחֲלֹף:
בַּבֹּקֶר יָצִיץ וְחָלָף לָעֶרֶב יְמוֹלֵל וְיָבֵשׁ:
כִּי־כָלִינוּ בְאַפֶּךָ וּבַחֲמָתְךָ נִבְהָלְנוּ:
שַׁתָּה עֲוֹנֹתֵינוּ לְנֶגְדֶּךָ עֲלֻמֵנוּ לִמְאוֹר פָּנֶיךָ:
כִּי כָל־יָמֵינוּ פָּנוּ בְעֶבְרָתֶךָ כִּלִּינוּ שָׁנֵינוּ כְמוֹ־הֶגֶה:
יְמֵי־שְׁנוֹתֵינוּ בָהֶם שִׁבְעִים שָׁנָה וְאִם בִּגְבוּרוֹת שְׁמוֹנִים שָׁנָה:
וְרָהְבָּם עָמָל וָאָוֶן כִּי־גָז חִישׁ וַנָּעֻפָה:
מִי־יוֹדֵעַ עֹז אַפֶּךָ וּכְיִרְאָתְךָ עֶבְרָתֶךָ:
לִמְנוֹת יָמֵינוּ כֵּן הוֹדַע וְנָבִא לְבַב חָכְמָה:
שׁוּבָה יְהוָה עַד־מָתָי וְהִנָּחֵם עַל־עֲבָדֶיךָ:
שַׂבְּעֵנוּ בַבֹּקֶר חַסְדֶּךָ וּנְרַנְּנָה וְנִשְׂמְחָה בְּכָל־יָמֵינוּ:
שַׂמְּחֵנוּ כִּימוֹת עִנִּיתָנוּ שְׁנוֹת רָאִינוּ רָעָה:
יֵרָאֶה אֶל־עֲבָדֶיךָ פָעֳלֶךָ וַהֲדָרְךָ עַל־בְּנֵיהֶם:
וִיהִי נֹעַם אֲדֹנָי אֱלֹהֵינוּ עָלֵינוּ וּמַעֲשֵׂה יָדֵינוּ כּוֹנְנָה עָלֵינוּ
וּמַעֲשֵׂה יָדֵינוּ כּוֹנְנֵהוּ:

PSALM 90. A Prayer of Moses, the Man of God.

Lord, Thou hast been our dwelling-place in all generations.
  Before the mountains were brought forth,
  Or ever Thou hadst formed the earth and the world,
  Even from everlasting to everlasting, Thou art God.
But as for man, Thou turnest him back unto dust,
And sayest: 'Return, ye children of men.'
  For a thousand years in Thy sight
  Are but as a day that is past,
  And as a watch in the night.
Thou carriest men away as with a flood; they are like moss;
They are like grass that grows in the morning.
  In the morning it flourishes and grows up;
  In the evening it is cut down and withers.
Truly we perish by reason of Thy displeasure,
And are overwhelmed by Thy wrath;
  For Thou hast set our iniquities before Thee,
  Our secret sins in the light of Thy presence.
Yea, all our days pass away because of Thy displeasure;
We bring our years to an end as a sigh.
  The days of our years are but three-score years and ten,
  Or by reason of strength four-score.
Yet is their pride but travail and vanity;
For speedily our life is over and we vanish.
  Who knows the power of Thy wrath?
  And how fearful is Thine anger!
Teach us, therefore, to number our days,
That we may get us a heart of wisdom.
  Return unto us, O Lord; how long wilt Thou be wroth?
  O relent Thee concerning Thy servants.
Give us abundantly every morning of Thy lovingkindness,
That we may rejoice and be glad all our days.
  Gladden us according to the days wherein Thou hast
    afflicted us,
  The years wherein we have seen sorrow.
Let Thy work be revealed unto Thy servants,
And Thy glory unto their children.
  And let Thy graciousness, O Lord our God, be upon us;
  Establish Thou also the work of our hands for us;
  Yea, the work of our hands establish Thou it.

תהלים צ״א

ישֵׁב בְּסֵתֶר עֶלְיוֹן בְּצֵל שַׁדַּי יִתְלוֹנָן:
אֹמַר לַיהוָה מַחְסִי וּמְצוּדָתִי אֱלֹהַי אֶבְטַח־בּוֹ:
כִּי הוּא יַצִּילְךָ מִפַּח יָקוּשׁ מִדֶּבֶר הַוּוֹת:
בְּאֶבְרָתוֹ יָסֶךְ לָךְ וְתַחַת־כְּנָפָיו תֶּחְסֶה
צִנָּה וְסֹחֵרָה אֲמִתּוֹ:
לֹא־תִירָא מִפַּחַד־לָיְלָה מֵחֵץ יָעוּף יוֹמָם:
מִדֶּבֶר בָּאֹפֶל יַהֲלֹךְ מִקֶּטֶב יָשׁוּד צָהֳרָיִם:
יִפֹּל מִצִּדְּךָ אֶלֶף וּרְבָבָה מִימִינֶךָ
אֵלֶיךָ לֹא יִגָּשׁ:
רַק בְּעֵינֶיךָ תַבִּיט וְשִׁלֻּמַת רְשָׁעִים תִּרְאֶה:
כִּי־אַתָּה יְהוָה מַחְסִי עֶלְיוֹן שַׂמְתָּ מְעוֹנֶךָ:
לֹא־תְאֻנֶּה אֵלֶיךָ רָעָה וְנֶגַע לֹא־יִקְרַב בְּאָהֳלֶךָ:
כִּי מַלְאָכָיו יְצַוֶּה־לָּךְ לִשְׁמָרְךָ בְּכָל־דְּרָכֶיךָ:
עַל־כַּפַּיִם יִשָּׂאוּנְךָ פֶּן־תִּגֹּף בָּאֶבֶן רַגְלֶךָ:
עַל־שַׁחַל וָפֶתֶן תִּדְרֹךְ תִּרְמֹס כְּפִיר וְתַנִּין:
כִּי בִי חָשַׁק וַאֲפַלְּטֵהוּ אֲשַׂגְּבֵהוּ כִּי־יָדַע שְׁמִי:
יִקְרָאֵנִי וְאֶעֱנֵהוּ עִמּוֹ אָנֹכִי בְצָרָה
אֲחַלְּצֵהוּ וַאֲכַבְּדֵהוּ:
אֹרֶךְ יָמִים אַשְׂבִּיעֵהוּ וְאַרְאֵהוּ בִּישׁוּעָתִי:
אֹרֶךְ יָמִים אַשְׂבִּיעֵהוּ וְאַרְאֵהוּ בִּישׁוּעָתִי:

PSALM 91

Dwelling in the shelter of the Most High,
Abiding under the protection of the Almighty,

    I say of the Lord:
    'He is my refuge and my fortress,
    My God, in whom I trust.'

He will deliver you from the snare of the fowler,
And from the destructive pestilence.

    He will cover you with His pinions,
    And under His wings shall you take refuge;
    His truth is a shield and armor.

You shall not be afraid of the terror by night,
Nor of the arrow that flies by day;

    Of the pestilence that stalks in darkness,
    Nor of the destruction that ravages at noonday.

A thousand may fall at your side,
And ten thousand at your right hand;
But it shall not come near you.

    You shall behold only with your eyes,
    And see the recompense of the wicked.

Because you have made the Lord your fortress,
And the Most High your refuge,

    No evil shall befall you,
    Neither shall any plague come near your tent.

For He will give His angels charge over you,
To guard you in all your ways.

    They shall bear you upon their hands,
    Lest you strike your foot against a stone.

You shall tread upon the lion and asp,
You shall trample on the young lion and serpent.

    'Because he has set his love upon Me, I will deliver him;
    I will protect him because he has known My name.

He shall call upon Me, and I will answer him:
I will be with him in trouble;
I will rescue him and bring him to honor.

    I will give him abundance of long life,
    And he shall witness My salvation.'

תהלים קל״ה

הַלְלוּיָהּ. הַלְלוּ אֶת־שֵׁם יְהֹוָה הַלְלוּ עַבְדֵי יְהֹוָה:
שֶׁעוֹמְדִים בְּבֵית יְהֹוָה בְּחַצְרוֹת בֵּית אֱלֹהֵינוּ:
הַלְלוּיָהּ כִּי־טוֹב יְהֹוָה זַמְּרוּ לִשְׁמוֹ כִּי נָעִים:
כִּי־יַעֲקֹב בָּחַר לוֹ יָהּ יִשְׂרָאֵל לִסְגֻלָּתוֹ:
כִּי אֲנִי יָדַעְתִּי כִּי גָדוֹל יְהֹוָה וַאֲדֹנֵינוּ מִכָּל־אֱלֹהִים:
כֹּל אֲשֶׁר־חָפֵץ יְהֹוָה עָשָׂה בַּשָּׁמַיִם וּבָאָרֶץ
בַּיַּמִּים וְכָל־תְּהוֹמוֹת:
מַעֲלֶה נְשִׂאִים מִקְצֵה הָאָרֶץ
בְּרָקִים לַמָּטָר עָשָׂה מוֹצֵא רוּחַ מֵאוֹצְרוֹתָיו:
שֶׁהִכָּה בְּכוֹרֵי מִצְרָיִם מֵאָדָם עַד־בְּהֵמָה:
שָׁלַח אוֹתֹת וּמֹפְתִים בְּתוֹכֵכִי מִצְרָיִם
בְּפַרְעֹה וּבְכָל־עֲבָדָיו:
שֶׁהִכָּה גּוֹיִם רַבִּים וְהָרַג מְלָכִים עֲצוּמִים:
לְסִיחוֹן מֶלֶךְ הָאֱמֹרִי וּלְעוֹג מֶלֶךְ הַבָּשָׁן
וּלְכֹל מַמְלְכוֹת כְּנָעַן:
וְנָתַן אַרְצָם נַחֲלָה נַחֲלָה לְיִשְׂרָאֵל עַמּוֹ:
יְהֹוָה שִׁמְךָ לְעוֹלָם יְהֹוָה זִכְרְךָ לְדֹר־וָדֹר:
כִּי־יָדִין יְהֹוָה עַמּוֹ וְעַל־עֲבָדָיו יִתְנֶחָם:
עֲצַבֵּי הַגּוֹיִם כֶּסֶף וְזָהָב מַעֲשֵׂה יְדֵי אָדָם:
פֶּה־לָהֶם וְלֹא יְדַבֵּרוּ עֵינַיִם לָהֶם וְלֹא יִרְאוּ:
אָזְנַיִם לָהֶם וְלֹא יַאֲזִינוּ אַף אֵין־יֶשׁ־רוּחַ בְּפִיהֶם:
כְּמוֹהֶם יִהְיוּ עֹשֵׂיהֶם כֹּל אֲשֶׁר־בֹּטֵחַ בָּהֶם:

PSALM 135

Hallelujah. Praise the name of the Lord;
Give praise, ye servants of the Lord,

Who stand in the house of the Lord,
In the courts of the house of our God.

Praise the Lord, for the Lord is good;
Sing praise unto His name, for it is pleasant.

For the Lord hath chosen Jacob for Himself,
And Israel for His own treasure.

Indeed I know that the Lord is great,
That our Lord is above all who are worshipped as gods.

Whatever the Lord desireth, He performeth,
In heaven and earth, in the seas and all deeps;

He causeth mists to arise from the ends of the earth;
He maketh lightnings for the rain;
He bringeth forth the wind out of His store-houses.

He smote the first-born of Egypt,
Both of man and beast.

He sent signs and wonders into the midst of Egypt,
Upon Pharaoh, and upon all his servants.

He conquered many nations,
And struck down mighty kings;

Sihon, king of the Amorites, and Og, king of Bashan,
And all the kingdoms of Canaan;

And gave their land for a heritage,
A heritage unto Israel His people.

"Lord" is Thy name for ever;
As Lord art Thou known throughout all generations.

For the Lord shall judge His people,
And have compassion upon His servants.

The idols of the heathens are mere silver and gold,
The work of men's hands.

They have mouths, but they speak not;
Eyes have they, but they see not;

They have ears, but they hear not;
Neither is there any breath in their mouths.

They that make them shall become like unto them;
Yea, every one that trusts in them.

בֵּית יִשְׂרָאֵל בָּרְכוּ אֶת־יְהֹוָה

בֵּית אַהֲרֹן בָּרְכוּ אֶת־יְהֹוָה

בֵּית הַלֵּוִי בָּרְכוּ אֶת־יְהֹוָה

יִרְאֵי יְהֹוָה בָּרְכוּ אֶת־יְהֹוָה:

בָּרוּךְ יְהֹוָה מִצִּיּוֹן שֹׁכֵן יְרוּשָׁלָיִם. הַלְלוּיָהּ:

תהלים קל"ו

הוֹדוּ לַיהֹוָה כִּי־טוֹב כִּי לְעוֹלָם חַסְדּוֹ:

הוֹדוּ לֵאלֹהֵי הָאֱלֹהִים כִּי לְעוֹלָם חַסְדּוֹ:

הוֹדוּ לַאֲדֹנֵי הָאֲדֹנִים כִּי לְעוֹלָם חַסְדּוֹ:

לְעֹשֵׂה נִפְלָאוֹת גְּדֹלוֹת לְבַדּוֹ כִּי לְעוֹלָם חַסְדּוֹ:

לְעֹשֵׂה הַשָּׁמַיִם בִּתְבוּנָה כִּי לְעוֹלָם חַסְדּוֹ:

לְרוֹקַע הָאָרֶץ עַל הַמָּיִם כִּי לְעוֹלָם חַסְדּוֹ:

לְעֹשֵׂה אוֹרִים גְּדֹלִים כִּי לְעוֹלָם חַסְדּוֹ:

אֶת־הַשֶּׁמֶשׁ לְמֶמְשֶׁלֶת בַּיּוֹם כִּי לְעוֹלָם חַסְדּוֹ:

אֶת־הַיָּרֵחַ וְכוֹכָבִים לְמֶמְשְׁלוֹת בַּלָּיְלָה כִּי לְעוֹלָם חַסְדּוֹ:

לְמַכֵּה מִצְרַיִם בִּבְכוֹרֵיהֶם כִּי לְעוֹלָם חַסְדּוֹ:

וַיּוֹצֵא יִשְׂרָאֵל מִתּוֹכָם כִּי לְעוֹלָם חַסְדּוֹ:

בְּיָד חֲזָקָה וּבִזְרוֹעַ נְטוּיָה כִּי לְעוֹלָם חַסְדּוֹ:

לְגֹזֵר יַם־סוּף לִגְזָרִים כִּי לְעוֹלָם חַסְדּוֹ:

וְהֶעֱבִיר יִשְׂרָאֵל בְּתוֹכוֹ כִּי לְעוֹלָם חַסְדּוֹ:

O house of Israel, bless the Lord;
O house of Aaron, bless the Lord;
O house of Levi, bless the Lord;
You that revere the Lord, bless the Lord.

Blessed be the Lord from Zion,
Who dwelleth at Jerusalem.   Hallelujah.

Psalm 136

O give thanks unto the Lord, for He is good,
For His lovingkindness endureth forever.

O give thanks unto the God of gods,
For his lovingkindness endureth forever.

O give thanks unto the Lord of lords,
For His lovingkindness endureth forever,

To Him who alone doeth great wonders,
For His lovingkindness endureth forever;

To Him that by understanding made the heavens,
For His lovingkindness endureth forever;

To Him that spread forth the earth above the waters,
For His lovingkindness endureth forever;

To Him that made the great lights,
For His lovingkindness endureth forever;

The sun to rule by day,
For His lovingkindness endureth forever;

The moon and stars to rule by night,
For His lovingkindness endureth forever;

To Him that smote Egypt through their first-born,
For His lovingkindness endureth forever;

And brought out Israel from among them,
For His lovingkindness endureth forever;

With a strong hand, and with an outstretched arm,
For His lovingkindness endureth forever;

To Him who divided the Red Sea,
For His lovingkindness endureth forever;

And made Israel to pass through it,
For His lovingkindness endureth forever;

וְנִעֵר פַּרְעֹה וְחֵילוֹ בְיַם־סוּף כִּי לְעוֹלָם חַסְדּוֹ:
לְמוֹלִיךְ עַמּוֹ בַּמִּדְבָּר כִּי לְעוֹלָם חַסְדּוֹ:
לְמַכֵּה מְלָכִים גְּדֹלִים כִּי לְעוֹלָם חַסְדּוֹ:
וַיַּהֲרֹג מְלָכִים אַדִּירִים כִּי לְעוֹלָם חַסְדּוֹ:
לְסִיחוֹן מֶלֶךְ הָאֱמֹרִי כִּי לְעוֹלָם חַסְדּוֹ:
וּלְעוֹג מֶלֶךְ הַבָּשָׁן כִּי לְעוֹלָם חַסְדּוֹ:
וְנָתַן אַרְצָם לְנַחֲלָה כִּי לְעוֹלָם חַסְדּוֹ:
נַחֲלָה לְיִשְׂרָאֵל עַבְדּוֹ כִּי לְעוֹלָם חַסְדּוֹ:
שֶׁבְּשִׁפְלֵנוּ זָכַר לָנוּ כִּי לְעוֹלָם חַסְדּוֹ:
וַיִּפְרְקֵנוּ מִצָּרֵינוּ כִּי לְעוֹלָם חַסְדּוֹ:
נֹתֵן לֶחֶם לְכָל־בָּשָׂר כִּי לְעוֹלָם חַסְדּוֹ:
הוֹדוּ לְאֵל הַשָּׁמָיִם כִּי לְעוֹלָם חַסְדּוֹ:

תהלים ל״ג

רַנְּנוּ צַדִּיקִים בַּיהוָה לַיְשָׁרִים נָאוָה תְהִלָּה:
הוֹדוּ לַיהוָה בְּכִנּוֹר בְּנֵבֶל עָשׂוֹר זַמְּרוּ־לוֹ:
שִׁירוּ לוֹ שִׁיר חָדָשׁ הֵיטִיבוּ נַגֵּן בִּתְרוּעָה:
כִּי־יָשָׁר דְּבַר־יְהוָה וְכָל־מַעֲשֵׂהוּ בֶּאֱמוּנָה:
אֹהֵב צְדָקָה וּמִשְׁפָּט חֶסֶד יְהוָה מָלְאָה הָאָרֶץ:

But overthrew Pharaoh and his host in the Red Sea,
For His lovingkindness endureth forever;

To Him who led His people through the wilderness.
For His lovingkindness endureth forever;

And conquered great kings,
For His lovingkindness endureth forever;

And struck down mighty kings,
For His lovingkindness endureth forever;

Sihon, king of the Amorites,
For His lovingkindness endureth forever;

And Og, king of Bashan,
For His lovingkindness endureth forever;

And gave their land for a heritage,
For His lovingkindness endureth forever;

A heritage to Israel His servant,
For His lovingkindness endureth forever;

Who remembered us in our low estate,
For His lovingkindness endureth forever;

And hath redeemed us from our foes,
For His lovingkindness endureth forever;

Who giveth food to all creatures,
For His lovingkindness endureth forever.

O give thanks unto the God of heaven,
For His lovingkindness endureth forever.

Psalm 33

Rejoice in the Lord, O ye righteous,
It is befitting for the upright to praise Him.

Give thanks unto the Lord with the harp,
Sing praises unto Him with the ten stringed psaltery.

Sing unto Him a new song;
Play skillfully amid songs of joy,

For the word of the Lord is just,
And all His work is truth.

He loveth righteousness and justice;
The earth is full of the lovingkindness of the Lord.

בִּדְבַר יְהֹוָה שָׁמַיִם נַעֲשׂוּ   וּבְרוּחַ פִּיו כָּל־צְבָאָם:

כֹּנֵס כַּנֵּד מֵי הַיָּם   נֹתֵן בְּאוֹצָרוֹת תְּהוֹמוֹת:

יִירְאוּ מֵיְהֹוָה כָּל הָאָרֶץ   מִמֶּנּוּ יָגוּרוּ כָּל־יֹשְׁבֵי תֵבֵל:

כִּי הוּא אָמַר וַיֶּהִי   הוּא־צִוָּה וַיַּעֲמֹד:

יְהֹוָה הֵפִיר עֲצַת גּוֹיִם   הֵנִיא מַחְשְׁבוֹת עַמִּים:

עֲצַת יְהֹוָה לְעוֹלָם תַּעֲמֹד   מַחְשְׁבוֹת לִבּוֹ לְדֹר וָדֹר:

אַשְׁרֵי הַגּוֹי אֲשֶׁר־יְהֹוָה אֱלֹהָיו הָעָם בָּחַר לְנַחֲלָה לוֹ:

מִשָּׁמַיִם הִבִּיט יְהֹוָה   רָאָה אֶת־כָּל־בְּנֵי הָאָדָם:

מִמְּכוֹן־שִׁבְתּוֹ הִשְׁגִּיחַ   אֶל כָּל־יֹשְׁבֵי הָאָרֶץ:

הַיֹּצֵר יַחַד לִבָּם   הַמֵּבִין אֶל־כָּל־מַעֲשֵׂיהֶם:

אֵין הַמֶּלֶךְ נוֹשָׁע בְּרָב־חָיִל   גִּבּוֹר לֹא־יִנָּצֵל בְּרָב־כֹּחַ:

שֶׁקֶר הַסּוּס לִתְשׁוּעָה   וּבְרֹב חֵילוֹ לֹא יְמַלֵּט:

הִנֵּה עֵין יְהֹוָה אֶל־יְרֵאָיו   לַמְיַחֲלִים לְחַסְדּוֹ:

לְהַצִּיל מִמָּוֶת נַפְשָׁם   וּלְחַיּוֹתָם בָּרָעָב:

נַפְשֵׁנוּ חִכְּתָה לַיהֹוָה   עֶזְרֵנוּ וּמָגִנֵּנוּ הוּא:

כִּי־בוֹ יִשְׂמַח לִבֵּנוּ   כִּי בְשֵׁם קָדְשׁוֹ בָטָחְנוּ:

יְהִי־חַסְדְּךָ יְהֹוָה עָלֵינוּ   כַּאֲשֶׁר יִחַלְנוּ לָךְ:

By the word of the Lord were the heavens made,
And all the host of them by His command.

He gathereth the waters of the sea as a heap;
He layeth up the deeps in the store-houses.

Let all the earth revere the Lord;
Let all the inhabitants of the world stand in awe of Him.

For He spoke, and the world came into being;
He commanded, and it stood firm.

The Lord bringeth the design of the heathens to naught;
He maketh their thoughts to be of no effect.

The counsel of the Lord standeth forever,
The thoughts of His heart to all generations.

Happy is the people whose God is the Lord;
The people whom He hath chosen for His possession.

The Lord looketh down from heaven;
He beholdeth all the children of men.

From the place of His habitation,
He gazeth upon all the inhabitants of the earth;

He that fashioneth the hearts of them all,
Giveth heed to all their doings.

A king is not saved by the greatness of power;
A mighty man is not delivered by sheer strength.

A horse is a vain thing for safety;
Neither does it afford escape by its great strength.

Behold, the eye of the Lord is upon them that revere Him,
Upon them that hope in His mercy,

To deliver them from death,
And to keep them alive in famine.

Our soul still waits for the Lord;
He is our help and our shield.

For in Him does our heart rejoice,
For we trust in His holy name.

Let Thy lovingkindness, O Lord, be upon us,
For our hope is in Thee.

תהלים צ״ב

מִזְמוֹר שִׁיר לְיוֹם־הַשַּׁבָּת:

טוֹב לְהֹדוֹת לַיהוָה וּלְזַמֵּר לְשִׁמְךָ עֶלְיוֹן:
לְהַגִּיד בַּבֹּקֶר חַסְדֶּךָ וֶאֱמוּנָתְךָ בַּלֵּילוֹת:
עֲלֵי־עָשׂוֹר וַעֲלֵי־נָבֶל עֲלֵי הִגָּיוֹן בְּכִנּוֹר:
כִּי שִׂמַּחְתַּנִי יְהוָה בְּפָעֳלֶךָ בְּמַעֲשֵׂי יָדֶיךָ אֲרַנֵּן:
מַה־גָּדְלוּ מַעֲשֶׂיךָ יְהוָה מְאֹד עָמְקוּ מַחְשְׁבֹתֶיךָ:
אִישׁ־בַּעַר לֹא יֵדָע וּכְסִיל לֹא־יָבִין אֶת־זֹאת:
בִּפְרֹחַ רְשָׁעִים כְּמוֹ־עֵשֶׂב וַיָּצִיצוּ כָּל־פֹּעֲלֵי אָוֶן
לְהִשָּׁמְדָם עֲדֵי־עַד:
וְאַתָּה מָרוֹם לְעֹלָם יְהוָה:
כִּי הִנֵּה אֹיְבֶיךָ יְהוָה כִּי־הִנֵּה אֹיְבֶיךָ יֹאבֵדוּ
יִתְפָּרְדוּ כָּל־פֹּעֲלֵי אָוֶן:
וַתָּרֶם כִּרְאֵים קַרְנִי בַּלֹּתִי בְּשֶׁמֶן רַעֲנָן:
וַתַּבֵּט עֵינִי בְּשׁוּרָי בַּקָּמִים עָלַי מְרֵעִים
תִּשְׁמַעְנָה אָזְנָי:
צַדִּיק כַּתָּמָר יִפְרָח כְּאֶרֶז בַּלְּבָנוֹן יִשְׂגֶּה:
שְׁתוּלִים בְּבֵית יְהוָה בְּחַצְרוֹת אֱלֹהֵינוּ יַפְרִיחוּ:
עוֹד יְנוּבוּן בְּשֵׂיבָה דְּשֵׁנִים וְרַעֲנַנִּים יִהְיוּ:
לְהַגִּיד כִּי־יָשָׁר יְהוָה צוּרִי וְלֹא־עַוְלָתָה בּוֹ:

PSALM 92

A Psalm, a Song. For the Sabbath Day.

It is a good thing to give thanks unto the Lord,
And to sing praises unto Thy name, O Most High;

To declare Thy lovingkindness each morning,
And Thy faithfulness every night,

With an instrument of ten strings and the lute,
With sacred music upon the harp.

For Thou, O Lord, hast made me rejoice in Thy work;
I will glory in the works of Thy hands.

How great are Thy deeds, O Lord!
Thy thoughts are very deep.

The ignorant man does not know,
Nor does the fool understand this —

The wicked may spring up as the grass,
And the workers of iniquity may flourish,
Only to be destroyed forever.

But Thou, O Lord, shalt be exalted forever.

For lo, Thine enemies, O Lord,
For lo, Thine enemies shall perish;
All the workers of iniquity shall be scattered.

But Thou dost raise me to high honor;
I am anointed with fragrant oil.

Mine eyes have seen the defeat of my foes,
Mine ears have heard the doom of evil doers
That rise up against me.

The righteous shall flourish like the palm tree,
And grow mighty like a cedar in Lebanon.

Planted in the house of the Lord,
They shall flourish in the courts of our God.

Even in old age they shall bring forth fruit,
They shall be full of vigor and strength,

Declaring that the Lord is just,
My Rock in whom there is no unrighteousness.

צ״ג יְהֹוָה מָלָךְ גֵּאוּת לָבֵשׁ לָבֵשׁ יְהֹוָה עֹז הִתְאַזָּר
אַף־תִּכּוֹן תֵּבֵל בַּל־תִּמּוֹט:
נָכוֹן כִּסְאֲךָ מֵאָז מֵעוֹלָם אָתָּה:
נָשְׂאוּ נְהָרוֹת יְהֹוָה נָשְׂאוּ נְהָרוֹת קוֹלָם
יִשְׂאוּ נְהָרוֹת דָּכְיָם:
מִקֹּלוֹת מַיִם רַבִּים אַדִּירִים מִשְׁבְּרֵי־יָם
אַדִּיר בַּמָּרוֹם יְהֹוָה:
עֵדֹתֶיךָ נֶאֶמְנוּ מְאֹד לְבֵיתְךָ נַאֲוָה־קֹדֶשׁ יְהֹוָה לְאֹרֶךְ יָמִים:

יְהִי כְבוֹד יְיָ לְעוֹלָם יִשְׂמַח יְיָ בְּמַעֲשָׂיו: יְהִי שֵׁם יְיָ מְבֹרָךְ מֵעַתָּה וְעַד־עוֹלָם: מִמִּזְרַח־שֶׁמֶשׁ עַד־מְבוֹאוֹ מְהֻלָּל שֵׁם יְיָ: רָם עַל־כָּל־גּוֹיִם יְיָ עַל הַשָּׁמַיִם כְּבוֹדוֹ: יְיָ שִׁמְךָ לְעוֹלָם יְיָ זִכְרְךָ לְדֹר־וָדֹר: יְיָ בַּשָּׁמַיִם הֵכִין כִּסְאוֹ וּמַלְכוּתוֹ בַּכֹּל מָשָׁלָה: יִשְׂמְחוּ הַשָּׁמַיִם וְתָגֵל הָאָרֶץ וְיֹאמְרוּ בַגּוֹיִם יְיָ מָלָךְ: יְיָ מֶלֶךְ יְיָ מָלָךְ יְיָ יִמְלֹךְ לְעֹלָם וָעֶד: יְיָ מֶלֶךְ עוֹלָם וָעֶד אָבְדוּ גוֹיִם מֵאַרְצוֹ: יְיָ הֵפִיר עֲצַת גּוֹיִם הֵנִיא מַחְשְׁבוֹת עַמִּים: רַבּוֹת מַחֲשָׁבוֹת בְּלֶב־אִישׁ וַעֲצַת יְיָ הִיא תָקוּם: עֲצַת יְיָ לְעוֹלָם תַּעֲמֹד מַחְשְׁבוֹת לִבּוֹ לְדֹר וָדֹר: כִּי הוּא אָמַר וַיֶּהִי הוּא־צִוָּה וַיַּעֲמֹד: כִּי־בָחַר יְיָ בְּצִיּוֹן אִוָּהּ לְמוֹשָׁב לוֹ: כִּי־יַעֲקֹב בָּחַר לוֹ יָהּ יִשְׂרָאֵל לִסְגֻלָּתוֹ: כִּי לֹא־יִטֹּשׁ יְיָ עַמּוֹ וְנַחֲלָתוֹ לֹא יַעֲזֹב: וְהוּא רַחוּם יְכַפֵּר עָוֹן וְלֹא־יַשְׁחִית וְהִרְבָּה לְהָשִׁיב אַפּוֹ וְלֹא־יָעִיר כָּל־חֲמָתוֹ: יְיָ הוֹשִׁיעָה הַמֶּלֶךְ יַעֲנֵנוּ בְיוֹם־קָרְאֵנוּ:

Psalm 93

The Lord reigneth; He is robed in majesty;
The Lord is robed, He hath girded Himself with strength.

Now is the earth firmly established; it shall not be moved.

Thy throne is established of old; Thou art from everlasting.

The waters lift up their voices, O Lord,
The waters lift up their roaring;

Yet above the voices of many waters,
Above the breakers of the sea, Thou, O Lord, art mighty.

Thy law is true and unfailing;
Holiness is becoming to Thy house, O Lord, forevermore.

May the glory of the Lord endure forever; let the Lord rejoice in His works. Blessed be the name of the Lord from this time forth and forever. From the rising of the sun unto its setting, the Lord's name is to be praised. The Lord is high above all nations. His glory is above the heavens; O Lord, Thy name endureth forever; Thou art Lord for all generations. The Lord hath established His throne in the heavens; and His kingdom ruleth over all. Let the heavens be glad, and let the earth rejoice; and let them say among the nations: 'The Lord reigneth.' The Lord is King, the Lord was King, the Lord shall be King for ever and ever. The Lord is King for ever and ever; the heathens are perished out of His land. The Lord bringeth the design of the heathens to naught; He maketh their thoughts of no effect. Many are the thoughts in a man's heart; but it is the Lord's counsel that shall stand. The counsel of the Lord standeth forever, the thoughts of His heart to all generations. For He spoke, and the world came into being; He commanded, and it stood firm. For the Lord hath chosen Zion; He hath desired it for His habitation. For the Lord hath called Jacob unto Himself, and Israel for His own treasure. For the Lord will not cast off His people nor will He forsake His inheritance. But He, being full of compassion, forgiveth iniquity, and destroyeth not; yea, often He turneth His anger away, and doth not stir up all His wrath. Save us, O Lord; O King answer us on the day that we call.

אַשְׁרֵי יוֹשְׁבֵי בֵיתֶךָ עוֹד יְהַלְלוּךָ סֶּלָה:
אַשְׁרֵי הָעָם שֶׁכָּכָה לּוֹ אַשְׁרֵי הָעָם שֶׁיְיָ אֱלֹהָיו:

תהלים קמ״ה

תְּהִלָּה לְדָוִד.

אֲרוֹמִמְךָ אֱלוֹהַי הַמֶּלֶךְ וַאֲבָרְכָה שִׁמְךָ לְעוֹלָם וָעֶד:
בְּכָל־יוֹם אֲבָרְכֶךָּ וַאֲהַלְלָה שִׁמְךָ לְעוֹלָם וָעֶד:
גָּדוֹל יְיָ וּמְהֻלָּל מְאֹד וְלִגְדֻלָּתוֹ אֵין חֵקֶר:
דּוֹר לְדוֹר יְשַׁבַּח מַעֲשֶׂיךָ וּגְבוּרֹתֶיךָ יַגִּידוּ:
הֲדַר כְּבוֹד הוֹדֶךָ וְדִבְרֵי נִפְלְאֹתֶיךָ אָשִׂיחָה:
וֶעֱזוּז נוֹרְאֹתֶיךָ יֹאמֵרוּ וּגְדֻלָּתְךָ אֲסַפְּרֶנָּה:
זֵכֶר רַב־טוּבְךָ יַבִּיעוּ וְצִדְקָתְךָ יְרַנֵּנוּ:
חַנּוּן וְרַחוּם יְהוָה אֶרֶךְ אַפַּיִם וּגְדָל־חָסֶד:
טוֹב־יְהוָה לַכֹּל וְרַחֲמָיו עַל־כָּל־מַעֲשָׂיו:
יוֹדוּךָ יְהוָה כָּל־מַעֲשֶׂיךָ וַחֲסִידֶיךָ יְבָרְכוּכָה:
כְּבוֹד מַלְכוּתְךָ יֹאמֵרוּ וּגְבוּרָתְךָ יְדַבֵּרוּ:
לְהוֹדִיעַ לִבְנֵי הָאָדָם גְּבוּרֹתָיו וּכְבוֹד הֲדַר מַלְכוּתוֹ:
מַלְכוּתְךָ מַלְכוּת כָּל־עֹלָמִים וּמֶמְשַׁלְתְּךָ בְּכָל־דּוֹר וָדוֹר:
סוֹמֵךְ יְהוָה לְכָל־הַנֹּפְלִים וְזוֹקֵף לְכָל־הַכְּפוּפִים:
עֵינֵי כֹל אֵלֶיךָ יְשַׂבֵּרוּ. וְאַתָּה נוֹתֵן־לָהֶם אֶת־אָכְלָם בְּעִתּוֹ:
פּוֹתֵחַ אֶת־יָדֶךָ וּמַשְׂבִּיעַ לְכָל־חַי רָצוֹן:

Happy are they that dwell in Thy house;
They will ever praise Thee.
  Happy is the people who thus fare;
  Yea, happy is the people whose God is the Lord.

PSALM 145

A Psalm of praise; of David.

I will extol Thee, my God, O King,
And I will bless Thy name for ever and ever.
  Every day will I bless Thee,
  And I will praise Thy name for ever and ever.
Great is the Lord, and highly to be praised;
His greatness is unsearchable.
  One generation shall laud Thy works to another,
  And shall declare Thy mighty acts.
On the majestic glory of Thy splendor,
And on Thy wondrous deeds will I meditate.
  And men shall proclaim the might of Thy tremendous acts;
  And I will recount Thy greatness.
They shall make known the fame of Thy great goodness,
And shall exult in Thy righteousness.
  The Lord is gracious and full of compassion,
  Long forbearing, and abundant in kindness.
The Lord is good to all,
And His tender mercies are over all His works.
  All Thy works shall praise Thee, O Lord,
  And Thy faithful ones shall bless Thee.
They shall declare the glory of Thy kingdom,
And talk of Thy might;
  To make known to the sons of men His mighty acts,
  And the glorious majesty of His kingdom.
Thy kingdom is an everlasting kingdom,
And Thy dominion endureth throughout all generations.
  The Lord upholdeth all who fall,
  And raiseth up all who are bowed down.
The eyes of all look hopefully to Thee,
And Thou givest them their food in due season.
  Thou openest Thy hand,
  And satisfiest every living thing with favor.

צַדִּיק יְהוָה בְּכָל־דְּרָכָיו וְחָסִיד בְּכָל־מַעֲשָׂיו:
קָרוֹב יְהוָה לְכָל־קֹרְאָיו לְכֹל אֲשֶׁר יִקְרָאֻהוּ בֶאֱמֶת:
רְצוֹן־יְרֵאָיו יַעֲשֶׂה וְאֶת־שַׁוְעָתָם יִשְׁמַע וְיוֹשִׁיעֵם:
שׁוֹמֵר יְהוָה אֶת־כָּל־אֹהֲבָיו וְאֵת כָּל־הָרְשָׁעִים יַשְׁמִיד:
תְּהִלַּת יְהוָה יְדַבֶּר־פִּי וִיבָרֵךְ כָּל־בָּשָׂר שֵׁם קָדְשׁוֹ
לְעוֹלָם וָעֶד:
וַאֲנַחְנוּ נְבָרֵךְ יָהּ מֵעַתָּה וְעַד־עוֹלָם. הַלְלוּיָהּ:

תהלים קמ״ו

הַלְלוּיָהּ הַלְלִי נַפְשִׁי אֶת־יְהוָה:
אֲהַלְלָה יְהוָה בְּחַיָּי אֲזַמְּרָה לֵאלֹהַי בְּעוֹדִי:
אַל־תִּבְטְחוּ בִנְדִיבִים בְּבֶן־אָדָם שֶׁאֵין לוֹ תְשׁוּעָה:
תֵּצֵא רוּחוֹ יָשֻׁב לְאַדְמָתוֹ בַּיּוֹם הַהוּא אָבְדוּ עֶשְׁתֹּנֹתָיו:
אַשְׁרֵי שֶׁאֵל יַעֲקֹב בְּעֶזְרוֹ שִׂבְרוֹ עַל־יְהוָה אֱלֹהָיו:
עֹשֶׂה שָׁמַיִם וָאָרֶץ אֶת־הַיָּם וְאֶת־כָּל אֲשֶׁר־בָּם
הַשֹּׁמֵר אֱמֶת לְעוֹלָם:
עֹשֶׂה מִשְׁפָּט לַעֲשׁוּקִים נֹתֵן לֶחֶם לָרְעֵבִים
יְהוָה מַתִּיר אֲסוּרִים:
יְהוָה פֹּקֵחַ עִוְרִים יְהוָה זֹקֵף כְּפוּפִים
יְהוָה אֹהֵב צַדִּיקִים:
יְהוָה שֹׁמֵר אֶת־גֵּרִים יָתוֹם וְאַלְמָנָה יְעוֹדֵד
וְדֶרֶךְ רְשָׁעִים יְעַוֵּת:
יִמְלֹךְ יְהוָה לְעוֹלָם אֱלֹהַיִךְ צִיּוֹן לְדֹר וָדֹר. הַלְלוּיָהּ:

The Lord is righteous in all His ways,
And gracious in all His works.

> The Lord is near unto all who call upon Him,
> To all who call upon Him in truth.

He will fulfill the desire of them that revere Him;
He will also hear their cry, and will save them.

> The Lord preserveth all them that love Him;
> But all the wicked will He bring low.

My mouth shall speak the praise of the Lord;
Let all men bless His holy name for ever and ever.

> We will bless the Lord
> From this time forth and for ever.   Hallelujah.

PSALM 146

Hallelujah.   Praise the Lord, O my soul.

> I will praise the Lord as long as I live;
> I will sing praises unto my God while yet I have breath.

Put not your trust in princes,
In a mere man in whom there is no help.

> When his breath departs, he returns to dust,
> In that very day his thoughts perish.

Happy is he whose help is the God of Jacob,
Whose hope is in the Lord his God,

> Who made heaven and earth,
> The sea, and all that is within;
> Who keepeth faith forever;

Who rendereth justice for the oppressed,
Who giveth bread to the hungry;
The Lord setteth the captives free.

> The Lord openeth the eyes of the blind;
> The Lord raiseth up them that are bowed down;
> The Lord loveth the righteous.

The Lord protecteth the strangers;
He upholdeth the fatherless and the widow;
But the way of the wicked He doth confuse.

> The Lord shall reign forever.
> Thy God, O Zion, shall be Sovereign unto all generations.
> Hallelujah.

תהלים קמ״ז

הַלְלוּיָהּ. כִּי־טוֹב זַמְּרָה אֱלֹהֵינוּ כִּי־נָעִים נָאוָה תְהִלָּה׃
בּוֹנֵה יְרוּשָׁלַםִ יְהֹוָה נִדְחֵי יִשְׂרָאֵל יְכַנֵּס׃
הָרוֹפֵא לִשְׁבוּרֵי לֵב וּמְחַבֵּשׁ לְעַצְּבוֹתָם׃
מוֹנֶה מִסְפָּר לַכּוֹכָבִים לְכֻלָּם שֵׁמוֹת יִקְרָא׃
גָּדוֹל אֲדוֹנֵינוּ וְרַב־כֹּחַ לִתְבוּנָתוֹ אֵין מִסְפָּר׃
מְעוֹדֵד עֲנָוִים יְהֹוָה מַשְׁפִּיל רְשָׁעִים עֲדֵי־אָרֶץ׃
עֱנוּ לַיהֹוָה בְּתוֹדָה זַמְּרוּ לֵאלֹהֵינוּ בְכִנּוֹר׃
הַמְכַסֶּה שָׁמַיִם בְּעָבִים הַמֵּכִין לָאָרֶץ מָטָר
הַמַּצְמִיחַ הָרִים חָצִיר׃
נוֹתֵן לִבְהֵמָה לַחְמָהּ לִבְנֵי עֹרֵב אֲשֶׁר יִקְרָאוּ׃
לֹא בִגְבוּרַת הַסּוּס יֶחְפָּץ לֹא־בְשׁוֹקֵי הָאִישׁ יִרְצֶה׃
רוֹצֶה יְהֹוָה אֶת־יְרֵאָיו אֶת־הַמְיַחֲלִים לְחַסְדּוֹ׃
שַׁבְּחִי יְרוּשָׁלַםִ אֶת־יְהֹוָה הַלְלִי אֱלֹהַיִךְ צִיּוֹן׃
כִּי־חִזַּק בְּרִיחֵי שְׁעָרָיִךְ בֵּרַךְ בָּנַיִךְ בְּקִרְבֵּךְ׃
הַשָּׂם־גְּבוּלֵךְ שָׁלוֹם חֵלֶב חִטִּים יַשְׂבִּיעֵךְ׃
הַשֹּׁלֵחַ אִמְרָתוֹ אָרֶץ עַד־מְהֵרָה יָרוּץ דְּבָרוֹ׃
הַנֹּתֵן שֶׁלֶג כַּצָּמֶר כְּפוֹר כָּאֵפֶר יְפַזֵּר׃
מַשְׁלִיךְ קַרְחוֹ כְפִתִּים לִפְנֵי קָרָתוֹ מִי יַעֲמֹד׃
יִשְׁלַח דְּבָרוֹ וְיַמְסֵם יַשֵּׁב רוּחוֹ יִזְּלוּ־מָיִם׃
מַגִּיד דְּבָרָיו לְיַעֲקֹב חֻקָּיו וּמִשְׁפָּטָיו לְיִשְׂרָאֵל׃
לֹא עָשָׂה כֵן לְכָל־גּוֹי וּמִשְׁפָּטִים בַּל־יְדָעוּם. הַלְלוּיָהּ׃

PSALM 147

Hallelujah.   It is good to sing praises unto our God;
It is pleasant and befitting to praise Him.

The Lord restoreth Jerusalem,
He gathereth together the dispersed of Israel;
He healeth the broken in heart, binding up their wounds.

He counteth the number of the stars;
He calleth them all by their names.

Great is our Lord, and mighty in power;
His understanding is infinite.

The Lord upholdeth the humble;
He bringeth low the wicked to the very ground.

Sing unto the Lord with thanksgiving,
Sing praises upon the harp unto our God.

He covereth the heaven with clouds,
He prepareth rain for the earth,
He maketh grass to grow on the hills.

He giveth to the beast its food,
And to the young ravens when they cry.

He delighteth not in the strength of the horse;
Nor taketh pleasure in the vigor of man.

The Lord taketh pleasure in them that revere Him,
In them that hope for His mercy.

Glorify the Lord, O Jerusalem; praise thy God, O Zion.

For He hath made strong the bars of thy gates;
He hath blessed thy children within thee.

He maketh peace within thy borders;
He giveth thee abundantly of the fat of wheat.

He sendeth out His commandment to the earth;
His word goeth speedily forth.

He giveth snow like wool,
He scattereth hoar-frost like ashes.

He casteth forth His ice like morsels;
Before His cold, the waters congeal.

He sendeth forth His word and melteth them;
He causeth His wind to blow, and the waters flow.

He declareth His commandments unto Jacob,
His statutes and His ordinances unto Israel.

He hath not dealt so with the heathen peoples,
Nor have they known His ordinances.   Hallelujah.

תהלים קמ"ח

הַלְלוּיָהּ:

הַלְלוּ אֶת־יְהוָֹה מִן־הַשָּׁמַיִם הַלְלוּהוּ בַּמְּרוֹמִים:

הַלְלוּהוּ כָל־מַלְאָכָיו הַלְלוּהוּ כָּל־צְבָאָיו:

הַלְלוּהוּ שֶׁמֶשׁ וְיָרֵחַ הַלְלוּהוּ כָּל־כּוֹכְבֵי אוֹר:

הַלְלוּהוּ שְׁמֵי הַשָּׁמָיִם וְהַמַּיִם אֲשֶׁר מֵעַל הַשָּׁמָיִם:

יְהַלְלוּ אֶת־שֵׁם יְהוָֹה כִּי הוּא צִוָּה וְנִבְרָאוּ:

וַיַּעֲמִידֵם לָעַד לְעוֹלָם חָק־נָתַן וְלֹא יַעֲבוֹר:

הַלְלוּ אֶת־יְהוָֹה מִן־הָאָרֶץ תַּנִּינִים וְכָל־תְּהֹמוֹת:

אֵשׁ וּבָרָד שֶׁלֶג וְקִיטוֹר רוּחַ סְעָרָה עֹשָׂה דְבָרוֹ:

הֶהָרִים וְכָל־גְּבָעוֹת עֵץ פְּרִי וְכָל־אֲרָזִים:

הַחַיָּה וְכָל־בְּהֵמָה רֶמֶשׂ וְצִפּוֹר כָּנָף:

מַלְכֵי־אֶרֶץ וְכָל־לְאֻמִּים שָׂרִים וְכָל־שֹׁפְטֵי אָרֶץ:

בַּחוּרִים וְגַם־בְּתוּלוֹת זְקֵנִים עִם־נְעָרִים:

יְהַלְלוּ אֶת־שֵׁם יְהוָֹה כִּי־נִשְׂגָּב שְׁמוֹ לְבַדּוֹ

הוֹדוֹ עַל־אֶרֶץ וְשָׁמָיִם:

וַיָּרֶם קֶרֶן לְעַמּוֹ תְּהִלָּה לְכָל־חֲסִידָיו

לִבְנֵי יִשְׂרָאֵל עַם קְרֹבוֹ הַלְלוּיָהּ:

PSALM 148

Hallelujah.

Praise ye the Lord from the heavens;
Praise Him in the heights.

Praise ye Him, all His angels;
Praise ye Him, all His hosts.

Praise ye Him, sun and moon;
Praise Him, all ye stars of light.

Praise Him, ye heavens of heavens,
And ye waters that are above the heavens.

Let them praise the name of the Lord;
For He commanded, and they were created.

He hath established them for ever and ever,
Making a decree which shall not be transgressed.

Praise the Lord from the earth,
Ye sea-monsters, and all deeps;

Fire and hail, snow and vapor,
Stormy wind, fulfilling His word;

Mountains and all hills,
Fruitful trees and all cedars;

Beasts and all cattle,
Creeping things and winged fowl;

Kings of the earth and all peoples;
Princes and all judges of the earth;

Both young men and maidens,
Old men and children;

Let them all praise the name of the Lord,
For His name alone is exalted;
His glory is above the earth and heaven.

He hath given glory unto His people,
Praise to all His faithful ones,
To the children of Israel, near unto Him. **Hallelujah.**

תהלים קמ"ט

הַלְלוּיָהּ. שִׁירוּ לַיהֹוָה שִׁיר חָדָשׁ תְּהִלָּתוֹ בִּקְהַל חֲסִידִים:
יִשְׂמַח יִשְׂרָאֵל בְּעֹשָׂיו בְּנֵי־צִיּוֹן יָגִילוּ בְמַלְכָּם:
יְהַלְלוּ שְׁמוֹ בְמָחוֹל בְּתֹף וְכִנּוֹר יְזַמְּרוּ־לוֹ:
כִּי־רוֹצֶה יְהֹוָה בְּעַמּוֹ יְפָאֵר עֲנָוִים בִּישׁוּעָה:
יַעְלְזוּ חֲסִידִים בְּכָבוֹד יְרַנְּנוּ עַל־מִשְׁכְּבוֹתָם:
רוֹמְמוֹת אֵל בִּגְרוֹנָם וְחֶרֶב פִּיפִיּוֹת בְּיָדָם:
לַעֲשׂוֹת נְקָמָה בַּגּוֹיִם תּוֹכֵחוֹת בַּלְאֻמִּים:
לֶאְסֹר מַלְכֵיהֶם בְּזִקִּים וְנִכְבְּדֵיהֶם בְּכַבְלֵי בַרְזֶל:
לַעֲשׂוֹת בָּהֶם מִשְׁפָּט כָּתוּב הָדָר הוּא לְכָל־חֲסִידָיו
הַלְלוּיָהּ:

תהלים ק"נ

הַלְלוּיָהּ. הַלְלוּ־אֵל בְּקָדְשׁוֹ הַלְלוּהוּ בִּרְקִיעַ עֻזּוֹ:
הַלְלוּהוּ בִגְבוּרֹתָיו הַלְלוּהוּ כְּרֹב גֻּדְלוֹ:
הַלְלוּהוּ בְּתֵקַע שׁוֹפָר הַלְלוּהוּ בְּנֵבֶל וְכִנּוֹר:
הַלְלוּהוּ בְתֹף וּמָחוֹל הַלְלוּהוּ בְּמִנִּים וְעֻגָב:
הַלְלוּהוּ בְצִלְצְלֵי־שָׁמַע הַלְלוּהוּ בְּצִלְצְלֵי תְרוּעָה:
כֹּל הַנְּשָׁמָה תְּהַלֵּל יָהּ הַלְלוּיָהּ:
כֹּל הַנְּשָׁמָה תְּהַלֵּל יָהּ הַלְלוּיָהּ:

בָּרוּךְ יְיָ לְעוֹלָם אָמֵן וְאָמֵן: בָּרוּךְ יְיָ מִצִּיּוֹן שֹׁכֵן יְרוּשָׁלָיִם הַלְלוּיָהּ: בָּרוּךְ יְיָ אֱלֹהִים אֱלֹהֵי יִשְׂרָאֵל עֹשֵׂה נִפְלָאוֹת לְבַדּוֹ: וּבָרוּךְ שֵׁם כְּבוֹדוֹ לְעוֹלָם וְיִמָּלֵא כְבוֹדוֹ אֶת־כָּל־הָאָרֶץ אָמֵן וְאָמֵן:

PSALM 149

Hallelujah. Sing unto the Lord a new song,
And His praise in the assembly of the faithful.

Let Israel rejoice in his Maker;
Let the children of Zion be joyful in their King.

Let them praise His name with the dance;
Let them sing praises unto Him with the timbrel and harp.

For the Lord taketh delight in His people;
He adorneth the humble with salvation.

Let the faithful exult in glory;
Let them sing for joy ere they go to sleep.

Praises of God are on their lips,
And a two-edged sword in their hand;

To bring judgment upon the wicked nations,
And chastisement upon the peoples;

To bind their kings with chains,
And their nobles with fetters of iron;

To execute upon them the prescribed judgment;
He is the glory of all His faithful. Hallelujah.

PSALM 150

Hallelujah. Praise God in His sanctuary;
Praise Him in the firmament of His power.

Praise Him for His mighty deeds;
Praise Him according to His abundant greatness.

Praise Him with the sound of the horn;
Praise Him with the psaltery and harp.

Praise Him with the timbrel and dance;
Praise Him with stringed instruments and the flute;

Praise Him with resounding cymbals;
Praise Him with loud sounding cymbals.

Let everything that has breath praise the Lord.
Hallelujah.

Blessed be the Lord forevermore. Amen, Amen. Blessed be the Lord out of Zion, He who dwelleth at Jerusalem. Hallelujah. Blessed be the Lord God, the God of Israel, who alone doeth wondrous things. Blessed be His glorious name forever; and let the whole earth be filled with His glory. Amen, Amen.

דברי הימים א כ"ט י'–י"ג

וַיְבָ֤רֶךְ דָּוִיד֙ אֶת־יְהֹוָ֔ה לְעֵינֵ֖י כָּל־הַקָּהָ֑ל וַיֹּ֣אמֶר דָּוִ֗יד בָּר֨וּךְ אַתָּ֤ה יְהֹוָה֙ אֱלֹהֵי֙ יִשְׂרָאֵ֣ל אָבִ֔ינוּ מֵעוֹלָ֖ם וְעַד־עוֹלָֽם׃ לְךָ֣ יְהֹוָ֡ה הַגְּדֻלָּ֨ה וְהַגְּבוּרָ֤ה וְהַתִּפְאֶ֙רֶת֙ וְהַנֵּ֣צַח וְהַה֔וֹד כִּי־כֹ֖ל בַּשָּׁמַ֣יִם וּבָאָ֑רֶץ לְךָ֤ יְהֹוָה֙ הַמַּמְלָכָ֔ה וְהַמִּתְנַשֵּׂ֖א לְכֹ֥ל לְרֹֽאשׁ׃ וְהָעֹ֤שֶׁר וְהַכָּבוֹד֙ מִלְּפָנֶ֔יךָ וְאַתָּה֙ מוֹשֵׁ֣ל בַּכֹּ֔ל וּבְיָדְךָ֖ כֹּ֣חַ וּגְבוּרָ֑ה וּבְיָ֣דְךָ֔ לְגַדֵּ֥ל וּלְחַזֵּ֖ק לַכֹּֽל׃ וְעַתָּ֣ה אֱלֹהֵ֔ינוּ מוֹדִ֥ים אֲנַ֖חְנוּ לָ֑ךְ וּֽמְהַֽלְלִ֖ים לְשֵׁ֥ם תִּפְאַרְתֶּֽךָ׃

נחמיה ט' ו'–י"א

אַתָּה־ה֣וּא יְהֹוָה֮ לְבַדֶּךָ֒ אַתָּ֣ה עָשִׂ֡יתָ אֶֽת־הַשָּׁמַ֡יִם שְׁמֵ֨י הַשָּׁמַ֜יִם וְכָל־צְבָאָ֗ם הָאָ֙רֶץ֙ וְכָל־אֲשֶׁ֣ר עָלֶ֔יהָ הַיַּמִּים֙ וְכָל־אֲשֶׁ֣ר בָּהֶ֔ם וְאַתָּ֖ה מְחַיֶּ֣ה אֶת־כֻּלָּ֑ם וּצְבָ֣א הַשָּׁמַ֔יִם לְךָ֖ מִֽשְׁתַּחֲוִֽים׃ אַתָּה־הוּא֙ יְהֹוָ֣ה הָֽאֱלֹהִ֔ים אֲשֶׁ֤ר בָּחַ֙רְתָּ֙ בְּאַבְרָ֔ם וְהוֹצֵאת֖וֹ מֵא֣וּר כַּשְׂדִּ֑ים וְשַׂ֥מְתָּ שְּׁמ֖וֹ אַבְרָהָֽם׃ וּמָצָ֣אתָ אֶת־לְבָבוֹ֮ נֶאֱמָ֣ן לְפָנֶיךָ֒

וְכָר֨וֹת עִמּ֜וֹ הַבְּרִ֗ית לָתֵ֡ת אֶת־אֶ֣רֶץ הַֽכְּנַעֲנִ֡י הַֽחִתִּ֡י הָֽאֱמֹרִ֧י וְהַפְּרִזִּ֛י וְהַיְבוּסִ֥י וְהַגִּרְגָּשִׁ֖י לָתֵ֣ת לְזַרְע֑וֹ וַתָּ֙קֶם֙ אֶת־דְּבָרֶ֔יךָ כִּ֥י צַדִּ֖יק אָֽתָּה׃ וַתֵּ֛רֶא אֶת־עֳנִ֥י אֲבֹתֵ֖ינוּ בְּמִצְרָ֑יִם וְאֶת־זַעֲקָתָ֥ם שָׁמַ֖עְתָּ עַל־יַם־סֽוּף׃ וַתִּתֵּ֨ן אֹתֹ֜ת וּֽמֹפְתִ֗ים בְּפַרְעֹ֤ה וּבְכָל־עֲבָדָיו֙ וּבְכָל־עַ֣ם אַרְצ֔וֹ כִּ֣י יָדַ֔עְתָּ כִּ֥י הֵזִ֖ידוּ עֲלֵיהֶ֑ם וַתַּעַשׂ־לְךָ֥ שֵׁ֖ם כְּהַיּ֥וֹם הַזֶּֽה׃ וְהַיָּם֙ בָּקַ֣עְתָּ לִפְנֵיהֶ֔ם וַיַּעַבְר֥וּ בְתוֹךְ־הַיָּ֖ם בַּיַּבָּשָׁ֑ה וְאֶת־רֹדְפֵיהֶ֞ם הִשְׁלַ֧כְתָּ בִמְצוֹלֹ֛ת כְּמוֹ־אֶ֖בֶן בְּמַ֥יִם עַזִּֽים׃

1 Chronicles 29:10–13

David blessed the Lord before all the congregation; and David said: Blessed be Thou, O Lord, the God of Israel our father, for ever and ever. Thine, O Lord, is the greatness, and the power, the glory, the victory, and the majesty; for all that is in the heaven and on the earth is Thine. Thine is the kingdom, O Lord, and Thou art exalted supreme above all. Riches and honor come of Thee, and Thou rulest over all. In Thy hand is power and might; and it is in Thy power to make great, and to give strength unto all. Therefore, our God, we thank Thee, and praise Thy glorious name.

Nehemiah 9:6–11

Thou alone art the Lord. Thou hast made heaven, the heaven of heavens with all their host, the earth and all that it contains, the seas and all that is in them. Thou preservest them all; and the host of heaven render homage unto Thee. Thou art the Lord God, who didst choose Abram. Thou didst bring him forth out of Ur of the Chaldees, and gavest him the name of Abraham, finding his heart faithful before Thee.

Thou madest a covenant with him to give to his descendants the land of the Canaanite, the Hittite, the Amorite, and the Perizzite, and the Jebusite, and the Girgashite, and Thou hast fulfilled Thy words; for Thou art righteous. And Thou didst see the affliction of our fathers in Egypt, and didst hear their cry by the Red Sea; and didst perform signs and wonders upon Pharaoh, and on all his servants, and on all the people of his land, knowing that they dealt arrogantly against them. Thus didst Thou make Thy name great to this day. Thou didst divide the sea before them, so that they crossed the sea on dry land, whereas their pursuers didst Thou cast into the depths like a stone into the mighty waters.

שמות י״ד ל׳–ט״ו י״ח

וַיּוֹשַׁע יְהֹוָה בַּיּוֹם הַהוּא אֶת־יִשְׂרָאֵל מִיַּד מִצְרָיִם וַיַּרְא יִשְׂרָאֵל אֶת־מִצְרַיִם מֵת עַל־שְׂפַת הַיָּם: וַיַּרְא יִשְׂרָאֵל אֶת־הַיָּד הַגְּדֹלָה אֲשֶׁר עָשָׂה יְהֹוָה בְּמִצְרַיִם וַיִּירְאוּ הָעָם אֶת־יְהֹוָה וַיַּאֲמִינוּ בַּיהֹוָה וּבְמֹשֶׁה עַבְדּוֹ:

אָז יָשִׁיר־מֹשֶׁה וּבְנֵי יִשְׂרָאֵל אֶת־הַשִּׁירָה הַזֹּאת לַיהֹוָה וַיֹּאמְרוּ

לֵאמֹר אָשִׁירָה לַיהֹוָה כִּי־גָאֹה גָּאָה סוּס

וְרֹכְבוֹ רָמָה בַיָּם: עָזִּי וְזִמְרָת יָהּ וַיְהִי־לִי

לִישׁוּעָה זֶה אֵלִי וְאַנְוֵהוּ אֱלֹהֵי

אָבִי וַאֲרֹמְמֶנְהוּ: יְהֹוָה אִישׁ מִלְחָמָה יְהֹוָה

שְׁמוֹ: מַרְכְּבֹת פַּרְעֹה וְחֵילוֹ יָרָה בַיָּם וּמִבְחַר

שָׁלִשָׁיו טֻבְּעוּ בְיַם־סוּף: תְּהֹמֹת יְכַסְיֻמוּ יָרְדוּ בִמְצוֹלֹת כְּמוֹ־

אָבֶן: יְמִינְךָ יְהֹוָה נֶאְדָּרִי בַּכֹּחַ יְמִינְךָ

יְהֹוָה תִּרְעַץ אוֹיֵב: וּבְרֹב גְּאוֹנְךָ תַּהֲרֹס

קָמֶיךָ תְּשַׁלַּח חֲרֹנְךָ יֹאכְלֵמוֹ כַּקַּשׁ: וּבְרוּחַ

אַפֶּיךָ נֶעֶרְמוּ מַיִם נִצְּבוּ כְמוֹ־נֵד

נֹזְלִים קָפְאוּ תְהֹמֹת בְּלֶב־יָם: אָמַר

אוֹיֵב אֶרְדֹּף אַשִּׂיג אֲחַלֵּק שָׁלָל תִּמְלָאֵמוֹ

נַפְשִׁי אָרִיק חַרְבִּי תּוֹרִישֵׁמוֹ יָדִי: נָשַׁפְתָּ

ISRAEL'S ANCIENT HYMN OF VICTORY

Exodus 14:30–15:18

The Lord saved Israel that day from the hand of the Egyptians. When Israel saw the Egyptians had perished at the sea-shore, and beheld the great power which the Lord had shown against the Egyptians, the people stood in awe of the Lord. They believed in the Lord, and in His servant Moses.

Then sang Moses and the children of Israel this song unto the Lord:

I sing unto the Lord, for He is highly exalted;
The horse and his rider hath He thrown into the sea.

The Lord is my strength and song,
And He hath become my salvation;
He is my God, and I will glorify Him;
My father's God, and I will exalt Him.

The Lord is triumphant in battle,
The Lord is His name.

Pharaoh's chariots and his host hath He cast into the sea,
And his chosen captains are sunk into the Red Sea.

The depths covered them —
They went down into the deep like a stone.

Thy right hand, O Lord, is glorious in power,
Thy right hand, O Lord, did shatter the enemy.

And in the greatness of Thy majesty,
Thou didst overthrow them that rose up against Thee;
Thou didst send forth Thy wrath; it consumes them as stubble.

With the blast of Thy nostrils the waters were piled up —
The turbulent waters stood upright as a heap;
The deeps were congealed in the heart of the sea.

The enemy said: 'I will pursue, I will overtake, I will divide the spoil;
My desire shall be satisfied upon them;
I will draw my sword, my hand shall destroy them.'

בְּרוּחֲךָ כִּסָּמוֹ יָם צָלְלוּ כַּעוֹפֶרֶת בְּמַיִם
אַדִּירִים: מִי כָמֹכָה בָּאֵלִם יְהֹוָה מִי
כָּמֹכָה נֶאְדָּר בַּקֹּדֶשׁ נוֹרָא תְהִלֹּת עֹשֵׂה־
פֶלֶא: נָטִיתָ יְמִינְךָ תִּבְלָעֵמוֹ אָרֶץ: נָחִיתָ
בְחַסְדְּךָ עַם־זוּ גָּאָלְתָּ נֵהַלְתָּ בְעָזְּךָ אֶל־נְוֵה
קָדְשֶׁךָ: שָׁמְעוּ עַמִּים יִרְגָּזוּן חִיל
אָחַז יֹשְׁבֵי פְּלָשֶׁת: אָז נִבְהֲלוּ אַלּוּפֵי
אֱדוֹם אֵילֵי מוֹאָב יֹאחֲזֵמוֹ רָעַד נָמֹגוּ
כֹּל יֹשְׁבֵי כְנָעַן: תִּפֹּל עֲלֵיהֶם אֵימָתָה
וָפַחַד בִּגְדֹל זְרוֹעֲךָ יִדְּמוּ כָּאָבֶן עַד־
יַעֲבֹר עַמְּךָ יְהֹוָה עַד־יַעֲבֹר עַם־זוּ
קָנִיתָ: תְּבִאֵמוֹ וְתִטָּעֵמוֹ בְּהַר נַחֲלָתְךָ מָכוֹן
לְשִׁבְתְּךָ פָּעַלְתָּ יְהֹוָה מִקְּדָשׁ אֲדֹנָי כּוֹנְנוּ
יָדֶיךָ: יְהֹוָה יִמְלֹךְ לְעֹלָם וָעֶד:
יְהֹוָה יִמְלֹךְ לְעֹלָם וָעֶד:

כִּי לַיְיָ הַמְּלוּכָה וּמֹשֵׁל בַּגּוֹיִם: וְעָלוּ מוֹשִׁעִים בְּהַר צִיּוֹן לִשְׁפֹּט אֶת־הַר עֵשָׂו וְהָיְתָה לַיְיָ הַמְּלוּכָה: וְהָיָה יְיָ לְמֶלֶךְ עַל־כָּל־הָאָרֶץ בַּיּוֹם הַהוּא יִהְיֶה יְיָ אֶחָד וּשְׁמוֹ

Thou didst blow with Thy wind; the sea covered them;
They sank as lead in the mighty waters.

Who is like unto Thee, O Lord, among the mighty?
Who is like unto Thee, glorious in holiness,
Revered in praises, doing wonders?

Thou didst stretch out Thy right hand —
The earth swallowed them.

Thou in Thy love hast led the people Thou hast redeemed;
Thou hast guided them by Thy strength to Thy holy habitation.

The peoples have heard; they tremble;
Pangs have taken hold of the inhabitants of Philistia.

Then were the chiefs of Edom confounded;
The mighty men of Moab were seized with trembling;
All the inhabitants of Canaan were frightened.

Terror and dread fall upon them;
By the greatness of Thine arm they are still as a stone;
Till Thy people pass over, O Lord,
Till Thy people that Thou hast acquired pass over.

Thou shalt bring them in, and plant them
In the mountain of Thine inheritance,
In the place, O Lord, which Thou hast made for Thee to dwell,
In the sanctuary, O Lord, which Thy hands have established.

The Lord shall reign for ever and ever.
The Lord shall reign for ever and ever.

Selected from various Biblical passages

For the kingdom is the Lord's; and He is the ruler over the nations. Redeemers shall ascend Mount Zion to execute judgment upon the Mount of Esau; and the kingdom shall be the Lord's. And the Lord shall be King over all the earth; on that day shall the Lord be One, and His name one.

שחרית לשבת ולרגלים

נִשְׁמַת כָּל־חַי תְּבָרֵךְ אֶת־שִׁמְךָ יְיָ אֱלֹהֵינוּ. וְרוּחַ כָּל־בָּשָׂר תְּפָאֵר וּתְרוֹמֵם זִכְרְךָ מַלְכֵּנוּ תָּמִיד. מִן־הָעוֹלָם וְעַד־הָעוֹלָם אַתָּה אֵל. וּמִבַּלְעָדֶיךָ אֵין לָנוּ מֶלֶךְ גּוֹאֵל וּמוֹשִׁיעַ פּוֹדֶה וּמַצִּיל וּמְפַרְנֵס וּמְרַחֵם בְּכָל־עֵת צָרָה וְצוּקָה. אֵין לָנוּ מֶלֶךְ אֶלָּא אָתָּה: אֱלֹהֵי הָרִאשׁוֹנִים וְהָאַחֲרוֹנִים. אֱלוֹהַּ כָּל־בְּרִיּוֹת אֲדוֹן כָּל־תּוֹלָדוֹת הַמְהֻלָּל בְּרֹב הַתִּשְׁבָּחוֹת הַמְנַהֵג עוֹלָמוֹ בְּחֶסֶד וּבְרִיּוֹתָיו בְּרַחֲמִים: וַיְיָ לֹא יָנוּם וְלֹא יִישָׁן. הַמְעוֹרֵר יְשֵׁנִים וְהַמֵּקִיץ נִרְדָּמִים וְהַמֵּשִׂיחַ אִלְּמִים. וְהַמַּתִּיר אֲסוּרִים וְהַסּוֹמֵךְ נוֹפְלִים וְהַזּוֹקֵף כְּפוּפִים. לְךָ לְבַדְּךָ אֲנַחְנוּ מוֹדִים:

אִלּוּ פִינוּ מָלֵא שִׁירָה כַּיָּם וּלְשׁוֹנֵנוּ רִנָּה כַּהֲמוֹן גַּלָּיו וְשִׂפְתוֹתֵינוּ שֶׁבַח כְּמֶרְחֲבֵי רָקִיעַ. וְעֵינֵינוּ מְאִירוֹת כַּשֶּׁמֶשׁ וְכַיָּרֵחַ. וְיָדֵינוּ פְרוּשׂוֹת כְּנִשְׁרֵי שָׁמָיִם. וְרַגְלֵינוּ קַלּוֹת כָּאַיָּלוֹת. אֵין אֲנַחְנוּ מַסְפִּיקִים לְהוֹדוֹת לְךָ יְיָ אֱלֹהֵינוּ וֵאלֹהֵי אֲבוֹתֵינוּ וּלְבָרֵךְ אֶת־שְׁמֶךָ עַל־אַחַת מֵאֶלֶף אֶלֶף

The breath of every living being shall bless Thy name, O Lord our God, and the spirit of all flesh shall ever glorify and extol Thee, O our King. From everlasting to everlasting Thou art God. But for Thee we have no King, Deliverer and Savior to rescue, redeem and give sustenance and to show mercy in all times of trouble and distress; yea, we have no Sovereign but Thee.

Thou wert God from the beginning even as Thou wilt be God until the end. Thou art God of all that lives, Lord of all generations, extolled in manifold praises. Thou guidest Thy world with lovingkindness and Thy creatures with tender compassion. Thou dost not slumber nor sleep; Thou arousest those that sleep, and awakenest those that slumber. Thou causest the dumb to speak, loosest the bound, supportest the falling and raisest up those that are bowed down. To Thee alone do we give thanks.

Were our mouths filled with song as the sea, our tongues with joyful praise as the multitude of its waves, our lips with adoration as the spacious firmament; were our eyes radiant as the sun and the moon, our hands spread forth to heaven like the wings of the eagles, and our feet swift as hinds, we would still be unable to thank and bless Thy name sufficiently, O Lord our God and God of our fathers, for even one measure of the thousands

אַלְפֵי אֲלָפִים וְרִבֵּי רְבָבוֹת פְּעָמִים הַטּוֹבוֹת שֶׁעָשִׂיתָ עִם־אֲבוֹתֵינוּ וְעִמָּנוּ: מִמִּצְרַיִם גְּאַלְתָּנוּ יְיָ אֱלֹהֵינוּ וּמִבֵּית עֲבָדִים פְּדִיתָנוּ. בְּרָעָב זַנְתָּנוּ וּבְשָׂבָע כִּלְכַּלְתָּנוּ. מֵחֶרֶב הִצַּלְתָּנוּ וּמִדֶּבֶר מִלַּטְתָּנוּ וּמֵחֳלָיִם רָעִים וְנֶאֱמָנִים דִּלִּיתָנוּ: עַד־הֵנָּה עֲזָרוּנוּ רַחֲמֶיךָ. וְלֹא־עֲזָבוּנוּ חֲסָדֶיךָ. וְאַל תִּטְּשֵׁנוּ יְיָ אֱלֹהֵינוּ לָנֶצַח:

עַל כֵּן אֵבָרִים שֶׁפִּלַּגְתָּ בָּנוּ וְרוּחַ וּנְשָׁמָה שֶׁנָּפַחְתָּ בְּאַפֵּינוּ וְלָשׁוֹן אֲשֶׁר שַׂמְתָּ בְּפִינוּ. הֵן הֵם יוֹדוּ וִיבָרְכוּ וִישַׁבְּחוּ וִיפָאֲרוּ וִירוֹמְמוּ וְיַעֲרִיצוּ וְיַקְדִּישׁוּ וְיַמְלִיכוּ אֶת־שִׁמְךָ מַלְכֵּנוּ: כִּי כָל־פֶּה לְךָ יוֹדֶה וְכָל־לָשׁוֹן לְךָ תִשָּׁבַע וְכָל־בֶּרֶךְ לְךָ תִכְרַע וְכָל־קוֹמָה לְפָנֶיךָ תִשְׁתַּחֲוֶה וְכָל־לְבָבוֹת יִירָאוּךָ וְכָל־קֶרֶב וּכְלָיוֹת יְזַמְּרוּ לִשְׁמֶךָ. כַּדָּבָר שֶׁכָּתוּב כָּל־עַצְמוֹתַי תֹּאמַרְנָה יְיָ מִי כָמוֹךָ. מַצִּיל עָנִי מֵחָזָק מִמֶּנּוּ וְעָנִי וְאֶבְיוֹן מִגּוֹזְלוֹ: מִי יִדְמֶה־לָּךְ וּמִי יִשְׁוֶה־לָּךְ וּמִי יַעֲרָךְ־לָךְ. הָאֵל הַגָּדוֹל הַגִּבּוֹר וְהַנּוֹרָא אֵל עֶלְיוֹן קוֹנֵה שָׁמַיִם וָאָרֶץ: נְהַלֶּלְךָ וּנְשַׁבֵּחֲךָ וּנְפָאֶרְךָ וּנְבָרֵךְ אֶת־שֵׁם קָדְשֶׁךָ כָּאָמוּר. לְדָוִד. בָּרְכִי נַפְשִׁי אֶת־יְיָ וְכָל־קְרָבַי אֶת־שֵׁם קָדְשׁוֹ:

upon thousands of kindnesses which Thou hast bestowed upon our fathers and upon us.

From Egypt didst Thou redeem us, O Lord our God, and from the house of bondage Thou didst deliver us; in time of famine Thou didst feed us and in time of plenty Thou didst sustain us. From the sword didst Thou rescue us, from pestilence didst Thou save us, and from sore and lingering ailments didst Thou deliver us. Hitherto, Thy tender mercies have helped us, Thy lovingkindnesses have not failed us, and Thou wilt not ever forsake us, O Lord our God.

Therefore, the limbs which Thou hast fashioned for us, and the soul which Thou hast breathed into us, and the tongue which Thou hast set in our mouth, lo, they shall thank, bless, exalt and revere Thee. They shall proclaim Thy sovereignty, O our King.

Yea, every mouth shall give Thee praise, every tongue shall vow loyalty to Thee, every knee shall bend before Thee, every head shall bow down to Thee. All hearts shall revere Thee and unto Thy name all our inmost being shall sing praises, as it is written in holy Scripture:

All my bones shall proclaim, 'O Lord, who is like unto Thee?
Thou deliverest the weak from him that is stronger,
The poor and the needy from his despoiler.'

Who is like unto Thee, who is equal to Thee, who can be compared to Thee, O great, mighty, revered and supreme God, Possessor of heaven and earth? We will praise, laud and glorify Thee; we will bless Thy holy name in the words of the Psalm of David:

Bless the Lord, O my soul;
And all that is within me, bless His holy name.

הָאֵל בְּתַעֲצֻמוֹת עֻזֶּךָ. הַגָּדוֹל בִּכְבוֹד שְׁמֶךָ. הַגִּבּוֹר לָנֶצַח וְהַנּוֹרָא בְּנוֹרְאוֹתֶיךָ. הַמֶּלֶךְ הַיּוֹשֵׁב עַל כִּסֵּא רָם וְנִשָּׂא:

שׁוֹכֵן עַד מָרוֹם וְקָדוֹשׁ שְׁמוֹ. וְכָתוּב. רַנְּנוּ צַדִּיקִים בַּיְיָ לַיְשָׁרִים נָאוָה תְהִלָּה:

בְּפִי יְשָׁרִים תִּתְהַלָּל. וּבְדִבְרֵי צַדִּיקִים תִּתְבָּרַךְ.
וּבִלְשׁוֹן חֲסִידִים תִּתְרוֹמָם. וּבְקֶרֶב קְדוֹשִׁים תִּתְקַדָּשׁ:

וּבְמַקְהֲלוֹת רִבְבוֹת עַמְּךָ בֵּית יִשְׂרָאֵל בְּרִנָּה יִתְפָּאַר שִׁמְךָ מַלְכֵּנוּ בְּכָל־דּוֹר וָדוֹר. שֶׁכֵּן חוֹבַת כָּל־הַיְצוּרִים לְפָנֶיךָ יְיָ אֱלֹהֵינוּ וֵאלֹהֵי אֲבוֹתֵינוּ לְהוֹדוֹת לְהַלֵּל לְשַׁבֵּחַ לְפָאֵר לְרוֹמֵם לְהַדֵּר לְבָרֵךְ לְעַלֵּה וּלְקַלֵּס עַל כָּל־דִּבְרֵי שִׁירוֹת וְתִשְׁבְּחוֹת דָּוִד בֶּן־יִשַׁי עַבְדְּךָ מְשִׁיחֶךָ:

יִשְׁתַּבַּח שִׁמְךָ לָעַד מַלְכֵּנוּ. הָאֵל הַמֶּלֶךְ הַגָּדוֹל וְהַקָּדוֹשׁ בַּשָּׁמַיִם וּבָאָרֶץ. כִּי לְךָ נָאֶה יְיָ אֱלֹהֵינוּ וֵאלֹהֵי אֲבוֹתֵינוּ שִׁיר וּשְׁבָחָה הַלֵּל וְזִמְרָה עֹז וּמֶמְשָׁלָה נֶצַח גְּדֻלָּה וּגְבוּרָה תְּהִלָּה וְתִפְאֶרֶת קְדֻשָּׁה וּמַלְכוּת בְּרָכוֹת וְהוֹדָאוֹת מֵעַתָּה וְעַד עוֹלָם. בָּרוּךְ אַתָּה יְיָ אֵל מֶלֶךְ גָּדוֹל בַּתִּשְׁבָּחוֹת. אֵל הַהוֹדָאוֹת אֲדוֹן הַנִּפְלָאוֹת. הַבּוֹחֵר בְּשִׁירֵי זִמְרָה. מֶלֶךְ אֵל חֵי הָעוֹלָמִים:

Reader

יִתְגַּדַּל וְיִתְקַדַּשׁ שְׁמֵהּ רַבָּא. בְּעָלְמָא דִּי בְרָא כִרְעוּתֵהּ. וְיַמְלִיךְ מַלְכוּתֵהּ בְּחַיֵּיכוֹן וּבְיוֹמֵיכוֹן וּבְחַיֵּי דְכָל בֵּית יִשְׂרָאֵל בַּעֲגָלָא וּבִזְמַן קָרִיב. וְאִמְרוּ אָמֵן:

Thou art God by the power of Thy might; Thou art great by the glory of Thy name, mighty unto everlasting and revered by Thy awe-inspiring deeds; Thou, O King, sittest upon a throne high and exalted.

Thou who inhabitest eternity, Thy name is Exalted and Holy and it is written: Rejoice in the Lord, O ye righteous; it is befitting for the upright to praise Him.

By the lips of the upright, Thou shalt be praised;
By the words of the righteous, Thou shalt be blessed;
By the tongue of the faithful, Thou shalt be extolled;
And in the midst of the holy, Thou shalt be sanctified.

In the assemblies of the multitudes of Thy people, the house of Israel, Thy name, O our King, shall be glorified with song in every generation. For this is the duty of all creatures towards Thee, O Lord our God and God of our fathers, to give thanks unto Thee, to laud, adore and praise Thee, even beyond all the words of song and praise uttered by David, the son of Jesse, Thine anointed servant.

Praised be Thy name forever, O our King, Thou God and King, great and holy, in heaven and on earth. For unto Thee, O Lord our God and God of our fathers, it is fitting to render song and praise, hymn and psalm, ascribing unto Thee power and dominion, victory and glory, holiness and sovereignty. Unto Thee we offer blessing and thanksgiving from this time forth and forevermore. Blessed art Thou, O Lord, exalted in praises, God of thanksgiving, Lord of wonders, who takest delight in songs and psalms, Thou God and King, the life of the universe.

Reader

Magnified and sanctified be the name of God throughout the world which He hath created according to His will. May He establish His kingdom during the days of your life and during the life of all the house of Israel, speedily, yea, soon; and say ye, Amen.

Congregation and Reader

יְהֵא שְׁמֵהּ רַבָּא מְבָרַךְ לְעָלַם וּלְעָלְמֵי עָלְמַיָּא.

Reader

יִתְבָּרַךְ וְיִשְׁתַּבַּח וְיִתְפָּאַר וְיִתְרוֹמַם וְיִתְנַשֵּׂא וְיִתְהַדַּר וְיִתְעַלֶּה וְיִתְהַלַּל שְׁמֵהּ דְּקֻדְשָׁא. בְּרִיךְ הוּא. לְעֵלָּא (וּלְעֵלָּא) מִן כָּל בִּרְכָתָא וְשִׁירָתָא תֻּשְׁבְּחָתָא וְנֶחֱמָתָא דַּאֲמִירָן בְּעָלְמָא. וְאִמְרוּ אָמֵן:

Reader

בָּרְכוּ אֶת־יְיָ הַמְבֹרָךְ:

Congregation and Reader

בָּרוּךְ יְיָ הַמְבֹרָךְ לְעוֹלָם וָעֶד:

בָּרוּךְ אַתָּה יְיָ אֱלֹהֵינוּ מֶלֶךְ הָעוֹלָם. יוֹצֵר אוֹר וּבוֹרֵא חֹשֶׁךְ. עֹשֶׂה שָׁלוֹם וּבוֹרֵא אֶת־הַכֹּל:

On Festivals occurring on weekdays continue with המאיר לארץ *page 89.*

הַכֹּל יוֹדוּךְ וְהַכֹּל יְשַׁבְּחוּךְ. וְהַכֹּל יֹאמְרוּ אֵין קָדוֹשׁ כַּיְיָ: הַכֹּל יְרוֹמְמוּךְ סֶּלָה יוֹצֵר הַכֹּל. הָאֵל הַפּוֹתֵחַ בְּכָל־יוֹם דַּלְתוֹת שַׁעֲרֵי מִזְרָח וּבוֹקֵעַ חַלּוֹנֵי רָקִיעַ. מוֹצִיא חַמָּה מִמְּקוֹמָהּ וּלְבָנָה מִמְּכוֹן שִׁבְתָּהּ. וּמֵאִיר לָעוֹלָם כֻּלּוֹ וּלְיוֹשְׁבָיו שֶׁבָּרָא בְּמִדַּת הָרַחֲמִים: הַמֵּאִיר לָאָרֶץ וְלַדָּרִים עָלֶיהָ בְּרַחֲמִים. וּבְטוּבוֹ מְחַדֵּשׁ בְּכָל־יוֹם תָּמִיד מַעֲשֵׂה בְרֵאשִׁית: הַמֶּלֶךְ הַמְרוֹמָם לְבַדּוֹ מֵאָז. הַמְשֻׁבָּח וְהַמְפֹאָר וְהַמִּתְנַשֵּׂא מִימוֹת עוֹלָם: אֱלֹהֵי עוֹלָם בְּרַחֲמֶיךָ

Congregation and Reader

May His great name be blessed for ever and ever.

Reader

Exalted and honored be the name of the Holy One, blessed be He, whose glory transcends, yea, is beyond all praises, hymns and blessings that man can render unto Him; and say ye, Amen.

Reader

Bless the Lord who is to be praised.

Congregation and Reader

Praised be the Lord who is blessed for all eternity.

Blessed art Thou, O Lord our God, King of the universe, who formest light and createst darkness, who makest peace and createst all things.

On Festivals occurring on weekdays continue on page 89.

All shall offer Thee thanksgiving; all shall praise Thee and all shall declare: There is none holy like the Lord. All shall extol Thee forever as Creator of all things. O God, who openest every day the gates of the east and cleavest the windows of the firmament, Thou bringest forth the sun and the moon, giving light to the whole world and its inhabitants whom Thou hast created by the attribute of mercy. In mercy Thou givest light to the earth and to those who dwell thereon. In Thy goodness, Thou renewest each day the work of creation. O King, Thou alone wast exalted of yore, glorified and extolled from days of old. O everlasting God, in Thine abundant mercy, have com-

הָרַבִּים רַחֵם עָלֵינוּ. אֲדוֹן עֻזֵּנוּ צוּר מִשְׂגַּבֵּנוּ מָגֵן יִשְׁעֵנוּ מִשְׂגָּב בַּעֲדֵנוּ: אֵין כְּעֶרְכְּךָ וְאֵין זוּלָתֶךָ. אֶפֶס בִּלְתְּךָ וּמִי דּוֹמֶה לָּךְ: אֵין כְּעֶרְכְּךָ יְיָ אֱלֹהֵינוּ בָּעוֹלָם הַזֶּה. וְאֵין זוּלָתְךָ מַלְכֵּנוּ לְחַיֵּי הָעוֹלָם הַבָּא: אֶפֶס בִּלְתְּךָ גּוֹאֲלֵנוּ לִימוֹת הַמָּשִׁיחַ. וְאֵין דּוֹמֶה־לְּךָ מוֹשִׁיעֵנוּ לִתְחִיַּת הַמֵּתִים:

אֵל אָדוֹן עַל כָּל־הַמַּעֲשִׂים · בָּרוּךְ וּמְבֹרָךְ בְּפִי כָּל־נְשָׁמָה:
גָּדְלוֹ וְטוּבוֹ מָלֵא עוֹלָם · דַּעַת וּתְבוּנָה סֹבְבִים אֹתוֹ:
הַמִּתְגָּאֶה עַל חַיּוֹת הַקֹּדֶשׁ · וְנֶהְדָּר בְּכָבוֹד עַל־הַמֶּרְכָּבָה:
זְכוּת וּמִישׁוֹר לִפְנֵי כִסְאוֹ · חֶסֶד וְרַחֲמִים לִפְנֵי כְבוֹדוֹ:
טוֹבִים מְאוֹרוֹת שֶׁבָּרָא אֱלֹהֵינוּ · יְצָרָם בְּדַעַת בְּבִינָה וּבְהַשְׂכֵּל:
כֹּחַ וּגְבוּרָה נָתַן בָּהֶם · לִהְיוֹת מוֹשְׁלִים בְּקֶרֶב תֵּבֵל:
מְלֵאִים זִיו וּמְפִיקִים נֹגַהּ · נָאֶה זִיוָם בְּכָל־הָעוֹלָם:
שְׂמֵחִים בְּצֵאתָם וְשָׂשִׂים בְּבוֹאָם · עֹשִׂים בְּאֵימָה רְצוֹן קוֹנָם:
פְּאֵר וְכָבוֹד נוֹתְנִים לִשְׁמוֹ · צָהֳלָה וְרִנָּה לְזֵכֶר מַלְכוּתוֹ:
קָרָא לַשֶּׁמֶשׁ וַיִּזְרַח אוֹר · רָאָה וְהִתְקִין צוּרַת הַלְּבָנָה:
שֶׁבַח נוֹתְנִים לוֹ כָּל־צְבָא מָרוֹם
תִּפְאֶרֶת וּגְדֻלָּה שְׂרָפִים וְאוֹפַנִּים וְחַיּוֹת הַקֹּדֶשׁ.

passion upon us. Lord of our strength, Rock of our stronghold, Shield of our salvation, Thou art a stronghold unto us. There is none to be compared to Thee, neither is there any besides Thee; there is none but Thee. Who is like unto Thee? There is none like unto Thee, O Lord our God, in this world, neither is there any besides Thee, O our King, in the world to come. None but Thee will be our Redeemer in the Messianic days and none is to be compared unto Thee, O our Savior, for the assurance of immortal life.

The Lord is Master over all His works;
Blessed is He, acclaimed by every living thing.

His greatness and His goodness fill the universe,
While knowledge and discernment compass Him about.

The Lord, exalted over all the celestial host,
Above the heavenly Chariot in radiance adorned.

Purity and justice stand before His throne,
Kindness and compassion before His glory go.

The luminaries which the Lord has wrought are good,
With wisdom, knowledge and discernment were they made.

Endowed with might, endowed with everlasting power,
They govern all the world.

In splendor, lustrously their brightness radiates,
Their brilliance beautiful throughout the universe.

In rising they rejoice, in setting they exult,
Awesomely fulfilling their Creator's will.

Glory and honor do they give unto His name;
In joyous songs of praise His kingdom they acclaim.

God called unto the sun and it shone forth in light,
He looked, and then He formed the figure of the moon.

The heavenly host, the constellations give Him praise,
And all celestial beings of the heavenly throne
Attribute honor, greatness, glory—

לָאֵל אֲשֶׁר שָׁבַת מִכָּל־הַמַּעֲשִׂים. בַּיּוֹם הַשְּׁבִיעִי הִתְעַלָּה וְיָשַׁב עַל־כִּסֵּא כְבוֹדוֹ. תִּפְאֶרֶת עָטָה לְיוֹם הַמְּנוּחָה עֹנֶג קָרָא לְיוֹם הַשַּׁבָּת: זֶה שֶׁבַח שֶׁלַּיּוֹם הַשְּׁבִיעִי שֶׁבּוֹ שָׁבַת אֵל מִכָּל־מְלַאכְתּוֹ. וְיוֹם הַשְּׁבִיעִי מְשַׁבֵּחַ וְאוֹמֵר. מִזְמוֹר שִׁיר לְיוֹם הַשַּׁבָּת טוֹב לְהֹדוֹת לַיְיָ: לְפִיכָךְ יְפָאֲרוּ וִיבָרְכוּ לָאֵל כָּל־יְצוּרָיו. שֶׁבַח יְקָר וּגְדֻלָּה יִתְּנוּ לָאֵל מֶלֶךְ יוֹצֵר כֹּל. הַמַּנְחִיל מְנוּחָה לְעַמּוֹ יִשְׂרָאֵל בִּקְדֻשָּׁתוֹ בְּיוֹם שַׁבַּת קֹדֶשׁ: שִׁמְךָ יְיָ אֱלֹהֵינוּ יִתְקַדַּשׁ. וְזִכְרְךָ מַלְכֵּנוּ יִתְפָּאַר בַּשָּׁמַיִם מִמַּעַל וְעַל־הָאָרֶץ מִתָּחַת: תִּתְבָּרַךְ מוֹשִׁיעֵנוּ עַל־שֶׁבַח מַעֲשֵׂה יָדֶיךָ. וְעַל־מְאוֹרֵי אוֹר שֶׁעָשִׂיתָ יְפָאֲרוּךָ סֶּלָה:

(*Continue Service, page 90*)

On Festivals occurring on weekdays

הַמֵּאִיר לָאָרֶץ וְלַדָּרִים עָלֶיהָ בְּרַחֲמִים וּבְטוּבוֹ מְחַדֵּשׁ בְּכָל־יוֹם תָּמִיד מַעֲשֵׂה בְרֵאשִׁית: מָה־רַבּוּ מַעֲשֶׂיךָ יְיָ. כֻּלָּם בְּחָכְמָה עָשִׂיתָ. מָלְאָה הָאָרֶץ קִנְיָנֶךָ: הַמֶּלֶךְ הַמְרוֹמָם לְבַדּוֹ מֵאָז הַמְשֻׁבָּח וְהַמְפֹאָר וְהַמִּתְנַשֵּׂא מִימוֹת עוֹלָם. אֱלֹהֵי עוֹלָם בְּרַחֲמֶיךָ הָרַבִּים רַחֵם עָלֵינוּ. אֲדוֹן עֻזֵּנוּ צוּר מִשְׂגַּבֵּנוּ מָגֵן יִשְׁעֵנוּ מִשְׂגָּב בַּעֲדֵנוּ: אֵל בָּרוּךְ גְּדוֹל דֵּעָה. הֵכִין וּפָעַל זָהֳרֵי חַמָּה. טוֹב יָצַר כָּבוֹד לִשְׁמוֹ. מְאוֹרוֹת נָתַן סְבִיבוֹת עֻזּוֹ. פִּנּוֹת צְבָאָיו קְדוֹשִׁים רוֹמְמֵי שַׁדַּי תָּמִיד מְסַפְּרִים כְּבוֹד־אֵל וּקְדֻשָּׁתוֹ: תִּתְבָּרַךְ יְיָ אֱלֹהֵינוּ עַל־שֶׁבַח מַעֲשֵׂה יָדֶיךָ וְעַל־מְאוֹרֵי אוֹר שֶׁעָשִׂיתָ יְפָאֲרוּךָ סֶּלָה:

(*Continue Service, page 90*)

Unto God who rested from all His work, and on the seventh day exalted Himself and ascended the throne of His glory. Adorned in majesty for the day of rest, He called the Sabbath a delight. This is the praise offered by the Sabbath day, the day on which God rested from all His work when the Sabbath day itself rendered praise saying: A psalm, a song of the Sabbath Day. It is good to give thanks unto the Lord. Therefore, let all of God's creatures glorify and bless Him. Let them all render praise, distinction and greatness unto God, the King and Creator of all, who in His holiness bestoweth rest upon His people Israel on the sacred Sabbath day. May Thy name, O Lord our God, be sanctified, and Thy fame, O our King, glorified in heaven above and on earth beneath. Be Thou praised, O our Deliverer, for the excellency of Thy handiwork and for the luminaries which Thou hast made and which render Thee glory.

On Festivals occurring on weekdays

In mercy Thou bringest light to the earth and to those who dwell thereon, and in Thy goodness renewest continually each day the work of creation. How great are Thy works, O Lord! In wisdom hast Thou made them all; the earth is full of Thy creatures. O King, Thou alone hast been exalted from days of old, praised, glorified and extolled from of yore. O everlasting God, in Thine abundant mercy, have compassion upon us. O Lord of our strength, sheltering Rock, Shield of our salvation, Thou art a stronghold unto us. The blessed God, great in knowledge, designed and made the radiance of the sun. The beneficent One thus wrought glory unto His name. He set luminaries round about His strength. His chief hosts are holy beings that exalt the Almighty and continually declare God's glory and holiness. Be Thou praised, O Lord our God, for the excellence of Thy handiwork and for the luminaries which Thou hast made and which render Thee glory.

תִּתְבָּרַךְ צוּרֵנוּ מַלְכֵּנוּ וְגוֹאֲלֵנוּ בּוֹרֵא קְדוֹשִׁים יִשְׁתַּבַּח
שִׁמְךָ לָעַד מַלְכֵּנוּ. יוֹצֵר מְשָׁרְתִים וַאֲשֶׁר מְשָׁרְתָיו כֻּלָּם
עוֹמְדִים בְּרוּם עוֹלָם וּמַשְׁמִיעִים בְּיִרְאָה יַחַד בְּקוֹל
דִּבְרֵי אֱלֹהִים חַיִּים וּמֶלֶךְ עוֹלָם. כֻּלָּם אֲהוּבִים כֻּלָּם
בְּרוּרִים כֻּלָּם גִּבּוֹרִים וְכֻלָּם עֹשִׂים בְּאֵימָה וּבְיִרְאָה רְצוֹן
קוֹנָם. וְכֻלָּם פּוֹתְחִים אֶת־פִּיהֶם בִּקְדֻשָּׁה וּבְטָהֳרָה בְּשִׁירָה
וּבְזִמְרָה וּמְבָרְכִים וּמְשַׁבְּחִים וּמְפָאֲרִים וּמַעֲרִיצִים
וּמַקְדִּישִׁים וּמַמְלִיכִים

אֶת־שֵׁם הָאֵל הַמֶּלֶךְ הַגָּדוֹל הַגִּבּוֹר וְהַנּוֹרָא קָדוֹשׁ
הוּא. וְכֻלָּם מְקַבְּלִים עֲלֵיהֶם עֹל מַלְכוּת שָׁמַיִם זֶה מִזֶּה.
וְנוֹתְנִים רְשׁוּת זֶה לָזֶה לְהַקְדִּישׁ לְיוֹצְרָם. בְּנַחַת־רוּחַ
בְּשָׂפָה בְרוּרָה וּבִנְעִימָה קְדֻשָּׁה כֻּלָּם כְּאֶחָד עוֹנִים
וְאוֹמְרִים בְּיִרְאָה.

קָדוֹשׁ קָדוֹשׁ קָדוֹשׁ יְיָ צְבָאוֹת. מְלֹא כָל־הָאָרֶץ
כְּבוֹדוֹ:

וְהָאוֹפַנִּים וְחַיּוֹת הַקֹּדֶשׁ בְּרַעַשׁ גָּדוֹל מִתְנַשְּׂאִים
לְעֻמַּת שְׂרָפִים. לְעֻמָּתָם מְשַׁבְּחִים וְאוֹמְרִים.

בָּרוּךְ כְּבוֹד־יְיָ מִמְּקוֹמוֹ:

The heavens are envisioned as the scene of a symphony of worship and song in which all the celestial beings, obedient servants of the divine will, join in a harmonious melody of praise to the Creator.

Be Thou blessed, O our Rock, our King and Redeemer; praised be Thy name forever, Creator of ministering beings who stand in the heights of the universe and with awe proclaim in unison the words of the living God and everlasting King. All of them act with harmonious accord, with purity of purpose and with united strength to perform reverently the will of their Creator. They all break forth into song of pure and holy praise, while they bless, glorify, and proclaim the sovereignty of —

The name of God, the great, mighty, awe-inspiring King; holy is He. They all pledge before one another to accept willingly the rule of the Kingdom of God. Each grants leave to the other to join in hallowing their Creator. In tranquil spirit with pure speech and sacred melody, they all exclaim in unison and reverently declare:

Holy, holy, holy is the Lord of hosts;
The whole earth is full of His glory.

And the celestial beings of the heavenly chariot, with great stirring, rise toward the seraphim and all together they respond with praise:

Blessed be the glory of the Lord from His heavenly abode.

לָאֵל בָּרוּךְ נְעִימוֹת יִתֵּנוּ. לַמֶּלֶךְ אֵל חַי וְקַיָּם זְמִירוֹת יֹאמֵרוּ וְתִשְׁבָּחוֹת יַשְׁמִיעוּ. כִּי הוּא לְבַדּוֹ פּוֹעֵל גְּבוּרוֹת עֹשֶׂה חֲדָשׁוֹת בַּעַל מִלְחָמוֹת זוֹרֵעַ צְדָקוֹת מַצְמִיחַ יְשׁוּעוֹת בּוֹרֵא רְפוּאוֹת נוֹרָא תְהִלּוֹת אֲדוֹן הַנִּפְלָאוֹת. הַמְחַדֵּשׁ בְּטוּבוֹ בְּכָל־יוֹם תָּמִיד מַעֲשֵׂה בְרֵאשִׁית. כָּאָמוּר. לְעֹשֵׂה אוֹרִים גְּדֹלִים כִּי לְעוֹלָם חַסְדּוֹ: אוֹר חָדָשׁ עַל צִיּוֹן תָּאִיר וְנִזְכֶּה כֻלָּנוּ מְהֵרָה לְאוֹרוֹ. בָּרוּךְ אַתָּה יְיָ יוֹצֵר הַמְּאוֹרוֹת:

אַהֲבָה רַבָּה אֲהַבְתָּנוּ יְיָ אֱלֹהֵינוּ חֶמְלָה גְדוֹלָה וִיתֵרָה חָמַלְתָּ עָלֵינוּ: אָבִינוּ מַלְכֵּנוּ בַּעֲבוּר אֲבוֹתֵינוּ שֶׁבָּטְחוּ בְךָ וַתְּלַמְּדֵם חֻקֵּי חַיִּים כֵּן תְּחָנֵּנוּ וּתְלַמְּדֵנוּ: אָבִינוּ הָאָב הָרַחֲמָן הַמְרַחֵם. רַחֵם עָלֵינוּ וְתֵן בְּלִבֵּנוּ לְהָבִין וּלְהַשְׂכִּיל לִשְׁמֹעַ לִלְמֹד וּלְלַמֵּד לִשְׁמֹר וְלַעֲשׂוֹת וּלְקַיֵּם אֶת־כָּל־דִּבְרֵי תַלְמוּד תּוֹרָתֶךָ בְּאַהֲבָה: וְהָאֵר עֵינֵינוּ בְּתוֹרָתֶךָ וְדַבֵּק לִבֵּנוּ בְּמִצְוֹתֶיךָ וְיַחֵד לְבָבֵנוּ לְאַהֲבָה וּלְיִרְאָה אֶת־שְׁמֶךָ וְלֹא־נֵבוֹשׁ לְעוֹלָם וָעֶד: כִּי בְשֵׁם קָדְשְׁךָ הַגָּדוֹל וְהַנּוֹרָא בָּטָחְנוּ נָגִילָה וְנִשְׂמְחָה בִּישׁוּעָתֶךָ: וַהֲבִיאֵנוּ לְשָׁלוֹם מֵאַרְבַּע כַּנְפוֹת הָאָרֶץ וְתוֹלִיכֵנוּ קוֹמְמִיּוּת לְאַרְצֵנוּ: כִּי אֵל פּוֹעֵל יְשׁוּעוֹת אָתָּה וּבָנוּ בָחַרְתָּ מִכָּל־עַם וְלָשׁוֹן וְקֵרַבְתָּנוּ לְשִׁמְךָ הַגָּדוֹל סֶלָה בֶּאֱמֶת לְהוֹדוֹת לְךָ וּלְיַחֶדְךָ בְּאַהֲבָה: בָּרוּךְ אַתָּה יְיָ הַבּוֹחֵר בְּעַמּוֹ יִשְׂרָאֵל בְּאַהֲבָה:

To the blessed God they offer sweet melody, to the Sovereign, the living and ever enduring God, they utter hymns and make their praises heard; for He alone worketh mighty deeds and maketh all that is new. He is triumphant in battle, sowing righteousness and bringing forth victory. He createth healing, for He is the Lord of wonders and is revered in praises. In His goodness He reneweth continually each day the work of creation, as it is said in the Psalm: 'Give thanks to Him who maketh great lights, for His lovingkindness endureth forever.' O cause a new light to shine upon Zion, and may we all be worthy to delight in its splendor. Blessed art Thou, O Lord, Creator of the heavenly lights.

With abounding love hast Thou loved us, O Lord our God, with exceeding compassion hast Thou revealed Thy mercy unto us. O our Father, our King, for the sake of our fathers who trusted in Thee and whom Thou didst teach the laws of life, be also gracious unto us and teach us. O our Father, compassionate Father, have mercy upon us and imbue us with the will to understand, to discern, to hearken and to learn, to teach and to obey, to practice and to fulfill in love all the teachings of Thy Torah. Deepen our insight in Thy Torah, and make our hearts cleave to Thy commandments. Grant us singleness of purpose to love and revere Thy name so that we may never suffer humiliation. Because we have faith in Thy holy, great and revered name, may we rejoice in Thy saving power. O gather us in peace from the four corners of the earth, and restore us triumphantly to our homeland, for Thou art the God who worketh salvation. Thou hast chosen us from among all peoples and tongues by bringing us near unto Thee in faithfulness that we might lovingly give thanks unto Thee and proclaim Thy unity. Blessed art Thou, O Lord, who in love hast chosen Thy people Israel.

דברים ו׳ ד׳–ט׳

שְׁמַע יִשְׂרָאֵל יְהוָֹה אֱלֹהֵינוּ יְהוָֹה אֶחָד:

בָּרוּךְ שֵׁם כְּבוֹד מַלְכוּתוֹ לְעוֹלָם וָעֶד:

וְאָהַבְתָּ אֵת יְהוָֹה אֱלֹהֶיךָ בְּכָל־לְבָבְךָ וּבְכָל־נַפְשְׁךָ וּבְכָל־מְאֹדֶךָ: וְהָיוּ הַדְּבָרִים הָאֵלֶּה אֲשֶׁר אָנֹכִי מְצַוְּךָ הַיּוֹם עַל־לְבָבֶךָ: וְשִׁנַּנְתָּם לְבָנֶיךָ וְדִבַּרְתָּ בָּם בְּשִׁבְתְּךָ בְּבֵיתֶךָ וּבְלֶכְתְּךָ בַדֶּרֶךְ וּבְשָׁכְבְּךָ וּבְקוּמֶךָ: וּקְשַׁרְתָּם לְאוֹת עַל־יָדֶךָ וְהָיוּ לְטֹטָפֹת בֵּין עֵינֶיךָ: וּכְתַבְתָּם עַל־מְזֻזוֹת בֵּיתֶךָ וּבִשְׁעָרֶיךָ:

דברים י״א י״ג–כ״א

וְהָיָה אִם־שָׁמֹעַ תִּשְׁמְעוּ אֶל־מִצְוֹתַי אֲשֶׁר אָנֹכִי מְצַוֶּה אֶתְכֶם הַיּוֹם לְאַהֲבָה אֶת־יְהוָֹה אֱלֹהֵיכֶם וּלְעָבְדוֹ בְּכָל־לְבַבְכֶם וּבְכָל־נַפְשְׁכֶם: וְנָתַתִּי מְטַר־אַרְצְכֶם בְּעִתּוֹ יוֹרֶה וּמַלְקוֹשׁ וְאָסַפְתָּ דְגָנֶךָ וְתִירֹשְׁךָ וְיִצְהָרֶךָ: וְנָתַתִּי עֵשֶׂב בְּשָׂדְךָ לִבְהֶמְתֶּךָ וְאָכַלְתָּ וְשָׂבָעְתָּ: הִשָּׁמְרוּ לָכֶם פֶּן־יִפְתֶּה לְבַבְכֶם וְסַרְתֶּם וַעֲבַדְתֶּם אֱלֹהִים אֲחֵרִים וְהִשְׁתַּחֲוִיתֶם לָהֶם: וְחָרָה אַף־יְהוָֹה בָּכֶם וְעָצַר אֶת־

Deuteronomy 6:4–9

Hear, O Israel: the Lord our God, the Lord is One.

Blessed be His glorious kingdom for ever and ever.

Thou shalt love the Lord thy God with all thy heart, with all thy soul, and with all thy might. And these words which I command thee this day shall be in thy heart. Thou shalt teach them diligently unto thy children, speaking of them when thou sittest in thy house, when thou walkest by the way, when thou liest down and when thou risest up. And thou shalt bind them for a sign upon thine hand, and they shall be for frontlets between thine eyes. And thou shalt write them upon the door posts of thy house and upon thy gates.

Deuteronomy 11:13–21

It shall come to pass, if ye shall hearken diligently unto My commandments which I command you this day, to love the Lord your God, and to serve Him with all your heart, and with all your soul, that I will give the rain of your land in its season, the former rain and the latter rain, that thou mayest gather in thy corn, and thy wine, and thine oil. And I will give grass in thy fields for thy cattle, and thou shalt eat and be satisfied. Take heed to yourselves, lest your heart be deceived, and ye turn aside, and serve other gods, and worship them; and the displeasure of the Lord will be aroused against you, and He shut up

הַשָּׁמַיִם וְלֹא־יִהְיֶה מָטָר וְהָאֲדָמָה לֹא תִתֵּן אֶת־יְבוּלָהּ וַאֲבַדְתֶּם מְהֵרָה מֵעַל הָאָרֶץ הַטֹּבָה אֲשֶׁר יְהֹוָה נֹתֵן לָכֶם: וְשַׂמְתֶּם אֶת־דְּבָרַי אֵלֶּה עַל־לְבַבְכֶם וְעַל־נַפְשְׁכֶם וּקְשַׁרְתֶּם אֹתָם לְאוֹת עַל־יֶדְכֶם וְהָיוּ לְטוֹטָפֹת בֵּין עֵינֵיכֶם: וְלִמַּדְתֶּם אֹתָם אֶת־בְּנֵיכֶם לְדַבֵּר בָּם בְּשִׁבְתְּךָ בְּבֵיתֶךָ וּבְלֶכְתְּךָ בַדֶּרֶךְ וּבְשָׁכְבְּךָ וּבְקוּמֶךָ: וּכְתַבְתָּם עַל־מְזוּזוֹת בֵּיתֶךָ וּבִשְׁעָרֶיךָ: לְמַעַן יִרְבּוּ יְמֵיכֶם וִימֵי בְנֵיכֶם עַל הָאֲדָמָה אֲשֶׁר נִשְׁבַּע יְהֹוָה לַאֲבֹתֵיכֶם לָתֵת לָהֶם כִּימֵי הַשָּׁמַיִם עַל־הָאָרֶץ:

במדבר ט״ו ל״ז–מ״א

וַיֹּאמֶר יְהֹוָה אֶל־מֹשֶׁה לֵּאמֹר: דַּבֵּר אֶל־בְּנֵי יִשְׂרָאֵל וְאָמַרְתָּ אֲלֵהֶם וְעָשׂוּ לָהֶם צִיצִת עַל־כַּנְפֵי בִגְדֵיהֶם לְדֹרֹתָם וְנָתְנוּ עַל־צִיצִת הַכָּנָף פְּתִיל תְּכֵלֶת: וְהָיָה לָכֶם לְצִיצִת וּרְאִיתֶם אֹתוֹ וּזְכַרְתֶּם אֶת־כָּל־מִצְוֹת יְהֹוָה וַעֲשִׂיתֶם אֹתָם וְלֹא תָתוּרוּ אַחֲרֵי לְבַבְכֶם וְאַחֲרֵי עֵינֵיכֶם אֲשֶׁר־אַתֶּם זֹנִים אַחֲרֵיהֶם: לְמַעַן תִּזְכְּרוּ וַעֲשִׂיתֶם אֶת־כָּל־מִצְוֹתָי וִהְיִיתֶם קְדֹשִׁים לֵאלֹהֵיכֶם: אֲנִי יְהֹוָה אֱלֹהֵיכֶם אֲשֶׁר הוֹצֵאתִי אֶתְכֶם מֵאֶרֶץ מִצְרַיִם לִהְיוֹת לָכֶם לֵאלֹהִים אֲנִי יְהֹוָה אֱלֹהֵיכֶם:

יְהֹוָה אֱלֹהֵיכֶם אֱמֶת:

the heaven, so that there shall be no rain, and the ground shall not yield her fruit; and ye perish quickly from off the good land which the Lord giveth you. Therefore shall ye lay up these My words in your heart and in your soul; and ye shall bind them for a sign upon your hand, and they shall be for frontlets between your eyes. And ye shall teach them to your children, talking of them, when thou sittest in thy house, and when thou walkest by the way, and when thou liest down, and when thou risest up. And thou shalt write them upon the doorposts of thy house, and upon thy gates, that your days may be multiplied, and the days of your children, upon the land which the Lord promised unto your fathers to give them, as the days of the heavens above the earth.

Numbers 15:37–41

The Lord spoke unto Moses, saying: Speak unto the children of Israel, and bid them make fringes in the corners of their garments throughout their generations, putting upon the fringe of each corner a thread of blue. And it shall be unto you for a fringe, that ye may look upon it and remember all the commandments of the Lord, and do them; and that ye go not about after your own heart and your own eyes, after which ye use to go astray:-

That ye may remember to do all My commandments, and be holy unto your God. I am the Lord your God, who brought you out of the land of Egypt to be your God; I am the Lord your God.

אֱמֶת וְיַצִּיב וְנָכוֹן וְקַיָּם וְיָשָׁר וְנֶאֱמָן וְאָהוּב וְחָבִיב וְנֶחְמָד וְנָעִים וְנוֹרָא וְאַדִּיר וּמְתֻקָּן וּמְקֻבָּל וְטוֹב וְיָפֶה הַדָּבָר הַזֶּה עָלֵינוּ לְעוֹלָם וָעֶד: אֱמֶת אֱלֹהֵי עוֹלָם מַלְכֵּנוּ צוּר יַעֲקֹב מָגֵן יִשְׁעֵנוּ: לְדוֹר וָדוֹר הוּא קַיָּם וּשְׁמוֹ קַיָּם וְכִסְאוֹ נָכוֹן וּמַלְכוּתוֹ וֶאֱמוּנָתוֹ לָעַד קַיֶּמֶת. וּדְבָרָיו חָיִים וְקַיָּמִים נֶאֱמָנִים וְנֶחֱמָדִים לָעַד וּלְעוֹלְמֵי עוֹלָמִים. עַל־אֲבוֹתֵינוּ וְעָלֵינוּ עַל־בָּנֵינוּ וְעַל־דּוֹרוֹתֵינוּ וְעַל כָּל־דּוֹרוֹת זֶרַע יִשְׂרָאֵל עֲבָדֶיךָ:

עַל הָרִאשׁוֹנִים וְעַל הָאַחֲרוֹנִים דָּבָר טוֹב וְקַיָּם לְעוֹלָם וָעֶד: אֱמֶת וֶאֱמוּנָה חֹק וְלֹא יַעֲבוֹר: אֱמֶת שָׁאַתָּה הוּא יְיָ אֱלֹהֵינוּ וֵאלֹהֵי אֲבוֹתֵינוּ. מַלְכֵּנוּ מֶלֶךְ אֲבוֹתֵינוּ גּוֹאֲלֵנוּ גּוֹאֵל אֲבוֹתֵינוּ יוֹצְרֵנוּ צוּר יְשׁוּעָתֵנוּ פּוֹדֵנוּ וּמַצִּילֵנוּ מֵעוֹלָם שְׁמֶךָ. אֵין אֱלֹהִים זוּלָתֶךָ:

עֶזְרַת אֲבוֹתֵינוּ אַתָּה הוּא מֵעוֹלָם. מָגֵן וּמוֹשִׁיעַ לִבְנֵיהֶם אַחֲרֵיהֶם בְּכָל דּוֹר וָדוֹר: בְּרוּם עוֹלָם מוֹשָׁבֶךָ וּמִשְׁפָּטֶיךָ וְצִדְקָתְךָ עַד אַפְסֵי־אָרֶץ: אַשְׁרֵי אִישׁ שֶׁיִּשְׁמַע לְמִצְוֹתֶיךָ וְתוֹרָתְךָ וּדְבָרְךָ יָשִׂים עַל לִבּוֹ. אֱמֶת אַתָּה הוּא אָדוֹן לְעַמֶּךָ וּמֶלֶךְ גִּבּוֹר לָרִיב רִיבָם: אֱמֶת אַתָּה הוּא רִאשׁוֹן וְאַתָּה הוּא אַחֲרוֹן וּמִבַּלְעָדֶיךָ אֵין לָנוּ מֶלֶךְ גּוֹאֵל וּמוֹשִׁיעַ:

True and firm, right and faithful, beloved and precious, good and beautiful is this Thy teaching unto us for ever and ever. It is true that the God of the universe is our King, and the Rock of Jacob is our protecting shield. Throughout all generations He endureth and His name endureth; His throne is established, and His kingdom and His faithfulness are eternal. His words have living and abiding power. They are forever trustworthy and for all time precious both for our fathers and for us, for our children, and for all future generations of His servants, the seed of Israel.

As for our ancestors so for our descendants, Thy teaching is good and endures for ever and ever; it is a truth, a faith, a law which shall not pass away. It is true that Thou art the Lord our God and the God of our fathers, our King and our fathers' King, our Redeemer and the Redeemer of our fathers. From everlasting Thou has been our Creator, the Rock of our salvation; our Deliverer and Redeemer forever; there is no God besides Thee.

Selected from the Hebrew

Thou hast been the help of our fathers from of old,
A Shield and a Deliverer to their children in every generation.

In the heights of the universe is Thy habitation,
And Thy laws of righteousness reach unto the ends of the earth.

It is true that Thou alone art the Lord of all Thy people,
And a mighty King to champion their cause.

Thou art the first and Thou art the last,
And besides Thee we have no King or Redeemer.

Thou bringest low the haughty and raisest up the lowly;
Thou leadest forth the captives and deliverest the meek.

Thou helpest the poor,
And answerest Thy people when they call unto Thee.

מִמִּצְרַיִם גְּאַלְתָּנוּ יְיָ אֱלֹהֵינוּ וּמִבֵּית עֲבָדִים פְּדִיתָנוּ: כָּל־בְּכוֹרֵיהֶם הָרָגְתָּ וּבְכוֹרְךָ גָּאָלְתָּ. וְיַם־סוּף בָּקַעְתָּ וְזֵדִים טִבַּעְתָּ וִידִידִים הֶעֱבַרְתָּ. וַיְכַסּוּ מַיִם צָרֵיהֶם אֶחָד מֵהֶם לֹא נוֹתָר: עַל־זֹאת שִׁבְּחוּ אֲהוּבִים וְרוֹמְמוּ אֵל. וְנָתְנוּ יְדִידִים זְמִירוֹת, שִׁירוֹת וְתִשְׁבָּחוֹת, בְּרָכוֹת וְהוֹדָאוֹת, לְמֶלֶךְ אֵל חַי וְקַיָּם. רָם וְנִשָּׂא גָּדוֹל וְנוֹרָא מַשְׁפִּיל גֵּאִים וּמַגְבִּיהַּ שְׁפָלִים מוֹצִיא אֲסִירִים וּפוֹדֶה עֲנָוִים וְעוֹזֵר דַּלִּים וְעוֹנֶה לְעַמּוֹ בְּעֵת שַׁוְּעָם אֵלָיו. תְּהִלּוֹת לְאֵל עֶלְיוֹן בָּרוּךְ הוּא וּמְבֹרָךְ. מֹשֶׁה וּבְנֵי יִשְׂרָאֵל לְךָ עָנוּ שִׁירָה בְּשִׂמְחָה רַבָּה. וְאָמְרוּ כֻלָּם.

מִי־כָמֹכָה בָּאֵלִם יְיָ מִי כָּמֹכָה נֶאְדָּר בַּקֹּדֶשׁ נוֹרָא תְהִלֹּת עֹשֵׂה־פֶלֶא:

שִׁירָה חֲדָשָׁה שִׁבְּחוּ גְאוּלִים לְשִׁמְךָ עַל־שְׂפַת הַיָּם. יַחַד כֻּלָּם הוֹדוּ וְהִמְלִיכוּ וְאָמְרוּ.

יְיָ יִמְלֹךְ לְעֹלָם וָעֶד:

צוּר יִשְׂרָאֵל קוּמָה בְּעֶזְרַת יִשְׂרָאֵל. וּפְדֵה כִנְאֻמֶךָ יְהוּדָה וְיִשְׂרָאֵל. גֹּאֲלֵנוּ יְיָ צְבָאוֹת שְׁמוֹ קְדוֹשׁ יִשְׂרָאֵל.

בָּרוּךְ אַתָּה יְיָ גָּאַל יִשְׂרָאֵל:

In some congregations special Passover Hymns are here recited.
See pages 179–184.

Sabbath Amidah, pages 96–101.
Festival Amidah, pages 102–108.

From Egypt Thou didst redeem us, O Lord our God;
And from the house of bondage Thou didst deliver us.

Thou didst reveal Thy saving power at the Red Sea
So that the children of Israel passed through in safety.

Wherefore they praised and extolled Thee, O Lord;
They offered thanksgiving to Thee, their living God.

Moses and the children of Israel
Sang unto Thee with great joy:

Who is like unto Thee, O Lord, among the mighty?
Who is like unto Thee, glorious in holiness,
Revered in praises, doing wonders?

At the shore of the Red Sea,
The redeemed offered praise unto Thy name.

Singing a new song, they proclaimed Thy sovereignty:
'The Lord shall reign for ever and ever.'

O Rock of Israel, arise to help Thy scattered folk;
Deliver all who are crushed beneath oppression's heel.

Thou art our Savior; the Lord of Hosts is Thy name;
Blessed art Thou, O Lord, Redeemer of Israel.

In some congregations special Passover Hymns are here recited.
See pages 179–184.

Sabbath Amidah, pages 96–101.
Festival Amidah, pages 102–108.

עמידה

אֲדֹנָי שְׂפָתַי תִּפְתָּח וּפִי יַגִּיד תְּהִלָּתֶךָ:

בָּרוּךְ אַתָּה יְיָ אֱלֹהֵינוּ וֵאלֹהֵי אֲבוֹתֵינוּ. אֱלֹהֵי אַבְרָהָם אֱלֹהֵי יִצְחָק וֵאלֹהֵי יַעֲקֹב. הָאֵל הַגָּדוֹל הַגִּבּוֹר וְהַנּוֹרָא אֵל עֶלְיוֹן. גּוֹמֵל חֲסָדִים טוֹבִים וְקוֹנֵה הַכֹּל. וְזוֹכֵר חַסְדֵי אָבוֹת וּמֵבִיא גוֹאֵל לִבְנֵי בְנֵיהֶם לְמַעַן שְׁמוֹ בְּאַהֲבָה:

On Shabbat Shuvah add:

זָכְרֵנוּ לַחַיִּים. מֶלֶךְ חָפֵץ בַּחַיִּים. וְכָתְבֵנוּ בְּסֵפֶר הַחַיִּים. לְמַעַנְךָ אֱלֹהִים חַיִּים.

מֶלֶךְ עוֹזֵר וּמוֹשִׁיעַ וּמָגֵן. בָּרוּךְ אַתָּה יְיָ מָגֵן אַבְרָהָם: אַתָּה גִּבּוֹר לְעוֹלָם אֲדֹנָי מְחַיֵּה מֵתִים אַתָּה. רַב לְהוֹשִׁיעַ.

From Shemini Aẓeret until Pesaḥ add:

מַשִּׁיב הָרוּחַ וּמוֹרִיד הַגֶּשֶׁם:

מְכַלְכֵּל חַיִּים בְּחֶסֶד. מְחַיֵּה מֵתִים בְּרַחֲמִים רַבִּים. סוֹמֵךְ נוֹפְלִים וְרוֹפֵא חוֹלִים וּמַתִּיר אֲסוּרִים וּמְקַיֵּם אֱמוּנָתוֹ לִישֵׁנֵי עָפָר. מִי כָמוֹךָ בַּעַל גְּבוּרוֹת וּמִי דּוֹמֶה לָּךְ. מֶלֶךְ מֵמִית וּמְחַיֶּה וּמַצְמִיחַ יְשׁוּעָה:

On Shabbat Shuvah add:

מִי כָמוֹךָ אַב הָרַחֲמִים. זוֹכֵר יְצוּרָיו לְחַיִּים בְּרַחֲמִים.

וְנֶאֱמָן אַתָּה לְהַחֲיוֹת מֵתִים. בָּרוּךְ אַתָּה יְיָ מְחַיֵּה הַמֵּתִים:

אַתָּה קָדוֹשׁ וְשִׁמְךָ קָדוֹשׁ וּקְדוֹשִׁים בְּכָל־יוֹם יְהַלְלוּךָ סֶּלָה. בָּרוּךְ אַתָּה יְיָ הָאֵל הַקָּדוֹשׁ:

On Shabbat Shuvah conclude thus; הַמֶּלֶךְ הַקָּדוֹשׁ

The Amidah is said standing, in silent devotion.

O Lord, open Thou my lips and my mouth shall declare Thy praise.

Praised art Thou, O Lord our God and God of our fathers, God of Abraham, God of Isaac, and God of Jacob, mighty, revered and exalted God. Thou bestowest lovingkindness and possessest all things. Mindful of the patriarchs' love for Thee, Thou wilt in Thy love bring a redeemer to their children's children for the sake of Thy name.

On the Sabbath of Repentance add:

Remember us unto life, O King who delightest in life, and inscribe us in the Book of Life so that we may live worthily for Thy sake, O Lord of life.

O King, Thou Helper, Redeemer and Shield, be Thou praised, O Lord, Shield of Abraham.

Thou, O Lord, art mighty forever. Thou callest the dead to immortal life for Thou art mighty in deliverance.

From Shemini Aẓeret until Pesaḥ add:

Thou causest the wind to blow and the rain to fall.

Thou sustainest the living with lovingkindness, and in great mercy callest the departed to everlasting life. Thou upholdest the falling, healest the sick, settest free those in bondage, and keepest faith with those that sleep in the dust. Who is like unto Thee, Almighty King, who decreest death and life and bringest forth salvation?

On the Sabbath of Repentance add:

Who may be compared to Thee, Father of mercy, who in love rememberest Thy creatures unto life?

Faithful art Thou to grant eternal life to the departed. Blessed art Thou, O Lord, who callest the dead to life everlasting.

Holy art Thou and holy is Thy name and unto Thee holy beings render praise daily. Blessed art Thou, O Lord, the holy God.

On the Sabbath of Repentance conclude thus:

Blessed art Thou, O Lord, the holy King.

קדושה

When the Reader chants the Amidah, the Kedushah is added:

נְקַדֵּשׁ אֶת־שִׁמְךָ בָּעוֹלָם כְּשֵׁם שֶׁמַּקְדִּישִׁים אוֹתוֹ בִּשְׁמֵי מָרוֹם. כַּכָּתוּב עַל־יַד נְבִיאֶךָ. וְקָרָא זֶה אֶל־זֶה וְאָמַר. קָדוֹשׁ קָדוֹשׁ קָדוֹשׁ יְיָ צְבָאוֹת. מְלֹא כָל־הָאָרֶץ כְּבוֹדוֹ:

אָז בְּקוֹל רַעַשׁ גָּדוֹל אַדִּיר וְחָזָק מַשְׁמִיעִים קוֹל מִתְנַשְּׂאִים לְעֻמַּת שְׂרָפִים לְעֻמָּתָם בָּרוּךְ יֹאמֵרוּ.

בָּרוּךְ כְּבוֹד־יְיָ מִמְּקוֹמוֹ:

מִמְּקוֹמְךָ מַלְכֵּנוּ תוֹפִיעַ וְתִמְלוֹךְ עָלֵינוּ כִּי מְחַכִּים אֲנַחְנוּ לָךְ: מָתַי תִּמְלוֹךְ בְּצִיּוֹן. בְּקָרוֹב בְּיָמֵינוּ לְעוֹלָם וָעֶד תִּשְׁכּוֹן: תִּתְגַּדַּל וְתִתְקַדַּשׁ בְּתוֹךְ יְרוּשָׁלַיִם עִירְךָ לְדוֹר וָדוֹר וּלְנֵצַח נְצָחִים: וְעֵינֵינוּ תִרְאֶינָה מַלְכוּתֶךָ כַּדָּבָר הָאָמוּר בְּשִׁירֵי עֻזֶּךָ עַל־יְדֵי דָוִד מְשִׁיחַ צִדְקֶךָ:

יִמְלֹךְ יְיָ לְעוֹלָם. אֱלֹהַיִךְ צִיּוֹן לְדֹר וָדֹר. הַלְלוּיָהּ:

לְדוֹר וָדוֹר נַגִּיד גָּדְלֶךָ. וּלְנֵצַח נְצָחִים קְדֻשָּׁתְךָ נַקְדִּישׁ. וְשִׁבְחֲךָ אֱלֹהֵינוּ מִפִּינוּ לֹא יָמוּשׁ לְעוֹלָם וָעֶד. כִּי אֵל מֶלֶךְ גָּדוֹל וְקָדוֹשׁ אָתָּה.* בָּרוּךְ אַתָּה יְיָ הָאֵל הַקָּדוֹשׁ:

***On Shabbat Shuvah conclude thus:**

בָּרוּךְ אַתָּה יְיָ הַמֶּלֶךְ הַקָּדוֹשׁ:

KEDUSHAH

When the Reader chants the Amidah, the Kedushah is added:

We sanctify Thy name on earth even as it is sanctified in the heavens above, as described in the vision of Thy Prophet:

And the seraphim called one unto another saying:

Holy, holy, holy is the Lord of hosts,

The whole earth is full of His glory.

Whereupon the angels in stirring and mighty chorus rise toward the seraphim and with resounding acclaim declare:

Blessed be the glory of God from His heavenly abode.

From Thy heavenly abode, reveal Thyself, O our King, and reign over us, for we wait for Thee. O when wilt Thou reign in Zion? Speedily, even in our days, do Thou establish Thy dwelling there forever. Mayest Thou be exalted and sanctified in Jerusalem, Thy city, throughout all generations and to all eternity. O let our eyes behold the establishment of Thy kingdom, according to the word that was spoken in the inspired Psalms of David, Thy righteous anointed:

The Lord shall reign forever. Thy God, O Zion, shall be Sovereign unto all generations. Hallelujah!

Unto all generations we will declare Thy greatness and to all eternity we will proclaim Thy holiness. Our mouth shall ever speak Thy praise, O our God, for Thou art a great and holy God and King. *Blessed art Thou, O Lord, the holy God.

On the Sabbath of Repentance, conclude thus:
Blessed art Thou, O Lord, the holy King.

יִשְׂמַח משֶׁה בְּמַתְּנַת חֶלְקוֹ. כִּי עֶבֶד נֶאֱמָן קָרָאתָ לּוֹ. כְּלִיל תִּפְאֶרֶת בְּראשׁוֹ נָתַתָּ. בְּעָמְדוֹ לְפָנֶיךָ עַל הַר־סִינָי. וּשְׁנֵי לוּחוֹת אֲבָנִים הוֹרִיד בְּיָדוֹ. וְכָתוּב בָּהֶם שְׁמִירַת שַׁבָּת. וְכֵן כָּתוּב בְּתוֹרָתֶךָ:

וְשָׁמְרוּ בְנֵי־יִשְׂרָאֵל אֶת־הַשַּׁבָּת לַעֲשׂוֹת אֶת־הַשַּׁבָּת לְדֹרֹתָם בְּרִית עוֹלָם: בֵּינִי וּבֵין בְּנֵי יִשְׂרָאֵל אוֹת הִיא לְעוֹלָם כִּי־שֵׁשֶׁת יָמִים עָשָׂה יְהוָה אֶת־הַשָּׁמַיִם וְאֶת־הָאָרֶץ וּבַיּוֹם הַשְּׁבִיעִי שָׁבַת וַיִּנָּפַשׁ:

וְלֹא נְתַתּוֹ יְיָ אֱלֹהֵינוּ לְגוֹיֵי הָאֲרָצוֹת וְלֹא הִנְחַלְתּוֹ מַלְכֵּנוּ לְעוֹבְדֵי פְסִילִים. וְגַם בִּמְנוּחָתוֹ לֹא יִשְׁכְּנוּ רְשָׁעִים. כִּי לְיִשְׂרָאֵל עַמְּךָ נְתַתּוֹ בְּאַהֲבָה. לְזֶרַע יַעֲקֹב אֲשֶׁר בָּם בָּחָרְתָּ. עַם מְקַדְּשֵׁי שְׁבִיעִי כֻּלָּם יִשְׂבְּעוּ וְיִתְעַנְּגוּ מִטּוּבֶךָ. וְהַשְּׁבִיעִי רָצִיתָ בּוֹ וְקִדַּשְׁתּוֹ חֶמְדַּת יָמִים אוֹתוֹ קָרָאתָ זֵכֶר לְמַעֲשֵׂה בְרֵאשִׁית:

אֱלֹהֵינוּ וֵאלֹהֵי אֲבוֹתֵינוּ. רְצֵה בִמְנוּחָתֵנוּ קַדְּשֵׁנוּ בְּמִצְוֹתֶיךָ וְתֵן חֶלְקֵנוּ בְּתוֹרָתֶךָ. שַׂבְּעֵנוּ מִטּוּבֶךָ וְשַׂמְּחֵנוּ בִּישׁוּעָתֶךָ. וְטַהֵר לִבֵּנוּ לְעָבְדְּךָ בֶּאֱמֶת. וְהַנְחִילֵנוּ יְיָ אֱלֹהֵינוּ בְּאַהֲבָה וּבְרָצוֹן שַׁבַּת קָדְשֶׁךָ. וְיָנוּחוּ בָהּ יִשְׂרָאֵל מְקַדְּשֵׁי שְׁמֶךָ. בָּרוּךְ אַתָּה יְיָ מְקַדֵּשׁ הַשַּׁבָּת:

רְצֵה יְיָ אֱלֹהֵינוּ בְּעַמְּךָ יִשְׂרָאֵל וּבִתְפִלָּתָם. וְהָשֵׁב אֶת־הָעֲבוֹדָה לִדְבִיר בֵּיתֶךָ וּתְפִלָּתָם בְּאַהֲבָה תְקַבֵּל בְּרָצוֹן. וּתְהִי לְרָצוֹן תָּמִיד עֲבוֹדַת יִשְׂרָאֵל עַמֶּךָ.

Moses rejoiced in the gift of his portion, for Thou didst call him a faithful servant. A diadem of glory didst Thou place upon his head when he stood before Thee on Mount Sinai. In his hand he brought down the two tablets of stone upon which was engraved the command to observe the Sabbath, as it is written in Thy Torah:

The children of Israel shall keep the Sabbath and observe it throughout their generations as an everlasting covenant. It is a sign between Me and the children of Israel forever; for in six days the Lord made heaven and earth, and on the seventh day He ceased from work and rested.

This precious blessing of the Sabbath, O Lord our God, Thou didst not grant to the heathens of the earth, nor didst Thou, O our King, bestow it upon idolaters, nor can the unrighteous enjoy its rest. But Thou didst give it in affection to Israel Thy people, the seed of Jacob, whom Thou didst love. May the people who sanctify the seventh day be sated and delighted with Thy bounty. For Thou didst find pleasure in the seventh day, and didst sanctify it, calling it the desirable of days, in remembrance of creation.

Our God and God of our fathers, accept our rest. Sanctify us through Thy commandments, and grant our portion in Thy Torah. Give us abundantly of Thy goodness and make us rejoice in Thy salvation. Purify our hearts to serve Thee in truth. In Thy loving favor, O Lord our God, grant that Thy holy Sabbath be our joyous heritage, and may Israel who sanctifies Thy name, rest thereon. Blessed art Thou, O Lord, who hallowest the Sabbath.

O Lord our God, be gracious unto Thy people Israel and accept their prayer. Restore the worship to Thy sanctuary and receive in love and favor the supplication of Israel. May the worship of Thy people be ever acceptable unto Thee.

On Rosh Ḥodesh and Ḥol Hamoed add:

אֱלֹהֵינוּ וֵאלֹהֵי אֲבוֹתֵינוּ. יַעֲלֶה וְיָבֹא. וְיַגִּיעַ וְיֵרָאֶה. וְיֵרָצֶה
וְיִשָּׁמַע. וְיִפָּקֵד וְיִזָּכֵר. זִכְרוֹנֵנוּ וּפִקְדוֹנֵנוּ. וְזִכְרוֹן אֲבוֹתֵינוּ. וְזִכְרוֹן
מָשִׁיחַ בֶּן־דָּוִד עַבְדֶּךָ. וְזִכְרוֹן יְרוּשָׁלַיִם עִיר קָדְשֶׁךָ. וְזִכְרוֹן כָּל־
עַמְּךָ בֵּית יִשְׂרָאֵל לְפָנֶיךָ. לִפְלֵיטָה לְטוֹבָה. לְחֵן וּלְחֶסֶד
וּלְרַחֲמִים. לְחַיִּים וּלְשָׁלוֹם. בְּיוֹם

On Sukkot say:	*On Pesaḥ say:*	*On Rosh Ḥodesh say:*
חַג הַסֻּכּוֹת	חַג הַמַּצּוֹת	רֹאשׁ הַחֹדֶשׁ

הַזֶּה. זָכְרֵנוּ יְיָ אֱלֹהֵינוּ. בּוֹ לְטוֹבָה. וּפָקְדֵנוּ בוֹ לִבְרָכָה. וְהוֹשִׁיעֵנוּ
בוֹ לְחַיִּים. וּבִדְבַר יְשׁוּעָה וְרַחֲמִים. חוּס וְחָנֵּנוּ וְרַחֵם עָלֵינוּ
וְהוֹשִׁיעֵנוּ. כִּי אֵלֶיךָ עֵינֵינוּ. כִּי אֵל מֶלֶךְ חַנּוּן וְרַחוּם אָתָּה:

וְתֶחֱזֶינָה עֵינֵינוּ בְּשׁוּבְךָ לְצִיּוֹן בְּרַחֲמִים. בָּרוּךְ אַתָּה
יְיָ הַמַּחֲזִיר שְׁכִינָתוֹ לְצִיּוֹן:

*מוֹדִים אֲנַחְנוּ לָךְ שָׁאַתָּה הוּא יְיָ אֱלֹהֵינוּ וֵאלֹהֵי
אֲבוֹתֵינוּ לְעוֹלָם וָעֶד. צוּר חַיֵּינוּ מָגֵן יִשְׁעֵנוּ אַתָּה הוּא
לְדוֹר וָדוֹר. נוֹדֶה לְּךָ וּנְסַפֵּר תְּהִלָּתֶךָ עַל חַיֵּינוּ הַמְּסוּרִים
בְּיָדֶךָ וְעַל נִשְׁמוֹתֵינוּ הַפְּקוּדוֹת לָךְ וְעַל נִסֶּיךָ שֶׁבְּכָל־יוֹם
עִמָּנוּ וְעַל נִפְלְאוֹתֶיךָ וְטוֹבוֹתֶיךָ שֶׁבְּכָל־עֵת עֶרֶב וָבֹקֶר
וְצָהֳרָיִם. הַטּוֹב כִּי לֹא־כָלוּ רַחֲמֶיךָ וְהַמְרַחֵם כִּי לֹא־תַמּוּ
חֲסָדֶיךָ מֵעוֹלָם קִוִּינוּ לָךְ:

**When the Reader chants the Amidah, the Congregation says:*

מוֹדִים אֲנַחְנוּ לָךְ. שָׁאַתָּה הוּא יְיָ אֱלֹהֵינוּ וֵאלֹהֵי אֲבוֹתֵינוּ אֱלֹהֵי
כָל בָּשָׂר. יוֹצְרֵנוּ יוֹצֵר בְּרֵאשִׁית. בְּרָכוֹת וְהוֹדָאוֹת לְשִׁמְךָ הַגָּדוֹל
וְהַקָּדוֹשׁ. עַל שֶׁהֶחֱיִיתָנוּ וְקִיַּמְתָּנוּ. כֵּן תְּחַיֵּנוּ וּתְקַיְּמֵנוּ. וְתֶאֱסוֹף
גָּלֻיּוֹתֵינוּ לְחַצְרוֹת קָדְשֶׁךָ. לִשְׁמוֹר חֻקֶּיךָ וְלַעֲשׂוֹת רְצוֹנֶךָ וּלְעָבְדְּךָ
בְּלֵבָב שָׁלֵם. עַל שֶׁאֲנַחְנוּ מוֹדִים לָךְ. בָּרוּךְ אֵל הַהוֹדָאוֹת:

On New Moon and the Intermediate Days of Festivals add:

Our God and God of our fathers, may our remembrance and the remembrance of our forefathers come before Thee. Remember the Messiah of the house of David, Thy servant, and Jerusalem, Thy holy city, and all Thy people, the house of Israel. Grant us deliverance and well being, lovingkindness, life and peace on this day of

On Rosh Ḥodesh say:	*On Pesaḥ say:*	*On Sukkot say:*
the New Moon.	the Feast of Unleavened Bread.	the Feast of Tabernacles.

Remember us this day, O Lord our God for our good, and be mindful of us for a life of blessing. With Thy promise of salvation and mercy, deliver us and be gracious unto us, have compassion upon us and save us. Unto Thee do we lift our eyes for Thou art a gracious and merciful God and King.

O may our eyes witness Thy return to Zion. Blessed art Thou, O Lord, who restorest Thy divine presence unto Zion.

*We thankfully acknowledge Thee, O Lord our God, our fathers' God to all eternity. Our Rock art Thou, our Shield that saves through every generation. We give Thee thanks and we declare Thy praise for all Thy tender care. Our lives we trust into Thy loving hand. Our souls are ever in Thy charge; Thy wonders and Thy miracles are daily with us, evening, morn and noon. O Thou who art all-good, whose mercies never fail us, Compassionate One, whose lovingkindnesses never cease, we ever hope in Thee.

When the Reader chants the Amidah, the Congregation says:

We thankfully acknowledge that Thou art the Lord our God and God of our fathers, the God of all that lives, our Creator and Creator of the universe. We offer blessings and thanksgiving to Thy great and holy name because Thou hast kept us in life and sustained us; so mayest Thou continue to keep us in life and sustain us. O gather our exiles into the courts of Thy holy sanctuary to observe Thy statutes, to do Thy will, and to serve Thee with a perfect heart. We give thanks unto Thee. Blessed be God to whom we are ever grateful.

On Ḥanukkah add:

עַל הַנִּסִּים וְעַל הַפֻּרְקָן וְעַל הַגְּבוּרוֹת וְעַל הַתְּשׁוּעוֹת וְעַל
הַמִּלְחָמוֹת שֶׁעָשִׂיתָ לַאֲבוֹתֵינוּ בַּיָּמִים הָהֵם בַּזְּמַן הַזֶּה:

בִּימֵי מַתִּתְיָהוּ בֶּן־יוֹחָנָן כֹּהֵן גָּדוֹל חַשְׁמוֹנַאי וּבָנָיו. כְּשֶׁעָמְדָה
מַלְכוּת יָוָן הָרְשָׁעָה עַל־עַמְּךָ יִשְׂרָאֵל. לְהַשְׁכִּיחָם תּוֹרָתֶךָ.
וּלְהַעֲבִירָם מֵחֻקֵּי רְצוֹנֶךָ. וְאַתָּה בְּרַחֲמֶיךָ הָרַבִּים עָמַדְתָּ לָהֶם
בְּעֵת צָרָתָם. רַבְתָּ אֶת־רִיבָם. דַּנְתָּ אֶת־דִּינָם. נָקַמְתָּ אֶת־נִקְמָתָם.
מָסַרְתָּ גִבּוֹרִים בְּיַד חַלָּשִׁים. וְרַבִּים בְּיַד מְעַטִּים. וּטְמֵאִים בְּיַד
טְהוֹרִים. וּרְשָׁעִים בְּיַד צַדִּיקִים. וְזֵדִים בְּיַד עוֹסְקֵי תוֹרָתֶךָ. וּלְךָ
עָשִׂיתָ שֵׁם גָּדוֹל וְקָדוֹשׁ בְּעוֹלָמֶךָ. וּלְעַמְּךָ יִשְׂרָאֵל עָשִׂיתָ תְּשׁוּעָה
גְדוֹלָה וּפֻרְקָן כְּהַיּוֹם הַזֶּה. וְאַחַר כֵּן בָּאוּ בָנֶיךָ לִדְבִיר בֵּיתֶךָ.
וּפִנּוּ אֶת־הֵיכָלֶךָ. וְטִהֲרוּ אֶת־מִקְדָּשֶׁךָ. וְהִדְלִיקוּ נֵרוֹת בְּחַצְרוֹת
קָדְשֶׁךָ. וְקָבְעוּ שְׁמוֹנַת יְמֵי חֲנֻכָּה אֵלּוּ. לְהוֹדוֹת וּלְהַלֵּל לְשִׁמְךָ
הַגָּדוֹל:

וְעַל כֻּלָּם יִתְבָּרַךְ וְיִתְרוֹמַם שִׁמְךָ מַלְכֵּנוּ תָּמִיד לְעוֹלָם
וָעֶד:

On Shabbat Shuvah add:

וּכְתוֹב לְחַיִּים טוֹבִים כָּל־בְּנֵי בְרִיתֶךָ:

וְכֹל הַחַיִּים יוֹדוּךָ סֶּלָה וִיהַלְלוּ אֶת שִׁמְךָ בֶּאֱמֶת הָאֵל
יְשׁוּעָתֵנוּ וְעֶזְרָתֵנוּ סֶלָה. בָּרוּךְ אַתָּה יְיָ הַטּוֹב שִׁמְךָ וּלְךָ
נָאֶה לְהוֹדוֹת:

Reader

אֱלֹהֵינוּ וֵאלֹהֵי אֲבוֹתֵינוּ. בָּרְכֵנוּ בַּבְּרָכָה הַמְשֻׁלֶּשֶׁת בַּתּוֹרָה
הַכְּתוּבָה עַל־יְדֵי מֹשֶׁה עַבְדֶּךָ. הָאֲמוּרָה מִפִּי אַהֲרֹן וּבָנָיו כֹּהֲנִים
עַם קְדוֹשֶׁךָ כָּאָמוּר:

Congregation	*Reader*
כֵּן יְהִי רָצוֹן:	יְבָרֶכְךָ יְיָ וְיִשְׁמְרֶךָ.
כֵּן יְהִי רָצוֹן:	יָאֵר יְיָ פָּנָיו אֵלֶיךָ וִיחֻנֶּךָּ.
כֵּן יְהִי רָצוֹן:	יִשָּׂא יְיָ פָּנָיו אֵלֶיךָ וְיָשֵׂם לְךָ שָׁלוֹם.

On Ḥanukkah add:

We thank Thee also for the miraculous and mighty deeds of liberation wrought by Thee, and for Thy victories in the battles our forefathers fought in days of old, at this season of the year.

In the days of the High Priest Mattathias, son of Johanan, of the Hasmonean family, a tyrannical power rose up against Thy people Israel to compel them to forsake Thy Torah, and to force them to transgress Thy commandments. In Thine abundant mercy Thou didst stand by them in time of distress. Thou didst rise to their defense and didst vindicate their cause. Thou didst bring retribution upon the evil doers, delivering the strong into the hands of the weak, the many into the hands of the few, the wicked into the hands of the just, and the arrogant into the hands of those devoted to Thy Torah. Thou didst thus make Thy greatness and holiness known in Thy world, and didst bring great deliverance to Israel. Then Thy children came into Thy dwelling place, cleansed the Temple, purified the Sanctuary, kindled lights in Thy sacred courts, and they designated these eight days of Hanukkah for giving thanks and praise unto Thy great name.

For all this, Thy name, O our King, shall be blessed and exalted for ever and ever.

On the Sabbath of Repentance add:

O inscribe all the children of Thy covenant for a happy life.

May all the living do homage unto Thee forever and praise Thy name in truth, O God, who art our salvation and our help. Blessed be Thou, O Lord, Beneficent One, unto whom our thanks are due.

Reader

Our God and God of our fathers, bless us with the threefold blessing written in the Torah of Moses, Thy servant, and spoken by Aaron and his sons, Thy consecrated priests:

Reader	Congregation
May the Lord bless thee and keep thee;	So may it be His will.
May the Lord make His countenance to shine upon thee and be gracious unto thee;	So may it be His will.
May the Lord turn His countenance unto thee and give thee peace.	So may it be His will.

שִׂים שָׁלוֹם טוֹבָה וּבְרָכָה בָּעוֹלָם חֵן וָחֶסֶד וְרַחֲמִים עָלֵינוּ וְעַל כָּל־יִשְׂרָאֵל עַמֶּךָ. בָּרְכֵנוּ אָבִינוּ כֻּלָּנוּ כְּאֶחָד בְּאוֹר פָּנֶיךָ. כִּי בְאוֹר פָּנֶיךָ נָתַתָּ לָנוּ יְיָ אֱלֹהֵינוּ תּוֹרַת חַיִּים וְאַהֲבַת חֶסֶד וּצְדָקָה וּבְרָכָה וְרַחֲמִים וְחַיִּים וְשָׁלוֹם. וְטוֹב בְּעֵינֶיךָ לְבָרֵךְ אֶת־עַמְּךָ יִשְׂרָאֵל בְּכָל־עֵת וּבְכָל־שָׁעָה בִּשְׁלוֹמֶךָ.

*בָּרוּךְ אַתָּה יְיָ הַמְבָרֵךְ אֶת־עַמּוֹ יִשְׂרָאֵל בַּשָּׁלוֹם:

**On Shabbat Shuvah conclude thus:*

בְּסֵפֶר חַיִּים בְּרָכָה וְשָׁלוֹם וּפַרְנָסָה טוֹבָה. נִזָּכֵר וְנִכָּתֵב לְפָנֶיךָ. אֲנַחְנוּ וְכָל־עַמְּךָ בֵּית יִשְׂרָאֵל לְחַיִּים טוֹבִים וּלְשָׁלוֹם. בָּרוּךְ אַתָּה יְיָ עוֹשֵׂה הַשָּׁלוֹם:

אֱלֹהַי נְצוֹר לְשׁוֹנִי מֵרָע וּשְׂפָתַי מִדַּבֵּר מִרְמָה וְלִמְקַלְלַי נַפְשִׁי תִדּוֹם וְנַפְשִׁי כֶּעָפָר לַכֹּל תִּהְיֶה: פְּתַח לִבִּי בְּתוֹרָתֶךָ וּבְמִצְוֹתֶיךָ תִּרְדּוֹף נַפְשִׁי. וְכֹל הַחוֹשְׁבִים עָלַי רָעָה. מְהֵרָה הָפֵר עֲצָתָם וְקַלְקֵל מַחֲשַׁבְתָּם: עֲשֵׂה לְמַעַן שְׁמֶךָ עֲשֵׂה לְמַעַן יְמִינֶךָ עֲשֵׂה לְמַעַן קְדֻשָּׁתֶךָ עֲשֵׂה לְמַעַן תּוֹרָתֶךָ: לְמַעַן יֵחָלְצוּן יְדִידֶיךָ הוֹשִׁיעָה יְמִינְךָ וַעֲנֵנִי: יִהְיוּ לְרָצוֹן אִמְרֵי־פִי וְהֶגְיוֹן לִבִּי לְפָנֶיךָ יְיָ צוּרִי וְגוֹאֲלִי: עֹשֶׂה שָׁלוֹם בִּמְרוֹמָיו הוּא יַעֲשֶׂה שָׁלוֹם עָלֵינוּ וְעַל כָּל־יִשְׂרָאֵל וְאִמְרוּ אָמֵן:

יְהִי רָצוֹן מִלְּפָנֶיךָ יְיָ אֱלֹהֵינוּ וֵאלֹהֵי אֲבוֹתֵינוּ שֶׁיִּבָּנֶה בֵּית הַמִּקְדָּשׁ בִּמְהֵרָה בְיָמֵינוּ וְתֵן חֶלְקֵנוּ בְּתוֹרָתֶךָ: וְשָׁם נַעֲבָדְךָ בְּיִרְאָה כִּימֵי עוֹלָם וּכְשָׁנִים קַדְמוֹנִיּוֹת:

On Rosh Ḥodesh, Festivals, and Ḥanukkah, Hallel is said, page 110. Otherwise, the Service continues with Kaddish, page 116.

Grant peace, well-being and blessing unto the world, with grace, lovingkindness and mercy for us and for all Israel, Thy people. Bless us, O our Father, all of us together, with the light of Thy presence; for by that light Thou hast given us, O Lord our God, the Torah of life, lovingkindness and righteousness, blessing and mercy, life and peace. O may it be good in Thy sight at all times to bless Thy people Israel with Thy peace.*

Blessed art Thou, O Lord, who blessest Thy people Israel with peace.

On the Sabbath of Repentance conclude thus:

In the book of life, blessing, peace and ample sustenance, may we, together with all Thy people, the house of Israel, be remembered and inscribed before Thee for a happy life and for peace. Blessed art Thou, O Lord, who establishest peace.

O Lord,

Guard my tongue from evil and my lips from speaking guile,
And to those who slander me, let me give no heed.
May my soul be humble and forgiving unto all.
Open Thou my heart, O Lord, unto Thy sacred Law,
That Thy statutes I may know and all Thy truths pursue.
Bring to naught designs of those who seek to do me ill;
Speedily defeat their aims and thwart their purposes
For Thine own sake, for Thine own power,
For Thy holiness and Law.
That Thy loved ones be delivered,
Answer us, O Lord, and save with Thy redeeming power.

May the words of my mouth and the meditation of my heart be acceptable unto Thee, O Lord, my Rock and my Redeemer. Thou who establishest peace in the heavens, grant peace unto us and unto all Israel. Amen.

May it be Thy will, O Lord our God and God of our fathers, to grant our portion in Thy Torah, and may the Temple be rebuilt in our day. There we will serve Thee with awe as in the days of old.

*On Rosh Ḥodesh, Festivals, and Ḥanukkah, Hallel is said, page 110.
Otherwise, the Service continues with Kaddish, page 116.*

עמידה

אֲדֹנָי שְׂפָתַי תִּפְתָּח וּפִי יַגִּיד תְּהִלָּתֶךָ:

בָּרוּךְ אַתָּה יְיָ אֱלֹהֵינוּ וֵאלֹהֵי אֲבוֹתֵינוּ. אֱלֹהֵי אַבְרָהָם אֱלֹהֵי יִצְחָק וֵאלֹהֵי יַעֲקֹב. הָאֵל הַגָּדוֹל הַגִּבּוֹר וְהַנּוֹרָא אֵל עֶלְיוֹן. גּוֹמֵל חֲסָדִים טוֹבִים וְקוֹנֵה הַכֹּל. וְזוֹכֵר חַסְדֵי אָבוֹת וּמֵבִיא גוֹאֵל לִבְנֵי בְנֵיהֶם לְמַעַן שְׁמוֹ בְּאַהֲבָה: מֶלֶךְ עוֹזֵר וּמוֹשִׁיעַ וּמָגֵן. בָּרוּךְ אַתָּה יְיָ מָגֵן אַבְרָהָם:

אַתָּה גִּבּוֹר לְעוֹלָם אֲדֹנָי מְחַיֵּה מֵתִים אַתָּה. רַב לְהוֹשִׁיעַ.

On Simḥat Torah and the First Day of Pesaḥ add:

מַשִּׁיב הָרוּחַ וּמוֹרִיד הַגֶּשֶׁם:

מְכַלְכֵּל חַיִּים בְּחֶסֶד מְחַיֵּה מֵתִים בְּרַחֲמִים רַבִּים. סוֹמֵךְ נוֹפְלִים וְרוֹפֵא חוֹלִים וּמַתִּיר אֲסוּרִים וּמְקַיֵּם אֱמוּנָתוֹ לִישֵׁנֵי עָפָר. מִי כָמוֹךָ בַּעַל גְּבוּרוֹת וּמִי דוֹמֶה לָּךְ. מֶלֶךְ מֵמִית וּמְחַיֶּה וּמַצְמִיחַ יְשׁוּעָה: וְנֶאֱמָן אַתָּה לְהַחֲיוֹת מֵתִים. בָּרוּךְ אַתָּה יְיָ מְחַיֵּה הַמֵּתִים:

אַתָּה קָדוֹשׁ וְשִׁמְךָ קָדוֹשׁ וּקְדוֹשִׁים בְּכָל־יוֹם יְהַלְלוּךָ סֶּלָה. בָּרוּךְ אַתָּה יְיָ הָאֵל הַקָּדוֹשׁ:

The Amidah is said standing, in silent devotion.

O Lord, open Thou my lips and my mouth shall declare Thy praise.

Praised art Thou, O Lord our God and God of our fathers, God of Abraham, God of Isaac, and God of Jacob, mighty, revered and exalted God. Thou bestowest lovingkindness and possessest all things. Mindful of the patriarchs' love for Thee, Thou wilt in Thy love bring a redeemer to their children's children for the sake of Thy name.

O King, Thou Helper, Redeemer and Shield, be Thou praised, O Lord, Shield of Abraham.

Thou, O Lord, art mighty forever. Thou callest the dead to immortal life for Thou art mighty in deliverance.

On Simḥat Torah and the First Day of Pesaḥ add:

Thou causest the wind to blow and the rain to fall.

Thou sustainest the living with lovingkindness, and in great mercy callest the departed to everlasting life. Thou upholdest the falling, healest the sick, settest free those in bondage, and keepest faith with those that sleep in the dust. Who is like unto Thee, Almighty King, who decreest death and life and bringest forth salvation? Faithful art Thou to grant eternal life to the departed. Blessed art Thou, O Lord, who callest the dead to life everlasting.

Holy art Thou and holy is Thy name and unto Thee holy beings render praise daily. Blessed art Thou, O Lord, the holy God.

קדושה

When the Reader chants the Amidah, the Kedushah is added:

נְקַדֵּשׁ אֶת־שִׁמְךָ בָּעוֹלָם כְּשֵׁם שֶׁמַּקְדִּישִׁים אוֹתוֹ בִּשְׁמֵי

מָרוֹם. כַּכָּתוּב עַל־יַד נְבִיאֶךָ. וְקָרָא זֶה אֶל־זֶה וְאָמַר.

קָדוֹשׁ קָדוֹשׁ קָדוֹשׁ יְיָ צְבָאוֹת. מְלֹא כָל־הָאָרֶץ כְּבוֹדוֹ:

אָז בְּקוֹל רַעַשׁ גָּדוֹל אַדִּיר וְחָזָק מַשְׁמִיעִים קוֹל

מִתְנַשְּׂאִים לְעֻמַּת שְׂרָפִים לְעֻמָּתָם בָּרוּךְ יֹאמֵרוּ.

בָּרוּךְ כְּבוֹד־יְיָ מִמְּקוֹמוֹ:

מִמְּקוֹמְךָ מַלְכֵּנוּ תוֹפִיעַ וְתִמְלוֹךְ עָלֵינוּ כִּי מְחַכִּים

אֲנַחְנוּ לָךְ: מָתַי תִּמְלוֹךְ בְּצִיּוֹן. בְּקָרוֹב בְּיָמֵינוּ לְעוֹלָם

וָעֶד תִּשְׁכּוֹן: תִּתְגַּדַּל וְתִתְקַדַּשׁ בְּתוֹךְ יְרוּשָׁלַיִם עִירְךָ

לְדוֹר וָדוֹר וּלְנֵצַח נְצָחִים: וְעֵינֵינוּ תִרְאֶינָה מַלְכוּתֶךָ

כַּדָּבָר הָאָמוּר בְּשִׁירֵי עֻזֶּךָ עַל־יְדֵי דָוִד מְשִׁיחַ צִדְקֶךָ:

יִמְלֹךְ יְיָ לְעוֹלָם. אֱלֹהַיִךְ צִיּוֹן לְדֹר וָדֹר. הַלְלוּיָהּ:

לְדוֹר וָדוֹר נַגִּיד גָּדְלֶךָ. וּלְנֵצַח נְצָחִים קְדֻשָּׁתְךָ

נַקְדִּישׁ. וְשִׁבְחֲךָ אֱלֹהֵינוּ מִפִּינוּ לֹא יָמוּשׁ לְעוֹלָם וָעֶד. כִּי

אֵל מֶלֶךְ גָּדוֹל וְקָדוֹשׁ אָתָּה. בָּרוּךְ אַתָּה יְיָ הָאֵל הַקָּדוֹשׁ:

KEDUSHAH

When the Reader chants the Amidah, the Kedushah is added:

We sanctify Thy name on earth even as it is sanctified in the heavens above, as described in the vision of Thy Prophet:

And the seraphim called one unto another saying:

Holy, holy, holy is the Lord of hosts,
The whole earth is full of His glory.

Whereupon the angels in stirring and mighty chorus rise toward the seraphim and with resounding acclaim declare:

Blessed be the glory of God from His heavenly abode.

From Thy heavenly abode, reveal Thyself, O our King, and reign over us, for we wait for Thee. O when wilt Thou reign in Zion? Speedily, even in our days, do Thou establish Thy dwelling there forever. Mayest Thou be exalted and sanctified in Jerusalem, Thy city, throughout all generations and to all eternity. O let our eyes behold the establishment of Thy kingdom, according to the word that was spoken in the inspired Psalms of David, Thy righteous anointed:

The Lord shall reign forever; Thy God, O Zion, shall be Sovereign unto all generations. Hallelujah!

Unto all generations we will declare Thy greatness and to all eternity we will proclaim Thy holiness. Our mouth shall ever speak Thy praise, O our God, for Thou art a great and holy God and King. Blessed art Thou, O Lord, the holy God.

אַתָּה בְחַרְתָּנוּ מִכָּל־הָעַמִּים. אָהַבְתָּ אוֹתָנוּ. וְרָצִיתָ בָּנוּ. וְרוֹמַמְתָּנוּ מִכָּל־הַלְּשׁוֹנוֹת. וְקִדַּשְׁתָּנוּ בְּמִצְוֹתֶיךָ. וְקֵרַבְתָּנוּ מַלְכֵּנוּ לַעֲבוֹדָתֶךָ. וְשִׁמְךָ הַגָּדוֹל וְהַקָּדוֹשׁ עָלֵינוּ קָרָאתָ:

On Sabbath include the words in brackets

וַתִּתֶּן לָנוּ יְיָ אֱלֹהֵינוּ בְּאַהֲבָה [שַׁבָּתוֹת לִמְנוּחָה וּ] מוֹעֲדִים לְשִׂמְחָה חַגִּים וּזְמַנִּים לְשָׂשׂוֹן. אֶת־יוֹם [הַשַּׁבָּת הַזֶּה וְאֶת־יוֹם]

On Pesaḥ say:

חַג הַמַּצּוֹת הַזֶּה. זְמַן חֵרוּתֵנוּ

On Shavuot say:

חַג הַשָּׁבֻעוֹת הַזֶּה. זְמַן מַתַּן תּוֹרָתֵנוּ

On Sukkot say:

חַג הַסֻּכּוֹת הַזֶּה. זְמַן שִׂמְחָתֵנוּ

On Shemini Aẓeret and Simḥat Torah say:

הַשְּׁמִינִי חַג הָעֲצֶרֶת הַזֶּה. זְמַן שִׂמְחָתֵנוּ

[בְּאַהֲבָה] מִקְרָא קֹדֶשׁ. זֵכֶר לִיצִיאַת מִצְרָיִם:

אֱלֹהֵינוּ וֵאלֹהֵי אֲבוֹתֵינוּ יַעֲלֶה וְיָבֹא וְיַגִּיעַ וְיֵרָאֶה וְיֵרָצֶה וְיִשָּׁמַע וְיִפָּקֵד וְיִזָּכֵר זִכְרוֹנֵנוּ וּפִקְדוֹנֵנוּ וְזִכְרוֹן אֲבוֹתֵינוּ וְזִכְרוֹן מָשִׁיחַ בֶּן־דָּוִד עַבְדֶּךָ וְזִכְרוֹן יְרוּשָׁלַיִם עִיר קָדְשֶׁךָ וְזִכְרוֹן כָּל־עַמְּךָ בֵּית יִשְׂרָאֵל לְפָנֶיךָ לִפְלֵיטָה לְטוֹבָה לְחֵן וּלְחֶסֶד וּלְרַחֲמִים לְחַיִּים וּלְשָׁלוֹם בְּיוֹם

Thou didst choose us for Thy service from among all peoples, loving us and taking delight in us. Thou didst exalt us above all tongues by making us holy through Thy commandments. Thou hast drawn us near, O our King, unto Thy service and hast called us by Thy great and holy name.

On Sabbath include the words in brackets

And Thou hast given us in love, O Lord our God, [Sabbaths for rest,] holidays for gladness, festivals and seasons for rejoicing. Thou hast granted us [this Sabbath day and]

On Pesaḥ say:

This Feast of Unleavened Bread, the Season of our Freedom,

On Shavuot say:

This Feast of Weeks, the Season of the Giving of our Torah,

On Sukkot say:

This Feast of Tabernacles, the Season of our Gladness,

On Shemini Aẓeret and Simḥat Torah say:

This Eighth Day Feast of Assembly, the Season of our Gladness,

as a holy convocation, commemorating our liberation from Egypt.

Our God and God of our fathers, may our remembrance and the remembrance of our forefathers come before Thee. Remember the Messiah of the house of David, Thy servant, and Jerusalem, Thy holy city, and all Thy people, the house of Israel. Grant us deliverance and wellbeing, lovingkindness, life and peace on this day of

On Pesaḥ say:

חַג הַמַּצּוֹת

On Shavuot say:

חַג הַשָּׁבֻעוֹת

On Sukkot say:

חַג הַסֻּכּוֹת

On Shemini Aẓeret and Simḥat Torah say:

הַשְּׁמִינִי חַג הָעֲצֶרֶת

הַזֶּה. זָכְרֵנוּ יְיָ אֱלֹהֵינוּ בּוֹ לְטוֹבָה. וּפָקְדֵנוּ בוֹ לִבְרָכָה. וְהוֹשִׁיעֵנוּ בוֹ לְחַיִּים: וּבִדְבַר יְשׁוּעָה וְרַחֲמִים חוּס וְחָנֵּנוּ וְרַחֵם עָלֵינוּ וְהוֹשִׁיעֵנוּ כִּי אֵלֶיךָ עֵינֵינוּ. כִּי אֵל מֶלֶךְ חַנּוּן וְרַחוּם אָתָּה:

וְהַשִּׂיאֵנוּ יְיָ אֱלֹהֵינוּ אֶת־בִּרְכַּת מוֹעֲדֶיךָ לְחַיִּים וּלְשָׁלוֹם לְשִׂמְחָה וּלְשָׂשׂוֹן כַּאֲשֶׁר רָצִיתָ וְאָמַרְתָּ לְבָרְכֵנוּ: (אֱלֹהֵינוּ וֵאלֹהֵי אֲבוֹתֵינוּ רְצֵה בִמְנוּחָתֵנוּ) קַדְּשֵׁנוּ בְּמִצְוֹתֶיךָ וְתֵן חֶלְקֵנוּ בְּתוֹרָתֶךָ שַׂבְּעֵנוּ מִטּוּבֶךָ וְשַׂמְּחֵנוּ בִּישׁוּעָתֶךָ וְטַהֵר לִבֵּנוּ לְעָבְדְּךָ בֶּאֱמֶת. וְהַנְחִילֵנוּ יְיָ אֱלֹהֵינוּ (בְּאַהֲבָה וּבְרָצוֹן) בְּשִׂמְחָה וּבְשָׂשׂוֹן (שַׁבַּת וּ)מוֹעֲדֵי קָדְשֶׁךָ. וְיִשְׂמְחוּ בְךָ יִשְׂרָאֵל מְקַדְּשֵׁי שְׁמֶךָ. בָּרוּךְ אַתָּה יְיָ מְקַדֵּשׁ (הַשַּׁבָּת וְ)יִשְׂרָאֵל וְהַזְּמַנִּים:

On Pesaḥ say:

The Feast of Unleavened Bread.

On Shavuot say:

The Feast of Weeks,

On Sukkot say:

The Feast of Tabernacles.

On Shemini Aẓeret and Simḥat Torah say:

The Eighth-Day Feast of Assembly.

Remember us this day, O Lord our God, for our good, and be mindful of us for a life of blessing. With Thy promise of salvation and mercy, deliver us and be gracious unto us; have compassion upon us and save us. Unto Thee do we lift our eyes for Thou art a gracious and merciful God and King.

O Lord our God, bestow upon us the blessing of Thy festivals for life and peace, for joy and gladness, even as Thou hast graciously promised to bless us. [Our God and God of our fathers, accept our rest.] Sanctify us through Thy commandments, and grant our portion in Thy Torah; give us abundantly of Thy goodness and make us rejoice in Thy salvation. Purify our hearts to serve Thee in truth. In Thy loving favor, O Lord our God, let us inherit with joy and gladness Thy holy [Sabbath and] festivals; and may Israel who sanctifies Thy name, rejoice in Thee. Blessed art Thou, O Lord, who hallowest [the Sabbath and] Israel and the festivals.

רְצֵה יְיָ אֱלֹהֵינוּ בְּעַמְּךָ יִשְׂרָאֵל וּבִתְפִלָּתָם. וְהָשֵׁב אֶת־הָעֲבוֹדָה לִדְבִיר בֵּיתֶךָ וּתְפִלָּתָם בְּאַהֲבָה תְקַבֵּל בְּרָצוֹן. וּתְהִי לְרָצוֹן תָּמִיד עֲבוֹדַת יִשְׂרָאֵל עַמֶּךָ. וְתֶחֱזֶינָה עֵינֵינוּ בְּשׁוּבְךָ לְצִיּוֹן בְּרַחֲמִים. בָּרוּךְ אַתָּה יְיָ הַמַּחֲזִיר שְׁכִינָתוֹ לְצִיּוֹן:

*מוֹדִים אֲנַחְנוּ לָךְ שָׁאַתָּה הוּא יְיָ אֱלֹהֵינוּ וֵאלֹהֵי אֲבוֹתֵינוּ לְעוֹלָם וָעֶד. צוּר חַיֵּינוּ מָגֵן יִשְׁעֵנוּ אַתָּה הוּא לְדוֹר וָדוֹר. נוֹדֶה לְּךָ וּנְסַפֵּר תְּהִלָּתֶךָ עַל חַיֵּינוּ הַמְּסוּרִים בְּיָדֶךָ וְעַל נִשְׁמוֹתֵינוּ הַפְּקוּדוֹת לָךְ וְעַל נִסֶּיךָ שֶׁבְּכָל־יוֹם עִמָּנוּ וְעַל נִפְלְאוֹתֶיךָ וְטוֹבוֹתֶיךָ שֶׁבְּכָל־עֵת עֶרֶב וָבֹקֶר וְצָהֳרָיִם. הַטּוֹב כִּי לֹא־כָלוּ רַחֲמֶיךָ וְהַמְרַחֵם כִּי לֹא־תַמּוּ חֲסָדֶיךָ מֵעוֹלָם קִוִּינוּ לָךְ:

**When the Reader chants the Amidah, the Congregation says the following prayer:*

מוֹדִים אֲנַחְנוּ לָךְ. שָׁאַתָּה הוּא יְיָ אֱלֹהֵינוּ וֵאלֹהֵי אֲבוֹתֵינוּ אֱלֹהֵי כָל־בָּשָׂר. יוֹצְרֵנוּ יוֹצֵר בְּרֵאשִׁית. בְּרָכוֹת וְהוֹדָאוֹת לְשִׁמְךָ הַגָּדוֹל וְהַקָּדוֹשׁ. עַל שֶׁהֶחֱיִיתָנוּ וְקִיַּמְתָּנוּ. כֵּן תְּחַיֵּנוּ וּתְקַיְּמֵנוּ. וְתֶאֱסוֹף גָּלֻיּוֹתֵינוּ לְחַצְרוֹת קָדְשֶׁךָ. לִשְׁמוֹר חֻקֶּיךָ וְלַעֲשׂוֹת רְצוֹנֶךָ וּלְעָבְדְךָ בְּלֵבָב שָׁלֵם עַל שֶׁאֲנַחְנוּ מוֹדִים לָךְ. בָּרוּךְ אֵל הַהוֹדָאוֹת:

O Lord our God, be gracious unto Thy people Israel and accept their prayer. Restore the worship to Thy sanctuary and receive in love the supplications of Israel; and may the worship of Thy people be ever acceptable unto Thee. O may our eyes witness Thy return to Zion. Blessed art Thou, O Lord, who restorest Thy divine presence unto Zion.

*We thankfully acknowledge Thee, O Lord our God, our fathers' God to all eternity. Our Rock art Thou, our Shield that saves through every generation. We give Thee thanks and we declare Thy praise for all Thy tender care. Our lives we trust into Thy loving hand. Our souls are ever in Thy charge; Thy wonders and Thy miracles are daily with us, evening, morn and noon. O Thou who art all-good, whose mercies never fail us, Compassionate One, whose lovingkindnesses never cease, we ever hope in Thee.

*When the Reader chants the Amidah, the Congregation says the following prayer:

We thankfully acknowledge that Thou art the Lord our God and God of our fathers, the God of all that lives, our Creator and Creator of the universe. We offer blessings and thanksgiving to Thy great and holy name because Thou hast kept us in life and sustained us; so mayest Thou continue to keep us in life and sustain us. O gather our exiles into the courts of Thy holy sanctuary to observe Thy statutes, to do Thy will, and to serve Thee with a perfect heart. We give thanks unto Thee. Blessed be God to whom we are ever grateful.

וְעַל כֻּלָּם יִתְבָּרַךְ וְיִתְרוֹמַם שִׁמְךָ מַלְכֵּנוּ תָּמִיד לְעוֹלָם
וָעֶד: וְכֹל הַחַיִּים יוֹדוּךָ סֶּלָה וִיהַלְלוּ אֶת־שִׁמְךָ בֶּאֱמֶת
הָאֵל יְשׁוּעָתֵנוּ וְעֶזְרָתֵנוּ סֶלָה. בָּרוּךְ אַתָּה יְיָ הַטּוֹב שִׁמְךָ
וּלְךָ נָאֶה לְהוֹדוֹת:

Reader

אֱלֹהֵינוּ וֵאלֹהֵי אֲבוֹתֵינוּ. בָּרְכֵנוּ בַּבְּרָכָה הַמְשֻׁלֶּשֶׁת בַּתּוֹרָה
הַכְּתוּבָה עַל־יְדֵי מֹשֶׁה עַבְדֶּךָ. הָאֲמוּרָה מִפִּי אַהֲרֹן וּבָנָיו כֹּהֲנִים,
עַם קְדוֹשֶׁךָ כָּאָמוּר:

Congregation	*Reader*
כֵּן יְהִי רָצוֹן:	יְבָרֶכְךָ יְיָ וְיִשְׁמְרֶךָ.
כֵּן יְהִי רָצוֹן:	יָאֵר יְיָ פָּנָיו אֵלֶיךָ וִיחֻנֶּךָּ.
כֵּן יְהִי רָצוֹן:	יִשָּׂא יְיָ פָּנָיו אֵלֶיךָ וְיָשֵׂם לְךָ שָׁלוֹם.

שִׂים שָׁלוֹם טוֹבָה וּבְרָכָה בָּעוֹלָם חֵן וָחֶסֶד וְרַחֲמִים
עָלֵינוּ וְעַל כָּל־יִשְׂרָאֵל עַמֶּךָ. בָּרְכֵנוּ אָבִינוּ כֻּלָּנוּ כְּאֶחָד
בְּאוֹר פָּנֶיךָ. כִּי בְאוֹר פָּנֶיךָ נָתַתָּ לָנוּ יְיָ אֱלֹהֵינוּ תּוֹרַת
חַיִּים וְאַהֲבַת חֶסֶד וּצְדָקָה וּבְרָכָה וְרַחֲמִים וְחַיִּים
וְשָׁלוֹם. וְטוֹב בְּעֵינֶיךָ לְבָרֵךְ אֶת־עַמְּךָ יִשְׂרָאֵל בְּכָל־
עֵת וּבְכָל־שָׁעָה בִּשְׁלוֹמֶךָ. בָּרוּךְ אַתָּה יְיָ הַמְבָרֵךְ אֶת־
עַמּוֹ יִשְׂרָאֵל בַּשָּׁלוֹם:

For all this, Thy name, O our King, shall be blessed and exalted for ever and ever. May all the living do homage unto Thee forever and praise Thy name in truth, O God, who art our salvation and our help. Blessed be Thou, O Lord, Beneficent One, unto whom our thanks are due.

Reader

Our God and God of our fathers, bless us with the threefold blessing written in the Torah of Moses, Thy servant, and spoken by Aaron and his sons, Thy consecrated priests:

Reader	*Congregation*
May the Lord bless thee and keep thee;	So may it be His will.
May the Lord make His countenace to shine upon thee and be gracious unto thee;	So may it be His will.
May the Lord turn His countenance unto thee and give thee peace.	So may it be His will.

Grant peace, well-being and ·blessing unto the world, with grace, lovingkindness and mercy for us and for all Israel, Thy people. Bless us, O our Father, all of us together, with the light of Thy presence; for by that light Thou hast given us, O Lord our God, the Torah of life, lovingkindness and righteousness, blessing and mercy, life and peace. O may it be good in Thy sight at all times to bless Thy people Israel with Thy peace. Blessed art Thou, O Lord, who blessest Thy people Israel with peace.

אֱלֹהַי נְצוֹר לְשׁוֹנִי מֵרָע וּשְׂפָתַי מִדַּבֵּר מִרְמָה
וְלִמְקַלְלַי נַפְשִׁי תִדּוֹם וְנַפְשִׁי כֶּעָפָר לַכֹּל תִּהְיֶה: פְּתַח
לִבִּי בְּתוֹרָתֶךָ וּבְמִצְוֹתֶיךָ תִּרְדּוֹף נַפְשִׁי. וְכָל הַחוֹשְׁבִים
עָלַי רָעָה. מְהֵרָה הָפֵר עֲצָתָם וְקַלְקֵל מַחֲשַׁבְתָּם: עֲשֵׂה
לְמַעַן שְׁמֶךָ עֲשֵׂה לְמַעַן יְמִינֶךָ עֲשֵׂה לְמַעַן קְדֻשָּׁתֶךָ עֲשֵׂה
לְמַעַן תּוֹרָתֶךָ: לְמַעַן יֵחָלְצוּן יְדִידֶיךָ הוֹשִׁיעָה יְמִינְךָ
וַעֲנֵנִי: יִהְיוּ לְרָצוֹן אִמְרֵי־פִי וְהֶגְיוֹן לִבִּי לְפָנֶיךָ יְיָ צוּרִי
וְגוֹאֲלִי: עֹשֶׂה שָׁלוֹם בִּמְרוֹמָיו הוּא יַעֲשֶׂה שָׁלוֹם עָלֵינוּ
וְעַל כָּל־יִשְׂרָאֵל וְאִמְרוּ אָמֵן:

יְהִי רָצוֹן מִלְּפָנֶיךָ יְיָ אֱלֹהֵינוּ וֵאלֹהֵי אֲבוֹתֵינוּ שֶׁיִּבָּנֶה בֵּית
הַמִּקְדָּשׁ בִּמְהֵרָה בְיָמֵינוּ וְתֵן חֶלְקֵנוּ בְּתוֹרָתֶךָ: וְשָׁם נַעֲבָדְךָ בְּיִרְאָה
כִּימֵי עוֹלָם וּכְשָׁנִים קַדְמוֹנִיּוֹת:

O Lord,

Guard my tongue from evil and my lips from speaking guile,
And to those who slander me, let me give no heed.
May my soul be humble and forgiving unto all.
Open Thou my heart, O Lord, unto Thy sacred Law,
That Thy statutes I may know and all Thy truths pursue.
Bring to naught designs of those who seek to do me ill;
Speedily defeat their aims and thwart their purposes
For Thine own sake, for Thine own power,
For Thy holiness and Law.
That Thy loved ones be delivered.
Answer us, O Lord, and save with Thy redeeming power.

May the words of my mouth and the meditation of my
heart be acceptable unto Thee, O Lord, my Rock and my
Redeemer. Thou who establishest peace in the heavens,
grant peace unto us and unto all Israel. Amen.

May it be Thy will, O Lord our God and God of our fathers, to
grant our portion in Thy Torah, and may the Temple be rebuilt
in our day. There we will serve Thee with awe as in the days of old.

סדר נטילת לולב

(Omitted on Sabbath)

הֲרֵנִי מוּכָן וּמְזֻמָּן לְקַיֵּם מִצְוַת בּוֹרְאִי שֶׁצִּוָּנוּ בְּתוֹרָתוֹ וּלְקַחְתֶּם לָכֶם בַּיּוֹם הָרִאשׁוֹן פְּרִי עֵץ הָדָר כַּפֹּת תְּמָרִים וַעֲנַף עֵץ־עָבֹת וְעַרְבֵי־נָחַל. וּבְנִעֲנוּעִי אוֹתָם יַשְׁפִּיעַ עָלַי שֶׁפַע בְּרָכוֹת וּמַחֲשָׁבוֹת קְדוֹשׁוֹת שֶׁהוּא אֱלֹהֵי הָאֱלֹהִים וַאֲדוֹנֵי הָאֲדוֹנִים שַׁלִּיט בְּמַטָּה וּבְמַעַל וּמַלְכוּתוֹ בַּכֹּל מָשָׁלָה. וּתְהֵא חֲשׁוּבָה מִצְוַת אַרְבָּעָה מִינִים כְּאִלּוּ קִיַּמְתִּיהָ בְּכָל־פְּרָטֶיהָ וְדִקְדּוּקֶיהָ. וִיהִי נֹעַם יְיָ אֱלֹהֵינוּ עָלֵינוּ וּמַעֲשֵׂה יָדֵינוּ כּוֹנְנָה עָלֵינוּ וּמַעֲשֵׂה יָדֵינוּ כּוֹנְנֵהוּ. בָּרוּךְ יְיָ לְעוֹלָם. אָמֵן וְאָמֵן:

בָּרוּךְ אַתָּה יְיָ אֱלֹהֵינוּ מֶלֶךְ הָעוֹלָם. אֲשֶׁר קִדְּשָׁנוּ בְּמִצְוֹתָיו וְצִוָּנוּ עַל־נְטִילַת לוּלָב:

The following blessing is said on the First Day of the Festival only. Should the First Day occur on Sabbath, it is said on the Second Day.

בָּרוּךְ אַתָּה יְיָ אֱלֹהֵינוּ מֶלֶךְ הָעוֹלָם.
שֶׁהֶחֱיָנוּ וְקִיְּמָנוּ וְהִגִּיעָנוּ לַזְּמַן הַזֶּה:

Meditations and Blessings on Taking the Lulav

(Omitted on Sabbath)

I rise in reverence ready to fulfill the command of my Creator who hath enjoined upon us in His Torah: 'And ye shall take for yourself on the first day the fruit of the goodly Hadar tree, branches of palm trees, a bough of the thick tree, and willows of the brook.' As I wave them, may the blessings of God be vouchsafed unto me and may I be imbued with holy thoughts reminding me that God is the supreme Lord, whose divine rule pervades the earth below and the heavens above, and whose kingdom has dominion over all. May my observance of this commandment be accounted as though I had fulfilled it with whole-hearted devotion.   And let the graciousness of the Lord our God be upon us; establish Thou the work of our hands; yea, the work of our hands establish Thou it.   Blessed be the Lord forever. Amen.

Blessed art Thou, O Lord our God, King of the universe, who hast sanctified us by Thy precepts and hast enjoined upon us the taking of the Lulav.

The following blessing is said on the First Day of the Festival only. Should the First Day occur on Sabbath, it is said on the Second Day.

Blessed art Thou, O Lord our God, King of the universe, who hast kept us in life, and hast sustained us, and enabled us to reach this festive season.

MEDITATION

As we wave the Lulav in all directions, we acknowledge as did our forefathers that Thou, O Lord, art everywhere. From the north and from the south, from the east and from the west, praise the Lord. The heavens praise Thee. All the earth praises Thy name.

The eyes, represented by the leaves of the myrtle, the lips, represented by the leaves of the willow, the spine, by the palm branch, and the heart, by the citron, — all render praise unto Thee, O Lord on high.

סדר הלל

For Festivals, Sabbath Rosh Ḥodesh and Sabbath of Ḥanukkah

בָּרוּךְ אַתָּה יְיָ אֱלֹהֵינוּ מֶלֶךְ הָעוֹלָם. אֲשֶׁר
קִדְּשָׁנוּ בְּמִצְוֹתָיו וְצִוָּנוּ לִקְרוֹא אֶת־הַהַלֵּל:

תהלים קי"ג

הַלְלוּיָהּ

הַלְלוּ עַבְדֵי יְיָ	הַלְלוּ אֶת־שֵׁם יְיָ:
יְהִי שֵׁם יְיָ מְבֹרָךְ	מֵעַתָּה וְעַד־עוֹלָם:
מִמִּזְרַח־שֶׁמֶשׁ עַד־מְבוֹאוֹ	מְהֻלָּל שֵׁם יְיָ:
רָם עַל־כָּל־גּוֹיִם יְיָ	עַל הַשָּׁמַיִם כְּבוֹדוֹ:
מִי כַּיְיָ אֱלֹהֵינוּ	הַמַּגְבִּיהִי לָשָׁבֶת:
הַמַּשְׁפִּילִי לִרְאוֹת	בַּשָּׁמַיִם וּבָאָרֶץ:
מְקִימִי מֵעָפָר דָּל	מֵאַשְׁפֹּת יָרִים אֶבְיוֹן:
לְהוֹשִׁיבִי עִם־נְדִיבִים	עִם נְדִיבֵי עַמּוֹ:
מוֹשִׁיבִי עֲקֶרֶת הַבַּיִת	אֵם־הַבָּנִים שְׂמֵחָה

הַלְלוּיָהּ:

110

HALLEL

For Festivals, Sabbath of New Moon and Sabbath of Ḥanukkah

Blessed art Thou, O Lord our God, King of the universe, who hast sanctified us by Thy precepts and hast enjoined upon us the reading of the Hallel.

PSALM 113

Hallelujah.

Praise, O ye servants of the Lord,
Praise the name of the Lord.

Blessed be the name of the Lord
From this time forth and forever.

From the rising of the sun unto its going down,
The Lord's name is to be praised.

The Lord is supreme above all nations;
His glory is above the heavens.

Who is like unto the Lord our God,
Enthroned so high,

That looketh down below
Upon heaven and earth?

He raiseth up the poor out of the dust,
And lifteth up the needy from the dunghill,

To seat him together with princes,
Together with the princes of His people.

He maketh the childless woman to dwell in her house
As a joyful mother of children.

Hallelujah.

תהלים קי״ד

בְּצֵאת יִשְׂרָאֵל מִמִּצְרָיִם   בֵּית יַעֲקֹב מֵעַם לֹעֵז:
הָיְתָה יְהוּדָה לְקָדְשׁוֹ   יִשְׂרָאֵל מַמְשְׁלוֹתָיו:
הַיָּם רָאָה וַיָּנֹס   הַיַּרְדֵּן יִסֹּב לְאָחוֹר:
הֶהָרִים רָקְדוּ כְאֵילִים   גְּבָעוֹת כִּבְנֵי־צֹאן:
מַה־לְּךָ הַיָּם כִּי תָנוּס   הַיַּרְדֵּן תִּסֹּב לְאָחוֹר:
הֶהָרִים תִּרְקְדוּ כְאֵילִים   גְּבָעוֹת כִּבְנֵי־צֹאן:
מִלִּפְנֵי אָדוֹן חוּלִי אָרֶץ   מִלִּפְנֵי אֱלוֹהַּ יַעֲקֹב:
הַהֹפְכִי הַצּוּר אֲגַם־מָיִם   חַלָּמִישׁ לְמַעְיְנוֹ־מָיִם:

The following section is omitted on Rosh Ḥodesh and the last six days of Pesaḥ.

קט״ו לֹא לָנוּ יְהוָה לֹא־לָנוּ   כִּי־לְשִׁמְךָ תֵּן כָּבוֹד
עַל חַסְדְּךָ עַל אֲמִתֶּךָ:
לָמָּה יֹאמְרוּ הַגּוֹיִם   אַיֵּה־נָא אֱלֹהֵיהֶם:
וֵאלֹהֵינוּ בַשָּׁמָיִם   כֹּל אֲשֶׁר־חָפֵץ עָשָׂה:
עֲצַבֵּיהֶם כֶּסֶף וְזָהָב   מַעֲשֵׂה יְדֵי אָדָם:
פֶּה־לָהֶם וְלֹא יְדַבֵּרוּ   עֵינַיִם לָהֶם וְלֹא יִרְאוּ:
אָזְנַיִם לָהֶם וְלֹא יִשְׁמָעוּ   אַף לָהֶם וְלֹא יְרִיחוּן:
יְדֵיהֶם וְלֹא יְמִישׁוּן   רַגְלֵיהֶם וְלֹא יְהַלֵּכוּ
לֹא־יֶהְגּוּ בִּגְרוֹנָם:
כְּמוֹהֶם יִהְיוּ עֹשֵׂיהֶם   כֹּל אֲשֶׁר־בֹּטֵחַ בָּהֶם:
יִשְׂרָאֵל בְּטַח בַּיהוָה   עֶזְרָם וּמָגִנָּם הוּא:
בֵּית אַהֲרֹן בִּטְחוּ בַיהוָה   עֶזְרָם וּמָגִנָּם הוּא:
יִרְאֵי יְהוָה בִּטְחוּ בַיהוָה   עֶזְרָם וּמָגִנָּם הוּא:

PSALM 114

When Israel came forth out of Egypt,
The house of Jacob from a people of strange language;
  Judah became His holy portion,
  Israel His own dominion.
The sea saw it, and fled;
The Jordan turned back in its course.
  The mountains skipped like rams,
  The hills like young sheep.
What aileth thee, O sea, that thou fleest?
O Jordan, that thou turnest back in thy course?
  Ye mountains that skip like rams;
  And ye hills, like young sheep?
Tremble, thou earth, at the presence of the Lord,
At the presence of the God of Jacob,
  Who turned the rock into a pool,
  The flint into a fountain of waters.

The following section is omitted on New Moon and the last six days of Passover.

PSALM 115:1–11

Not for us, O Lord, not for us, but for Thy name give glory
For Thy mercy, and for Thy truth's sake.
  Wherefore should the nations taunt us, saying:
  'Where is now their God?'
Our God is in the heavens, doing all that He willeth.
  Their idols are mere silver and gold,
  The work of men's hands.
They have mouths, but they speak not:
Eyes have they, but they see not:
  They have ears, but they hear not;
  Noses have they, but they inhale not;
They have hands, but they touch not;
Feet have they, but they walk not;
Neither can they make sound with their throats.
  Whoever makes them shall become like them;
  Yea, every one that trusts in them.
But Israel, trust in the Lord! He is your help and your shield.
  O house of Aaron, trust in the Lord!
  He is your help and your shield.
You who revere the Lord, trust in the Lord!
He is your help and your shield.

תהלים קט"ו י"ב–י"ח

יְיָ זְכָרָנוּ יְבָרֵךְ יְבָרֵךְ אֶת־בֵּית יִשְׂרָאֵל
יְבָרֵךְ אֶת־בֵּית אַהֲרֹן:
יְבָרֵךְ יִרְאֵי יְיָ הַקְּטַנִּים עִם־הַגְּדֹלִים:
יֹסֵף יְיָ עֲלֵיכֶם עֲלֵיכֶם וְעַל־בְּנֵיכֶם:
בְּרוּכִים אַתֶּם לַייָ עֹשֵׂה שָׁמַיִם וָאָרֶץ:
הַשָּׁמַיִם שָׁמַיִם לַייָ וְהָאָרֶץ נָתַן לִבְנֵי־אָדָם:
לֹא הַמֵּתִים יְהַלְלוּ־יָהּ וְלֹא כָּל־יֹרְדֵי דוּמָה:
וַאֲנַחְנוּ נְבָרֵךְ יָהּ מֵעַתָּה וְעַד־עוֹלָם.
הַלְלוּיָהּ:

he following section is omitted on Rosh Hodesh and the last six days of Pesaḥ.

תהלים קט"ז א'–י"א

אָהַבְתִּי כִּי־יִשְׁמַע יְיָ אֶת־קוֹלִי תַּחֲנוּנָי:
כִּי־הִטָּה אָזְנוֹ לִי וּבְיָמַי אֶקְרָא:
אֲפָפוּנִי חֶבְלֵי־מָוֶת וּמְצָרֵי שְׁאוֹל מְצָאוּנִי
צָרָה וְיָגוֹן אֶמְצָא:
וּבְשֵׁם־יְיָ אֶקְרָא אָנָּה יְיָ מַלְּטָה נַפְשִׁי:
חַנּוּן יְיָ וְצַדִּיק וֵאלֹהֵינוּ מְרַחֵם:
שֹׁמֵר פְּתָאִים יְיָ דַּלֹּתִי וְלִי יְהוֹשִׁיעַ:
שׁוּבִי נַפְשִׁי לִמְנוּחָיְכִי כִּי־יְיָ גָּמַל עָלָיְכִי:
כִּי חִלַּצְתָּ נַפְשִׁי מִמָּוֶת אֶת־עֵינִי מִן־דִּמְעָה
אֶת־רַגְלִי מִדֶּחִי:
אֶתְהַלֵּךְ לִפְנֵי יְיָ בְּאַרְצוֹת הַחַיִּים:
הֶאֱמַנְתִּי כִּי אֲדַבֵּר אֲנִי עָנִיתִי מְאֹד:
אֲנִי אָמַרְתִּי בְחָפְזִי כָּל־הָאָדָם כֹּזֵב:

PSALM 115:12–18

The Lord who hath been mindful of us,
May He bless us;

  May He bless the house of Israel;
  May He bless the house of Aaron.

May He bless them that revere the Lord,
Small and great alike.

  May the Lord increase you,
  You and your children.

Blessed may you be by the Lord,
The Maker of heaven and earth.

  The heavens are the heavens of the Lord,
  But the earth hath He given to the children of men.

The dead praise not the Lord,
Neither any that go down into silence;

  But we will bless the Lord
  From this time forth and forever. Hallelujah.

The following section is omitted on New Moon and on the last six
days of Passover.

PSALM 116:1–11

I delight when the Lord heareth the voice of my supplications.

  For He inclineth His ear unto me on the day I call upon Him.

The cords of death had encircled me,
And the straits of the netherworld had overtaken me;
I was in anguish and sorrow.

  But I called upon the name of the Lord:
  'O Lord, do Thou save me.'

Gracious is the Lord, and righteous;
Yea, our God is merciful.

  The Lord guardeth the simple;
  When I was brought low, He saved me.

Return, O my soul, unto thy tranquility,
For the Lord hath dealt bountifully with thee.

  For Thou hast delivered my soul from death,
  Mine eyes from tears, and my feet from stumbling.

I shall walk before the Lord in the land of the living.

  I trusted in God even when I cried out:
  'I am greatly afflicted.'

Even when I said in my distraction:
'All men are untrustworthy,'
I placed my faith in God.

תהלים קט״ז יב-י״ט

מָה־אָשִׁיב לַיְיָ   כָּל־תַּגְמוּלוֹהִי עָלָי:

כּוֹס־יְשׁוּעוֹת אֶשָּׂא   וּבְשֵׁם יְיָ אֶקְרָא:

נְדָרַי לַיְיָ אֲשַׁלֵּם   נֶגְדָה־נָּא לְכָל עַמּוֹ:

יָקָר בְּעֵינֵי יְיָ   הַמָּוְתָה לַחֲסִידָיו:

אָנָּה יְיָ כִּי־אֲנִי עַבְדֶּךָ   אֲנִי עַבְדְּךָ בֶּן־אֲמָתֶךָ

פִּתַּחְתָּ לְמוֹסֵרָי:

לְךָ־אֶזְבַּח זֶבַח תּוֹדָה   וּבְשֵׁם יְיָ אֶקְרָא:

נְדָרַי לַיְיָ אֲשַׁלֵּם   נֶגְדָה־נָּא לְכָל־עַמּוֹ:

בְּחַצְרוֹת בֵּית יְיָ   בְּתוֹכֵכִי יְרוּשָׁלָיִם.

הַלְלוּיָהּ:

תהלים קי״ז

הַלְלוּ אֶת־יְיָ כָּל־גּוֹיִם שַׁבְּחוּהוּ כָּל־הָאֻמִּים:

כִּי גָבַר עָלֵינוּ חַסְדּוֹ וֶאֱמֶת־יְיָ לְעוֹלָם. הַלְלוּיָהּ:

תהלים קי״ח

הוֹדוּ לַיְיָ כִּי־טוֹב   כִּי לְעוֹלָם חַסְדּוֹ:

יֹאמַר־נָא יִשְׂרָאֵל   כִּי לְעוֹלָם חַסְדּוֹ:

יֹאמְרוּ־נָא בֵית־אַהֲרֹן   כִּי לְעוֹלָם חַסְדּוֹ:

יֹאמְרוּ־נָא יִרְאֵי יְיָ   כִּי לְעוֹלָם חַסְדּוֹ:

Psalm 116:12–19

What can I render unto the Lord
For all His bountiful dealings toward me?

I will lift up the cup of salvation,
And call upon the name of the Lord.

My vows will I pay unto the Lord,
Yea, in the presence of all His people.

Grievous in the sight of the Lord
Is the death of His faithful ones.

Ah, Lord, I am indeed Thy servant;
I am Thy servant, the son of Thy handmaid;
Thou hast loosed my bonds.

I will offer to Thee a sacrifice of thanksgiving,
And call upon the name of the Lord.

I will pay my vows unto the Lord,
Yea, in the presence of all His people;

In the courts of the Lord's house,
In the midst of Jerusalem.

Hallelujah.

Psalm 117

O praise the Lord, all ye nations;
Laud Him, all ye peoples.

For great is His mercy toward us;
And the faithfulness of the Lord is everlasting. Hallelujah.

Psalm 118

O give thanks unto the Lord, for He is good,
For His lovingkindness endureth forever.

O let now Israel say:
His lovingkindness endureth forever.

Let now the house of Aaron say:
His lovingkindness endureth forever.

Let them that revere the Lord say:
His lovingkindness endureth forever.

מִן־הַמֵּצַר קָרָאתִי יָּהּ עָנָנִי בַמֶּרְחַבְיָה:
יְיָ לִי לֹא אִירָא מַה־יַּעֲשֶׂה לִי אָדָם:
יְיָ לִי בְּעֹזְרָי וַאֲנִי אֶרְאֶה בְשֹׂנְאָי:
טוֹב לַחֲסוֹת בַּייָ מִבְּטֹחַ בָּאָדָם:
טוֹב לַחֲסוֹת בַּייָ מִבְּטֹחַ בִּנְדִיבִים:
כָּל־גּוֹיִם סְבָבוּנִי בְּשֵׁם יְיָ כִּי אֲמִילַם:
סַבּוּנִי גַם־סְבָבוּנִי בְּשֵׁם יְיָ כִּי אֲמִילַם:
סַבּוּנִי כִדְבֹרִים דֹּעֲכוּ כְּאֵשׁ קוֹצִים
בְּשֵׁם יְיָ כִּי אֲמִילַם:
דָּחֹה דְחִיתַנִי לִנְפֹּל וַייָ עֲזָרָנִי:
עָזִּי וְזִמְרָת יָהּ וַיְהִי־לִי לִישׁוּעָה:
קוֹל רִנָּה וִישׁוּעָה בְּאָהֳלֵי צַדִּיקִים
יְמִין יְיָ עֹשָׂה חָיִל:
יְמִין יְיָ רוֹמֵמָה יְמִין יְיָ עֹשָׂה חָיִל:
לֹא־אָמוּת כִּי־אֶחְיֶה וַאֲסַפֵּר מַעֲשֵׂי יָהּ:
יַסֹּר יִסְּרַנִּי יָּהּ וְלַמָּוֶת לֹא נְתָנָנִי:
פִּתְחוּ־לִי שַׁעֲרֵי־צֶדֶק אָבֹא־בָם אוֹדֶה יָהּ:
זֶה־הַשַּׁעַר לַייָ צַדִּיקִים יָבֹאוּ בוֹ:

Out of my straits I called upon the Lord;
He answered me and set me free.

   The Lord is with me, I will not fear;
   What can man do unto me?

The Lord is with me as my helper,
I shall see my adversaries discomfited.

   It is better to take refuge in the Lord
   Than to trust in man.

It is better to take refuge in the Lord
Than to trust in princes.

   Many nations beset me;
   Verily, in the name of the Lord, I will overcome them.

They beset me, yea, they compassed me about;
Verily, in the name of the Lord, I will overcome them.

   They compassed me about like bees,
   But they were extinguished like a fire of thorns;
   Verily, in the name of the Lord, I did subdue them.

Thou, O foe, didst thrust at me that I might fall;
But the Lord helped me.

   The Lord is my strength and my song,
   And He hath become my salvation.

Hark! Rejoicing and triumph in the tents of the righteous:
'The right hand of the Lord doeth valiantly.

   The right hand of the Lord is exalted;
   The right hand of the Lord doeth valiantly.'

I shall not die, but live,
And recount the works of the Lord.

   The Lord hath indeed chastened me,
   But He hath not given me over unto death.

Open to me the gates of victory;
I will enter them; I will give thanks unto the Lord.

   This is the gate of the Lord;
   The righteous shall enter it.

Each of the following verses is repeated

אוֹדְךָ כִּי עֲנִיתָנִי וַתְּהִי־לִי לִישׁוּעָה:
אֶבֶן מָאֲסוּ הַבּוֹנִים הָיְתָה לְרֹאשׁ פִּנָּה:
מֵאֵת יְיָ הָיְתָה זֹּאת הִיא נִפְלָאת בְּעֵינֵינוּ:
זֶה־הַיּוֹם עָשָׂה יְיָ נָגִילָה וְנִשְׂמְחָה בוֹ:

Reader and Congregation

אָנָּא יְיָ הוֹשִׁיעָה נָּא: אָנָּא יְיָ הוֹשִׁיעָה נָּא:
אָנָּא יְיָ הַצְלִיחָה נָא: אָנָּא יְיָ הַצְלִיחָה נָא:

Each of the following verses is repeated

בָּרוּךְ הַבָּא בְּשֵׁם יְיָ בֵּרַכְנוּכֶם מִבֵּית יְיָ:
אֵל יְיָ וַיָּאֶר לָנוּ אִסְרוּ־חַג בַּעֲבֹתִים
עַד־קַרְנוֹת הַמִּזְבֵּחַ:
אֵלִי אַתָּה וְאוֹדֶךָּ אֱלֹהַי אֲרוֹמְמֶךָּ:
הוֹדוּ לַיָי כִּי־טוֹב כִּי לְעוֹלָם־חַסְדּוֹ:

יְהַלְלוּךָ יְיָ אֱלֹהֵינוּ כָּל־מַעֲשֶׂיךָ. וַחֲסִידֶיךָ צַדִּיקִים עוֹשֵׂי רְצוֹנֶךָ וְכָל־עַמְּךָ בֵּית יִשְׂרָאֵל בְּרִנָּה יוֹדוּ וִיבָרְכוּ וִישַׁבְּחוּ וִיפָאֲרוּ וִירוֹמְמוּ וְיַעֲרִיצוּ וְיַקְדִּישׁוּ וְיַמְלִיכוּ אֶת־שִׁמְךָ מַלְכֵּנוּ: כִּי לְךָ טוֹב לְהוֹדוֹת וּלְשִׁמְךָ נָאֶה לְזַמֵּר. כִּי מֵעוֹלָם וְעַד עוֹלָם אַתָּה אֵל. בָּרוּךְ אַתָּה יְיָ מֶלֶךְ מְהֻלָּל בַּתִּשְׁבָּחוֹת:

Each of the following four verses is repeated

I will give thanks unto Thee, for Thou hast answered **me**
And art become my salvation.

The stone which the builders rejected
Is become the chief cornerstone.

By the grace of the Lord has this been done;
It is marvelous in our eyes.

This is the day which the Lord hath made;
On it we will rejoice and be glad.

Reader and Congregation

We beseech Thee, O Lord, do Thou save us!
We beseech Thee, O Lord, do Thou save us!

We beseech Thee, O Lord, do Thou prosper us!
We beseech Thee, O Lord, do Thou prosper us!

Each of the following verses is repeated

Blessed be he that comes in the name of the Lord;
We bless you from the house of the Lord.

The Lord is God, and hath given us light;
Adorn the festival procession with myrtle boughs
Round the horns of the altar.

Thou art my God, and I will give thanks unto Thee;
Thou art my God, I will exalt Thee.

O give thanks unto the Lord, for He is good,
For His lovingkindness endureth forever.

All Thy works shall praise Thee, O Lord our God, and
Thy pious ones, the just who do Thy will, together with all
Thy people, the house of Israel, shall thank and bless,
exalt and reverence, sanctify and ascribe sovereignty unto
Thy name, O our King. For it is good to give thanks unto
Thee, and fitting to sing praises unto Thy name, for Thou
art God from everlasting to everlasting. Blessed art Thou,
O Lord, Thou King extolled with praises.

Reader

יִתְגַּדַּל וְיִתְקַדַּשׁ שְׁמֵהּ רַבָּא. בְּעָלְמָא דִּי בְרָא כִרְעוּתֵהּ. וְיַמְלִיךְ מַלְכוּתֵהּ בְּחַיֵּיכוֹן וּבְיוֹמֵיכוֹן וּבְחַיֵּי דְכָל בֵּית יִשְׂרָאֵל בַּעֲגָלָא וּבִזְמַן קָרִיב. וְאִמְרוּ אָמֵן:

Congregation and Reader

יְהֵא שְׁמֵהּ רַבָּא מְבָרַךְ לְעָלַם וּלְעָלְמֵי עָלְמַיָּא:

Reader

יִתְבָּרַךְ וְיִשְׁתַּבַּח וְיִתְפָּאַר וְיִתְרוֹמַם וְיִתְנַשֵּׂא וְיִתְהַדַּר וְיִתְעַלֶּה וְיִתְהַלַּל שְׁמֵהּ דְּקֻדְשָׁא. בְּרִיךְ הוּא. לְעֵלָּא מִן כָּל בִּרְכָתָא וְשִׁירָתָא תֻּשְׁבְּחָתָא וְנֶחֱמָתָא דַּאֲמִירָן בְּעָלְמָא. וְאִמְרוּ אָמֵן:

תִּתְקַבַּל צְלוֹתְהוֹן וּבָעוּתְהוֹן דְּכָל יִשְׂרָאֵל קֳדָם אֲבוּהוֹן דִּי בִשְׁמַיָּא. וְאִמְרוּ אָמֵן:

יְהֵא שְׁלָמָא רַבָּא מִן שְׁמַיָּא וְחַיִּים עָלֵינוּ וְעַל כָּל־יִשְׂרָאֵל. וְאִמְרוּ אָמֵן:

עֹשֶׂה שָׁלוֹם בִּמְרוֹמָיו הוּא יַעֲשֶׂה שָׁלוֹם עָלֵינוּ וְעַל כָּל־יִשְׂרָאֵל. וְאִמְרוּ אָמֵן:

Reader

Magnified and sanctified be the name of God throughout the world which He hath created according to His will. May He establish His kingdom during the days of your life and during the life of all the house of Israel, speedily, yea, soon; and say ye, Amen.

Congregation and Reader

May His great name be blessed for ever and ever.

Reader

Exalted and honored be the name of the Holy One, blessed be He, whose glory transcends, yea, is beyond all praises, hymns and blessings that man can render unto Him; and say ye, Amen.

May the prayers and supplications of the house of Israel be acceptable unto their Father in heaven; and say ye, Amen.

May there be abundant peace from heaven, and life for us and for all Israel; and say ye, Amen.

May He who establisheth peace in the heavens, grant peace unto us and unto all Israel; and say ye, Amen.

סדר הוצאת התורה*

אֵין־כָּמְוֹךָ בָאֱלֹהִים אֲדֹנָי וְאֵין כְּמַעֲשֶׂיךָ:

מַלְכוּתְךָ מַלְכוּת כָּל־עֹלָמִים וּמֶמְשַׁלְתְּךָ בְּכָל־דּוֹר וָדֹר:

יְיָ מֶלֶךְ יְיָ מָלָךְ יְיָ יִמְלֹךְ לְעֹלָם וָעֶד:

יְיָ עֹז לְעַמּוֹ יִתֵּן יְיָ יְבָרֵךְ אֶת־עַמּוֹ בַשָּׁלוֹם:

אַב הָרַחֲמִים הֵיטִיבָה בִרְצוֹנְךָ אֶת־צִיּוֹן תִּבְנֶה חוֹמוֹת יְרוּשָׁלָיִם:

כִּי בְךָ לְבַד בָּטָחְנוּ מֶלֶךְ אֵל רָם וְנִשָּׂא אֲדוֹן עוֹלָמִים:

The Ark is opened.

וַיְהִי בִּנְסֹעַ הָאָרֹן וַיֹּאמֶר מֹשֶׁה קוּמָה יְיָ וְיָפֻצוּ אֹיְבֶיךָ וְיָנֻסוּ מְשַׂנְאֶיךָ מִפָּנֶיךָ: כִּי מִצִּיּוֹן תֵּצֵא תוֹרָה וּדְבַר־יְיָ מִירוּשָׁלָיִם:

בָּרוּךְ שֶׁנָּתַן תּוֹרָה לְעַמּוֹ יִשְׂרָאֵל בִּקְדֻשָּׁתוֹ:

On Sabbath

זוהר פ׳ ויקהל

בְּרִיךְ שְׁמֵהּ דְּמָרֵא עָלְמָא. בְּרִיךְ כִּתְרָךְ וְאַתְרָךְ. יְהֵא רְעוּתָךְ עִם עַמָּךְ יִשְׂרָאֵל לְעָלַם. וּפֻרְקַן יְמִינָךְ אַחֲזֵי לְעַמָּךְ בְּבֵית מַקְדְּשָׁךְ. וּלְאַמְטוּיֵא לָנָא מִטּוּב נְהוֹרָךְ. וּלְקַבֵּל צְלוֹתָנָא בְּרַחֲמִין: יְהֵא רַעֲוָא קֳדָמָךְ. דְּתוֹרִיךְ לָן חַיִּין בְּטִיבוּתָא. וְלֶהֱוֵא אֲנָא פְקִידָא בְּגוֹ צַדִּיקַיָּא. לְמִרְחַם עֲלַי וּלְמִנְטַר יָתִי וְיָת כָּל־דִּי לִי וְדִי לְעַמָּךְ יִשְׂרָאֵל: אַנְתְּ הוּא זָן לְכֹלָּא וּמְפַרְנֵס לְכֹלָּא. אַנְתְּ הוּא שַׁלִּיט עַל כֹּלָּא. אַנְתְּ הוּא דְּשַׁלִּיט עַל מַלְכַיָּא. וּמַלְכוּתָא דִּי־לָךְ

**On Simhat Torah the service continues with אתה הראת, page 215.*

SERVICE FOR TAKING OUT THE TORAH*

There is none like unto Thee among the mighty, O Lord, and there are no deeds like unto Thine. Thy kingdom is an everlasting kingdom and Thy dominion endureth throughout all generations. The Lord reigneth, the Lord hath reigned, the Lord will reign for ever and ever. May the Lord give strength unto His people; may the Lord bless His people with peace.

Father of compassion, may it be Thy will to favor Zion with Thy goodness and rebuild the walls of Jerusalem. For in Thee alone do we trust, O King, high and exalted God, Lord of the universe.

The Ark is opened.

And it came to pass that when the Ark moved forward, Moses said: Rise up, O Lord, and let Thine enemies be scattered; and let them that hate Thee flee before Thee.

For out of Zion shall go forth the Torah, and the word of the Lord from Jerusalem.

Blessed be He who, in His holiness, gave the Torah to His people Israel.

On Sabbath

Adapted from the Zohar, Parshath Vayakhel

Blessed be Thy name, O Sovereign of the universe. Blessed be Thy crown and Thy abiding-place. May Thy favor rest upon Thy people Israel forever. Reveal to Thy people in Thy Sanctuary the redeeming power of Thy right hand. Grant us the benign gift of Thy light, and in mercy accept our supplications. May it be Thy will to prolong our life in well-being. Let us be numbered among the righteous, so that Thou mayest be merciful unto us, and protect us and all our dear ones, and all Thy people Israel. Thou feedest and sustainest all; Thou rulest over all; yea, Thou rulest over kings, for all dominion is Thine.

On Simḥat Torah the service continues with Atta hareita, page 215.

הִיא: אֲנָא עַבְדָּא דְקוּדְשָׁא בְּרִיךְ הוּא. דְּסָגִידְנָא קַמֵּהּ וּמִקַּמָּא דִּיקָר אוֹרַיְתֵהּ. בְּכָל עִדָּן וְעִדָּן: לָא עַל אֱנָשׁ רָחִיצְנָא. וְלָא עַל בַּר אֱלָהִין סָמִיכְנָא. אֶלָּא בֶּאֱלָהָא דִשְׁמַיָּא. דְּהוּא אֱלָהָא קְשׁוֹט וְאוֹרַיְתֵהּ קְשׁוֹט וּנְבִיאוֹהִי קְשׁוֹט. וּמַסְגֵּא לְמֶעְבַּד טָבְוָן וּקְשׁוֹט. בֵּהּ אֲנָא רָחִץ וְלִשְׁמֵהּ קַדִּישָׁא יַקִּירָא אֲנָא אֵמַר תֻּשְׁבְּחָן: יְהֵא רַעֲוָא קֳדָמָךְ דְּתִפְתַּח לִבִּי בְּאוֹרַיְתָא. וְתַשְׁלִים מִשְׁאֲלִין דְּלִבִּי. וְלִבָּא דְכָל־עַמָּךְ יִשְׂרָאֵל. לְטָב וּלְחַיִּין וְלִשְׁלָם:

When a Festival occurs on a weekday, add:

יְיָ יְיָ. אֵל רַחוּם וְחַנּוּן. אֶרֶךְ אַפַּיִם וְרַב־חֶסֶד וֶאֱמֶת: נֹצֵר חֶסֶד לָאֲלָפִים. נֹשֵׂא עָוֹן וָפֶשַׁע וְחַטָּאָה וְנַקֵּה:

רִבּוֹן הָעוֹלָם. מַלֵּא מִשְׁאֲלוֹת לִבִּי לְטוֹבָה. וְהָפֵק רְצוֹנִי וְתֵן לִי שְׁאֵלָתִי וְזַכֵּנִי לַעֲשׂוֹת רְצוֹנְךָ בְּלֵבָב שָׁלֵם. וּמַלְּטֵנִי מִיֵּצֶר הָרָע. וְתֵן חֶלְקֵנוּ בְּתוֹרָתֶךָ. וְזַכֵּנוּ כְּדֵי שֶׁתִּשְׁרֶה שְׁכִינָתְךָ עָלֵינוּ. וְהוֹפַע עָלֵינוּ רוּחַ חָכְמָה וּבִינָה רוּחַ עֵצָה וּגְבוּרָה רוּחַ דַּעַת וְיִרְאַת יְיָ. וְכֵן יְהִי רָצוֹן מִלְּפָנֶיךָ יְיָ אֱלֹהֵינוּ וֵאלֹהֵי אֲבוֹתֵינוּ שֶׁאֶזְכֶּה לַעֲשׂוֹת מַעֲשִׂים טוֹבִים בְּעֵינֶיךָ. וְלָלֶכֶת בְּדַרְכֵי יְשָׁרִים לְפָנֶיךָ. וְקַדְּשֵׁנוּ בְּמִצְוֹתֶיךָ כְּדֵי שֶׁנִּזְכֶּה לְחַיִּים טוֹבִים וַאֲרוּכִים לְחַיֵּי הָעוֹלָם הַבָּא. וְתִשְׁמְרֵנוּ מִמַּעֲשִׂים רָעִים וּמִשָּׁעוֹת רָעוֹת הַמִּתְרַגְּשׁוֹת לָבֹא לָעוֹלָם. וְהַבּוֹטֵחַ בַּיְיָ חֶסֶד יְסוֹבְבֶנּוּ. אָמֵן:

יִהְיוּ לְרָצוֹן אִמְרֵי־פִי וְהֶגְיוֹן לִבִּי לְפָנֶיךָ יְיָ צוּרִי וְגוֹאֲלִי:

וַאֲנִי תְפִלָּתִי־לְךָ יְיָ עֵת רָצוֹן

אֱלֹהִים בְּרָב־חַסְדֶּךָ עֲנֵנִי בֶּאֱמֶת יִשְׁעֶךָ:

We are the servants of the Holy One, blessed be He, before whom and before whose glorious Torah we bow at all times. Not in men do we put our trust, nor upon any angel do we rely, but upon the God of heaven, who is the God of truth, and whose Torah is truth, and whose prophets are prophets of truth, and who aboundeth in deeds of goodness and truth. In Him do we trust, and unto His holy and glorious name we utter praises. May it be Thy will to open our hearts unto Thy Torah, and to fulfill the wishes of our hearts and of the hearts of all Thy people Israel for good, for life and for peace. Amen.

When a Festival occurs on a weekday, add:

The Lord, the Eternal, is a merciful and gracious God, slow to anger and abounding in lovingkindness and truth; keeping mercy for thousands, forgiving iniquity, transgression and sin, and acquitting.

MEDITATION

Lord of the universe, fulfill the wishes of my heart for good. Grant my request and my petition; make me worthy to do Thy will with a perfect heart; and keep me strong to resist temptation. O grant our portion in Thy Torah. Make us worthy of Thy divine presence. Bestow upon us the spirit of wisdom and understanding, the spirit of counsel and might, the spirit of knowledge and the fear of the Lord. May it be Thy will, O Lord our God and God of our fathers, that I may be worthy to perform good deeds in Thy sight, and to walk before Thee in the way of the upright. Sanctify us by Thy commandments, that we may merit on earth a life of goodness and health and be worthy of life eternal. Guard us from evil deeds and from evil times that may threaten the world. May lovingkindness surround him who trusts in the Lord. Amen.

May the words of my mouth and the meditation of my heart be acceptable before Thee, O Lord, my Rock and my Redeemer. Accept my prayer, O Lord, and answer me with Thy great mercy and with Thy saving truth. Amen.

PRAYERS BEFORE THE ARK — SABBATH

1

Almighty God, reverently we stand before Thy Law, the Torah, Thy most precious gift to man, — the Holy Writ our fathers learned and taught, preserved for us, a heritage unto all generations. May we, their children's children, ponder every word and find as they, new evidence of Thee in every precept, each eternal truth. O Light of Ages, Thou art still our light, our guide, our fortress. May Thy Torah ever be our Tree of Life, our shield and stay, that we may take its teachings to our heart and thus draw near to Thee. Amen.

2

Thou Sovereign of the world and Ruler of mankind, as we stand before the open ark of Thy Torah we gratefully acknowledge Thee to be our Father and our Law-giver. Thou hast bequeathed unto us Thy Law, a sacred heritage for all time. Give us discernment to know and wisdom to understand that Thy Torah is our life and the length of our days. Teach us so to live that we shall be guided by Thy commandments. May Thy Word ever be a lamp unto our feet and a light unto our path, showing us the way to true and righteous living. Amen.

3

Almighty Father, on this Sabbath day, as we approach Thine altar to gain inspiration from Thy Torah, we pray that Thou wilt open our hearts unto Thy Law to the end that we may fulfill Thy holy precepts. Thou who didst bring order out of chaos, who didst establish harmony among the heavenly bodies, do Thou bring order and harmony into our lives and the lives of all mankind. May the portion of the Torah we read today inspire us to dedicate ourselves wholeheartedly to all that makes for just and righteous living. Hasten the day when Thy Law shall guide the lives of all the peoples of the earth, when all men shall live together as brothers recognizing Thee, the Father of all. Amen.

PRAYERS BEFORE THE ARK—FESTIVALS

Our God and God of our fathers, we stand before the open Ark of Thy Covenant to acknowledge Thy sovereignty. Before Thee and before the glory of Thy Law do we bow at all times. For Thou art Truth and Thy Torah is Truth, and Thy prophets are prophets of Truth, and Thou dost abound in mercy and in truth.

Do Thou enlighten our eyes that we may behold the wonders of Thy Torah. Endow us with wisdom that we may understand its precepts, and inspire us with courage that we may hold aloft the banner of Thy Law in the eyes of all men.

Pesaḥ

1

We thank Thee, O our Father for the joy and gladness of this festival. At this Season of our Freedom, we are grateful unto Thee, O Redeemer of Israel, for the redemption Thou hast wrought for our fathers and for us. Thou didst bring us forth from slavery to freedom, from darkness to light, from human bondage to Thy divine service. As Thou wast with our fathers, we pray Thee, be with us in every generation. Amen.

2

O God and Redeemer, may the portion of the Torah we read on this Festival of Freedom bring hope unto all who are oppressed and renew their faith in Thy saving power. Thou who desirest that all men be free, didst enjoin upon us to proclaim liberty to all the inhabitants of the earth. May that day soon come, O Lord, when all Thy children shall be liberated from bondage, and free men everywhere unite in rendering homage unto Thee. Amen.

PRAYERS BEFORE THE ARK — FESTIVALS

Shavuot

1

At this season which marks the Giving of the Torah, we are grateful unto Thee, our Lawgiver, for the revelation of Thy will which, at Sinai, Thou didst vouchsafe unto our fathers, to us and to all mankind. Keep us through the increasing years, staunch and loyal to Thy covenant that we may realize our sacred calling as "a kingdom of priests and a holy people." Amen.

2

O Lord our God, on this festive day we recall that on Sinai Thou didst reveal Thyself, and through Thine immortal words didst weld our people into a nation through Torah. Standing before the sacred scrolls of Thy Law, we here renew the ancient covenant with our fathers, pronouncing again their memorable words: "All that the Lord hath spoken we will do." Help us to discern the wisdom of Thy precepts so that we may heed Thy commandments. May Thy Torah ever inspire us, guiding and leading us in the paths of justice and peace. Amen.

·   PRAYERS BEFORE THE ARK — FESTIVALS

Sukkot

1

At this season of joyous thanksgiving, we are grateful unto Thee, O Keeper of Israel, for Thy many bounties with which Thou dost bless us and for the protecting care with which Thy love doth watch over us. As Thou didst cause our fathers to dwell in the Sukkah of Thy glory amid the perils of the wilderness, so spread Thou over us and over all Israel, the Sukkah of Thy love and peace. Amen.

2

O beneficent Father, as we recall this day the gratitude of the children of Israel for the harvest of their fields in Eretz Yisrael, we, too, acknowledge Thee, the source of all our bounties. For all our blessings we give Thee thanks. May the portion of the Torah we read today teach us to share Thy gifts with those in need. Hasten that day when the children of Israel, in the land of their fathers, shall bring in their sheaves with rejoicing. We pray that Thou who didst protect our forefathers when they dwelt in tabernacles in the wilderness, wilt extend Thy tabernacle of peace over Israel and over all the peoples of the earth. Amen.

The Reader takes the Scroll of the Torah

Reader and Congregation

שְׁמַע יִשְׂרָאֵל יְהוָֹה אֱלֹהֵינוּ יְהוָֹה אֶחָד׃

Reader and Congregation

אֶחָד אֱלֹהֵינוּ גָּדוֹל אֲדוֹנֵינוּ קָדוֹשׁ שְׁמוֹ׃

Reader

גַּדְּלוּ לַיָי אִתִּי וּנְרוֹמְמָה שְׁמוֹ יַחְדָּו׃

Reader and Congregation

לְךָ יְיָ הַגְּדֻלָּה וְהַגְּבוּרָה וְהַתִּפְאֶרֶת וְהַנֵּצַח וְהַהוֹד. כִּי־כֹל בַּשָּׁמַיִם וּבָאָרֶץ לְךָ יְיָ הַמַּמְלָכָה וְהַמִּתְנַשֵּׂא לְכֹל לְרֹאשׁ. רוֹמְמוּ יְיָ אֱלֹהֵינוּ וְהִשְׁתַּחֲווּ לַהֲדֹם רַגְלָיו קָדוֹשׁ הוּא׃ רוֹמְמוּ יְיָ אֱלֹהֵינוּ וְהִשְׁתַּחֲווּ לְהַר קָדְשׁוֹ כִּי־קָדוֹשׁ יְיָ אֱלֹהֵינוּ׃

Reader

אַב הָרַחֲמִים הוּא יְרַחֵם עַם עֲמוּסִים וְיִזְכּוֹר בְּרִית אֵיתָנִים וְיַצִּיל נַפְשׁוֹתֵינוּ מִן הַשָּׁעוֹת הָרָעוֹת וְיִגְעַר בְּיֵצֶר הָרָע מִן הַנְּשׂוּאִים וְיָחֹן אוֹתָנוּ לִפְלֵיטַת עוֹלָמִים וִימַלֵּא מִשְׁאֲלוֹתֵינוּ בְּמִדָּה טוֹבָה יְשׁוּעָה וְרַחֲמִים׃

וְיַעֲזוֹר וְיָגֵן וְיוֹשִׁיעַ לְכֹל הַחוֹסִים בּוֹ וְנֹאמַר אָמֵן׃ הַכֹּל הָבוּ גֹדֶל לֵאלֹהֵינוּ וּתְנוּ כָבוֹד לַתּוֹרָה׃ יַעֲמוֹד

בָּרוּךְ שֶׁנָּתַן תּוֹרָה לְעַמּוֹ יִשְׂרָאֵל בִּקְדֻשָּׁתוֹ׃

Congregation

וְאַתֶּם הַדְּבֵקִים בַּיָי אֱלֹהֵיכֶם חַיִּים כֻּלְּכֶם הַיּוֹם׃

The Reader takes the Scroll of the Torah

Reader and Congregation

Hear, O Israel: the Lord our God, the Lord is One.

Reader and Congregation

One is our God; great is our Lord; holy is His name.

Reader

Extol the Lord with me, and together let us exalt His name.

Reader and Congregation

Thine, O Lord, is the greatness and the power, the glory, the victory and the majesty; for all that is in the heaven and on the earth is Thine. Thine is the kingdom, O Lord, and Thou art exalted supreme above all. Exalt the Lord our God, and worship at His footstool; holy is He. Exalt the Lord our God, and worship at his Holy mountain; for the Lord our God is holy.

Reader

May the Father of compassion have mercy upon a people whom He lovingly tended. May He remember the covenant with the patriarchs; may He deliver us from evil times, curb the evil inclination in the people whom He hath tenderly protected, and graciously grant us enduring deliverance. May He abundantly fulfill our desires and grant us salvation and mercy.

May God help, shield and save all who trust in Him; and let us say, Amen. Ascribe greatness unto our God, and render honor to the Torah.

Blessed be He who in His holiness gave the Torah to His people Israel.

Congregation

And you who cleave unto the Lord your God, are alive everyone of you this day.

Those honored by being called to the Torah, recite the following blessings:

בָּרְכוּ אֶת־יְיָ הַמְבֹרָךְ.

בָּרוּךְ יְיָ הַמְבֹרָךְ לְעוֹלָם וָעֶד.

בָּרוּךְ אַתָּה יְיָ אֱלֹהֵינוּ מֶלֶךְ הָעוֹלָם אֲשֶׁר בָּחַר־בָּנוּ מִכָּל־הָעַמִּים וְנָתַן־לָנוּ אֶת־תּוֹרָתוֹ. בָּרוּךְ אַתָּה יְיָ נוֹתֵן הַתּוֹרָה:

After a section of the Torah has been read, the following blessing is said:

בָּרוּךְ אַתָּה יְיָ אֱלֹהֵינוּ מֶלֶךְ הָעוֹלָם אֲשֶׁר נָתַן־לָנוּ תּוֹרַת אֱמֶת וְחַיֵּי עוֹלָם נָטַע בְּתוֹכֵנוּ. בָּרוּךְ אַתָּה יְיָ נוֹתֵן הַתּוֹרָה:

ברכת הגומל

One who has recovered from a serious illness, or has escaped danger, offers the following prayer:

בָּרוּךְ אַתָּה יְיָ אֱלֹהֵינוּ מֶלֶךְ הָעוֹלָם. הַגּוֹמֵל לְחַיָּבִים טובות. שֶׁגְּמָלַנִי כָּל־טוֹב:

The Congregation responds:

מִי שֶׁגְּמָלְךָ כָּל־טוֹב. הוּא יִגְמָלְךָ כָּל־טוֹב סֶלָה:

*Those honored by being called to the Torah, recite the
following blessings:*

Bless the Lord who is to be praised.

Praised be the Lord who is blessed for all eternity.

Blessed art Thou, O Lord our God, King of the universe,
who didst choose us from among all the peoples by giving
us Thy Torah. Blessed art Thou, O Lord, Giver of the
Torah.

*After a section of the Torah has been read, the following
blessing is said:*

Blessed art Thou, O Lord our God, King of the universe,
who in giving us a Torah of truth, hast planted everlasting
life within us. Blessed art Thou, O Lord, Giver of the
Torah.

PRAYER OF THANKSGIVING

*One who has recovered from a serious illness, or has escaped
danger, offers the following prayer:*

Blessed art Thou, O Lord our God, Ruler of the universe, who in
bestowing good upon man beyond his deserving, hast dealt gra-
ciously with me.

The Congregation responds:

May He, who hath dealt graciously with you, continue to bestow
His favor upon you.

Reader

יִתְגַּדַּל וְיִתְקַדַּשׁ שְׁמֵהּ רַבָּא. בְּעָלְמָא דִּי בְרָא כִרְעוּתֵהּ. וְיַמְלִיךְ מַלְכוּתֵהּ בְּחַיֵּיכוֹן וּבְיוֹמֵיכוֹן וּבְחַיֵּי דְכָל בֵּית יִשְׂרָאֵל בַּעֲגָלָא וּבִזְמַן קָרִיב. וְאִמְרוּ אָמֵן:

Congregation and Reader

יְהֵא שְׁמֵהּ רַבָּא מְבָרַךְ לְעָלַם וּלְעָלְמֵי עָלְמַיָּא:

Reader

יִתְבָּרַךְ וְיִשְׁתַּבַּח וְיִתְפָּאַר וְיִתְרוֹמַם וְיִתְנַשֵּׂא וְיִתְהַדַּר וְיִתְעַלֶּה וְיִתְהַלַּל שְׁמֵהּ דְּקֻדְשָׁא. בְּרִיךְ הוּא. לְעֵלָּא (וּלְעֵלָּא) מִן כָּל בִּרְכָתָא וְשִׁירָתָא תֻּשְׁבְּחָתָא וְנֶחֱמָתָא דַּאֲמִירָן בְּעָלְמָא. וְאִמְרוּ אָמֵן:

Congregation

וְזֹאת הַתּוֹרָה אֲשֶׁר־שָׂם מֹשֶׁה לִפְנֵי בְּנֵי יִשְׂרָאֵל עַל־פִּי יְיָ בְּיַד־מֹשֶׁה:

*Reader**

Magnified and sanctified be the name of God throughout the world which He hath created according to His will. May He establish His kingdom during the days of your life and during the life of all the house of Israel, speedily, yea, soon; and say ye, Amen.

Congregation and Reader

May His great name be blessed for ever and ever.

Reader

Exalted and honored be the name of the Holy One, blessed be He, whose glory transcends, yea, is beyond all praises, hymns and blessings that man can render unto Him; and say ye, Amen.

Congregation

This is the Torah proclaimed by Moses to the children of Israel, at the command of the Lord.

---

*In Judaism, study of the Torah is an aspect of worship leading directly to prayer and righteous living. Hence, after reading a passage from the Bible, the congregation joins in chanting the Kaddish, a hymn of praise to God.

ברכת ההפטרה

בָּרוּךְ אַתָּה יְיָ אֱלֹהֵינוּ מֶלֶךְ הָעוֹלָם. אֲשֶׁר בָּחַר בִּנְבִיאִים טוֹבִים וְרָצָה בְדִבְרֵיהֶם הַנֶּאֱמָרִים בֶּאֱמֶת. בָּרוּךְ אַתָּה יְיָ הַבּוֹחֵר בַּתּוֹרָה וּבְמֹשֶׁה עַבְדּוֹ וּבְיִשְׂרָאֵל עַמּוֹ וּבִנְבִיאֵי הָאֱמֶת וָצֶדֶק:

BLESSINGS AFTER THE HAFTARAH

בָּרוּךְ אַתָּה יְיָ אֱלֹהֵינוּ מֶלֶךְ הָעוֹלָם צוּר כָּל־הָעוֹלָמִים צַדִּיק בְּכָל־הַדּוֹרוֹת הָאֵל הַנֶּאֱמָן הָאוֹמֵר וְעוֹשֶׂה הַמְדַבֵּר וּמְקַיֵּם שֶׁכָּל־דְּבָרָיו אֱמֶת וָצֶדֶק:

נֶאֱמָן אַתָּה הוּא יְיָ אֱלֹהֵינוּ וְנֶאֱמָנִים דְּבָרֶיךָ וְדָבָר אֶחָד מִדְּבָרֶיךָ אָחוֹר לֹא יָשׁוּב רֵיקָם כִּי אֵל מֶלֶךְ נֶאֱמָן וְרַחֲמָן אָתָּה. בָּרוּךְ אַתָּה יְיָ הָאֵל הַנֶּאֱמָן בְּכָל־דְּבָרָיו:

רַחֵם עַל־צִיּוֹן כִּי הִיא בֵּית חַיֵּינוּ וְלַעֲלוּבַת נֶפֶשׁ תּוֹשִׁיעַ בִּמְהֵרָה בְיָמֵינוּ. בָּרוּךְ אַתָּה יְיָ מְשַׂמֵּחַ צִיּוֹן בְּבָנֶיהָ:

שַׂמְּחֵנוּ יְיָ אֱלֹהֵינוּ בְּאֵלִיָּהוּ הַנָּבִיא עַבְדֶּךָ וּבְמַלְכוּת בֵּית דָּוִד מְשִׁיחֶךָ בִּמְהֵרָה יָבֹא וְיָגֵל לִבֵּנוּ. עַל־כִּסְאוֹ לֹא־יֵשֵׁב זָר וְלֹא־יִנְחֲלוּ עוֹד אֲחֵרִים אֶת־כְּבוֹדוֹ. כִּי בְשֵׁם קָדְשְׁךָ נִשְׁבַּעְתָּ לּוֹ שֶׁלֹּא־יִכְבֶּה נֵרוֹ לְעוֹלָם וָעֶד: בָּרוּךְ אַתָּה יְיָ מָגֵן דָּוִד:

BLESSING BEFORE THE HAFTARAH

Blessed art Thou, O Lord our God, Ruler of the universe, who hast selected good prophets, taking delight in their words which were spoken in truth. Blessed art Thou, O Lord, who hast chosen the Torah, Thy servant Moses, Thy people Israel, and the prophets of truth and righteousness.

BLESSINGS AFTER THE HAFTARAH

Blessed art Thou, O Lord our God, King of the universe, Rock of all ages, righteous in all generations. Thou art the faithful God, promising and performing, speaking and fulfilling, for all Thy words are true and righteous.

Faithful art Thou, O Lord our God, and faithful are Thy words, for no word of Thine shall remain unfulfilled. Thou art a faithful and merciful God and King. Blessed art Thou, O Lord God, who art faithful in fulfilling Thy words.

Be merciful unto Zion, for it is the fountain of our life, and mayest Thou soon in our own day deliver Zion that is grieved in spirit. Blessed art Thou, O Lord, who makest Zion rejoice with her children.

> The throne of David is the historic symbol of righteous government and the restoration of Israel's homeland.

Make us rejoice, O Lord our God, with Elijah the prophet, Thy servant, and with the kingdom of the house of David, Thine anointed. Soon may Elijah come and bring joy to our hearts. May no stranger occupy David's throne and may no usurper inherit his glory. For by Thy holy name Thou hast promised unto him that his light will never be extinguished. Blessed art Thou, O Lord, the Shield of David.

On Sabbath, including the Sabbath of Ḥol Hamoed Pesaḥ, conclude with the following blessing:

עַל־הַתּוֹרָה וְעַל־הָעֲבוֹדָה וְעַל־הַנְּבִיאִים וְעַל־יוֹם הַשַּׁבָּת הַזֶּה שֶׁנָּתַתָּ לָּנוּ יְיָ אֱלֹהֵינוּ לִקְדֻשָּׁה וְלִמְנוּחָה לְכָבוֹד וּלְתִפְאָרֶת. עַל־הַכֹּל יְיָ אֱלֹהֵינוּ אֲנַחְנוּ מוֹדִים לָךְ וּמְבָרְכִים אוֹתָךְ. יִתְבָּרַךְ שִׁמְךָ בְּפִי כָּל־חַי תָּמִיד לְעוֹלָם וָעֶד. בָּרוּךְ אַתָּה יְיָ מְקַדֵּשׁ הַשַּׁבָּת:

On the Festivals including the Sabbath of Ḥol Hamoed Sukkot, conclude with the following blessing:

עַל־הַתּוֹרָה וְעַל־הָעֲבוֹדָה וְעַל־הַנְּבִיאִים (וְעַל־יוֹם הַשַּׁבָּת הַזֶּה) וְעַל יוֹם

On Pesaḥ say:

חַג הַמַּצּוֹת הַזֶּה

On Shavuot say:

חַג הַשָּׁבֻעוֹת הַזֶּה

On Sukkot say:

חַג הַסֻּכּוֹת הַזֶּה

On Shemini Aẓeret and Simḥat Torah say:

הַשְּׁמִינִי חַג הָעֲצֶרֶת הַזֶּה

שֶׁנָּתַתָּ לָּנוּ יְיָ אֱלֹהֵינוּ (לִקְדֻשָּׁה וְלִמְנוּחָה) לְשָׂשׂוֹן וּלְשִׂמְחָה לְכָבוֹד וּלְתִפְאָרֶת: עַל־הַכֹּל יְיָ אֱלֹהֵינוּ אֲנַחְנוּ מוֹדִים לָךְ וּמְבָרְכִים אוֹתָךְ. יִתְבָּרַךְ שִׁמְךָ בְּפִי כָּל־חַי תָּמִיד לְעוֹלָם וָעֶד. בָּרוּךְ אַתָּה יְיָ. מְקַדֵּשׁ (הַשַּׁבָּת וְ) יִשְׂרָאֵל וְהַזְּמַנִּים:

*On Sabbath, including the Intermediate Sabbath of Pesaḥ,
conclude with the following blessing:*

We give Thee thanks and bless Thee, O Lord our God,
for the Torah, and for the worship of this day and for the
prophets, as well as for this Sabbath day which Thou, O
Lord our God, hast given us for holiness and for rest, for
glory and delight. Evermore may Thy name be continually
praised by every living being. Blessed art Thou, O Lord,
who hallowest the Sabbath.

*On the Festivals including the Intermediate Sabbath of Sukkot,
conclude with the following blessing:*

We give Thee thanks and bless Thee, O Lord our God,
for the Torah and for the worship of this day and for the
prophets, [as well as for this Sabbath day and] and for this Day of

On Pesaḥ say:

The Feast of Unleavened Bread

On Shavuot say:

The Feast of Weeks

On Sukkot say:

The Feast of Tabernacles

On Shemini Aẓeret and Simḥat Torah say:

The Eighth Day Feast of Assembly

which Thou hast given us [for holiness and for rest] for joy and
gladness, for glory and delight. Evermore may Thy name
be continually praised by every living being. Blessed art
Thou, O Lord, who hallowest the Sabbath and Israel and
the festive seasons.

יְקוּם פֻּרְקָן מִן שְׁמַיָּא חִנָּא וְחִסְדָּא וְרַחֲמֵי וְחַיֵּי אֲרִיכֵי וּמְזוֹנֵי רְוִיחֵי וְסִיַּעְתָּא דִשְׁמַיָּא וּבַרְיוּת גּוּפָא וּנְהוֹרָא מַעַלְיָא. זַרְעָא חַיָּא וְקַיָּמָא. זַרְעָא דִּי לָא־יִפְסֻק וְדִי לָא־יִבְטֻל מִפִּתְגָּמֵי אוֹרַיְתָא. לְמָרָנָן וְרַבָּנָן חֲבוּרָתָא קַדִּישָׁתָא. דִּי בְאַרְעָא דְיִשְׂרָאֵל דִּי בְבָבֶל וְדִי בְּכָל אַרְעָת גָּלְוָתָנָא. לְרֵישֵׁי כַלֵּי וּלְרֵישֵׁי גָלְוָתָא וּלְרֵישֵׁי מְתִיבָתָא וּלְדַיָּנֵי דִי בָבָא: לְכָל־תַּלְמִידֵיהוֹן וּלְכָל תַּלְמִידֵי תַלְמִידֵיהוֹן וּלְכָל־מָן דְּעָסְקִין בְּאוֹרַיְתָא. מַלְכָּא דְעָלְמָא יְבָרֵךְ יָתְהוֹן יַפִּישׁ חַיֵּיהוֹן וְיַסְגֵּא יוֹמֵיהוֹן וְיִתֵּן אַרְכָה לִשְׁנֵיהוֹן. וְיִתְפָּרְקוּן וְיִשְׁתֵּזְבוּן מִן כָּל־עָקָא וּמִן כָּל מַרְעִין בִּישִׁין. מָרַן דִּי בִשְׁמַיָּא יְהֵא בְסַעְדְּהוֹן כָּל זְמַן וְעִדָּן וְנֹאמַר אָמֵן:

יְקוּם פֻּרְקָן מִן שְׁמַיָּא חִנָּא וְחִסְדָּא וְרַחֲמֵי וְחַיֵּי אֲרִיכֵי וּמְזוֹנֵי רְוִיחֵי וְסִיַּעְתָּא דִשְׁמַיָּא וּבַרְיוּת גּוּפָא וּנְהוֹרָא מַעַלְיָא. זַרְעָא חַיָּא וְקַיָּמָא. זַרְעָא דִּי לָא־יִפְסֻק וְדִי לָא־יִבְטֻל מִפִּתְגָּמֵי אוֹרַיְתָא. לְכָל־קְהָלָא קַדִּישָׁא הָדֵן. רַבְרְבַיָּא עִם זְעֵרַיָּא טַפְלָא וּנְשַׁיָּא. מַלְכָּא דְעָלְמָא יְבָרֵךְ יָתְכוֹן יַפִּישׁ חַיֵּיכוֹן וְיַשְׂגֵּא יוֹמֵיכוֹן וְיִתֵּן אַרְכָה לִשְׁנֵיכוֹן. וְתִתְפָּרְקוּן וְתִשְׁתֵּזְבוּן מִן כָּל־עָקָא וּמִן כָּל־מַרְעִין בִּישִׁין. מָרַן דִּי בִשְׁמַיָּא יְהֵא בְסַעְדְּכוֹן כָּל־זְמַן וְעִדָּן. וְנֹאמַר אָמֵן:

מִי שֶׁבֵּרַךְ אֲבוֹתֵינוּ אַבְרָהָם יִצְחָק וְיַעֲקֹב הוּא יְבָרֵךְ אֶת־כָּל־הַקָּהָל הַקָּדוֹשׁ הַזֶּה עִם כָּל־קְהִלּוֹת הַקֹּדֶשׁ. הֵם וּנְשֵׁיהֶם וּבְנֵיהֶם וּבְנוֹתֵיהֶם וְכֹל אֲשֶׁר לָהֶם. וּמִי שֶׁמְּיַחֲדִים בָּתֵּי כְנֵסִיּוֹת לִתְפִלָּה. וּמִי שֶׁבָּאִים בְּתוֹכָם לְהִתְפַּלֵּל. וּמִי שֶׁנּוֹתְנִים נֵר לַמָּאוֹר וְיַיִן לְקִדּוּשׁ וּלְהַבְדָּלָה וּפַת לָאוֹרְחִים וּצְדָקָה לָעֲנִיִּים. וְכָל־מִי שֶׁעוֹסְקִים בְּצָרְכֵי צִבּוּר וּבְבִנְיַן אֶרֶץ יִשְׂרָאֵל בֶּאֱמוּנָה. הַקָּדוֹשׁ בָּרוּךְ הוּא יְשַׁלֵּם שְׂכָרָם וְיָסִיר מֵהֶם כָּל־מַחֲלָה וְיִרְפָּא לְכָל־גּוּפָם וְיִסְלַח לְכָל־עֲוֹנָם. וְיִשְׁלַח בְּרָכָה וְהַצְלָחָה בְּכָל־מַעֲשֵׂה יְדֵיהֶם עִם כָּל־יִשְׂרָאֵל אֲחֵיהֶם וְנֹאמַר אָמֵן:

Prayer for the Scholars

Heavenly Father, we invoke Thy divine aid upon the scholars and teachers associated in the study of the Torah in the land of Israel, in Babylon, and in all the lands of the dispersion. We pray also for those leaders who spread learning among the people, the leaders of the community, those who head schools of learning as well as those who exercise authority in the courts of sacred law. May they, their disciples, the disciples of their disciples and all who apply themselves in the study of the Torah be granted heavenly salvation. Bestow upon them grace, lovingkindness and mercy, long life, ample sustenance, health of body and enlightenment of the mind. May they be blessed with children who will not neglect the Torah. May the Ruler of the universe bless them, prolong their lives, increase their days, and add to their years. May they be saved and delivered from every trouble and misfortune. May the Lord of heaven be their help at all times and seasons; and let us say, Amen.

Prayer for Israel

We invoke Thy divine aid upon this entire congregation, its men and women as well as its children. May there be vouchsafed unto them salvation from heaven, grace, lovingkindness, and mercy, long life, ample sustenance, health of body and enlightenment of the mind. May you be blessed with children who will not neglect the Torah. May the Ruler of the universe bless you, prolong your lives, increase your days, and add to your years. May you be saved and delivered from every trouble and misfortune. May the Lord of heaven be your help at all times and seasons; and let us say, Amen.

Prayer for the Congregation

May He who blessed our fathers, Abraham, Isaac, and Jacob, bless the people of this congregation, and of all other congregations; them, their wives, their sons, their daughters and all their dear ones. May His blessings also be vouchsafed unto those who dedicate and maintain Synagogues, unto those who enter therein to worship, and unto those who provide for the wayfarer, and are charitable to the poor. May He also bless those who faithfully devote themselves to the needs of the community and to the rebuilding of Eretz Yisrael. May the Holy One, blessed be He, remove from them all sickness, preserve them in health, forgive their sins, prosper the work of their hands and bestow blessings upon them and upon all Israel, their brethren, and let us say, Amen.

סדר ברכת החדש

On the Sabbath before Rosh Ḥodesh, the following is said:

יְהִי רָצוֹן מִלְּפָנֶיךָ יְיָ אֱלֹהֵינוּ וֵאלֹהֵי אֲבוֹתֵינוּ שֶׁתְּחַדֵּשׁ עָלֵינוּ אֶת־הַחֹדֶשׁ הַזֶּה לְטוֹבָה וְלִבְרָכָה. וְתִתֶּן־לָנוּ חַיִּים אֲרֻכִּים חַיִּים שֶׁל־שָׁלוֹם חַיִּים שֶׁל־טוֹבָה חַיִּים שֶׁל־בְּרָכָה חַיִּים שֶׁל־פַּרְנָסָה. חַיִּים שֶׁל־חִלּוּץ עֲצָמוֹת. חַיִּים שֶׁיֵּשׁ בָּהֶם יִרְאַת שָׁמַיִם וְיִרְאַת חֵטְא חַיִּים שֶׁאֵין בָּהֶם בּוּשָׁה וּכְלִמָּה. חַיִּים שֶׁל עֹשֶׁר וְכָבוֹד. חַיִּים שֶׁתְּהִי בָנוּ אַהֲבַת תּוֹרָה וְיִרְאַת שָׁמַיִם. חַיִּים שֶׁיִּמָּלְאוּ מִשְׁאֲלוֹת לִבֵּנוּ לְטוֹבָה. אָמֵן סֶלָה:

מִי שֶׁעָשָׂה נִסִּים לַאֲבוֹתֵינוּ וְגָאַל אוֹתָם מֵעַבְדוּת לְחֵרוּת. הוּא יִגְאַל אוֹתָנוּ בְּקָרוֹב וִיקַבֵּץ נִדָּחֵינוּ מֵאַרְבַּע כַּנְפוֹת הָאָרֶץ. חֲבֵרִים כָּל־יִשְׂרָאֵל. וְנֹאמַר אָמֵן:

רֹאשׁ חֹדֶשׁ .... יִהְיֶה בְּיוֹם .... הַבָּא עָלֵינוּ וְעַל כָּל יִשְׂרָאֵל לְטוֹבָה:

יְחַדְּשֵׁהוּ הַקָּדוֹשׁ בָּרוּךְ הוּא עָלֵינוּ וְעַל כָּל־עַמּוֹ בֵּית יִשְׂרָאֵל לְחַיִּים וּלְשָׁלוֹם. לְשָׂשׂוֹן וּלְשִׂמְחָה. לִישׁוּעָה וּלְנֶחָמָה. וְנֹאמַר אָמֵן:

PRAYER FOR THE NEW MONTH

On the Sabbath before the New Moon, the following is said:

May it be Thy will, O Lord our God and God of our fathers, to renew unto us this coming month for our good and for blessing. O grant us long life, a life of peace, of goodness, of blessing, of sustenance, of bodily vigor; a life marked by reverence for Thee and the dread of sin, a life free from shame and reproach, a life of abundance and honor, a life in which the love of the Torah and the fear of heaven shall ever be with us, a life in which all the desires of our hearts shall be fulfilled for our good. Amen.

May He who wrought wondrous deeds for our fathers, and redeemed them from slavery unto freedom, soon redeem us and gather our exiled brethren from the four corners of the earth, for all Israel is one fellowship; and let us say, Amen.

The New Month of . . . . . will begin on . . . . . May this New Month bring blessing to us and to all Israel.

May the Holy One, blessed be He, renew this month for us and for all His people, the house of Israel, for life and peace, for gladness and joy, for salvation and comfort; and let us say, Amen.

MEDITATION

O heavenly Father, the approach of another month reminds us of the flight of time and the change of seasons. Month follows month; the years of man's life are few and fleeting. Teach us to number our days that we may use each precious moment wisely. May no day pass without bringing us closer to some worthy achievement. Grant that the new month bring life and hope, joy and peace to all Thy children. Amen.

תפלה בעד הממשלה

אֱלֹהֵינוּ וֵאלֹהֵי אֲבוֹתֵינוּ

קַבֵּל נָא בְּרַחֲמִים אֶת־תְּפִלָּתֵנוּ בְּעַד אַרְצֵנוּ וּמֶמְשַׁלְתָּהּ. הָרֵק אֶת־בִּרְכָתְךָ עַל הָאָרֶץ הַזֹּאת עַל נְשִׂיאָהּ שׁוֹפְטֶיהָ שׁוֹטְרֶיהָ וּפְקִידֶיהָ הָעוֹסְקִים בְּצָרְכֵי צִבּוּר בֶּאֱמוּנָה. הוֹרֵם מֵחֻקֵּי תוֹרָתֶךָ. הֲבִינֵם מִשְׁפְּטֵי צִדְקֶךָ לְמַעַן לֹא יָסוּרוּ מֵאַרְצֵנוּ שָׁלוֹם וְשַׁלְוָה אֹשֶׁר וָחֹפֶשׁ כָּל־הַיָּמִים. אָנָּא יְיָ אֱלֹהֵי הָרוּחוֹת לְכָל־בָּשָׂר. שְׁלַח רוּחֲךָ עַל כָּל־תּוֹשְׁבֵי אַרְצֵנוּ. וְטַע בֵּין בְּנֵי הָאֻמּוֹת וְהָאֱמוּנוֹת הַשּׁוֹנוֹת הַשּׁוֹכְנִים בָּהּ אַהֲבָה וְאַחֲוָה שָׁלוֹם וְרֵעוּת. וַעֲקֹר מִלִּבָּם כָּל שִׂנְאָה וְאֵיבָה קִנְאָה וְתַחֲרוּת. לְמַלֹּאת מַשָּׂא נֶפֶשׁ בָּנֶיהָ הַמִּתְיַמְּרִים בִּכְבוֹדָהּ. וְהַמִּשְׁתּוֹקְקִים לִרְאוֹתָהּ אוֹר לְכָל־הַגּוֹיִם.

וְכֵן יְהִי רָצוֹן מִלְּפָנֶיךָ שֶׁתְּהֵא אַרְצֵנוּ בְּרָכָה לְכָל־יוֹשְׁבֵי תֵבֵל. וְתַשְׁרֶה בֵּינֵיהֶם רֵעוּת וְחֵרוּת וְקַיֵּם בִּמְהֵרָה חֲזוֹן נְבִיאֶיךָ. לֹא־יִשָּׂא גּוֹי אֶל־גּוֹי חֶרֶב וְלֹא־יִלְמְדוּ עוֹד מִלְחָמָה. וְנֶאֱמַר כִּי כוּלָּם יֵדְעוּ אוֹתִי לְמִקְּטַנָּם וְעַד־גְּדוֹלָם. אָמֵן:

PRAYER FOR OUR COUNTRY

Our God and God of our fathers, we invoke Thy blessing upon our country, on the government of this Republic, the President of these United States and all who exercise just and rightful authority. Do Thou instruct them out of Thy Law, that they may administer all affairs of state in justice and equity, that peace and security, happiness and prosperity, right and freedom, may forever abide among us.

Unite all the inhabitants of our country, whatever their origin and creed, into a bond of true brotherhood to banish hatred and bigotry and to safeguard the ideals and free institutions which are our country's glory.

May this land under Thy Providence be an influence for good throughout the world, uniting men in peace and freedom and helping to fulfill the vision of thy Prophets: "Nation shall not lift up sword against nation, neither shall men learn war any more." "For all men, both great and small shall know the Lord." Amen.

אב הרחמים

אַב הָרַחֲמִים שׁוֹכֵן מְרוֹמִים. בְּרַחֲמָיו הָעֲצוּמִים הוּא יִפְקוֹד בְּרַחֲמִים הַחֲסִידִים וְהַיְשָׁרִים וְהַתְּמִימִים. קְהִלּוֹת הַקֹּדֶשׁ שֶׁמָּסְרוּ נַפְשָׁם עַל קְדֻשַּׁת הַשֵּׁם. הַנֶּאֱהָבִים וְהַנְּעִימִים בְּחַיֵּיהֶם וּבְמוֹתָם לֹא נִפְרָדוּ. מִנְּשָׁרִים קַלּוּ מֵאֲרָיוֹת גָּבֵרוּ. לַעֲשׂוֹת רְצוֹן קוֹנָם וְחֵפֶץ צוּרָם: יִזְכְּרֵם אֱלֹהֵינוּ לְטוֹבָה עִם שְׁאָר צַדִּיקֵי עוֹלָם. וְיִנְקוֹם נִקְמַת דַּם־עֲבָדָיו הַשָּׁפוּךְ: כַּכָּתוּב בְּתוֹרַת משֶׁה אִישׁ הָאֱלֹהִים. הַרְנִינוּ גוֹיִם עַמּוֹ כִּי דַם־עֲבָדָיו יִקּוֹם. וְנָקָם יָשִׁיב לְצָרָיו וְכִפֶּר אַדְמָתוֹ עַמּוֹ: וְעַל־יְדֵי עֲבָדֶיךָ הַנְּבִיאִים כָּתוּב לֵאמֹר. וְנִקֵּיתִי דָּמָם לֹא־נִקֵּיתִי וַיָי שֹׁכֵן בְּצִיּוֹן: וּבְכִתְבֵי הַקֹּדֶשׁ נֶאֱמַר. לָמָּה יֹאמְרוּ הַגּוֹיִם אַיֵּה אֱלֹהֵיהֶם. יִוָּדַע בַּגּוֹיִם לְעֵינֵינוּ נִקְמַת דַּם־עֲבָדֶיךָ הַשָּׁפוּךְ: וְאוֹמֵר כִּי־דוֹרֵשׁ דָּמִים אוֹתָם זָכָר לֹא־שָׁכַח צַעֲקַת עֲנָוִים: וְאוֹמֵר יָדִין בַּגּוֹיִם מָלֵא גְוִיּוֹת מָחַץ רֹאשׁ עַל־אֶרֶץ רַבָּה: מִנַּחַל בַּדֶּרֶךְ יִשְׁתֶּה עַל־כֵּן יָרִים רֹאשׁ:

DIRGE FOR ISRAEL'S MARTYRS

May the Father of mercies who dwelleth on high, in His mighty compassion, remember the loving, upright and blameless souls and all the holy communities in Israel who laid down their lives for the sanctification of the divine name. Even as they were devoted and faithful in life, so in death they were not parted. They were swifter than eagles and stronger than lions to do the will of their Master and the desire of their Rock. May our God remember them for good with the other righteous of the world, and bring retribution for the blood of His servants which has been shed, in accordance with the promise given in the Law of Moses, reiterated in the Books of the Prophets and again stated in the Sacred Writings: Sing aloud, O ye nations, for God doth bring to judgment those who shed the blood of His servants. Wherefore should the nations say, 'Where is their God?' Let the retribution of Thy servants' blood be made known among the nations in our sight. For God, the Avenger of bloodshed, will not forget the cry of the humble. He will judge among the nations, and crushing evil, will emerge triumphant.

אַשְׁרֵי יוֹשְׁבֵי בֵיתֶךָ עוֹד יְהַלְלוּךָ סֶּלָה:

אַשְׁרֵי הָעָם שֶׁכָּכָה לּוֹ אַשְׁרֵי הָעָם שֶׁיְיָ אֱלֹהָיו:

תהלים קמ״ה

תְּהִלָּה לְדָוִד.

אֲרוֹמִמְךָ אֱלוֹהַי הַמֶּלֶךְ וַאֲבָרְכָה שִׁמְךָ לְעוֹלָם וָעֶד:

בְּכָל־יוֹם אֲבָרְכֶךָּ וַאֲהַלְלָה שִׁמְךָ לְעוֹלָם וָעֶד:

גָּדוֹל יְיָ וּמְהֻלָּל מְאֹד וְלִגְדֻלָּתוֹ אֵין חֵקֶר:

דּוֹר לְדוֹר יְשַׁבַּח מַעֲשֶׂיךָ וּגְבוּרֹתֶיךָ יַגִּידוּ:

הֲדַר כְּבוֹד הוֹדֶךָ וְדִבְרֵי נִפְלְאֹתֶיךָ אָשִׂיחָה:

וֶעֱזוּז נוֹרְאוֹתֶיךָ יֹאמֵרוּ וּגְדֻלָּתְךָ אֲסַפְּרֶנָּה:

זֵכֶר רַב־טוּבְךָ יַבִּיעוּ וְצִדְקָתְךָ יְרַנֵּנוּ:

חַנּוּן וְרַחוּם יְהוָֹה אֶרֶךְ אַפַּיִם וּגְדָל־חָסֶד:

טוֹב־יְהוָֹה לַכֹּל וְרַחֲמָיו עַל־כָּל־מַעֲשָׂיו:

יוֹדוּךָ יְהוָֹה כָּל־מַעֲשֶׂיךָ וַחֲסִידֶיךָ יְבָרְכוּכָה:

כְּבוֹד מַלְכוּתְךָ יֹאמֵרוּ וּגְבוּרָתְךָ יְדַבֵּרוּ:

Happy are they that dwell in Thy house;
They will ever praise Thee.

Happy is the people who thus fare;
Yea, happy is the people whose God is the Lord.

PSALM 145

A Psalm of praise; of David.

I will extol Thee, my God, O King,
And I will bless Thy name for ever and ever.

Every day will I bless Thee,
And I will praise Thy name for ever and ever.

Great is the Lord, and highly to be praised;
His greatness is unsearchable.

One generation shall laud Thy works to another,
And shall declare Thy mighty acts.

On the majestic glory of Thy splendor,
And on Thy wondrous deeds will I meditate.

And men shall proclaim the might of Thy tremendous acts,
And I will recount Thy greatness.

They shall make known the fame of Thy great goodness,
And shall exult in Thy righteousness.

The Lord is gracious and full of compassion,
Long forbearing, and abundant in kindness.

The Lord is good to all,
And His tender mercies are over all His works.

All Thy works shall praise Thee, O Lord,
And Thy faithful ones shall bless Thee.

They shall declare the glory of Thy kingdom,
And talk of Thy might;

לְהוֹדִיעַ לִבְנֵי הָאָדָם גְּבוּרֹתָיו וּכְבוֹד הֲדַר מַלְכוּתוֹ:
מַלְכוּתְךָ מַלְכוּת כָּל־עֹלָמִים וּמֶמְשַׁלְתְּךָ בְּכָל־דּוֹר וָדוֹר:
סוֹמֵךְ יְהוָֹה לְכָל־הַנֹּפְלִים וְזוֹקֵף לְכָל־הַכְּפוּפִים:
עֵינֵי כֹל אֵלֶיךָ יְשַׂבֵּרוּ. וְאַתָּה נוֹתֵן־לָהֶם אֶת־אָכְלָם בְּעִתּוֹ:
פּוֹתֵחַ אֶת־יָדֶךָ וּמַשְׂבִּיעַ לְכָל־חַי רָצוֹן:
צַדִּיק יְהוָֹה בְּכָל־דְּרָכָיו וְחָסִיד בְּכָל־מַעֲשָׂיו:
קָרוֹב יְהוָֹה לְכָל־קֹרְאָיו לְכֹל אֲשֶׁר יִקְרָאֻהוּ בֶאֱמֶת:
רְצוֹן יְרֵאָיו יַעֲשֶׂה וְאֶת־שַׁוְעָתָם יִשְׁמַע וְיוֹשִׁיעֵם:
שׁוֹמֵר יְהוָֹה אֶת־כָּל־אֹהֲבָיו וְאֵת כָּל־הָרְשָׁעִים יַשְׁמִיד:
תְּהִלַּת יְהוָֹה יְדַבֶּר פִּי וִיבָרֵךְ כָּל־בָּשָׂר שֵׁם קָדְשׁוֹ
לְעוֹלָם וָעֶד:
וַאֲנַחְנוּ נְבָרֵךְ יָהּ מֵעַתָּה וְעַד־עוֹלָם. הַלְלוּיָהּ:

סדר הכנסת התורה

Reader

יְהַלְלוּ אֶת־שֵׁם יְיָ כִּי־נִשְׂגָּב שְׁמוֹ לְבַדּוֹ.

Congregation

הוֹדוֹ עַל־אֶרֶץ וְשָׁמָיִם וַיָּרֶם קֶרֶן לְעַמּוֹ
תְּהִלָּה לְכָל־חֲסִידָיו לִבְנֵי יִשְׂרָאֵל עַם קְרֹבוֹ
הַלְלוּיָהּ:

To make known to the sons of men His mighty acts,
And the glorious majesty of His kingdom.

Thy kingdom is an everlasting kingdom,
And Thy dominion endureth throughout all generations.

The Lord upholdeth all who fall,
And raiseth up all who are bowed down.

The eyes of all look hopefully to Thee,
And Thou givest them their food in due season.

Thou openest Thy hand,
And satisfiest every living thing with favor.

The Lord is righteous in all His ways,
And gracious in all His works.

The Lord is near unto all who call upon Him,
To all who call upon Him in truth.

He will fulfill the desire of them that revere Him;
He will also hear their cry, and will save them.

The Lord preserveth all them that love Him;
But all the wicked will He bring low.

My mouth shall speak the praise of the Lord;
Let all men bless His holy name for ever and ever.

We will bless the Lord from this time forth,
And forevermore. Hallelujah.

REPLACING THE TORAH SCROLL

Reader

Let them praise the name of the Lord,
For His name alone is exalted.

Congregation

His glory is above the earth and heaven. He hath given glory unto His people, praise to all His faithful ones, to the children of Israel, a people near unto Him.

Hallelujah.

On Sabbath

תהלים כ"ט

מִזְמוֹר לְדָוִד

הָבוּ לַיהוָֹה בְּנֵי אֵלִים הָבוּ לַיהוָֹה כָּבוֹד וָעֹז:

הָבוּ לַיהוָֹה כְּבוֹד שְׁמוֹ הִשְׁתַּחֲווּ לַיהוָֹה בְּהַדְרַת־קֹדֶשׁ:

קוֹל יְהוָֹה עַל־הַמָּיִם אֵל הַכָּבוֹד הִרְעִים

יְהוָֹה עַל־מַיִם רַבִּים:

קוֹל יְהוָֹה בַּכֹּחַ קוֹל יְהוָֹה בֶּהָדָר:

קוֹל יְהוָֹה שֹׁבֵר אֲרָזִים וַיְשַׁבֵּר יְהוָֹה אֶת־אַרְזֵי הַלְּבָנוֹן:

וַיַּרְקִידֵם כְּמוֹ־עֵגֶל לְבָנוֹן וְשִׂרְיוֹן כְּמוֹ בֶן־רְאֵמִים:

קוֹל יְהוָֹה חֹצֵב לַהֲבוֹת אֵשׁ:

קוֹל יְהוָֹה יָחִיל מִדְבָּר יָחִיל יְהוָֹה מִדְבַּר קָדֵשׁ:

קוֹל יְהוָֹה יְחוֹלֵל אַיָּלוֹת וַיֶּחֱשֹׂף יְעָרוֹת

וּבְהֵיכָלוֹ כֻּלּוֹ אֹמֵר כָּבוֹד:

יְהוָֹה לַמַּבּוּל יָשָׁב וַיֵּשֶׁב יְהוָֹה מֶלֶךְ לְעוֹלָם:

יְהוָֹה עֹז לְעַמּוֹ יִתֵּן יְהוָֹה יְבָרֵךְ אֶת־עַמּוֹ בַשָּׁלוֹם:

On Sabbath

PSALM 29

A Psalm of David

Ascribe unto the Lord, ye ministering angels,
Ascribe unto the Lord glory and power.

Render unto the Lord the glory due unto His name;
Worship the Lord in the beauty of holiness.

The voice of the Lord is over the waters;
The God of glory thundereth!
The Lord is over the great waters.

The voice of the Lord is mighty;
The voice of the Lord is full of majesty.

The voice of the Lord breaketh the cedars;
Yea, the Lord shattereth the cedars of Lebanon.

He maketh the mountains leap like a calf,
Lebanon and Sirion like a wild ox.

The voice of the Lord heweth out flames;
The Lord heweth out flames of fire.

The voice of the Lord causeth the desert to tremble;
The Lord maketh the desert of Kadesh tremble.

The voice of the Lord maketh the oak trees dance,
And strippeth the forest bare;
While in His Temple everything proclaims His glory.

The Lord was King at the Flood;
The Lord shall remain King forever.

May the Lord give strength unto His people;
May the Lord bless His people with peace.

On Festivals occurring on weekdays

תהלים כ״ד

לְדָוִד מִזְמוֹר

לַיהוָה הָאָרֶץ וּמְלוֹאָהּ   תֵּבֵל וְיֹשְׁבֵי בָהּ:

כִּי הוּא עַל־יַמִּים יְסָדָהּ   וְעַל־נְהָרוֹת יְכוֹנְנֶהָ:

מִי־יַעֲלֶה בְהַר־יְהוָה   וּמִי־יָקוּם בִּמְקוֹם קָדְשׁוֹ:

נְקִי כַפַּיִם וּבַר־לֵבָב   אֲשֶׁר לֹא־נָשָׂא לַשָּׁוְא נַפְשִׁי

וְלֹא נִשְׁבַּע לְמִרְמָה:

יִשָּׂא בְרָכָה מֵאֵת יְהוָה   וּצְדָקָה מֵאֱלֹהֵי יִשְׁעוֹ:

זֶה דּוֹר דֹּרְשָׁיו   מְבַקְשֵׁי פָנֶיךָ יַעֲקֹב סֶלָה:

שְׂאוּ שְׁעָרִים רָאשֵׁיכֶם   וְהִנָּשְׂאוּ פִּתְחֵי עוֹלָם

וְיָבוֹא מֶלֶךְ הַכָּבוֹד:

מִי זֶה מֶלֶךְ הַכָּבוֹד   יְהוָה עִזּוּז וְגִבּוֹר

יְהוָה גִּבּוֹר מִלְחָמָה:

שְׂאוּ שְׁעָרִים רָאשֵׁיכֶם   וּשְׂאוּ פִּתְחֵי עוֹלָם

וְיָבֹא מֶלֶךְ הַכָּבוֹד:

מִי הוּא זֶה מֶלֶךְ הַכָּבוֹד   יְהוָה צְבָאוֹת הוּא

מֶלֶךְ הַכָּבוֹד סֶלָה:

On Festivals occurring on weekdays

PSALM 24

A Psalm of David

The earth is the Lord's and all its fulness,
The world, and they that dwell thereon.

For He hath founded it upon the seas,
And established it upon the floods.

Who shall ascend the mountain of the Lord?
And who shall stand in His holy place?

He that hath clean hands, and a pure heart;
Who hath not set his mind on what is false,
And hath not sworn deceitfully.

He shall receive a blessing from the Lord,
And righteousness from the God of his salvation.

Such is the generation of them that seek Him,
That seek the presence of the God of Jacob.

Lift up your heads, O ye gates,
Yea, lift them up, ye everlasting doors,
That the King of glory may come in.

Who is the King of glory?
The Lord strong and mighty,
The Lord mighty in battle.

Lift up your heads, O ye gates,
Yea, lift them up, ye everlasting doors,
That the King of glory may come in.

Who then is the King of glory?
The Lord of hosts;
He is the King of glory.

The Torah is returned to the Ark.

וּבְנֻחֹה יֹאמַר שׁוּבָה יְיָ רִבְבוֹת אַלְפֵי יִשְׂרָאֵל:

קוּמָה יְיָ לִמְנוּחָתֶךָ אַתָּה וַאֲרוֹן עֻזֶּךָ:

כֹּהֲנֶיךָ יִלְבְּשׁוּ־צֶדֶק וַחֲסִידֶיךָ יְרַנֵּנוּ:

בַּעֲבוּר דָּוִד עַבְדֶּךָ אַל־תָּשֵׁב פְּנֵי מְשִׁיחֶךָ:

כִּי לֶקַח טוֹב נָתַתִּי לָכֶם תּוֹרָתִי אַל־תַּעֲזֹבוּ:

עֵץ־חַיִּים הִיא לַמַּחֲזִיקִים בָּהּ וְתֹמְכֶיהָ מְאֻשָּׁר:

דְּרָכֶיהָ דַרְכֵי־נֹעַם וְכָל־נְתִיבוֹתֶיהָ שָׁלוֹם:

הֲשִׁיבֵנוּ יְיָ אֵלֶיךָ וְנָשׁוּבָה חַדֵּשׁ יָמֵינוּ כְּקֶדֶם:

Musaf for Sabbath, pages 137–145.
Musaf for Festivals, pages 146–156.

The Torah is returned to the Ark.

When the Ark rested, Moses said:
Mayest Thou, O Lord, dwell among the myriads of the
     families of Israel.

> Arise, O Lord, unto Thy sanctuary,
> Thou, and the Ark of Thy strength.

Let Thy priests be clothed with salvation;
And Thy faithful ones exult.

> For the sake of David, Thy servant,
> Reject not Thine anointed.

I have given you good teaching;
Forsake not My Torah.

> It is a Tree of Life to them that hold fast to it,
> And everyone that upholds it is happy.

Its ways are ways of pleasantness,
And all its paths are peace.

> Turn us unto Thee, O Lord, and we shall return;
> Renew our days as of old.

MEDITATION

Our God and God of our fathers, we thank Thee for Thy Torah,
our priceless heritage. May the portion we have read today
inspire us to do Thy will and to seek further knowledge of Thy
word. Thus our minds will be enriched and our lives endowed with
purpose. May we take to heart Thy laws by which man truly
lives. Happy are all who love Thee and delight in Thy command-
ments. Amen.

Musaf for Sabbath, pages 137–145.
Musaf for Festivals, pages 146–156.

מוסף לשבת

Reader

יִתְגַּדַּל וְיִתְקַדַּשׁ שְׁמֵהּ רַבָּא. בְּעָלְמָא דִּי בְרָא כִרְעוּתֵהּ. וְיַמְלִיךְ מַלְכוּתֵהּ בְּחַיֵּיכוֹן וּבְיוֹמֵיכוֹן וּבְחַיֵּי דְכָל בֵּית יִשְׂרָאֵל בַּעֲגָלָא וּבִזְמַן קָרִיב. וְאִמְרוּ אָמֵן:

Congregation and Reader

יְהֵא שְׁמֵהּ רַבָּא מְבָרַךְ לְעָלַם וּלְעָלְמֵי עָלְמַיָּא:

Reader

יִתְבָּרַךְ וְיִשְׁתַּבַּח וְיִתְפָּאַר וְיִתְרוֹמַם וְיִתְנַשֵּׂא וְיִתְהַדָּר וְיִתְעַלֶּה וְיִתְהַלָּל שְׁמֵהּ דְּקֻדְשָׁא. בְּרִיךְ הוּא. לְעֵלָּא (וּלְעֵלָּא) מִן כָּל בִּרְכָתָא וְשִׁירָתָא תֻּשְׁבְּחָתָא וְנֶחֱמָתָא דַּאֲמִירָן בְּעָלְמָא. וְאִמְרוּ אָמֵן:

עמידה

כִּי שֵׁם יְיָ אֶקְרָא הָבוּ גֹדֶל לֵאלֹהֵינוּ:
אֲדֹנָי שְׂפָתַי תִּפְתָּח וּפִי יַגִּיד תְּהִלָּתֶךָ:

בָּרוּךְ אַתָּה יְיָ אֱלֹהֵינוּ וֵאלֹהֵי אֲבוֹתֵינוּ. אֱלֹהֵי אַבְרָהָם אֱלֹהֵי יִצְחָק וֵאלֹהֵי יַעֲקֹב. הָאֵל הַגָּדוֹל הַגִּבּוֹר וְהַנּוֹרָא אֵל עֶלְיוֹן. גּוֹמֵל חֲסָדִים טוֹבִים וְקוֹנֵה הַכֹּל. וְזוֹכֵר חַסְדֵי אָבוֹת וּמֵבִיא גוֹאֵל לִבְנֵי בְנֵיהֶם לְמַעַן שְׁמוֹ בְּאַהֲבָה:

On Shabbat Shuvah add:

זָכְרֵנוּ לְחַיִּים. מֶלֶךְ חָפֵץ בַּחַיִּים. וְכָתְבֵנוּ בְּסֵפֶר הַחַיִּים. לְמַעַנְךָ אֱלֹהִים חַיִּים.

ADDITIONAL SERVICE—SABBATH

Reader

Magnified and sanctified be the name of God throughout the world which He hath created according to His will. May He establish His kingdom during the days of your life and during the life of all the house of Israel, speedily, yea, soon; and say ye, Amen.

Congregation and Reader

May His great name be blessed for ever and ever.

Reader

Exalted and honored be the name of the Holy One, blessed be He, whose glory transcends, yea, is beyond all praises, hymns and blessings that man can render unto Him; and say ye, Amen.

The Amidah is said standing, in silent devotion.

When I call upon the Lord, ascribe greatness unto our God.

O Lord, open Thou my lips and my mouth shall declare Thy praise.

Praised art Thou, O Lord our God and God of our fathers, God of Abraham, God of Isaac, and God of Jacob, mighty, revered and exalted God. Thou bestowest lovingkindness and possessest all things. Mindful of the patriarchs' love for Thee, Thou wilt in Thy love bring a redeemer to their children's children for the sake of Thy name.

On the Sabbath of Repentance add:

Remember us unto life, O King who delightest in life, and inscribe us in the Book of Life so that we may live worthily for Thy sake, O Lord of life.

מֶלֶךְ עוֹזֵר וּמוֹשִׁיעַ וּמָגֵן. בָּרוּךְ אַתָּה יְיָ מָגֵן אַבְרָהָם:

אַתָּה גִּבּוֹר לְעוֹלָם אֲדֹנָי מְחַיֵּה מֵתִים אַתָּה. רַב לְהוֹשִׁיעַ.

From Shemini Azeret until Pesah add:

מַשִּׁיב הָרוּחַ וּמוֹרִיד הַגָּשֶׁם:

מְכַלְכֵּל חַיִּים בְּחֶסֶד מְחַיֵּה מֵתִים בְּרַחֲמִים רַבִּים. סוֹמֵךְ נוֹפְלִים וְרוֹפֵא חוֹלִים וּמַתִּיר אֲסוּרִים וּמְקַיֵּם אֱמוּנָתוֹ לִישֵׁנֵי עָפָר. מִי כָמוֹךָ בַּעַל גְּבוּרוֹת וּמִי דּוֹמֶה לָּךְ מֶלֶךְ מֵמִית וּמְחַיֶּה וּמַצְמִיחַ יְשׁוּעָה:

On Shabbat Shuvah add:

מִי כָמוֹךָ אַב הָרַחֲמִים. זוֹכֵר יְצוּרָיו לְחַיִּים בְּרַחֲמִים.

וְנֶאֱמָן אַתָּה לְהַחֲיוֹת מֵתִים. בָּרוּךְ אַתָּה יְיָ מְחַיֵּה הַמֵּתִים:

אַתָּה קָדוֹשׁ וְשִׁמְךָ קָדוֹשׁ וּקְדוֹשִׁים בְּכָל־יוֹם יְהַלְלוּךָ סֶּלָה. *בָּרוּךְ אַתָּה יְיָ הָאֵל הַקָּדוֹשׁ:

**On Shabbat Shuvah conclude thus:*

בָּרוּךְ אַתָּה יְיָ הַמֶּלֶךְ הַקָּדוֹשׁ:

O King, Thou Helper, Redeemer and Shield, be Thou praised, O Lord, Shield of Abraham.

Thou, O Lord, art mighty forever. Thou callest the dead to immortal life for Thou art mighty in deliverance.

From Shemini Aẓeret until Pesaḥ add:

Thou causest the wind to blow and the rain to fall.

Thou sustainest the living with lovingkindness, and in great mercy callest the departed to everlasting life. Thou upholdest the falling, healest the sick, settest free those in bondage, and keepest faith with those that sleep in the dust. Who is like unto Thee, Almighty King, who decreest death and life and bringest forth salvation?

On the Sabbath of Repentance add:

Who may be compared to Thee, Father of mercy, who in love rememberest Thy creatures unto life?

Faithful art Thou to grant eternal life to the departed. Blessed art Thou, O Lord, who callest the dead to life everlasting.

Holy art Thou and holy is Thy name and unto Thee holy beings render praise daily. *Blessed art Thou, O Lord, the holy God.

**On the Sabbath of Repentance conclude thus:*

Blessed art Thou, O Lord, Thou holy King.

קדושה

When the Reader chants the Amidah, the Kedushah is added.

נַעֲרִיצְךָ וְנַקְדִּישְׁךָ כְּסוֹד שִׂיחַ שַׂרְפֵי קֹדֶשׁ הַמַּקְדִּישִׁים שִׁמְךָ בַּקֹּדֶשׁ. כַּכָּתוּב עַל־יַד נְבִיאֶךָ. וְקָרָא זֶה אֶל־זֶה וְאָמַר.

קָדוֹשׁ קָדוֹשׁ קָדוֹשׁ יְיָ צְבָאוֹת. מְלֹא כָל־הָאָרֶץ כְּבוֹדוֹ:

כְּבוֹדוֹ מָלֵא עוֹלָם מְשָׁרְתָיו שׁוֹאֲלִים זֶה לָזֶה אַיֵּה מְקוֹם כְּבוֹדוֹ. לְעֻמָּתָם בָּרוּךְ יֹאמֵרוּ.

בָּרוּךְ כְּבוֹד יְיָ מִמְּקוֹמוֹ:

מִמְּקוֹמוֹ הוּא יִפֶן בְּרַחֲמִים וְיָחוֹן עַם הַמְיַחֲדִים שְׁמוֹ עֶרֶב וָבֹקֶר בְּכָל־יוֹם תָּמִיד פַּעֲמַיִם בְּאַהֲבָה שְׁמַע אוֹמְרִים:

שְׁמַע יִשְׂרָאֵל יְיָ אֱלֹהֵינוּ יְיָ אֶחָד:

הוּא אֱלֹהֵינוּ הוּא אָבִינוּ הוּא מַלְכֵּנוּ הוּא מוֹשִׁיעֵנוּ וְהוּא יַשְׁמִיעֵנוּ בְּרַחֲמָיו שֵׁנִית לְעֵינֵי כָּל־חָי. לִהְיוֹת לָכֶם לֵאלֹהִים:

אֲנִי יְיָ אֱלֹהֵיכֶם:

וּבְדִבְרֵי קָדְשְׁךָ כָּתוּב לֵאמֹר.

יִמְלֹךְ יְיָ לְעוֹלָם. אֱלֹהַיִךְ צִיּוֹן לְדֹר וָדֹר. הַלְלוּיָהּ:

לְדוֹר וָדוֹר נַגִּיד גָּדְלֶךָ. וּלְנֵצַח נְצָחִים קְדֻשָּׁתְךָ נַקְדִּישׁ. וְשִׁבְחֲךָ אֱלֹהֵינוּ מִפִּינוּ לֹא יָמוּשׁ לְעוֹלָם וָעֶד. כִּי אֵל מֶלֶךְ גָּדוֹל וְקָדוֹשׁ אָתָּה. בָּרוּךְ אַתָּה יְיָ. הָאֵל הַקָּדוֹשׁ: (הַמֶּלֶךְ הַקָּדוֹשׁ)

KEDUSHAH

When the Reader chants the Amidah, the Kedushah is added.

We will revere Thee and sanctify Thee in the mystic utterance of the holy seraphim who hallow Thy name in the sanctuary as described in the vision of Thy prophet:

And the seraphim called unto one another saying:

Holy, holy, holy is the Lord of hosts;

The whole earth is full of His glory.

His glory pervades the universe; His ministering angels inquire of one another: Where is the place of His glory? In response they give praise:

Praised be the glory of the Lord from His heavenly abode.

From His heavenly abode may He turn in mercy and bestow grace unto the people who, reciting the Shema evening and morning, twice daily, proclaim in love the unity of His name, saying:

Hear, O Israel: the Lord our God, the Lord is One.

He is our God; He is our Father, our Sovereign and our Deliverer. In His mercy He will again make known in the presence of all the living that He will be your God.

"I am the Lord your God."

As it is written in holy Scripture:

The Lord shall reign forever; Thy God, O Zion, shall be Sovereign unto all generations. Hallelujah.

Unto all generations we will declare Thy greatness, and to all eternity we will proclaim Thy holiness. Our mouth shall ever speak Thy praise, O our God, for Thou art a great and holy God and King. Blessed art Thou, O Lord, the holy God. (the holy King).

בקשה

אֱלֹהֵינוּ וֵאלֹהֵי אֲבוֹתֵינוּ יַעֲלֶה לְפָנֶיךָ זִכְרוֹן אֲבוֹתֵינוּ בִּימֵי קֶדֶם בְּעָמְדָם לְפָנֶיךָ בְּחַצְרוֹת קָדְשֶׁךָ: מָה רַבָּה אַהֲבָתָם לָךְ בַּהֲבִיאָם לְפָנֶיךָ אֶת קָרְבְּנוֹת חוֹבוֹתֵיהֶם מִדֵּי שַׁבָּת בְּשַׁבַּתּוֹ: אָנָּא יְיָ אֱלֹהֵינוּ הָאֲצֵל עָלֵינוּ מֵרוּחָם רוּחַ דַּעַת וְיִרְאַת יְיָ: כֵּן נִזְכֶּה לְמַלֵּא חוֹבוֹתֵינוּ לְבִנְיַן אַרְצֶךָ וּלְחִדּוּשׁ בֵּית חַיֵּינוּ וְיִתְבָּרְכוּ בָנוּ כָּל מִשְׁפְּחוֹת הָאֲדָמָה:

On Sabbath

תִּכַּנְתָּ שַׁבָּת רָצִיתָ קָרְבְּנוֹתֶיהָ. צִוִּיתָ פֵּרוּשֶׁיהָ עִם סִדּוּרֵי נְסָכֶיהָ. מְעַנְּגֶיהָ לְעוֹלָם כָּבוֹד יִנְחָלוּ. טוֹעֲמֶיהָ חַיִּים זָכוּ. וְגַם הָאוֹהֲבִים דְּבָרֶיהָ גְּדֻלָּה בָּחָרוּ. אָז מִסִּינַי נִצְטַוּוּ עָלֶיהָ. וַתְּצַוֵּם יְיָ אֱלֹהֵינוּ לְהַקְרִיב בָּהּ קָרְבַּן מוּסַף

On Sabbath Rosh Ḥodesh

אַתָּה יָצַרְתָּ עוֹלָמְךָ מִקֶּדֶם. כִּלִּיתָ מְלַאכְתְּךָ בַּיּוֹם הַשְּׁבִיעִי. אָהַבְתָּ אוֹתָנוּ וְרָצִיתָ בָּנוּ וְרוֹמַמְתָּנוּ מִכָּל־הַלְּשׁוֹנוֹת. וְקִדַּשְׁתָּנוּ בְּמִצְוֹתֶיךָ וְקֵרַבְתָּנוּ מַלְכֵּנוּ לַעֲבוֹדָתֶךָ. וְשִׁמְךָ הַגָּדוֹל וְהַקָּדוֹשׁ עָלֵינוּ קָרָאתָ. וַתִּתֶּן־לָנוּ יְיָ אֱלֹהֵינוּ בְּאַהֲבָה שַׁבָּתוֹת לִמְנוּחָה וְרָאשֵׁי חֳדָשִׁים לְכַפָּרָה: וּלְפִי שֶׁחָטָאנוּ לְפָנֶיךָ אֲנַחְנוּ וַאֲבוֹתֵינוּ חָרְבָה עִירֵנוּ. וְשָׁמֵם בֵּית מִקְדָּשֵׁנוּ וְגָלָה יְקָרֵנוּ וְנֻטַּל כָּבוֹד מִבֵּית חַיֵּינוּ. וְאֵין אֲנַחְנוּ יְכוֹלִים לַעֲשׂוֹת חוֹבוֹתֵינוּ בְּבֵית בְּחִירָתֶךָ. בַּבַּיִת הַגָּדוֹל וְהַקָּדוֹשׁ שֶׁנִּקְרָא שִׁמְךָ עָלָיו. מִפְּנֵי הַיָּד שֶׁנִּשְׁתַּלְּחָה בְּמִקְדָּשֶׁךָ:

MEDITATION

Our God and God of our fathers, may there come before Thee the remembrance of our ancestors as they appeared in Thy sacred Temple in the days of yore. How deep was their love of Thee as they brought Thee their offerings each Sabbath day. We pray Thee, grant us of the spirit of knowledge and the fear of the Lord that lived in their hearts. May we, in their spirit of sacrificial devotion, fulfill our duty toward the rebuilding of Thy Holy Land, the fountain of our life, that we may ever be a blessing to all the peoples of the earth.

On Sabbath

Thou didst establish the Sabbath and didst accept its offerings, prescribing the order of its service. They that delight in the Sabbath have a glorious heritage; they who partake of it, merit life's highest joy, and they that love its observance have thus chosen true distinction. At Sinai our forefathers were commanded to keep the Sabbath; and Thou didst ordain, O Lord our God, that they bring the additional Sabbath offering as set forth in the Torah.

On Sabbath Rosh Ḥodesh

Thou didst create the world from of old completing Thy work by the seventh day. Loving us and exalting us above all tongues, Thou didst sanctify us by Thy commandments, and didst bring us near unto Thy service, O our King, calling us by Thy great and holy name. As a token of Thy love, O Lord our God, Thou didst also give us Sabbaths for rest and New Moons for forgiveness.

Because we and our forefathers sinned against Thee, our city Jerusalem has been laid waste, our Sanctuary is desolate, our splendor has gone into exile, and the glory has been removed from the abode of our life. Therefore we cannot fulfill our obligations in Thy chosen House, the great and holy Temple, which was called by Thy name, because of the destruction that has come upon Thy Sanctuary.

On Sabbath

שַׁבָּת כָּרָאוּי: יְהִי רָצוֹן מִלְּפָנֶיךָ יְיָ אֱלֹהֵינוּ וֵאלֹהֵי אֲבוֹתֵינוּ שֶׁתַּעֲלֵנוּ בְשִׂמְחָה לְאַרְצֵנוּ וְתִטָּעֵנוּ בִּגְבוּלֵנוּ. שֶׁשָּׁם עָשׂוּ אֲבוֹתֵינוּ לְפָנֶיךָ אֶת־קָרְבְּנוֹת חוֹבוֹתֵיהֶם. תְּמִידִים כְּסִדְרָם וּמוּסָפִים כְּהִלְכָתָם. וְאֶת־מוּסַף יוֹם הַשַּׁבָּת הַזֶּה עָשׂוּ וְהִקְרִיבוּ לְפָנֶיךָ בְּאַהֲבָה כְּמִצְוַת רְצוֹנֶךָ כְּמוֹ שֶׁכָּתַבְתָּ בְּתוֹרָתֶךָ. עַל־יְדֵי מֹשֶׁה עַבְדֶּךָ מִפִּי כְבוֹדֶךָ כָּאָמוּר: וּבְיוֹם הַשַּׁבָּת שְׁנֵי־כְבָשִׂים בְּנֵי־שָׁנָה תְּמִימִם וּשְׁנֵי עֶשְׂרֹנִים סֹלֶת מִנְחָה בְּלוּלָה בַשֶּׁמֶן וְנִסְכּוֹ: עֹלַת שַׁבַּת בְּשַׁבַּתּוֹ עַל־עֹלַת הַתָּמִיד וְנִסְכָּהּ:

On Sabbath Rosh Ḥodesh

יְהִי רָצוֹן מִלְּפָנֶיךָ יְיָ אֱלֹהֵינוּ וֵאלֹהֵי אֲבוֹתֵינוּ שֶׁתַּעֲלֵנוּ בְשִׂמְחָה לְאַרְצֵנוּ וְתִטָּעֵנוּ בִּגְבוּלֵנוּ. שֶׁשָּׁם עָשׂוּ אֲבוֹתֵינוּ לְפָנֶיךָ אֶת־קָרְבְּנוֹת חוֹבוֹתֵיהֶם. תְּמִידִים כְּסִדְרָם וּמוּסָפִים כְּהִלְכָתָם. וְאֶת־מוּסְפֵי יוֹם הַשַּׁבָּת הַזֶּה וְיוֹם רֹאשׁ הַחֹדֶשׁ הַזֶּה עָשׂוּ וְהִקְרִיבוּ לְפָנֶיךָ בְּאַהֲבָה כְּמִצְוַת רְצוֹנֶךָ. כְּמוֹ שֶׁכָּתַבְתָּ בְּתוֹרָתֶךָ. עַל־יְדֵי מֹשֶׁה עַבְדֶּךָ מִפִּי כְבוֹדֶךָ כָּאָמוּר: וּבְיוֹם הַשַּׁבָּת שְׁנֵי־כְבָשִׂים בְּנֵי־שָׁנָה תְּמִימִם וּשְׁנֵי עֶשְׂרֹנִים סֹלֶת מִנְחָה בְּלוּלָה בַשֶּׁמֶן וְנִסְכּוֹ: עֹלַת שַׁבַּת בְּשַׁבַּתּוֹ עַל־עֹלַת הַתָּמִיד וְנִסְכָּהּ:

וּבְרָאשֵׁי חָדְשֵׁיכֶם תַּקְרִיבוּ עֹלָה לַייָ. פָּרִים בְּנֵי־בָקָר שְׁנַיִם וְאַיִל אֶחָד. כְּבָשִׂים בְּנֵי־שָׁנָה שִׁבְעָה תְּמִימִם: וּמִנְחָתָם וְנִסְכֵּיהֶם כִּמְדֻבָּר. שְׁלֹשָׁה עֶשְׂרֹנִים לַפָּר וּשְׁנֵי עֶשְׂרֹנִים לָאָיִל. וְעִשָּׂרוֹן לַכֶּבֶשׂ וְיַיִן כְּנִסְכּוֹ וְשָׂעִיר לְכַפֵּר וּשְׁנֵי תְמִידִים כְּהִלְכָתָם:

On Sabbath

May it be Thy will, O Lord our God and God of our fathers, to lead us joyfully back to our land, and to establish us within its borders where our forefathers prepared the daily offerings and the additional Sabbath offerings, as is written in Thy Torah, through Moses, Thine inspired servant.

The Sabbath Offering:
(Numbers 28:9–10)

On Sabbath Rosh Ḥodesh

May it be Thy will, O Lord our God and God of our fathers, to lead us joyfully back to our land, and to establish us within its borders where our forefathers prepared the daily offering and the additional offerings for the Sabbath day and for the New Moon, as it is written in Thy Torah through Moses, Thine inspired servant.

The Sabbath Offering:
(Numbers 28:9–10)

The Rosh Hodesh Offering:
(Numbers 28:11–15)

On Sabbath

יִשְׂמְחוּ בְמַלְכוּתְךָ שׁוֹמְרֵי שַׁבָּת וְקוֹרְאֵי עֹנֶג. עַם מְקַדְּשֵׁי שְׁבִיעִי כֻּלָּם יִשְׂבְּעוּ וְיִתְעַנְּגוּ מִטּוּבֶךָ. וְהַשְּׁבִיעִי רָצִיתָ בּוֹ וְקִדַּשְׁתּוֹ. חֶמְדַּת יָמִים אוֹתוֹ קָרָאתָ. זֵכֶר לְמַעֲשֵׂה בְרֵאשִׁית:

אֱלֹהֵינוּ וֵאלֹהֵי אֲבוֹתֵינוּ. רְצֵה בִמְנוּחָתֵנוּ קַדְּשֵׁנוּ בְּמִצְוֹתֶיךָ וְתֵן חֶלְקֵנוּ בְּתוֹרָתֶךָ. שַׂבְּעֵנוּ מִטּוּבֶךָ וְשַׂמְּחֵנוּ בִּישׁוּעָתֶךָ. וְטַהֵר לִבֵּנוּ לְעָבְדְּךָ בֶּאֱמֶת. וְהַנְחִילֵנוּ יְיָ אֱלֹהֵינוּ בְּאַהֲבָה וּבְרָצוֹן שַׁבַּת קָדְשֶׁךָ. וְיָנוּחוּ בָהּ יִשְׂרָאֵל מְקַדְּשֵׁי שְׁמֶךָ. בָּרוּךְ אַתָּה יְיָ. מְקַדֵּשׁ הַשַּׁבָּת:

On Sabbath Rosh Ḥodesh

יִשְׂמְחוּ בְמַלְכוּתְךָ שׁוֹמְרֵי שַׁבָּת וְקוֹרְאֵי עֹנֶג. עַם מְקַדְּשֵׁי שְׁבִיעִי כֻּלָּם יִשְׂבְּעוּ וְיִתְעַנְּגוּ מִטּוּבֶךָ. וְהַשְּׁבִיעִי רָצִיתָ בּוֹ וְקִדַּשְׁתּוֹ. חֶמְדַּת יָמִים אוֹתוֹ קָרָאתָ זֵכֶר לְמַעֲשֵׂה בְרֵאשִׁית:

אֱלֹהֵינוּ וֵאלֹהֵי אֲבוֹתֵינוּ. רְצֵה בִמְנוּחָתֵנוּ וְחַדֵּשׁ עָלֵינוּ בְּיוֹם הַשַּׁבָּת הַזֶּה אֶת־הַחֹדֶשׁ הַזֶּה. לְטוֹבָה וְלִבְרָכָה. לְשָׂשׂוֹן וּלְשִׂמְחָה. לִישׁוּעָה וּלְנֶחָמָה. לְפַרְנָסָה וּלְכַלְכָּלָה. לְחַיִּים וּלְשָׁלוֹם. לִמְחִילַת חֵטְא וְלִסְלִיחַת עָוֹן (*during Leap Year add:* וּלְכַפָּרַת פָּשַׁע): כִּי בְעַמְּךָ יִשְׂרָאֵל בָּחַרְתָּ מִכָּל־הָאֻמּוֹת. וְשַׁבַּת קָדְשְׁךָ לָהֶם הוֹדָעְתָּ. וְחֻקֵּי רָאשֵׁי חֳדָשִׁים לָהֶם קָבָעְתָּ: בָּרוּךְ אַתָּה יְיָ. מְקַדֵּשׁ הַשַּׁבָּת וְיִשְׂרָאֵל וְרָאשֵׁי חֳדָשִׁים:

On Sabbath

May they who observe the Sabbath and call it a delight rejoice in Thy kingdom. May the people who sanctify the seventh day be sated and delighted with Thy bounty. For Thou didst find pleasure in the seventh day, and didst sanctify it, calling it the most desirable of days, in remembrance of creation.

Our God and God of our fathers, accept our rest. Sanctify us through Thy commandments, and grant our portion in Thy Torah. Give us abundantly of Thy goodness and make us rejoice in Thy salvation. Purify our hearts to serve Thee in truth. In Thy loving favor, O Lord our God, grant that Thy holy Sabbath be our joyous heritage, and may Israel who sanctifies Thy name, rest thereon. Blessed art Thou, O Lord, who hallowest the Sabbath.

On Sabbath Rosh Ḥodesh

May they who observe the Sabbath and call it a delight, rejoice in Thy kingdom. May the people who sanctify the seventh day be sated and delighted with Thy bounty. For Thou didst find pleasure in the seventh day, and didst sanctify it, calling it the most desirable of days, in remembrance of creation.

Our God and God of our fathers, accept our rest. On this Sabbath day renew the New Moon unto us for well-being and for blessing, for joy and gladness, for salvation and comfort, for sustenance and abundance, for life and peace, for the pardon of sin and forgiveness of iniquity. (*During leap year add:* and for the atonement of iniquity). Choosing Thy people Israel from among all nations, Thou hast made Thy holy Sabbath known unto them, and prescribed statutes regarding the observance of the New Moon. Blessed art Thou, O Lord, who sanctifiest the Sabbath, Israel and the New Moon.

רְצֵה יְיָ אֱלֹהֵינוּ בְּעַמְּךָ יִשְׂרָאֵל וּבִתְפִלָּתָם. וְהָשֵׁב אֶת־הָעֲבוֹדָה לִדְבִיר בֵּיתֶךָ. וּתְפִלָּתָם בְּאַהֲבָה תְקַבֵּל בְּרָצוֹן. וּתְהִי לְרָצוֹן תָּמִיד עֲבוֹדַת יִשְׂרָאֵל עַמֶּךָ: וְתֶחֱזֶינָה עֵינֵינוּ בְּשׁוּבְךָ לְצִיּוֹן בְּרַחֲמִים. בָּרוּךְ אַתָּה יְיָ. הַמַּחֲזִיר שְׁכִינָתוֹ לְצִיּוֹן:

*מוֹדִים אֲנַחְנוּ לָךְ. שָׁאַתָּה הוּא יְיָ אֱלֹהֵינוּ וֵאלֹהֵי אֲבוֹתֵינוּ לְעוֹלָם וָעֶד. צוּר חַיֵּינוּ מָגֵן יִשְׁעֵנוּ אַתָּה הוּא לְדוֹר וָדוֹר. נוֹדֶה לְּךָ וּנְסַפֵּר תְּהִלָּתֶךָ עַל חַיֵּינוּ הַמְּסוּרִים בְּיָדֶךָ. וְעַל נִשְׁמוֹתֵינוּ הַפְּקוּדוֹת לָךְ וְעַל נִסֶּיךָ שֶׁבְּכָל־יוֹם עִמָּנוּ וְעַל נִפְלְאוֹתֶיךָ וְטוֹבוֹתֶיךָ שֶׁבְּכָל־עֵת עֶרֶב וָבֹקֶר וְצָהֳרָיִם. הַטּוֹב כִּי לֹא־כָלוּ רַחֲמֶיךָ וְהַמְרַחֵם כִּי לֹא־תַמּוּ חֲסָדֶיךָ מֵעוֹלָם קִוִּינוּ לָךְ:

***When the Reader chants the Amidah, the Congregation says the following prayer:*

מוֹדִים אֲנַחְנוּ לָךְ. שָׁאַתָּה הוּא יְיָ אֱלֹהֵינוּ וֵאלֹהֵי אֲבוֹתֵינוּ. אֱלֹהֵי כָל־בָּשָׂר יוֹצְרֵנוּ יוֹצֵר בְּרֵאשִׁית. בְּרָכוֹת וְהוֹדָאוֹת לְשִׁמְךָ הַגָּדוֹל וְהַקָּדוֹשׁ עַל שֶׁהֶחֱיִיתָנוּ וְקִיַּמְתָּנוּ. כֵּן תְּחַיֵּינוּ וּתְקַיְּמֵנוּ וְתֶאֱסוֹף גָּלֻיּוֹתֵינוּ לְחַצְרוֹת קָדְשֶׁךָ. לִשְׁמֹר חֻקֶּיךָ וְלַעֲשׂוֹת רְצוֹנֶךָ וּלְעָבְדְךָ בְּלֵבָב שָׁלֵם עַל שֶׁאֲנַחְנוּ מוֹדִים לָךְ. בָּרוּךְ אֵל הַהוֹדָאוֹת:

O Lord our God, be gracious unto Thy people Israel and accept their prayer. Restore the worship to Thy sanctuary and receive in love and favor the supplication of Israel. May the worship of Thy people be ever acceptable unto Thee. O may our eyes witness Thy return to Zion. Blessed art Thou, O Lord, who restorest Thy divine presence unto Zion.

*We thankfully acknowledge Thee, O Lord our God, our fathers' God to all eternity. Our Rock art Thou, our Shield that saves through every generation. We give Thee thanks and we declare Thy praise for all Thy tender care. Our lives we trust into Thy loving hand. Our souls are ever in Thy charge; Thy wonders and Thy miracles are daily with us, evening, morn and noon. O Thou who art all-good, whose mercies never fail us, Compassionate One, whose lovingkindnesses never cease, we ever hope in Thee.

*When the Reader chants the Amidah, the Congregation says the following prayer:

We thankfully acknowledge that Thou art the Lord our God and God of our fathers, the God of all that lives, our Creator and Creator of the universe. We offer blessings and thanksgiving to Thy great and holy name because Thou hast kept us in life and sustained us; so mayest Thou continue to keep us in life and sustain us. O gather our exiles into the courts of Thy holy sanctuary to observe Thy statutes, to do Thy will, and to serve Thee with a perfect heart. We give thanks unto Thee. Blessed be God to whom we are ever grateful.

On Ḥanukkah add:

עַל הַנִּסִים וְעַל הַפֻּרְקָן וְעַל הַגְּבוּרוֹת וְעַל הַתְּשׁוּעוֹת וְעַל
הַמִּלְחָמוֹת שֶׁעָשִׂיתָ לַאֲבוֹתֵינוּ בַּיָּמִים הָהֵם בַּזְּמַן הַזֶּה:

בִּימֵי מַתִּתְיָהוּ בֶּן־יוֹחָנָן כֹּהֵן גָּדוֹל חַשְׁמוֹנַאי וּבָנָיו. כְּשֶׁעָמְדָה
מַלְכוּת יָוָן הָרְשָׁעָה עַל־עַמְּךָ יִשְׂרָאֵל. לְהַשְׁכִּיחָם תּוֹרָתֶךָ.
וּלְהַעֲבִירָם מֵחֻקֵּי רְצוֹנֶךָ. וְאַתָּה בְּרַחֲמֶיךָ הָרַבִּים עָמַדְתָּ לָהֶם
בְּעֵת צָרָתָם. רַבְתָּ אֶת־רִיבָם. דַּנְתָּ אֶת־דִּינָם. נָקַמְתָּ אֶת־נִקְמָתָם.
מָסַרְתָּ גִבּוֹרִים בְּיַד חַלָּשִׁים. וְרַבִּים בְּיַד מְעַטִּים. וּטְמֵאִים בְּיַד
טְהוֹרִים. וּרְשָׁעִים בְּיַד צַדִּיקִים. וְזֵדִים בְּיַד עוֹסְקֵי תוֹרָתֶךָ. וּלְךָ
עָשִׂיתָ שֵׁם גָּדוֹל וְקָדוֹשׁ בְּעוֹלָמֶךָ. וּלְעַמְּךָ יִשְׂרָאֵל עָשִׂיתָ תְּשׁוּעָה
גְדוֹלָה וּפֻרְקָן כְּהַיּוֹם הַזֶּה. וְאַחַר כֵּן בָּאוּ בָנֶיךָ לִדְבִיר בֵּיתֶךָ.
וּפִנּוּ אֶת־הֵיכָלֶךָ. וְטִהֲרוּ אֶת־מִקְדָּשֶׁךָ. וְהִדְלִיקוּ נֵרוֹת בְּחַצְרוֹת
קָדְשֶׁךָ. וְקָבְעוּ שְׁמוֹנַת יְמֵי חֲנֻכָּה אֵלּוּ. לְהוֹדוֹת וּלְהַלֵּל לְשִׁמְךָ
הַגָּדוֹל:

וְעַל כֻּלָּם יִתְבָּרַךְ וְיִתְרוֹמַם שִׁמְךָ מַלְכֵּנוּ תָּמִיד לְעוֹלָם
וָעֶד:

On Shabbat Shuvah add:

וּכְתוֹב לְחַיִּים טוֹבִים כָּל־בְּנֵי בְרִיתֶךָ:

וְכֹל הַחַיִּים יוֹדוּךָ סֶּלָה וִיהַלְלוּ אֶת שִׁמְךָ בֶּאֱמֶת הָאֵל
יְשׁוּעָתֵנוּ וְעֶזְרָתֵנוּ סֶלָה. בָּרוּךְ אַתָּה יְיָ הַטּוֹב שִׁמְךָ וּלְךָ
נָאֶה לְהוֹדוֹת:

Reader

אֱלֹהֵינוּ וֵאלֹהֵי אֲבוֹתֵינוּ. בָּרְכֵנוּ בַּבְּרָכָה הַמְשֻׁלֶּשֶׁת בַּתּוֹרָה
הַכְּתוּבָה עַל־יְדֵי מֹשֶׁה עַבְדֶּךָ. הָאֲמוּרָה מִפִּי אַהֲרֹן וּבָנָיו כֹּהֲנִים
עַם קְדוֹשֶׁךָ כָּאָמוּר:

Congregation	*Reader*
כֵּן יְהִי רָצוֹן:	יְבָרֶכְךָ יְיָ וְיִשְׁמְרֶךָ.
כֵּן יְהִי רָצוֹן:	יָאֵר יְיָ פָּנָיו אֵלֶיךָ וִיחֻנֶּךָּ.
כֵּן יְהִי רָצוֹן:	יִשָּׂא יְיָ פָּנָיו אֵלֶיךָ וְיָשֵׂם לְךָ שָׁלוֹם.

On Ḥanukkah add:

We thank Thee also for the miraculous and mighty deeds of liberation wrought by Thee, and for Thy victories in the battles our forefathers fought in days of old, at this season of the year.

In the days of the High Priest Mattathias, son of Johanan, of the Hasmonean family, a tyrannical power rose up against Thy people Israel to compel them to forsake Thy Torah, and to force them to transgress Thy commandments. In Thine abundant mercy Thou didst stand by them in time of distress. Thou didst rise to their defense and didst vindicate their cause. Thou didst bring retribution upon the evil doers, delivering the strong into the hands of the weak, the many into the hands of the few, the wicked into the hands of the just, and the arrogant into the hands of those devoted to Thy Torah. Thou didst thus make Thy greatness and holiness known in Thy world, and didst bring great deliverance to Israel. Then Thy children came into Thy dwelling place, cleansed the Temple, purified the Sanctuary, kindled lights in Thy sacred courts, and they designated these eight days of Hanukkah for giving thanks and praise unto Thy great name.

For all this, Thy name, O our King, shall be blessed and exalted for ever and ever.

On the Sabbath of Repentance add:

O inscribe all the children of Thy covenant for a happy life.

May all the living do homage unto Thee forever and praise Thy name in truth, O God, who art our salvation and our help. Blessed be Thou, O Lord, Beneficent One, unto whom our thanks are due.

Reader

Our God and God of our fathers, bless us with the threefold blessing written in the Torah of Moses, Thy servant, and spoken by Aaron and his sons, Thy consecrated priests:

Reader	*Congregation*
May the Lord bless thee and keep thee;	So may it be His will.
May the Lord make His countenance to shine upon thee and be gracious unto thee;	So may it be His will.
May the Lord turn His countenance unto thee and give thee peace.	So may it be His will.

שִׂים שָׁלוֹם טוֹבָה וּבְרָכָה בָּעוֹלָם חֵן וָחֶסֶד וְרַחֲמִים עָלֵינוּ וְעַל כָּל־יִשְׂרָאֵל עַמֶּךָ. בָּרְכֵנוּ אָבִינוּ כֻּלָּנוּ כְּאֶחָד בְּאוֹר פָּנֶיךָ. כִּי בְאוֹר פָּנֶיךָ נָתַתָּ לָּנוּ יְיָ אֱלֹהֵינוּ תּוֹרַת חַיִּים וְאַהֲבַת חֶסֶד וּצְדָקָה וּבְרָכָה וְרַחֲמִים וְחַיִּים וְשָׁלוֹם. וְטוֹב בְּעֵינֶיךָ לְבָרֵךְ אֶת־עַמְּךָ יִשְׂרָאֵל בְּכָל־עֵת וּבְכָל־שָׁעָה בִּשְׁלוֹמֶךָ.*

בָּרוּךְ אַתָּה יְיָ הַמְבָרֵךְ אֶת־עַמּוֹ יִשְׂרָאֵל בַּשָּׁלוֹם:

**On Shabbat Shuvah conclude thus:*

בְּסֵפֶר חַיִּים בְּרָכָה וְשָׁלוֹם וּפַרְנָסָה טוֹבָה. נִזָּכֵר וְנִכָּתֵב לְפָנֶיךָ. אֲנַחְנוּ וְכָל עַמְּךָ בֵּית יִשְׂרָאֵל. לְחַיִּים טוֹבִים וּלְשָׁלוֹם. בָּרוּךְ אַתָּה יְיָ עוֹשֵׂה הַשָּׁלוֹם:

אֱלֹהַי נְצוֹר לְשׁוֹנִי מֵרָע וּשְׂפָתַי מִדַּבֵּר מִרְמָה וְלִמְקַלְלַי נַפְשִׁי תִדּוֹם וְנַפְשִׁי כֶּעָפָר לַכֹּל תִּהְיֶה: פְּתַח לִבִּי בְּתוֹרָתֶךָ וּבְמִצְוֹתֶיךָ תִּרְדּוֹף נַפְשִׁי. וְכֹל הַחוֹשְׁבִים עָלַי רָעָה. מְהֵרָה הָפֵר עֲצָתָם וְקַלְקֵל מַחֲשַׁבְתָּם: עֲשֵׂה לְמַעַן שְׁמֶךָ עֲשֵׂה לְמַעַן יְמִינֶךָ עֲשֵׂה לְמַעַן קְדֻשָּׁתֶךָ עֲשֵׂה לְמַעַן תּוֹרָתֶךָ: לְמַעַן יֵחָלְצוּן יְדִידֶיךָ הוֹשִׁיעָה יְמִינְךָ וַעֲנֵנִי: יִהְיוּ לְרָצוֹן אִמְרֵי־פִי וְהֶגְיוֹן לִבִּי לְפָנֶיךָ יְיָ צוּרִי וְגוֹאֲלִי: עֹשֶׂה שָׁלוֹם בִּמְרוֹמָיו הוּא יַעֲשֶׂה שָׁלוֹם עָלֵינוּ וְעַל כָּל־יִשְׂרָאֵל וְאִמְרוּ אָמֵן:

יְהִי רָצוֹן מִלְּפָנֶיךָ יְיָ אֱלֹהֵינוּ וֵאלֹהֵי אֲבוֹתֵינוּ שֶׁיִּבָּנֶה בֵּית הַמִּקְדָּשׁ בִּמְהֵרָה בְיָמֵינוּ וְתֵן חֶלְקֵנוּ בְּתוֹרָתֶךָ: וְשָׁם נַעֲבָדְךָ בְּיִרְאָה כִּימֵי עוֹלָם וּכְשָׁנִים קַדְמוֹנִיּוֹת:

Service continues with Reader's Kaddish, page 156.

Grant peace, well-being and blessing unto the world, with grace, lovingkindness and mercy for us and for all Israel, Thy people. Bless us, O our Father, all of us together, with the light of Thy presence; for by that light Thou hast given us, O Lord our God, the Torah of life, lovingkindness and righteousness, blessing and mercy, life and peace. O may it be good in Thy sight at all times to bless Thy people Israel with Thy peace.*

Blessed art Thou, O Lord, who blessest Thy people Israel with peace.

On the Sabbath of Repentance conclude thus:

In the book of life, blessing, peace and ample sustenance, may we, together with all Thy people, the house of Israel, be remembered and inscribed before Thee for a happy life and for peace. Blessed art Thou, O Lord, who establishest peace.

O Lord,

Guard my tongue from evil and my lips from speaking guile,

And to those who slander me, let me give no heed.

May my soul be humble and forgiving unto all.

Open Thou my heart, O Lord, unto Thy sacred Law,

That Thy statutes I may know and all Thy truths pursue.

Bring to naught designs of those who seek to do me ill;

Speedily defeat their aims and thwart their purposes

For Thine own sake, for Thine own power,

For Thy holiness and Law.

That Thy loved ones be delivered,

Answer us, O Lord, and save with Thy redeeming power.

May the words of my mouth and the meditation of my heart be acceptable unto Thee, O Lord, my Rock and my Redeemer. Thou who establishest peace in the heavens, grant peace unto us and unto all Israel. Amen.

May it be Thy will, O Lord our God and God of our fathers, to grant our portion in Thy Torah and may the Temple be rebuilt in our day. There we will serve Thee with awe as in days of old.

Service continues with Reader's Kaddish, page 156.

מוסף לרגלים

Reader

יִתְגַּדַּל וְיִתְקַדַּשׁ שְׁמֵהּ רַבָּא. בְּעָלְמָא דִּי בְרָא
כִרְעוּתֵהּ. וְיַמְלִיךְ מַלְכוּתֵהּ בְּחַיֵּיכוֹן וּבְיוֹמֵיכוֹן וּבְחַיֵּי
דְכָל בֵּית יִשְׂרָאֵל בַּעֲגָלָא וּבִזְמַן קָרִיב. וְאִמְרוּ אָמֵן:

Congregation and Reader

יְהֵא שְׁמֵהּ רַבָּא מְבָרַךְ לְעָלַם וּלְעָלְמֵי עָלְמַיָּא.

Reader

יִתְבָּרַךְ וְיִשְׁתַּבַּח וְיִתְפָּאַר וְיִתְרוֹמַם וְיִתְנַשֵּׂא וְיִתְהַדַּר
וְיִתְעַלֶּה וְיִתְהַלָּל שְׁמֵהּ דְּקֻדְשָׁא בְּרִיךְ הוּא. לְעֵלָּא מִן
כָּל בִּרְכָתָא וְשִׁירָתָא תֻּשְׁבְּחָתָא וְנֶחֱמָתָא דַּאֲמִירָן
בְּעָלְמָא. וְאִמְרוּ אָמֵן:

ADDITIONAL SERVICE — FESTIVALS

Reader

Magnified and sanctified be the name of God throughout the world which He hath created according to His will. May He establish His kingdom during the days of your life and during the life of all the house of Israel, speedily, yea, soon; and say ye, Amen.

Congregation and Reader

May His great name be blessed for ever and ever.

Reader

Exalted and honored be the name of the Holy One, blessed be He. whose glory transcends, yea, is beyond all praises, hymns and blessings that man can render unto Him; and say ye, Amen.

146

עמידה

כִּי שֵׁם יְיָ אֶקְרָא הָבוּ גֹדֶל לֵאלֹהֵינוּ:
אֲדֹנָי שְׂפָתַי תִּפְתָּח וּפִי יַגִּיד תְּהִלָּתֶךָ:

*בָּרוּךְ אַתָּה יְיָ אֱלֹהֵינוּ וֵאלֹהֵי אֲבוֹתֵינוּ. אֱלֹהֵי אַבְרָהָם אֱלֹהֵי יִצְחָק וֵאלֹהֵי יַעֲקֹב. הָאֵל הַגָּדוֹל הַגִּבּוֹר וְהַנּוֹרָא אֵל עֶלְיוֹן. גּוֹמֵל חֲסָדִים טוֹבִים וְקוֹנֵה הַכֹּל. וְזוֹכֵר חַסְדֵי אָבוֹת וּמֵבִיא גוֹאֵל לִבְנֵי בְנֵיהֶם לְמַעַן שְׁמוֹ בְּאַהֲבָה: מֶלֶךְ עוֹזֵר וּמוֹשִׁיעַ וּמָגֵן. בָּרוּךְ אַתָּה יְיָ מָגֵן אַבְרָהָם:

אַתָּה גִּבּוֹר לְעוֹלָם אֲדֹנָי מְחַיֵּה מֵתִים אַתָּה. רַב לְהוֹשִׁיעַ.

On Shemini Aẓeret and Simḥat Torah add:

מַשִּׁיב הָרוּחַ וּמוֹרִיד הַגָּשֶׁם:

מְכַלְכֵּל חַיִּים בְּחֶסֶד מְחַיֵּה מֵתִים בְּרַחֲמִים רַבִּים. סוֹמֵךְ נוֹפְלִים וְרוֹפֵא חוֹלִים וּמַתִּיר אֲסוּרִים וּמְקַיֵּם אֱמוּנָתוֹ לִישֵׁנֵי עָפָר. מִי כָמוֹךָ בַּעַל גְּבוּרוֹת וּמִי דּוֹמֶה לָּךְ. מֶלֶךְ מֵמִית וּמְחַיֶּה וּמַצְמִיחַ יְשׁוּעָה: וְנֶאֱמָן אַתָּה לְהַחֲיוֹת מֵתִים. בָּרוּךְ אַתָּה יְיָ מְחַיֵּה הַמֵּתִים:

אַתָּה קָדוֹשׁ וְשִׁמְךָ קָדוֹשׁ וּקְדוֹשִׁים בְּכָל־יוֹם יְהַלְלוּךָ סֶּלָה. בָּרוּךְ אַתָּה יְיָ הָאֵל הַקָּדוֹשׁ:

**On the First Day of Pesaḥ, Tal, the Prayer for Dew, page 180 is added when the Reader chants the Amidah.*

On Shemini Aẓeret, Geshem, the Prayer for Rain, page 210 is added when the Reader chants the Amidah.

*The Amidah is said standing, in silent devotion.**

When I call upon the Lord, ascribe greatness unto our God.

O Lord, open Thou my lips and my mouth shall declare Thy praise.

Praised art Thou, O Lord our God and God of our fathers, God of Abraham, God of Isaac and God of Jacob, mighty, revered and exalted God. Thou bestowest lovingkindness and possessest all things. Mindful of the patriarchs' love for Thee, Thou wilt in Thy love bring a redeemer to their children's children for the sake of Thy name.

O King, Thou Helper, Redeemer and Shield, be Thou praised, O Lord, Shield of Abraham.

Thou, O Lord, art mighty forever. Thou callest the dead to immortal life for Thou art mighty in deliverance.

On Shemini Aẓeret, Simḥat Torah, and first day of Passover add:

Thou causest the wind to blow and the rain to fall.

Thou sustainest the living with lovingkindness, and in great mercy callest the departed to everlasting life. Thou upholdest the falling, healest the sick, settest free those in bondage, and keepest faith with those that sleep in the dust. Who is like unto Thee, Almighty King, who decreest death and life and bringest forth salvation? Faithful art Thou to grant eternal life to the departed. Blessed art Thou, O Lord, who callest the dead to life everlasting.

Holy art Thou and holy is Thy name and unto Thee holy beings render praise daily. Blessed art Thou, O Lord, the holy God.

**On the First Day of Pesaḥ, Tal, the Prayer for Dew, page 180 is added when the Reader chants the Amidah.*

On Shemini Aẓeret, Geshem, the Prayer for Rain, page 210 is added when the Reader chants the Amidah.

קדושה

When the Reader repeats the Amidah, the Kedushah is added:

נַעֲרִיצְךָ וְנַקְדִּישְׁךָ כְּסוֹד שִׂיחַ שַׂרְפֵי קֹדֶשׁ הַמַּקְדִּישִׁים

שִׁמְךָ בַּקֹּדֶשׁ. כַּכָּתוּב עַל־יַד נְבִיאֶךָ. וְקָרָא זֶה אֶל־זֶה וְאָמַר.

קָדוֹשׁ קָדוֹשׁ קָדוֹשׁ יְיָ צְבָאוֹת. מְלֹא כָל־הָאָרֶץ כְּבוֹדוֹ:

כְּבוֹדוֹ מָלֵא עוֹלָם מְשָׁרְתָיו שׁוֹאֲלִים זֶה לָזֶה אַיֵּה

מְקוֹם כְּבוֹדוֹ. לְעֻמָּתָם בָּרוּךְ יֹאמֵרוּ.

בָּרוּךְ כְּבוֹד יְיָ מִמְּקוֹמוֹ:

מִמְּקוֹמוֹ הוּא יִפֶן בְּרַחֲמִים וְיָחוֹן עַם הַמְיַחֲדִים שְׁמוֹ

עֶרֶב וָבֹקֶר בְּכָל־יוֹם תָּמִיד פַּעֲמַיִם בְּאַהֲבָה שְׁמַע אוֹמְרִים:

שְׁמַע יִשְׂרָאֵל יְיָ אֱלֹהֵינוּ יְיָ אֶחָד:

הוּא אֱלֹהֵינוּ הוּא אָבִינוּ הוּא מַלְכֵּנוּ הוּא מוֹשִׁיעֵנוּ

וְהוּא יַשְׁמִיעֵנוּ בְּרַחֲמָיו שֵׁנִית לְעֵינֵי כָּל־חָי. לִהְיוֹת לָכֶם

לֵאלֹהִים:

אֲנִי יְיָ אֱלֹהֵיכֶם:

אַדִּיר אַדִּירֵנוּ יְיָ אֲדֹנֵינוּ מָה־אַדִּיר שִׁמְךָ בְּכָל־הָאָרֶץ:

וְהָיָה יְיָ לְמֶלֶךְ עַל־כָּל־הָאָרֶץ בַּיּוֹם הַהוּא יִהְיֶה יְיָ אֶחָד

וּשְׁמוֹ אֶחָד:

וּבְדִבְרֵי קָדְשְׁךָ כָּתוּב לֵאמֹר.

יִמְלֹךְ יְיָ לְעוֹלָם. אֱלֹהַיִךְ צִיּוֹן לְדֹר וָדֹר. הַלְלוּיָהּ:

לְדוֹר וָדוֹר נַגִּיד גָּדְלֶךָ. וּלְנֵצַח נְצָחִים קְדֻשָּׁתְךָ נַקְדִּישׁ. וְשִׁבְחֲךָ

אֱלֹהֵינוּ מִפִּינוּ לֹא יָמוּשׁ לְעוֹלָם וָעֶד. כִּי אֵל מֶלֶךְ גָּדוֹל וְקָדוֹשׁ

אָתָּה. בָּרוּךְ אַתָּה יְיָ. הָאֵל הַקָּדוֹשׁ:

KEDUSHAH

When the Reader chants the Amidah, the Kedushah is added.

We will revere Thee and sanctify Thee in the mystic utterance of the holy seraphim who hallow Thy name in the sanctuary as described in the vision of Thy prophet:

And the seraphim called unto one another saying:

Holy, holy, holy is the Lord of hosts;
The whole earth is full of His glory.

His glory pervades the universe; His ministering angels inquire of one another: Where is the place of His glory? In response they give praise:

Praised be the glory of the Lord from His heavenly abode.

From His heavenly abode may He turn in mercy and bestow grace unto the people who, reciting the Shema evening and morning, twice daily, proclaim in love the unity of His name, saying:

Hear, O Israel: the Lord our God, the Lord is One.

He is our God; He is our Father, our Sovereign and our Deliverer. In His mercy He will again make known in the presence of all the living that He will be your God.

"I am the Lord your God."

Thou art our Almighty God, O Lord eternal; how mighty is Thy name in all the earth! And the Lord shall be King over all the earth; on that day shall the Lord be One and His name one.

As it is written in holy Scripture:

The Lord shall reign forever; Thy God, O Zion, shall be Sovereign unto all generations. Hallelujah.

Unto all generations we will declare Thy greatness, and to all eternity we will proclaim Thy holiness. Our mouth shall ever speak Thy praise, O our God, for Thou art a great and holy God and King. Blessed art Thou, O Lord, the holy God.

אַתָּה בְחַרְתָּנוּ מִכָּל־הָעַמִּים. אָהַבְתָּ אוֹתָנוּ. וְרָצִיתָ בָּנוּ. וְרוֹמַמְתָּנוּ מִכָּל־הַלְּשׁוֹנוֹת. וְקִדַּשְׁתָּנוּ בְּמִצְוֹתֶיךָ. וְקֵרַבְתָּנוּ מַלְכֵּנוּ לַעֲבוֹדָתֶךָ. וְשִׁמְךָ הַגָּדוֹל וְהַקָּדוֹשׁ עָלֵינוּ קָרָאתָ:

On Sabbath include the words in brackets

וַתִּתֶּן־לָנוּ יְיָ אֱלֹהֵינוּ בְּאַהֲבָה [שַׁבָּתוֹת לִמְנוּחָה וּ] מוֹעֲדִים לְשִׂמְחָה חַגִּים וּזְמַנִּים לְשָׂשׂוֹן. אֶת־יוֹם [הַשַּׁבָּת הַזֶּה וְאֶת־יוֹם]

On Pesaḥ say:

חַג הַמַּצּוֹת הַזֶּה. זְמַן חֵרוּתֵנוּ

On Shavuot say:

חַג הַשָּׁבֻעוֹת הַזֶּה. זְמַן מַתַּן תּוֹרָתֵנוּ

On Sukkot say:

חַג הַסֻּכּוֹת הַזֶּה. זְמַן שִׂמְחָתֵנוּ

On Shemini Aẓeret and Simḥat Torah say:

הַשְּׁמִינִי חַג הָעֲצֶרֶת הַזֶּה. זְמַן שִׂמְחָתֵנוּ

[בְּאַהֲבָה] מִקְרָא קֹדֶשׁ. זֵכֶר לִיצִיאַת מִצְרָיִם:

Thou didst choose us for Thy service from among all peoples, loving us and taking delight in us. Thou didst exalt us above all tongues by making us holy through Thy commandments. Thou hast drawn us near, O our King, unto Thy service and hast called us by Thy great and holy name.

On Sabbath include the words in brackets

And Thou hast given us in love, O Lord our God, [Sabbaths for rest,] holidays for gladness, festivals and seasons for rejoicing. Thou hast granted us [this Sabbath day, and]

On Pesaḥ say:

This Feast of Unleavened Bread, the Season of our Freedom,

On Shavuot say:

This Feast of Weeks, the Season of the Giving of our Torah,

On Sukkot say:

This Feast of Tabernacles, the Season of our Gladness,

On Shemini Aẓeret and Simḥat Torah say:

This Eighth Day Feast of Assembly, the Season of our Gladness,

as a holy convocation, commemorating our liberation from Egypt.

בקשה

אֱלֹהֵינוּ וֵאלֹהֵי אֲבוֹתֵינוּ זְכָר נָא אֶת צִדְקַת אֲבוֹתֵינוּ בַּעֲלוֹתָם מִיָּמִים יָמִימָה לְהֵרָאוֹת לְפָנֶיךָ בִּירוּשָׁלַיִם עִיר קָדְשֶׁךָ: מָה רַבָּה שִׂמְחַת לְבָבָם בַּהֲבִיאָם לְפָנֶיךָ אֶת קָרְבְּנוֹת חוֹבוֹתֵיהֶם: אָנָּא יְיָ אֱלֹהֵינוּ הָאֲצֵל עָלֵינוּ מֵאֱמוּנָתָם בָּךְ וּשְׂשׂוֹנָם בְּעוֹלָמֶךָ מֵאַהֲבָתָם לְתוֹרָתֶךָ וּשְׁאִיפָתָם לַחֵרוּת וְלַצֶּדֶק: כֵּן נִזְכֶּה לְמַלֵּא חוֹבוֹתֵינוּ לְבִנְיַן אַרְצֶךָ וּלְחִדּוּשׁ בֵּית חַיֵּינוּ וְנַעֲבָדְךָ בְּיִרְאָה כִּימֵי עוֹלָם:

וּמִפְּנֵי חֲטָאֵינוּ גָּלִינוּ מֵאַרְצֵנוּ וְנִתְרַחַקְנוּ מֵעַל אַדְמָתֵנוּ וְאֵין אֲנַחְנוּ יְכוֹלִים לַעֲלוֹת וְלֵרָאוֹת וּלְהִשְׁתַּחֲווֹת לְפָנֶיךָ וְלַעֲשׂוֹת חוֹבוֹתֵינוּ בְּבֵית בְּחִירָתֶךָ בַּבַּיִת הַגָּדוֹל וְהַקָּדוֹשׁ שֶׁנִּקְרָא שִׁמְךָ עָלָיו מִפְּנֵי הַיָּד שֶׁנִּשְׁתַּלְּחָה בְּמִקְדָּשֶׁךָ:

יְהִי רָצוֹן מִלְּפָנֶיךָ יְיָ אֱלֹהֵינוּ וֵאלֹהֵי אֲבוֹתֵינוּ מֶלֶךְ רַחֲמָן שֶׁתָּשׁוּב וּתְרַחֵם עָלֵינוּ וְעַל מִקְדָּשְׁךָ בְּרַחֲמֶיךָ הָרַבִּים. וְתִבְנֵהוּ מְהֵרָה וּתְגַדֵּל כְּבוֹדוֹ: אָבִינוּ מַלְכֵּנוּ גַּלֵּה כְּבוֹד מַלְכוּתְךָ עָלֵינוּ מְהֵרָה. וְהוֹפַע וְהִנָּשֵׂא עָלֵינוּ לְעֵינֵי כָּל־חָי. וְקָרֵב פְּזוּרֵינוּ מִבֵּין הַגּוֹיִם. וּנְפוּצוֹתֵינוּ כַּנֵּס מִיַּרְכְּתֵי אָרֶץ: וַהֲבִיאֵנוּ לְצִיּוֹן עִירְךָ בְּרִנָּה. וְלִירוּשָׁלַיִם בֵּית מִקְדָּשְׁךָ בְּשִׂמְחַת עוֹלָם. שֶׁשָּׁם עָשׂוּ אֲבוֹתֵינוּ לְפָנֶיךָ אֶת־קָרְבְּנוֹת חוֹבוֹתֵיהֶם. תְּמִידִים כְּסִדְרָם וּמוּסָפִים כְּהִלְכָתָם: וְאֶת־מוּסַף יוֹם [הַשַּׁבָּת הַזֶּה וְאֶת־מוּסַף יוֹם]

On Pesaḥ say:	*On Shavuot say:*	*On Sukkot say:*
חַג הַמַּצּוֹת	חַג הַשָּׁבֻעוֹת	חַג הַסֻּכּוֹת

On Shemini Aẓeret and Simḥat Torah say:

הַשְּׁמִינִי חַג הָעֲצֶרֶת

MEDITATION

Our God and God of our fathers, remember the merit of our ancestors who, from year to year, appeared before Thee in Jerusalem, Thy holy city. How deep was their rejoicing as they brought their offerings before Thee! We pray Thee, imbue us, O Lord our God, with their faith in Thee and their joy in Thy world, their love for Thy Torah and their yearning for freedom and justice. May we, in their spirit of sacrificial devotion, fulfill our duty toward the rebuilding of Thy Holy Land, the fountain of our life, that we may ever serve Thee in reverence as in days of yore.

Because of our sins we were exiled from the Holy Land and removed far away from its sacred soil. We cannot therefore make our festival pilgrimages before Thee nor can we fulfill our obligations in Thy chosen House, the great and holy Temple which was called by Thy name, because of the destruction that has come upon Thy Sanctuary. May it be Thy will, O Lord our God and God of our fathers, merciful King, in Thine abundant compassion, again to have mercy upon us and upon Thy Sanctuary. O rebuild it speedily and enhance its glory.

Our Father, our King, do Thou soon make manifest to us the glory of Thy kingdom; reveal Thyself and establish Thy exalted rule over us in the sight of all living. Assemble our scattered brethren from among the nations, and gather our dispersed from the ends of the earth. Lead us with joyous song unto Zion Thy city, and with everlasting joy unto Jerusalem, the home of Thy Sanctuary, where our forefathers prepared unto Thee the daily offerings [and the additional offering of this Sabbath] and the offering of this

On Pesaḥ say:	*On Shavuot say:*	*On Sukkot say:*
Feast of Unleavened Bread	Feast of Weeks	Feast of Tabernacles

On Shemini Aẓeret and Simḥat Torah say:
Eighth Day Feast of Assembly

הַזֶּה. עָשׂוּ וְהִקְרִיבוּ לְפָנֶיךָ בְּאַהֲבָה כְּמִצְוַת רְצוֹנֶךָ כְּמוֹ שֶׁכָּתַבְתָּ בְּתוֹרָתֶךָ עַל־יְדֵי מֹשֶׁה עַבְדֶּךָ מִפִּי כְבוֹדֶךָ כָּאָמוּר:

On Sabbath

וּבְיוֹם הַשַּׁבָּת שְׁנֵי־כְבָשִׂים בְּנֵי־שָׁנָה תְּמִימִם וּשְׁנֵי עֶשְׂרֹנִים סֹלֶת מִנְחָה בְּלוּלָה בַשֶּׁמֶן וְנִסְכּוֹ: עֹלַת שַׁבַּת בְּשַׁבַּתּוֹ עַל־עֹלַת הַתָּמִיד וְנִסְכָּהּ:

On Pesaḥ

The first paragraph is said only on the First Two Days of Pesaḥ

וּבַחֹדֶשׁ הָרִאשׁוֹן בְּאַרְבָּעָה עָשָׂר יוֹם לַחֹדֶשׁ פֶּסַח לַיהוָה: וּבַחֲמִשָּׁה עָשָׂר יוֹם לַחֹדֶשׁ הַזֶּה חָג שִׁבְעַת יָמִים מַצּוֹת יֵאָכֵל: בַּיּוֹם הָרִאשׁוֹן מִקְרָא־קֹדֶשׁ כָּל־מְלֶאכֶת עֲבֹדָה לֹא תַעֲשׂוּ:

וְהִקְרַבְתֶּם אִשֶּׁה עֹלָה לַיהוָה פָּרִים בְּנֵי־בָקָר שְׁנַיִם וְאַיִל אֶחָד וְשִׁבְעָה כְבָשִׂים בְּנֵי שָׁנָה תְּמִימִם יִהְיוּ לָכֶם: ומנחתם . . .

On Shavuot

וּבְיוֹם הַבִּכּוּרִים בְּהַקְרִיבְכֶם מִנְחָה חֲדָשָׁה לַיהוָה בְּשָׁבֻעֹתֵיכֶם מִקְרָא־קֹדֶשׁ יִהְיֶה לָכֶם כָּל־מְלֶאכֶת עֲבֹדָה לֹא תַעֲשׂוּ: וְהִקְרַבְתֶּם עוֹלָה לְרֵיחַ נִיחֹחַ לַיהוָה פָּרִים בְּנֵי־בָקָר שְׁנַיִם אַיִל אֶחָד שִׁבְעָה כְבָשִׂים בְּנֵי שָׁנָה: ומנחתם . . .

On the First Two Days of Sukkot

וּבַחֲמִשָּׁה עָשָׂר יוֹם לַחֹדֶשׁ הַשְּׁבִיעִי מִקְרָא־קֹדֶשׁ יִהְיֶה לָכֶם כָּל־מְלֶאכֶת עֲבֹדָה לֹא תַעֲשׂוּ וְחַגֹּתֶם חַג לַיהוָה שִׁבְעַת יָמִים: וְהִקְרַבְתֶּם עֹלָה אִשֵּׁה רֵיחַ נִיחֹחַ לַיהוָה פָּרִים בְּנֵי־בָקָר שְׁלֹשָׁה עָשָׂר אֵילִם שְׁנָיִם כְּבָשִׂים בְּנֵי־שָׁנָה אַרְבָּעָה עָשָׂר תְּמִימִם יִהְיוּ:

On all Festivals

וּמִנְחָתָם וְנִסְכֵּיהֶם כִּמְדֻבָּר שְׁלֹשָׁה עֶשְׂרֹנִים לַפָּר וּשְׁנֵי עֶשְׂרֹנִים לָאָיִל וְעִשָּׂרוֹן לַכֶּבֶשׂ וְיַיִן כְּנִסְכּוֹ וְשָׂעִיר לְכַפֵּר וּשְׁנֵי תְמִידִים כְּהִלְכָתָם:

as is written in Thy Torah through Moses, Thine inspired servant:

On Sabbath
(Numbers 28:9–10)

On Pesaḥ

"In the first month, on the fourteenth day of the month, is the Passover unto the Lord. On the fifteenth day of this month shall be a feast; seven days shall unleavened bread be eaten. On the first day shall there be a holy convocation; ye shall do no manner of work."

And ye shall present the offering prescribed in the Torah for this festive day. (Numbers 28:19–22)

On Shavuot

"On the day of the first fruits, when ye bring a new meal-offering unto the Lord in your Feast of Weeks, ye shall have a holy convocation; ye shall do no manner of work."

And ye shall present the offering prescribed in the Torah for this festive day. (Numbers 28:26–30)

On the First Two Days of Sukkot

"And on the fifteenth day of the seventh month ye shall have a holy convocation; ye shall do no manner of work, and ye shall keep a feast unto the Lord seven days."

And ye shall present the offering prescribed in the Torah for this festive day. (Numbers 29:12–16)

On all Festivals

And ye shall present the offering prescribed in the Torah. (Numbers 28).

On the First Day of Ḥol Hamoed Sukkot

וּבַיּוֹם הַשֵּׁנִי פָּרִים בְּנֵי־בָקָר שְׁנֵים עָשָׂר אֵילִם שְׁנָיִם כְּבָשִׂים בְּנֵי־שָׁנָה אַרְבָּעָה עָשָׂר תְּמִימִם: ומנחתם...

וּבַיּוֹם הַשְּׁלִישִׁי פָּרִים עַשְׁתֵּי־עָשָׂר אֵילִם שְׁנָיִם כְּבָשִׂים בְּנֵי־שָׁנָה אַרְבָּעָה עָשָׂר תְּמִימִם: ומנחתם...

On the Second Day of Ḥol Hamoed Sukkot

וּבַיּוֹם הַשְּׁלִישִׁי פָּרִים עַשְׁתֵּי־עָשָׂר אֵילִם שְׁנָיִם כְּבָשִׂים בְּנֵי־שָׁנָה אַרְבָּעָה עָשָׂר תְּמִימִם: ומנחתם...

וּבַיּוֹם הָרְבִיעִי פָּרִים עֲשָׂרָה אֵילִם שְׁנָיִם כְּבָשִׂים בְּנֵי־שָׁנָה אַרְבָּעָה עָשָׂר תְּמִימִם: ומנחתם...

On the Third Day of Ḥol Hamoed Sukkot

וּבַיּוֹם הָרְבִיעִי פָּרִים עֲשָׂרָה אֵילִם שְׁנָיִם כְּבָשִׂים בְּנֵי־שָׁנָה אַרְבָּעָה עָשָׂר תְּמִימִם: ומנחתם...

וּבַיּוֹם הַחֲמִישִׁי פָּרִים תִּשְׁעָה אֵילִם שְׁנָיִם כְּבָשִׂים בְּנֵי־שָׁנָה אַרְבָּעָה עָשָׂר תְּמִימִם: ומנחתם...

On the Fourth Day of Ḥol Hamoed Sukkot

וּבַיּוֹם הַחֲמִישִׁי פָּרִים תִּשְׁעָה אֵילִם שְׁנָיִם כְּבָשִׂים בְּנֵי־שָׁנָה אַרְבָּעָה עָשָׂר תְּמִימִם: ומנחתם...

וּבַיּוֹם הַשִּׁשִּׁי פָּרִים שְׁמֹנָה אֵילִם שְׁנָיִם כְּבָשִׂים בְּנֵי־שָׁנָה אַרְבָּעָה עָשָׂר תְּמִימִם: ומנחתם...

On Hoshana Rabba

וּבַיּוֹם הַשִּׁשִּׁי פָּרִים שְׁמֹנָה אֵילִם שְׁנָיִם כְּבָשִׂים בְּנֵי־שָׁנָה אַרְבָּעָה עָשָׂר תְּמִימִם: ומנחתם...

וּבַיּוֹם הַשְּׁבִיעִי פָּרִים שִׁבְעָה אֵילִם שְׁנָיִם כְּבָשִׂים בְּנֵי־שָׁנָה אַרְבָּעָה עָשָׂר תְּמִימִם: ומנחתם...

On Shemini Aẓeret and Simḥat Torah

בַּיּוֹם הַשְּׁמִינִי עֲצֶרֶת תִּהְיֶה לָכֶם כָּל־מְלֶאכֶת עֲבֹדָה לֹא תַעֲשׂוּ: וְהִקְרַבְתֶּם עֹלָה אִשֵּׁה רֵיחַ נִיחֹחַ לַיהוָה פַּר אֶחָד אַיִל אֶחָד כְּבָשִׂים בְּנֵי־שָׁנָה שִׁבְעָה תְּמִימִם: ומנחתם...

On the First Intermediate Day of Sukkot

And ye shall present the offering prescribed in the Torah for this festive day. (Numbers 29:17–22)

On the Second Intermediate Day of Sukkot

And ye shall present the offering prescribed in the Torah for this festive day. (Numbers 29:20–25)

On the Third Intermediate Day of Sukkot

And ye shall present the offering prescribed in the Torah for this festive day. (Numbers 29:23–28)

On the Fourth Intermediate Day of Sukkot

And ye shall present the offering prescribed in the Torah for this festive day. (Numbers 29:26–31)

On Hoshana Rabba

And ye shall present the offering prescribed in the Torah for this festive day. (Numbers 29:29–34)

On Shemini Aẓeret and Simḥat Torah

And ye shall present the offering prescribed in the Torah for this festive day. (Numbers 29:36–38)

On Sabbath

יִשְׂמְחוּ בְמַלְכוּתְךָ שׁוֹמְרֵי שַׁבָּת וְקוֹרְאֵי עֹנֶג. עַם מְקַדְּשֵׁי שְׁבִיעִי כֻּלָּם יִשְׂבְּעוּ וְיִתְעַנְּגוּ מִטּוּבֶךָ. וְהַשְּׁבִיעִי רָצִיתָ בּוֹ וְקִדַּשְׁתּוֹ חֶמְדַּת יָמִים אֹתוֹ קָרָאתָ זֵכֶר לְמַעֲשֵׂה בְרֵאשִׁית:

אֱלֹהֵינוּ וֵאלֹהֵי אֲבוֹתֵינוּ מֶלֶךְ רַחֲמָן רַחֵם עָלֵינוּ טוֹב וּמֵטִיב הִדָּרֶשׁ־לָנוּ. שׁוּבָה אֵלֵינוּ בַּהֲמוֹן רַחֲמֶיךָ בִּגְלַל אָבוֹת שֶׁעָשׂוּ רְצוֹנֶךָ. בְּנֵה בֵיתְךָ כְּבַתְּחִלָּה וְכוֹנֵן מִקְדָּשְׁךָ עַל מְכוֹנוֹ. וְהַרְאֵנוּ בְּבִנְיָנוֹ וְשַׂמְּחֵנוּ בְּתִקּוּנוֹ. וְהָשֵׁב כֹּהֲנִים לַעֲבוֹדָתָם וּלְוִיִּם לְשִׁירָם וּלְזִמְרָם וְהָשֵׁב יִשְׂרָאֵל לִנְוֵיהֶם. וְשָׁם נַעֲלֶה וְנֵרָאֶה וְנִשְׁתַּחֲוֶה לְפָנֶיךָ בְּשָׁלֹשׁ פַּעֲמֵי רְגָלֵינוּ. כַּכָּתוּב בְּתוֹרָתֶךָ. שָׁלוֹשׁ פְּעָמִים בַּשָּׁנָה יֵרָאֶה כָל־זְכוּרְךָ אֶת־פְּנֵי יְיָ אֱלֹהֶיךָ בַּמָּקוֹם אֲשֶׁר יִבְחָר בְּחַג הַמַּצּוֹת וּבְחַג הַשָּׁבֻעוֹת וּבְחַג הַסֻּכּוֹת וְלֹא יֵרָאֶה אֶת־פְּנֵי יְיָ רֵיקָם: אִישׁ כְּמַתְּנַת יָדוֹ כְּבִרְכַּת יְיָ אֱלֹהֶיךָ אֲשֶׁר נָתַן־לָךְ:

וְהַשִּׂיאֵנוּ יְיָ אֱלֹהֵינוּ אֶת־בִּרְכַּת מוֹעֲדֶיךָ לְחַיִּים וּלְשָׁלוֹם לְשִׂמְחָה וּלְשָׂשׂוֹן כַּאֲשֶׁר רָצִיתָ וְאָמַרְתָּ לְבָרְכֵנוּ: [אֱלֹהֵינוּ וֵאלֹהֵי אֲבוֹתֵינוּ רְצֵה בִמְנוּחָתֵנוּ] קַדְּשֵׁנוּ בְּמִצְוֹתֶיךָ וְתֵן חֶלְקֵנוּ בְּתוֹרָתֶךָ שַׂבְּעֵנוּ מִטּוּבֶךָ וְשַׂמְּחֵנוּ בִּישׁוּעָתֶךָ וְטַהֵר לִבֵּנוּ לְעָבְדְּךָ בֶּאֱמֶת. וְהַנְחִילֵנוּ יְיָ אֱלֹהֵינוּ [בְּאַהֲבָה וּבְרָצוֹן] בְּשִׂמְחָה וּבְשָׂשׂוֹן [שַׁבָּת וּ]מוֹעֲדֵי קָדְשֶׁךָ. וְיִשְׂמְחוּ בְךָ יִשְׂרָאֵל מְקַדְּשֵׁי שְׁמֶךָ. בָּרוּךְ אַתָּה יְיָ מְקַדֵּשׁ [הַשַּׁבָּת וְ] יִשְׂרָאֵל וְהַזְּמַנִּים:

On Sabbath

May they who observe the Sabbath and call it a delight, rejoice in Thy kingdom. May the people who sanctify the seventh day be sated and delighted with Thy bounty. For Thou didst find pleasure in the seventh day, and didst sanctify it, calling it the most desirable of days, in remembrance of creation.

Our God and God of our fathers, merciful King, have compassion upon us; O Thou good and beneficent One, inspire us with the desire to seek Thee. In Thine abundant compassion return unto us for the sake of our forefathers who did Thy will; rebuild Thy Temple as of old, and establish Thy Sanctuary upon its ancient site. Grant that we may see it rebuilt and make us rejoice in its re-establishment. Restore Kohanim to their service of pronouncing the Priestly Blessing, Levites to their song and psalmody, and Israel to their habitations. There we will make our pilgrimages three times a year at the Festivals, as it is written in Thy Torah: Three times a year shall all men appear before the Lord, your God, in the place where He shall choose; on the Feast of Pesaḥ, on the Feast of Shavuot, and on the Feast of Sukkot; everyone shall appear before the Lord with some offering, each according to his means, according to the bounty with which the Lord hath blessed him.

O Lord our God, bestow upon us the blessing of Thy Festivals for life and peace, for joy and gladness, even as Thou hast graciously promised to bless us. [Our God and God of our fathers, accept our rest.] Sanctify us through Thy commandments, and grant our portion in Thy Torah; give us abundantly of Thy goodness and make us rejoice in Thy salvation. Purify our hearts to serve Thee in truth. In Thy loving favor, O Lord our God, let us inherit with joy and gladness Thy holy [Sabbath and] festivals and may Israel, who sanctifies Thy name, rejoice in Thee. Blessed art Thou, O Lord, who hallowest [the Sabbath and] Israel and the Festivals.

רְצֵה יְיָ אֱלֹהֵינוּ בְּעַמְּךָ יִשְׂרָאֵל וּבִתְפִלָּתָם. וְהָשֵׁב אֶת־הָעֲבוֹדָה לִדְבִיר בֵּיתֶךָ וּתְפִלָּתָם בְּאַהֲבָה תְקַבֵּל בְּרָצוֹן. וּתְהִי לְרָצוֹן תָּמִיד עֲבוֹדַת יִשְׂרָאֵל עַמֶּךָ:

וְתֶחֱזֶינָה עֵינֵינוּ בְּשׁוּבְךָ לְצִיּוֹן בְּרַחֲמִים. בָּרוּךְ אַתָּה יְיָ הַמַּחֲזִיר שְׁכִינָתוֹ לְצִיּוֹן:

*מוֹדִים אֲנַחְנוּ לָךְ שָׁאַתָּה הוּא יְיָ אֱלֹהֵינוּ וֵאלֹהֵי אֲבוֹתֵינוּ לְעוֹלָם וָעֶד. צוּר חַיֵּינוּ מָגֵן יִשְׁעֵנוּ אַתָּה הוּא לְדוֹר וָדוֹר. נוֹדֶה לְּךָ וּנְסַפֵּר תְּהִלָּתֶךָ עַל חַיֵּינוּ הַמְּסוּרִים בְּיָדֶךָ. וְעַל נִשְׁמוֹתֵינוּ הַפְּקוּדוֹת לָךְ וְעַל נִסֶּיךָ שֶׁבְּכָל־יוֹם עִמָּנוּ וְעַל נִפְלְאוֹתֶיךָ וְטוֹבוֹתֶיךָ שֶׁבְּכָל־עֵת עֶרֶב וָבֹקֶר וְצָהֳרָיִם. הַטּוֹב כִּי לֹא־כָלוּ רַחֲמֶיךָ וְהַמְרַחֵם כִּי לֹא־תַמּוּ חֲסָדֶיךָ מֵעוֹלָם קִוִּינוּ לָךְ:

*When the Reader chants the Amidah, the Congregation says the following prayer:

מוֹדִים אֲנַחְנוּ לָךְ. שָׁאַתָּה הוּא יְיָ אֱלֹהֵינוּ וֵאלֹהֵי אֲבוֹתֵינוּ. אֱלֹהֵי כָל בָּשָׂר יוֹצְרֵנוּ יוֹצֵר בְּרֵאשִׁית. בְּרָכוֹת וְהוֹדָאוֹת לְשִׁמְךָ הַגָּדוֹל וְהַקָּדוֹשׁ עַל שֶׁהֶחֱיִיתָנוּ וְקִיַּמְתָּנוּ. כֵּן תְּחַיֵּינוּ וּתְקַיְּמֵנוּ וְתֶאֱסוֹף גָּלֻיּוֹתֵינוּ לְחַצְרוֹת קָדְשֶׁךָ. לִשְׁמוֹר חֻקֶּיךָ וְלַעֲשׂוֹת רְצוֹנֶךָ וּלְעָבְדְּךָ בְּלֵבָב שָׁלֵם עַל שֶׁאֲנַחְנוּ מוֹדִים לָךְ. בָּרוּךְ אֵל הַהוֹדָאוֹת:

וְעַל כֻּלָּם יִתְבָּרַךְ וְיִתְרוֹמַם שִׁמְךָ מַלְכֵּנוּ תָּמִיד לְעוֹלָם וָעֶד: וְכָל הַחַיִּים יוֹדוּךָ סֶּלָה וִיהַלְלוּ אֶת־שִׁמְךָ בֶּאֱמֶת הָאֵל יְשׁוּעָתֵנוּ וְעֶזְרָתֵנוּ סֶלָה. בָּרוּךְ אַתָּה יְיָ הַטּוֹב שִׁמְךָ וּלְךָ נָאֶה לְהוֹדוֹת:

O Lord our God, be gracious unto Thy people Israel and accept their prayer. Restore the worship to Thy Sanctuary and receive in love and favor the supplication of Israel. May the worship of Thy people be ever acceptable unto Thee.

O may our eyes witness Thy return to Zion. Blessed art Thou, O Lord, who restorest Thy divine presence unto Zion.

*We thankfully acknowledge Thee, O Lord our God, our fathers' God to all eternity. Our Rock art Thou, our Shield that saves through every generation. We give Thee thanks and we declare Thy praise for all Thy tender care. Our lives we trust into Thy loving hand. Our souls are ever in Thy charge; Thy wonders and Thy miracles are daily with us, evening, morn and noon. O Thou who art all-good, whose mercies never fail us, Compassionate One, whose lovingkindnesses never cease, we ever hope in Thee.

**When the Reader chants the Amidah, the Congregation says the following prayer:*

We thankfully acknowledge that Thou art the Lord our God and God of our fathers, the God of all that lives, our Creator and Creator of the universe. We offer blessings and thanksgiving to Thy great and holy name because Thou hast kept us in life and sustained us; so mayest Thou continue to keep us in life and sustain us. O gather our exiles into the courts of Thy holy sanctuary to observe Thy statutes, to do Thy will, and to serve Thee with a perfect heart. We give thanks unto Thee. Blessed be God to whom we are ever grateful.

For all this, Thy name, O our King, shall be blessed and exalted for ever and ever. May all the living do homage unto Thee forever and praise Thy name in truth, O God, who art our salvation and our help. Blessed be Thou, O Lord, Beneficent One, unto whom our thanks are due.

Reader

אֱלֹהֵינוּ וֵאלֹהֵי אֲבוֹתֵינוּ. בָּרְכֵנוּ בַבְּרָכָה הַמְשֻׁלֶּשֶׁת בַּתּוֹרָה הַכְּתוּבָה עַל־יְדֵי מֹשֶׁה עַבְדֶּךָ. הָאֲמוּרָה מִפִּי אַהֲרֹן וּבָנָיו כֹּהֲנִים. עַם קְדוֹשֶׁךָ כָּאָמוּר:

Congregation	*Reader*
כֵּן יְהִי רָצוֹן:	יְבָרֶכְךָ יְיָ וְיִשְׁמְרֶךָ.
כֵּן יְהִי רָצוֹן:	יָאֵר יְיָ פָּנָיו אֵלֶיךָ וִיחֻנֶּךָּ.
כֵּן יְהִי רָצוֹן:	יִשָּׂא יְיָ פָּנָיו אֵלֶיךָ וְיָשֵׂם לְךָ שָׁלוֹם.

שִׂים שָׁלוֹם טוֹבָה וּבְרָכָה בָּעוֹלָם חֵן וָחֶסֶד וְרַחֲמִים עָלֵינוּ וְעַל כָּל־יִשְׂרָאֵל עַמֶּךָ. בָּרְכֵנוּ אָבִינוּ כֻּלָּנוּ כְּאֶחָד בְּאוֹר פָּנֶיךָ. כִּי בְאוֹר פָּנֶיךָ נָתַתָּ לָּנוּ יְיָ אֱלֹהֵינוּ תּוֹרַת חַיִּים וְאַהֲבַת חֶסֶד וּצְדָקָה וּבְרָכָה וְרַחֲמִים וְחַיִּים וְשָׁלוֹם. וְטוֹב בְּעֵינֶיךָ לְבָרֵךְ אֶת־עַמְּךָ יִשְׂרָאֵל בְּכָל־עֵת וּבְכָל־שָׁעָה בִּשְׁלוֹמֶךָ. בָּרוּךְ אַתָּה יְיָ הַמְבָרֵךְ אֶת־עַמּוֹ יִשְׂרָאֵל בַּשָּׁלוֹם:*

אֱלֹהַי נְצוֹר לְשׁוֹנִי מֵרָע וּשְׂפָתַי מִדַּבֵּר מִרְמָה וְלִמְקַלְלַי נַפְשִׁי תִדּוֹם וְנַפְשִׁי כֶּעָפָר לַכֹּל תִּהְיֶה: פְּתַח לִבִּי בְּתוֹרָתֶךָ וּבְמִצְוֹתֶיךָ תִּרְדּוֹף נַפְשִׁי. וְכֹל הַחוֹשְׁבִים עָלַי רָעָה. מְהֵרָה הָפֵר עֲצָתָם וְקַלְקֵל מַחֲשַׁבְתָּם: עֲשֵׂה לְמַעַן שְׁמֶךָ עֲשֵׂה לְמַעַן יְמִינֶךָ עֲשֵׂה לְמַעַן קְדֻשָּׁתֶךָ עֲשֵׂה לְמַעַן תּוֹרָתֶךָ: לְמַעַן יֵחָלְצוּן יְדִידֶיךָ הוֹשִׁיעָה יְמִינְךָ

**On the Festival of Sukkot,* הושענות *are chanted.* *See pages 189–196.*

Reader

Our God and God of our fathers, bless us with the threefold blessing written in the Torah of Moses, Thy servant, and spoken by Aaron and his sons, Thy consecrated priests:

Reader	*Congregation*
May the Lord bless thee and keep thee;	So may it be His will.
May the Lord make His countenance to shine upon thee and be gracious unto thee;	So may it be His will.
May the Lord turn His countenance unto thee and give thee peace.	So may it be His will.

Grant peace, well-being and blessing unto the world, with grace, lovingkindness and mercy for us and for all Israel, Thy people. Bless us, O our Father, all of us together, with the light of Thy presence; for by that light Thou hast given us, O Lord our God, the Torah of life, lovingkindness and righteousness, blessing and mercy, life and peace. O may it be good in Thy sight at all times to bless Thy people Israel with Thy peace. Blessed art Thou, O Lord, who blessest Thy people Israel with peace.*

O Lord,

Guard my tongue from evil and my lips from speaking guile,

And to those who slander me, let me give no heed.

May my soul be humble and forgiving unto all.

Open Thou my heart, O Lord, unto Thy sacred Law,

That Thy statutes I may know and all Thy truths pursue.

Bring to naught designs of those who seek to do me ill;

Speedily defeat their aims and thwart their purposes

For Thine own sake, for Thine own power,

For Thy holiness and Law.

That Thy loved ones be delivered,

Answer us, O Lord, and save with Thy redeeming power.

On the Festival of Sukkot, Hoshanot are chanted. See pages 189–196.

וַעֲנֵנִי: יִהְיוּ לְרָצוֹן אִמְרֵי־פִי וְהֶגְיוֹן לִבִּי לְפָנֶיךָ יְיָ צוּרִי וְגוֹאֲלִי: עֹשֶׂה שָׁלוֹם בִּמְרוֹמָיו הוּא יַעֲשֶׂה שָׁלוֹם עָלֵינוּ וְעַל כָּל־יִשְׂרָאֵל וְאִמְרוּ אָמֵן:

יְהִי רָצוֹן מִלְּפָנֶיךָ יְיָ אֱלֹהֵינוּ וֵאלֹהֵי אֲבוֹתֵינוּ שֶׁיִּבָּנֶה בֵּית הַמִּקְדָּשׁ בִּמְהֵרָה בְיָמֵינוּ וְתֵן חֶלְקֵנוּ בְּתוֹרָתֶךָ: וְשָׁם נַעֲבָדְךָ בְּיִרְאָה כִּימֵי עוֹלָם וּכְשָׁנִים קַדְמוֹנִיּוֹת:

Reader

יִתְגַּדַּל וְיִתְקַדַּשׁ שְׁמֵהּ רַבָּא. בְּעָלְמָא דִּי בְרָא כִרְעוּתֵהּ. וְיַמְלִיךְ מַלְכוּתֵהּ בְּחַיֵּיכוֹן וּבְיוֹמֵיכוֹן וּבְחַיֵּי דְכָל בֵּית יִשְׂרָאֵל בַּעֲגָלָא וּבִזְמַן קָרִיב. וְאִמְרוּ אָמֵן:

Congregation and Reader

יְהֵא שְׁמֵהּ רַבָּא מְבָרַךְ לְעָלַם וּלְעָלְמֵי עָלְמַיָּא:

Reader

יִתְבָּרַךְ וְיִשְׁתַּבַּח וְיִתְפָּאַר וְיִתְרוֹמַם וְיִתְנַשֵּׂא וְיִתְהַדַּר וְיִתְעַלֶּה וְיִתְהַלַּל שְׁמֵהּ דְּקֻדְשָׁא. בְּרִיךְ הוּא. לְעֵלָּא מִן כָּל בִּרְכָתָא וְשִׁירָתָא תֻּשְׁבְּחָתָא וְנֶחֱמָתָא דַּאֲמִירָן בְּעָלְמָא. וְאִמְרוּ אָמֵן:

תִּתְקַבֵּל צְלוֹתְהוֹן וּבָעוּתְהוֹן דְּכָל יִשְׂרָאֵל קֳדָם אֲבוּהוֹן דִּי בִשְׁמַיָּא. וְאִמְרוּ אָמֵן:

יְהֵא שְׁלָמָא רַבָּא מִן שְׁמַיָּא וְחַיִּים עָלֵינוּ וְעַל כָּל יִשְׂרָאֵל וְאִמְרוּ אָמֵן:

עֹשֶׂה שָׁלוֹם בִּמְרוֹמָיו הוּא יַעֲשֶׂה שָׁלוֹם עָלֵינוּ וְעַל כָּל יִשְׂרָאֵל וְאִמְרוּ אָמֵן:

May the words of my mouth and the meditation of my heart be acceptable unto Thee, O Lord, my Rock and my Redeemer. Thou who establishest peace in the heavens, grant peace unto us and unto all Israel. Amen.

May it be Thy will, O Lord our God and God of our fathers, to grant our portion in Thy Torah and may the Temple be rebuilt in our day. There we will serve Thee with awe as in the days of old.

Reader

Magnified and sanctified be the name of God throughout the world which He hath created according to His will. May He establish His kingdom during the days of your life and during the life of all the house of Israel, speedily, yea, soon; and say ye, Amen.

Congregation and Reader

May His great name be blessed for ever and ever.

Reader

Exalted and honored be the name of the Holy One, blessed be He, whose glory transcends, yea, is beyond all praises, hymns and blessings that man can render unto Him; and say ye, Amen.

May the prayers and supplications of the house of Israel be acceptable unto their Father in heaven; and say ye, Amen.

May there be abundant peace from heaven, and life for us and for all Israel; and say ye, Amen.

May He who establisheth peace in the heavens, grant peace unto us and unto all Israel; and say ye, Amen.

אֵין כֵּאלֹהֵינוּ. אֵין כַּאדוֹנֵינוּ.
אֵין כְּמַלְכֵּנוּ. אֵין כְּמוֹשִׁיעֵנוּ:

מִי כֵאלֹהֵינוּ. מִי כַאדוֹנֵינוּ.
מִי כְמַלְכֵּנוּ. מִי כְמוֹשִׁיעֵנוּ:

נוֹדֶה לֵאלֹהֵינוּ. נוֹדֶה לַאדוֹנֵינוּ.
נוֹדֶה לְמַלְכֵּנוּ. נוֹדֶה לְמוֹשִׁיעֵנוּ:

בָּרוּךְ אֱלֹהֵינוּ. בָּרוּךְ אֲדוֹנֵינוּ.
בָּרוּךְ מַלְכֵּנוּ. בָּרוּךְ מוֹשִׁיעֵנוּ:

אַתָּה הוּא אֱלֹהֵינוּ. אַתָּה הוּא אֲדוֹנֵינוּ.
אַתָּה הוּא מַלְכֵּנוּ. אַתָּה הוּא מוֹשִׁיעֵנוּ:

אַתָּה הוּא שֶׁהִקְטִירוּ אֲבוֹתֵינוּ לְפָנֶיךָ אֶת קְטֹרֶת הַסַּמִּים:

תלמוד בבלי. סוף מסכת ברכות

אָמַר רַבִּי אֶלְעָזָר אָמַר רַבִּי חֲנִינָא. תַּלְמִידֵי חֲכָמִים מַרְבִּים שָׁלוֹם בָּעוֹלָם. שֶׁנֶּאֱמַר וְכָל־בָּנַיִךְ לִמּוּדֵי יְיָ וְרַב שְׁלוֹם בָּנָיִךְ. אַל תִּקְרָא בָּנָיִךְ אֶלָּא בּוֹנָיִךְ: שָׁלוֹם רָב לְאֹהֲבֵי תוֹרָתֶךָ וְאֵין לָמוֹ מִכְשׁוֹל: יְהִי־שָׁלוֹם בְּחֵילֵךְ שַׁלְוָה בְּאַרְמְנוֹתָיִךְ. לְמַעַן אַחַי וְרֵעָי אֲדַבְּרָה־נָּא שָׁלוֹם בָּךְ: לְמַעַן בֵּית־יְיָ אֱלֹהֵינוּ אֲבַקְשָׁה טוֹב לָךְ: יְיָ עֹז לְעַמּוֹ יִתֵּן יְיָ יְבָרֵךְ אֶת־עַמּוֹ בַשָּׁלוֹם:

There is none like our God;
There is none like our Lord;
There is none like our King;
There is none like our Savior.

Who is like our God?
Who is like our Lord?
Who is like our King?
Who is like our Savior?

We will give thanks unto our God;
We will give thanks unto our Lord;
We will give thanks unto our King;
We will give thanks unto our Savior.

Blessed be our God;
Blessed be our Lord;
Blessed be our King;
Blessed be our Savior.

Thou art our God;
Thou art our Lord;
Thou art our King;
Thou art our Savior.

Thou art He unto whom our fathers burnt the fragrant incense.

Talmud Berakhot

Rabbi Eleazar quoted Rabbi Hanina who said: Scholars increase peace in the world, as it is written in Scripture: 'When all thy children shall be taught of the Lord, great shall be the peace of thy children.' Read not baw-na-yiḥ, 'thy children,' but bō-no-yiḥ, 'thy builders.' Great peace have they that love Thy Torah; and there is no stumbling for them. Peace be within thy walls, and prosperity within thy palaces. For the sake of my brethren and friends, I would say, Peace be with thee! For the sake of the house of the Lord our God, I would seek thy good. The Lord will give strength unto His people; the Lord will bless His people with peace.

עָלֵינוּ לְשַׁבֵּחַ לַאֲדוֹן הַכֹּל לָתֵת גְּדֻלָּה לְיוֹצֵר בְּרֵאשִׁית שֶׁלֹּא עָשָׂנוּ כְּגוֹיֵי הָאֲרָצוֹת וְלֹא שָׂמָנוּ כְּמִשְׁפְּחוֹת הָאֲדָמָה שֶׁלֹּא שָׂם חֶלְקֵנוּ כָּהֶם וְגֹרָלֵנוּ כְּכָל הֲמוֹנָם:

וַאֲנַחְנוּ כּוֹרְעִים וּמִשְׁתַּחֲוִים וּמוֹדִים
לִפְנֵי מֶלֶךְ מַלְכֵי הַמְּלָכִים הַקָּדוֹשׁ בָּרוּךְ הוּא.

שֶׁהוּא נוֹטֶה שָׁמַיִם וְיוֹסֵד אָרֶץ וּמוֹשַׁב יְקָרוֹ בַּשָּׁמַיִם מִמַּעַל וּשְׁכִינַת עֻזּוֹ בְּגָבְהֵי מְרוֹמִים: הוּא אֱלֹהֵינוּ אֵין עוֹד. אֱמֶת מַלְכֵּנוּ אֶפֶס זוּלָתוֹ כַּכָּתוּב בְּתוֹרָתוֹ וְיָדַעְתָּ הַיּוֹם וַהֲשֵׁבֹתָ אֶל לְבָבֶךָ כִּי יְיָ הוּא הָאֱלֹהִים בַּשָּׁמַיִם מִמַּעַל וְעַל־הָאָרֶץ מִתָּחַת. אֵין עוֹד:

עַל־כֵּן נְקַוֶּה לְךָ יְיָ אֱלֹהֵינוּ לִרְאוֹת מְהֵרָה בְּתִפְאֶרֶת עֻזֶּךָ לְהַעֲבִיר גִּלּוּלִים מִן הָאָרֶץ וְהָאֱלִילִים כָּרוֹת יִכָּרֵתוּן. לְתַקֵּן עוֹלָם בְּמַלְכוּת שַׁדַּי. וְכָל־בְּנֵי בָשָׂר יִקְרְאוּ בִשְׁמֶךָ לְהַפְנוֹת אֵלֶיךָ כָּל־רִשְׁעֵי אָרֶץ. יַכִּירוּ וְיֵדְעוּ כָּל־יוֹשְׁבֵי תֵבֵל. כִּי־לְךָ תִּכְרַע כָּל־בֶּרֶךְ תִּשָּׁבַע כָּל־לָשׁוֹן: לְפָנֶיךָ יְיָ אֱלֹהֵינוּ יִכְרְעוּ וְיִפֹּלוּ. וְלִכְבוֹד שִׁמְךָ יְקָר יִתֵּנוּ. וִיקַבְּלוּ כֻלָּם אֶת עוֹל מַלְכוּתֶךָ. וְתִמְלוֹךְ עֲלֵיהֶם מְהֵרָה לְעוֹלָם וָעֶד. כִּי הַמַּלְכוּת שֶׁלְּךָ הִיא וּלְעוֹלְמֵי עַד תִּמְלוֹךְ בְּכָבוֹד: כַּכָּתוּב בְּתוֹרָתֶךָ יְיָ יִמְלֹךְ לְעוֹלָם וָעֶד: וְנֶאֱמַר וְהָיָה יְיָ לְמֶלֶךְ עַל־כָּל־הָאָרֶץ בַּיּוֹם הַהוּא יִהְיֶה יְיָ אֶחָד וּשְׁמוֹ אֶחָד:

It is for us to praise the Lord of all, to proclaim the greatness of the Creator of the universe for He hath not made us like the pagans of the world, nor placed us like the heathen tribes of the earth; He hath not made our destiny as theirs, nor cast our lot with all their multitude.

We bend the knee, worship and give thanks unto the King of kings, the Holy One, blessed be He.

He stretched forth the heavens and laid the foundations of the earth. His glory is revealed in the heavens above, and His might is manifest in the loftiest heights. He is our God; there is none else. In truth He is our King, there is none besides Him; as it is written in His Torah: Know this day, and consider it in thy heart that the Lord is God in the heavens above and on the earth beneath; there is none else.

We therefore hope in Thee, O Lord our God, that we may soon behold the glory of Thy might, when Thou wilt remove the abominations from the earth and when all idolatry will be abolished. We hope for the day when the world will be perfected under the kingdom of the Almighty, and all mankind will call upon Thy name; when Thou wilt turn unto Thyself all the wicked of the earth. May all the inhabitants of the world perceive and know that unto Thee every knee must bend, every tongue vow loyalty. Before Thee, O Lord our God, may they bow in worship, giving honor unto Thy glorious name. May they all accept the yoke of Thy kingdom and do Thou rule over them speedily and forevermore. For the kingdom is Thine and to all eternity Thou wilt reign in glory; as it is written in Thy Torah: The Lord shall reign for ever and ever. And it has been foretold: The Lord shall be King over all the earth; on that day the Lord shall be One, and His name One.

MEDITATION BEFORE KADDISH

1

Because the Kaddish voices the spirit of the imperishable in man, because it refuses to acknowledge death as triumphant, because it permits the withered blossom, fallen from the tree of mankind, to flower and develop again in the human heart, it possesses sanctifying power. To know that when you die there will remain those who, wherever they may be on this wide earth, whether they be poor or rich, will send this prayer after you, to know that they will cherish your memory as their dearest inheritance — what more satisfying or sanctifying knowledge can you ever hope for? And such is the knowledge bequeathed to us all by the Kaddish.

2

While the Kaddish is recited in memory of the departed, it contains no reference to death. Rather is it an avowal made in the midst of our sorrow, that God is just, though we do not always comprehend His ways. When death seems to overwhelm us, negating life, the Kaddish renews our faith in the worthwhileness of life. Through the Kaddish, we publicly manifest our desire and intention to assume the relation to the Jewish community which our parents had in their life-time. Continuing the chain of tradition that binds generation to generation, we express our undying faith in God's love and justice, and pray that He will speed the day when His kingdom shall finally be established and His peace pervade the world.

PRAYER BEFORE KADDISH

1

O Lord and King who art full of compassion, in whose hand is the soul of every living thing and the breath of all flesh, to Thine all-wise care do we commit the souls of our dear ones who have departed from this earth. Teach all who mourn to accept the judgment of Thine inscrutable will and cause them to know the sweetness of Thy consolation. Quicken by Thy holy word those bowed in sorrow, that like all the faithful in Israel who have gone before, they too may be faithful to Thy Torah and thus advance the reign of Thy kingdom upon earth.

In solemn testimony to that unbroken faith which links the generations one to another, let those who mourn now rise to magnify and sanctify Thy holy name.

Prayer before Kaddish

2

Eternal God, who sendest consolation unto all sorrowing hearts, we turn to Thee for solace in this, our trying hour. Though bowed in grief at the passing of our loved ones, we reaffirm our faith in Thee, our Father, who art just and merciful, who healest broken hearts and art ever near to those who are afflicted. May the Kaddish prayer, proclaiming Israel's hope for Thy true kingdom here on earth, impel us to help speed that day when peace shall be established through justice, and all men recognize their brotherhood in Thee. With trust in Thy great goodness, we who mourn, rise to sanctify Thy name.

3

As we recite the Kaddish, Israel's hallowed prayer, we aver, despite our woe and anguish, that life is good and life's tasks must be performed. Help us, O Lord, to rise above our sorrow and face the trials of life with courage in our hearts. Give us insight in this hour of grief, that from the depths of suffering may come a deepened sympathy for all who are bereaved, that we may feel the heart-break of our fellowmen and find our strength in helping them. Heartened by this hymn of praise to Thee, we bear our sorrow with trustful hearts, and knowing Thou art near, shall not despair. With faith in Thine eternal wisdom, we who mourn, rise to sanctify Thy name.

4

Almighty and eternal Father, in adversity as in joy, Thou, our source of life, art ever with us. As we recall with affection those whom Thou hast summoned unto Thee, we thank Thee for the example of their lives, for our sweet companionship with them, for the cherished memories and the undying inspiration they leave behind. In tribute to our departed who are bound with Thee in the bond of everlasting life, may our lives be consecrated to Thy service. Comfort, we pray Thee, all who mourn. Though they may not comprehend Thy purpose, keep steadfast their trust in Thy wisdom. Do Thou, O God, give them strength in their sorrow, and sustain their faith in Thee as they rise to sanctify Thy name.

Mourners' Kaddish

יִתְגַּדַּל וְיִתְקַדַּשׁ שְׁמֵהּ רַבָּא. בְּעָלְמָא דִּי בְרָא כִרְעוּתֵהּ. וְיַמְלִיךְ מַלְכוּתֵהּ בְּחַיֵּיכוֹן וּבְיוֹמֵיכוֹן וּבְחַיֵּי דְכָל בֵּית יִשְׂרָאֵל בַּעֲגָלָא וּבִזְמַן קָרִיב. וְאִמְרוּ אָמֵן:

Congregation and Mourners

יְהֵא שְׁמֵהּ רַבָּא מְבָרַךְ לְעָלַם וּלְעָלְמֵי עָלְמַיָּא:

Mourners

יִתְבָּרַךְ וְיִשְׁתַּבַּח וְיִתְפָּאַר וְיִתְרוֹמַם וְיִתְנַשֵּׂא וְיִתְהַדַּר וְיִתְעַלֶּה וְיִתְהַלַּל שְׁמֵהּ דְּקֻדְשָׁא. בְּרִיךְ הוּא. לְעֵלָּא (וּלְעֵלָּא) מִן כָּל בִּרְכָתָא וְשִׁירָתָא תֻּשְׁבְּחָתָא וְנֶחֱמָתָא דַּאֲמִירָן בְּעָלְמָא. וְאִמְרוּ אָמֵן:

יְהֵא שְׁלָמָא רַבָּא מִן שְׁמַיָּא וְחַיִּים עָלֵינוּ וְעַל כָּל יִשְׂרָאֵל. וְאִמְרוּ אָמֵן:

עֹשֶׂה שָׁלוֹם בִּמְרוֹמָיו הוּא יַעֲשֶׂה שָׁלוֹם עָלֵינוּ וְעַל כָּל יִשְׂרָאֵל. וְאִמְרוּ אָמֵן:

Mourners' Kaddish

Magnified and sanctified be the name of God throughout the world which He hath created according to His will. May He establish His kingdom during the days of your life and during the life of all the house of Israel, speedily, yea, soon; and say ye, Amen.

Congregation and Mourners

May His great name be blessed for ever and ever.

Mourners

Exalted and honored be the name of the Holy One, blessed be He, whose glory transcends, yea, is beyond all praises, hymns and blessings that man can render unto Him; and say ye, Amen.

May there be abundant peace from heaven, and life for us and for all Israel; and say ye, Amen.

May He who establisheth peace in the heavens, grant peace unto us and unto all Israel; and say ye, Amen.

MOURNERS' KADDISH

Yis-ga-dal v'yis-ka-dash sh'may ra-bo,
B'ol-mo dee-v'ro ḥir u-say, v'yam-leeḥ mal-ḥu-say,
B'ḥa-yay-ḥōn uv-yō-may-ḥōn, uv-ḥa-yay d'ḥol bays yis-ro-ayl,
Ba-a-go-lo u-viz'man ko-reev, v'im-ru o-mayn.

Y'hay sh'may ra-bo m'vo-raḥ, l'o-lam ul-ol-may ol-ma-yo.

Yis-bo-raḥ v'yish-ta-baḥ, v'yis-po-ar v'yis-rō-mam,
V'yis-na-say v'yis-ha-dar, v'yis-a-leh, v'yis-ha-lal
sh'may d'kud-sho b'riḥ hu;

L'ay-lo (ul-ay-lo) min kol bir-ḥo-so v'shee-ro-so,
Tush-b'ḥo-so v'ne-ḥeh-mo-so, da-a-mee-ron b'ol-mo,
V'im-ru o-mayn.

Y'hay sh'lo-mo ra-bo min sh'ma-yo,
V'ḥa-yeem o-lay-nu v'al kol yis-ro-ayl v'im-ru o-mayn.

Ō-se sho-lōm bim-rō-mov hu ya-a-se sho-lōm
O-lay-nu v'al kol yis-ro-ayl v'im-ru o-mayn.

אדון עולם

אֲדוֹן עוֹלָם אֲשֶׁר מָלַךְ בְּטֶרֶם כָּל יְצִיר נִבְרָא:
לְעֵת נַעֲשָׂה בְחֶפְצוֹ כֹּל אֲזַי מֶלֶךְ שְׁמוֹ נִקְרָא:
וְאַחֲרֵי כִּכְלוֹת הַכֹּל לְבַדּוֹ יִמְלוֹךְ נוֹרָא:
וְהוּא הָיָה וְהוּא הֹוֶה וְהוּא יִהְיֶה בְּתִפְאָרָה:
וְהוּא אֶחָד וְאֵין שֵׁנִי לְהַמְשִׁיל לוֹ לְהַחְבִּירָה:
בְּלִי רֵאשִׁית בְּלִי תַכְלִית וְלוֹ הָעֹז וְהַמִּשְׂרָה:
וְהוּא אֵלִי וְחַי גּוֹאֲלִי וְצוּר חֶבְלִי בְּעֵת צָרָה:
וְהוּא נִסִּי וּמָנוֹס לִי מְנָת כּוֹסִי בְּיוֹם אֶקְרָא:
בְּיָדוֹ אַפְקִיד רוּחִי בְּעֵת אִישַׁן וְאָעִירָה:
וְעִם רוּחִי גְּוִיָּתִי יְיָ לִי וְלֹא אִירָא:

LORD OF THE WORLD

Lord of the world, the King supreme,
Ere aught was formed, He reigned alone.
When by His will all things were wrought,
Then was His sovereign name made known.

And when in time all things shall cease,
He still shall reign in majesty.
He was, He is, He shall remain
All-glorious eternally.

Incomparable, unique is He,
No other can His Oneness share.
Without beginning, without end,
Dominion's might is His to bear.

He is my living God who saves,
My Rock when grief or trials befall,
My Banner and my Refuge strong,
My bounteous Portion when I call.

My soul I give unto His care,
Asleep, awake, for He is near,
And with my soul, my body, too;
God is with me, I have no fear.

A-dōn ō-lom a-sher mo-laḥ, b'te-rem kol y'tseer niv'ro.
L'ays na-a'so v'ḥef-tsō kōl, a-zye me-leḥ sh'mō-nik-ro.

V'a-ḥa'-ray ki-ḥ'lōs ha-kōl, l'va-dō yim-lōḥ nō-ro.
V'hu ho-yo, v'hu hō-ve, v'hu yi-ye b'sif-o-ro.

V'hu e-ḥod v'ayn shay-nee, l'ham-sheel lō l'haḥ-bee-ro.
B'lee ray-shees b'lee-saḥ-lees, v'lō ho-ōz v'ha-mis-ro.

V'hu ay-lee v'ḥye gō-a'-lee, v'tsur ḥev-lee b'ays tso-ro.
V'hu ni-see u-mo-nōs lee, m'nos kō-see b'yōm ek-ro.

B'yo-dō af-keed ru-ḥee, b'ays ee-shan v'o-ee-ro.
V'im ru-ḥee g'vi-yo-see, A-dō-noy lee v'lō-ee-ro.

מנחה לשבת ולרגלים

AFTERNOON SERVICE
SABBATH AND FESTIVALS

מנחה לשבת ולרגלים

אַשְׁרֵי יוֹשְׁבֵי בֵיתֶךָ עוֹד יְהַלְלוּךָ סֶּלָה:
אַשְׁרֵי הָעָם שֶׁכָּכָה לּוֹ אַשְׁרֵי הָעָם שֶׁיְיָ אֱלֹהָיו:

קמ״ה תְּהִלָּה לְדָוִד

אֲרוֹמִמְךָ אֱלוֹהַי הַמֶּלֶךְ וַאֲבָרְכָה שִׁמְךָ לְעוֹלָם וָעֶד:
בְּכָל־יוֹם אֲבָרְכֶךָּ וַאֲהַלְלָה שִׁמְךָ לְעוֹלָם וָעֶד:
גָּדוֹל יְיָ וּמְהֻלָּל מְאֹד וְלִגְדֻלָּתוֹ אֵין חֵקֶר:
דּוֹר לְדוֹר יְשַׁבַּח מַעֲשֶׂיךָ וּגְבוּרֹתֶיךָ יַגִּידוּ:
הֲדַר כְּבוֹד הוֹדֶךָ וְדִבְרֵי נִפְלְאֹתֶיךָ אָשִׂיחָה:
וֶעֱזוּז נוֹרְאֹתֶיךָ יֹאמֵרוּ וּגְדֻלָּתְךָ אֲסַפְּרֶנָּה:
זֵכֶר רַב־טוּבְךָ יַבִּיעוּ וְצִדְקָתְךָ יְרַנֵּנוּ:
חַנּוּן וְרַחוּם יְהוָֹה אֶרֶךְ אַפַּיִם וּגְדָל־חָסֶד:
טוֹב־יְהוָֹה לַכֹּל וְרַחֲמָיו עַל־כָּל־מַעֲשָׂיו:
יוֹדוּךָ יְהוָֹה כָּל־מַעֲשֶׂיךָ וַחֲסִידֶיךָ יְבָרְכוּכָה:
כְּבוֹד מַלְכוּתְךָ יֹאמֵרוּ וּגְבוּרָתְךָ יְדַבֵּרוּ:
לְהוֹדִיעַ לִבְנֵי הָאָדָם גְּבוּרֹתָיו וּכְבוֹד הֲדַר מַלְכוּתוֹ:
מַלְכוּתְךָ מַלְכוּת כָּל־עֹלָמִים וּמֶמְשַׁלְתְּךָ בְּכָל־דּוֹר וָדוֹר:
סוֹמֵךְ יְהוָֹה לְכָל־הַנֹּפְלִים וְזוֹקֵף לְכָל־הַכְּפוּפִים:
עֵינֵי כֹל אֵלֶיךָ יְשַׂבֵּרוּ. וְאַתָּה נוֹתֵן לָהֶם אֶת־אָכְלָם בְּעִתּוֹ:
פּוֹתֵחַ אֶת־יָדֶךָ וּמַשְׂבִּיעַ לְכָל־חַי רָצוֹן:

Happy are they that dwell in Thy house;
They will ever praise Thee.

Happy is the people who thus fare;
Yea, happy is the people whose God is the Lord.

PSALM 145. A Psalm of praise; of David.

I will extol Thee, my God, O King,
And I will bless Thy name for ever and ever.

Every day will I bless Thee,
And I will praise Thy name for ever and ever.

Great is the Lord, and highly to be praised;
His greatness is unsearchable.

One generation shall laud Thy works to another,
And shall declare Thy mighty acts.

On the majestic glory of Thy splendor,
And on Thy wondrous deeds will I meditate.

And men shall proclaim the might of Thy tremendous
    acts;
And I will recount Thy greatness.

They shall make known the fame of Thy great goodness,
And shall exult in Thy righteousness.

The Lord is gracious and full of compassion,
Long forbearing, and abundant in kindness.

The Lord is good to all,
And His tender merices are over all His works.

All Thy works shall praise Thee, O Lord,
And Thy faithful ones shall bless Thee.

They shall declare the glory of thy kingdom,
And talk of Thy might;

To make known to the sons of men His mighty acts,
And the glorious majesty of His kingdom.

Thy kingdom is an everlasting kingdom,
And Thy dominion endureth throughout all generations.

The Lord upholdeth all who fall,
And raiseth up all who are bowed down.

The eyes of all look hopefully to Thee,
And Thou givest them their food in due season.

Thou openest Thy hand,
And satisfiest every living thing with favor.

צַדִּיק יְהוָה בְּכָל־דְּרָכָיו וְחָסִיד בְּכָל־מַעֲשָׂיו:
קָרוֹב יְהוָה לְכָל־קֹרְאָיו לְכֹל אֲשֶׁר יִקְרָאֻהוּ בֶאֱמֶת:
רְצוֹן־יְרֵאָיו יַעֲשֶׂה וְאֶת־שַׁוְעָתָם יִשְׁמַע וְיוֹשִׁיעֵם:
שׁוֹמֵר יְהוָה אֶת־כָּל־אֹהֲבָיו וְאֵת כָּל־הָרְשָׁעִים יַשְׁמִיד:
תְּהִלַּת יְהוָה יְדַבֶּר־פִּי וִיבָרֵךְ כָּל־בָּשָׂר שֵׁם קָדְשׁוֹ
לְעוֹלָם וָעֶד:
וַאֲנַחְנוּ נְבָרֵךְ יָהּ מֵעַתָּה וְעַד־עוֹלָם. הַלְלוּיָהּ:

וּבָא לְצִיּוֹן גּוֹאֵל וּלְשָׁבֵי פֶשַׁע בְּיַעֲקֹב נְאֻם יְיָ: וַאֲנִי זֹאת בְּרִיתִי אוֹתָם אָמַר יְיָ. רוּחִי אֲשֶׁר עָלֶיךָ וּדְבָרַי אֲשֶׁר־שַׂמְתִּי בְּפִיךָ. לֹא־יָמוּשׁוּ מִפִּיךָ וּמִפִּי זַרְעֲךָ וּמִפִּי זֶרַע זַרְעֲךָ אָמַר יְיָ מֵעַתָּה וְעַד־עוֹלָם: וְאַתָּה קָדוֹשׁ יוֹשֵׁב תְּהִלּוֹת יִשְׂרָאֵל: וְקָרָא זֶה אֶל־זֶה וְאָמַר. קָדוֹשׁ קָדוֹשׁ קָדוֹשׁ יְיָ צְבָאוֹת מְלֹא כָל־הָאָרֶץ כְּבוֹדוֹ: וּמְקַבְּלִין דֵּין מִן־דֵּין וְאָמְרִין קַדִּישׁ בִּשְׁמֵי מְרוֹמָא עִלָּאָה. בֵּית־שְׁכִינְתֵּהּ. קַדִּישׁ עַל אַרְעָא עוֹבַד גְּבוּרְתֵּהּ. קַדִּישׁ לְעָלַם וּלְעָלְמֵי עָלְמַיָּא. יְיָ צְבָאוֹת מַלְיָא כָל־אַרְעָא זִיו יְקָרֵהּ: וַתִּשָּׂאֵנִי רוּחַ וָאֶשְׁמַע אַחֲרַי קוֹל רַעַשׁ גָּדוֹל. בָּרוּךְ כְּבוֹד־יְיָ מִמְּקוֹמוֹ: וּנְטָלַתְנִי רוּחָא. וְשִׁמְעֵת בַּתְרַי קָל זִיעַ סַגִּיא. דִּי־מְשַׁבְּחִין וְאָמְרִין. בְּרִיךְ יְקָרָא דַיְיָ מֵאֲתַר בֵּית שְׁכִינְתֵּהּ: יְיָ יִמְלֹךְ לְעֹלָם וָעֶד: יְיָ מַלְכוּתֵהּ קָאֵם לְעָלַם וּלְעָלְמֵי עָלְמַיָּא:

The Lord is righteous in all His ways,
And gracious in all His works.

The Lord is near unto all who call upon Him,
To all who call upon Him in truth.

He will fulfill the desire of them that revere Him;
He will also hear their cry, and will save them.

The Lord preserveth all them that love Him;
But all the wicked will He bring low.

My mouth shall speak the praise of the Lord;
Let all men bless His holy name for ever and ever.

We will bless the Lord from this time forth,
And forevermore. Hallelujah.

And a redeemer shall come to Zion and to those in Jacob who turn from transgression, saith the Lord. And as for Me, this is My covenant with them, saith the Lord: My spirit that is upon you, and My words which I have put in your mouth shall not depart out of your mouth, nor out of the mouth of your children nor your children's children henceforth and forever.

Thou art holy, O Thou that art enthroned upon the praises of Israel. And one called to another and said: Holy, holy, holy is the Lord of hosts; the whole earth is full of His glory. [And they receive sanction one from the other, and say: Holy in the highest heavens, the place of His abode; Holy upon earth, the work of His mighty power; Holy forever and to all eternity is the Lord of hosts; the whole earth is full of the radiance of His glory.]* And a wind lifted me up, and I heard behind me a mighty chorus proclaiming: Blessed be the glory of the Lord everywhere. [Then a wind lifted me up, and I heard behind me the mighty moving sound of those who uttered praises and said: Blessed be the glory of the Lord from the place of His abode.] The Lord shall reign for ever and ever. [The kingdom of the Lord is established forever and to all eternity.]

*The verses enclosed in brackets are the Targum or Aramaic paraphrases of the preceding Biblical texts.

יְיָ אֱלֹהֵי אַבְרָהָם יִצְחָק וְיִשְׂרָאֵל אֲבוֹתֵינוּ. שָׁמְרָה־זֹּאת לְעוֹלָם לְיֵצֶר מַחְשְׁבוֹת לְבַב עַמֶּךָ וְהָכֵן לְבָבָם אֵלֶיךָ: וְהוּא רַחוּם יְכַפֵּר עָוֹן וְלֹא־יַשְׁחִית. וְהִרְבָּה לְהָשִׁיב אַפּוֹ וְלֹא־יָעִיר כָּל־חֲמָתוֹ: כִּי־אַתָּה אֲדֹנָי טוֹב וְסַלָּח וְרַב־חֶסֶד לְכָל־קֹרְאֶיךָ: צִדְקָתְךָ צֶדֶק לְעוֹלָם וְתוֹרָתְךָ אֱמֶת: תִּתֵּן אֱמֶת לְיַעֲקֹב חֶסֶד לְאַבְרָהָם אֲשֶׁר־נִשְׁבַּעְתָּ לַאֲבֹתֵינוּ מִימֵי קֶדֶם: בָּרוּךְ אֲדֹנָי יוֹם יוֹם יַעֲמָס־לָנוּ הָאֵל יְשׁוּעָתֵנוּ סֶלָה: יְיָ צְבָאוֹת עִמָּנוּ מִשְׂגָּב־לָנוּ אֱלֹהֵי יַעֲקֹב סֶלָה: יְיָ צְבָאוֹת אַשְׁרֵי אָדָם בֹּטֵחַ בָּךְ: יְיָ הוֹשִׁיעָה הַמֶּלֶךְ יַעֲנֵנוּ בְיוֹם־קָרְאֵנוּ:

בָּרוּךְ הוּא אֱלֹהֵינוּ שֶׁבְּרָאָנוּ לִכְבוֹדוֹ. וְהִבְדִּילָנוּ מִן הַתּוֹעִים וְנָתַן לָנוּ תּוֹרַת אֱמֶת וְחַיֵּי עוֹלָם נָטַע בְּתוֹכֵנוּ. הוּא יִפְתַּח לִבֵּנוּ בְּתוֹרָתוֹ. וְיָשֵׂם בְּלִבֵּנוּ אַהֲבָתוֹ וְיִרְאָתוֹ וְלַעֲשׂוֹת רְצוֹנוֹ וּלְעָבְדוֹ בְּלֵבָב שָׁלֵם. לְמַעַן לֹא נִיגַע לָרִיק וְלֹא נֵלֵד לַבֶּהָלָה: יְהִי רָצוֹן מִלְּפָנֶיךָ יְיָ אֱלֹהֵינוּ וֵאלֹהֵי אֲבוֹתֵינוּ. שֶׁנִּשְׁמוֹר חֻקֶּיךָ בָּעוֹלָם הַזֶּה. וְנִזְכֶּה וְנִחְיֶה וְנִרְאֶה וְנִירַשׁ טוֹבָה וּבְרָכָה. לִשְׁנֵי יְמוֹת הַמָּשִׁיחַ וּלְחַיֵּי הָעוֹלָם הַבָּא: לְמַעַן יְזַמֶּרְךָ כָבוֹד וְלֹא יִדֹּם יְיָ אֱלֹהַי לְעוֹלָם אוֹדֶךָּ: בָּרוּךְ הַגֶּבֶר אֲשֶׁר יִבְטַח בַּיְיָ וְהָיָה יְיָ מִבְטַחוֹ: בִּטְחוּ בַיְיָ עֲדֵי־עַד. כִּי בְּיָהּ יְיָ צוּר עוֹלָמִים: וְיִבְטְחוּ בְךָ יוֹדְעֵי שְׁמֶךָ. כִּי לֹא־עָזַבְתָּ דֹרְשֶׁיךָ יְיָ: יְיָ חָפֵץ לְמַעַן צִדְקוֹ יַגְדִּיל תּוֹרָה וְיַאְדִּיר:

O Lord, God of our fathers, Abraham, Isaac and Israel, keep this forever in the inward thoughts of the heart of Thy people, and direct their heart unto Thee, for Thou, being merciful, full of compassion, forgiveth iniquity and destroyeth not; yea, many a time Thou turnest anger away. For Thou, O Lord, art good, and ready to forgive, and abounding in mercy unto all who call upon Thee. Thy righteousness is everlasting, and Thy Law is truth. Thou wilt show faithfulness to Jacob and mercy to Abraham, as Thou hast promised unto our fathers from the days of old. Blessed be the Lord who day by day bears our burden. He is the God of our salvation; the Lord of hosts be with us; the God of Jacob be a stronghold unto us. O Lord of hosts, happy is the man that trusteth in Thee. Save, O Lord; O King, answer us on the day when we call.

Blessed be our God who hath created us for His glory, and hath separated us from them that go astray by giving us the Torah of truth, thus planting everlasting life in our midst. May He open our hearts unto His Law, and with love and reverence may we do His will and serve Him with a perfect heart that we may not labor in vain nor bring forth confusion. May it be Thy will, O Lord our God and God of our fathers, that we keep Thy statutes in the world, and be worthy to live and inherit happiness and blessings in the days of the Messiah and in the life of the world to come. May my soul sing Thy praise and not be silent; O Lord my God, I will give thanks unto Thee forever. Blessed is the man that trusteth in Thee, O Lord, and whose trust Thou art. Trust in the Lord forever, for the Lord is an everlasting Rock. And they that know Thy name will put their trust in Thee; Thou hast not forsaken them that seek Thee. Thou, O Lord, desirest for the sake of Thy righteousness to make the Torah great and glorious.

Reader

יִתְגַּדַּל וְיִתְקַדַּשׁ שְׁמֵהּ רַבָּא. בְּעָלְמָא דִּי בְרָא כִרְעוּתֵהּ. וְיַמְלִיךְ מַלְכוּתֵהּ בְּחַיֵּיכוֹן וּבְיוֹמֵיכוֹן וּבְחַיֵּי דְכָל בֵּית יִשְׂרָאֵל בַּעֲגָלָא וּבִזְמַן קָרִיב. וְאִמְרוּ אָמֵן:

יְהֵא שְׁמֵהּ רַבָּא מְבָרַךְ לְעָלַם וּלְעָלְמֵי עָלְמַיָּא:

יִתְבָּרַךְ וְיִשְׁתַּבַּח וְיִתְפָּאַר וְיִתְרוֹמַם וְיִתְנַשֵּׂא וְיִתְהַדַּר וְיִתְעַלֶּה וְיִתְהַלַּל שְׁמֵהּ דְּקֻדְשָׁא. בְּרִיךְ הוּא. לְעֵלָּא (וּלְעֵלָּא) מִן כָּל בִּרְכָתָא וְשִׁירָתָא תֻּשְׁבְּחָתָא וְנֶחֱמָתָא דַּאֲמִירָן בְּעָלְמָא. וְאִמְרוּ אָמֵן:

On Festivals occurring on weekdays, continue with Amidah, page 169.

וַאֲנִי תְפִלָּתִי־לְךָ יְיָ עֵת רָצוֹן
אֱלֹהִים בְּרָב־חַסְדֶּךָ עֲנֵנִי בֶּאֱמֶת יִשְׁעֶךָ:

The Ark is opened.

וַיְהִי בִּנְסֹעַ הָאָרֹן וַיֹּאמֶר מֹשֶׁה קוּמָה יְיָ וְיָפֻצוּ אֹיְבֶיךָ וְיָנֻסוּ מְשַׂנְאֶיךָ מִפָּנֶיךָ: כִּי מִצִּיּוֹן תֵּצֵא תוֹרָה וּדְבַר־יְיָ מִירוּשָׁלָיִם:

בָּרוּךְ שֶׁנָּתַן תּוֹרָה לְעַמּוֹ יִשְׂרָאֵל בִּקְדֻשָּׁתוֹ:

The Reader takes a Scroll of the Torah. The Ark is closed.

גַּדְּלוּ לַייָ אִתִּי וּנְרוֹמְמָה שְׁמוֹ יַחְדָּו:

לְךָ יְיָ הַגְּדֻלָּה וְהַגְּבוּרָה וְהַתִּפְאֶרֶת וְהַנֵּצַח וְהַהוֹד. כִּי־כֹל בַּשָּׁמַיִם וּבָאָרֶץ. לְךָ יְיָ הַמַּמְלָכָה וְהַמִּתְנַשֵּׂא לְכֹל לְרֹאשׁ. רוֹמְמוּ יְיָ אֱלֹהֵינוּ וְהִשְׁתַּחֲווּ לַהֲדֹם רַגְלָיו קָדוֹשׁ הוּא. רוֹמְמוּ יְיָ אֱלֹהֵינוּ וְהִשְׁתַּחֲווּ לְהַר קָדְשׁוֹ. כִּי־קָדוֹשׁ יְיָ אֱלֹהֵינוּ:

Reader

Magnified and sanctified be the name of God throughout the world which He hath created according to His will. May He establish His kingdom during the days of your life and during the life of all the house of Israel, speedily yea, soon; and say ye, Amen.

May His great name be blessed for ever and ever.

Exalted and honored be the name of the Holy One, blessed be He, whose glory transcends, yea, is beyond all praises, hymns and blessings that man can render unto Him; and say ye, Amen.

On Festivals occurring on weekdays, continue with Amidah, page 169.

Accept my prayer, O Lord, and answer me with Thy great mercy and with Thy saving truth. Amen.

The Ark is opened.

And it came to pass that when the Ark moved forward, Moses said: Rise up, O Lord, and let Thine enemies be scattered; and let them that hate Thee flee before Thee.

For out of Zion shall go forth the Torah, and the word of the Lord from Jerusalem.

Blessed be He who, in His holiness, gave the Torah to His people Israel.

The Reader takes a Scroll of the Torah. The Ark is closed.

Extol the Lord with me, and together let us exalt His name.

Thine, O Lord, is the greatness and the power, the glory, the victory and the majesty; for all that is in the heaven and on the earth is Thine. Thine is the kingdom, O Lord, and Thou art exalted supreme above all. Exalt the Lord our God, and worship at His footstool; holy is He. Exalt the Lord our God, and worship at his holy mountain for the Lord our God is holy.

Reader

אַב הָרַחֲמִים הוּא יְרַחֵם עַם עֲמוּסִים. וְיִזְכּוֹר בְּרִית אֵיתָנִים. וְיַצִּיל נַפְשׁוֹתֵינוּ מִן הַשָּׁעוֹת הָרָעוֹת. וְיִגְעַר בְּיֵצֶר הָרָע מִן הַנְּשׂוּאִים. וְיָחֹן אוֹתָנוּ לִפְלֵיטַת עוֹלָמִים. וִימַלֵּא מִשְׁאֲלוֹתֵינוּ בְּמִדָּה טוֹבָה יְשׁוּעָה וְרַחֲמִים:

וְתִגָּלֶה וְתֵרָאֶה מַלְכוּתוֹ עָלֵינוּ בִּזְמַן קָרוֹב. וְיָחוֹן פְּלֵיטָתֵנוּ וּפְלֵיטַת עַמּוֹ בֵּית יִשְׂרָאֵל לְחֵן וּלְחֶסֶד לְרַחֲמִים וּלְרָצוֹן. וְנֹאמַר אָמֵן: הַכֹּל הָבוּ גֹדֶל לֵאלֹהֵינוּ וּתְנוּ כָבוֹד לַתּוֹרָה: יעמוד

בָּרוּךְ שֶׁנָּתַן תּוֹרָה לְעַמּוֹ יִשְׂרָאֵל בִּקְדֻשָּׁתוֹ:

Congregation and Reader

וְאַתֶּם הַדְּבֵקִים בַּיְיָ אֱלֹהֵיכֶם חַיִּים כֻּלְּכֶם הַיּוֹם:

Those honored by being called to the Torah, recite the following blessings:

בָּרְכוּ אֶת יְיָ הַמְבֹרָךְ:

בָּרוּךְ יְיָ הַמְבֹרָךְ לְעוֹלָם וָעֶד:

בָּרוּךְ אַתָּה יְיָ אֱלֹהֵינוּ מֶלֶךְ הָעוֹלָם. אֲשֶׁר בָּחַר־בָּנוּ מִכָּל הָעַמִּים וְנָתַן־לָנוּ אֶת־תּוֹרָתוֹ. בָּרוּךְ אַתָּה יְיָ. נוֹתֵן הַתּוֹרָה:

After a section of the Torah has been read, the following blessing is said:

בָּרוּךְ אַתָּה יְיָ אֱלֹהֵינוּ מֶלֶךְ הָעוֹלָם. אֲשֶׁר נָתַן־לָנוּ תּוֹרַת אֱמֶת. וְחַיֵּי עוֹלָם נָטַע בְּתוֹכֵנוּ. בָּרוּךְ אַתָּה יְיָ. נוֹתֵן הַתּוֹרָה:

Congregation

וְזֹאת הַתּוֹרָה אֲשֶׁר־שָׂם מֹשֶׁה לִפְנֵי בְּנֵי יִשְׂרָאֵל. עַל־פִּי יְיָ בְּיַד־מֹשֶׁה:

Reader

May the Father of compassion have mercy upon a people whom He lovingly tended. May He remember the covenant with the patriarchs; may He deliver us from evil times, curb the evil inclination in the people whom He has tenderly protected, and graciously grant us enduring deliverance. May He abundantly fulfill our desires and grant us salvation and mercy.

May His kingdom soon be revealed and made visible unto us, and may He be gracious unto our remnant and unto the remnant of His people, the house of Israel, granting them grace, kindness, mercy and favor; and let us say, Amen. Let us all ascribe greatness unto our God, and render honor to the Torah.

Blessed be He who in His holiness gave the Torah to His people Israel.

Congregation and Reader

And you who cleave unto the Lord your God, are alive everyone of you this day.

*Those honored by being called to the Torah, recite the
following blessings:*

Bless the Lord who is to be praised.

Praised be the Lord who is blessed for all eternity.

Blessed art Thou, O Lord our God, King of the universe, who didst choose us from among all the peoples by giving us Thy Torah. Blessed art Thou, O Lord, Giver of the Torah.

*After a section of the Torah has been read, the following
blessing is said:*

Blessed art Thou, O Lord our God, King of the universe, who in giving us a Torah of truth, hast planted everlasting life within us. Blessed art Thou, O Lord, Giver of the Torah.

Congregation

This is the Torah proclaimed by Moses to the children of Israel at the command of the Lord.

Reader

יְהַלְלוּ אֶת־שֵׁם יְיָ כִּי־נִשְׂגָּב שְׁמוֹ לְבַדּוֹ:

Congregation

הוֹדוֹ עַל־אֶרֶץ וְשָׁמָיִם וַיָּרֶם קֶרֶן לְעַמּוֹ
תְּהִלָּה לְכָל־חֲסִידָיו לִבְנֵי יִשְׂרָאֵל עַם קְרֹבוֹ הַלְלוּיָהּ:

The Torah is returned to the Ark.

וּבְנֻחֹה יֹאמַר. שׁוּבָה יְיָ רִבְבוֹת אַלְפֵי יִשְׂרָאֵל:
קוּמָה יְיָ לִמְנוּחָתֶךָ. אַתָּה וַאֲרוֹן עֻזֶּךָ:
כֹּהֲנֶיךָ יִלְבְּשׁוּ־צֶדֶק. וַחֲסִידֶיךָ יְרַנֵּנוּ:
בַּעֲבוּר דָּוִד עַבְדֶּךָ. אַל־תָּשֵׁב פְּנֵי מְשִׁיחֶךָ:
כִּי לֶקַח טוֹב נָתַתִּי לָכֶם. תּוֹרָתִי אַל־תַּעֲזֹבוּ:
עֵץ־חַיִּים הִיא לַמַּחֲזִיקִים בָּהּ. וְתֹמְכֶיהָ מְאֻשָּׁר:
דְּרָכֶיהָ דַרְכֵי־נֹעַם. וְכָל־נְתִיבוֹתֶיהָ שָׁלוֹם:
הֲשִׁיבֵנוּ יְיָ אֵלֶיךָ וְנָשׁוּבָה. חַדֵּשׁ יָמֵינוּ כְּקֶדֶם:

Reader

יִתְגַּדַּל וְיִתְקַדַּשׁ שְׁמֵהּ רַבָּא. בְּעָלְמָא דִּי בְרָא כִרְעוּתֵהּ. וְיַמְלִיךְ מַלְכוּתֵהּ בְּחַיֵּיכוֹן וּבְיוֹמֵיכוֹן וּבְחַיֵּי דְכָל בֵּית יִשְׂרָאֵל בַּעֲגָלָא וּבִזְמַן קָרִיב. וְאִמְרוּ אָמֵן:

Congregation and Reader

יְהֵא שְׁמֵהּ רַבָּא מְבָרַךְ לְעָלַם וּלְעָלְמֵי עָלְמַיָּא:

Reader

יִתְבָּרַךְ וְיִשְׁתַּבַּח וְיִתְפָּאַר וְיִתְרוֹמַם וְיִתְנַשֵּׂא וְיִתְהַדַּר וְיִתְעַלֶּה וְיִתְהַלַּל שְׁמֵהּ דְּקֻדְשָׁא. בְּרִיךְ הוּא. לְעֵלָּא (וּלְעֵלָּא) מִן כָּל בִּרְכָתָא וְשִׁירָתָא תֻּשְׁבְּחָתָא וְנֶחֱמָתָא דַּאֲמִירָן בְּעָלְמָא. וְאִמְרוּ אָמֵן:

Reader

Let them praise the name of the Lord,
For His name alone is exalted.

Congregation

His glory is above the earth and heaven. He hath given glory unto His people, praise to all His faithful ones, to all the children of Israel, a people near unto Him. Hallelujah.

The Torah is returned to the Ark.

When the Ark rested, Moses said:
Mayest Thou, O Lord, dwell among the myriads of the
    families of Israel.
  Arise, O Lord, unto Thy sanctuary,
  Thou, and the Ark of Thy strength.
Let Thy priests be clothed with salvation,
And Thy faithful ones exult.
  For the sake of David, Thy servant,
  Reject not Thine anointed.
I have given you good teaching;
Forsake not My Torah.
  It is a Tree of Life to them that hold fast to it,
  And everyone that upholds it is happy.
Its ways are ways of pleasantness,
And all its paths are peace.
  Turn us unto Thee, O Lord, and we shall return;
  Renew our days as of old.

Reader

Magnified and sanctified be the name of God throughout the world which He hath created according to His will. May He establish His kingdom during the days of your life and during the life of all the house of Israel, speedily, yea, soon; and say ye, Amen.

Congregation and Reader

May His great name be blessed for ever and ever.

Reader

Exalted and honored be the name of the Holy One, blessed be He, whose glory transcends, yea, is beyond all praises, hymns and blessings that man can render unto Him; and say ye, Amen.

עמידה

כִּי שֵׁם יְיָ אֶקְרָא הָבוּ גֹדֶל לֵאלֹהֵינוּ:

אֲדֹנָי שְׂפָתַי תִּפְתָּח וּפִי יַגִּיד תְּהִלָּתֶךָ:

בָּרוּךְ אַתָּה יְיָ אֱלֹהֵינוּ וֵאלֹהֵי אֲבוֹתֵינוּ. אֱלֹהֵי אַבְרָהָם אֱלֹהֵי יִצְחָק וֵאלֹהֵי יַעֲקֹב. הָאֵל הַגָּדוֹל הַגִּבּוֹר וְהַנּוֹרָא. אֵל עֶלְיוֹן. גּוֹמֵל חֲסָדִים טוֹבִים וְקוֹנֵה הַכֹּל. וְזוֹכֵר חַסְדֵי אָבוֹת וּמֵבִיא גוֹאֵל לִבְנֵי בְנֵיהֶם לְמַעַן שְׁמוֹ בְּאַהֲבָה:

On Shabbat Shuvah add:

זָכְרֵנוּ לַחַיִּים. מֶלֶךְ חָפֵץ בַּחַיִּים. וְכָתְבֵנוּ
בְּסֵפֶר הַחַיִּים. לְמַעַנְךָ אֱלֹהִים חַיִּים.

מֶלֶךְ עוֹזֵר וּמוֹשִׁיעַ וּמָגֵן. בָּרוּךְ אַתָּה יְיָ מָגֵן אַבְרָהָם: אַתָּה גִּבּוֹר לְעוֹלָם אֲדֹנָי. מְחַיֵּה מֵתִים אַתָּה. רַב לְהוֹשִׁיעַ.

From Shemini Aẓeret until Pesaḥ add:

מַשִּׁיב הָרוּחַ וּמוֹרִיד הַגֶּשֶׁם:

מְכַלְכֵּל חַיִּים בְּחֶסֶד. מְחַיֵּה מֵתִים בְּרַחֲמִים רַבִּים. סוֹמֵךְ נוֹפְלִים וְרוֹפֵא חוֹלִים וּמַתִּיר אֲסוּרִים. וּמְקַיֵּם אֱמוּנָתוֹ לִישֵׁנֵי עָפָר. מִי כָמוֹךָ בַּעַל גְּבוּרוֹת וּמִי דּוֹמֶה לָּךְ. מֶלֶךְ מֵמִית וּמְחַיֶּה וּמַצְמִיחַ יְשׁוּעָה.

On Shabbat Shuvah add:

מִי כָמוֹךָ אַב הָרַחֲמִים. זוֹכֵר יְצוּרָיו לְחַיִּים בְּרַחֲמִים.

The Amidah is said standing, in silent devotion.

When I call upon the Lord, ascribe greatness unto our God. O Lord, open Thou my lips and my mouth shall declare Thy praise.

Praised art Thou, O Lord our God and God of our fathers, God of Abraham, God of Isaac, and God of Jacob, mighty, revered and exalted God. Thou bestowest lovingkindness and possessest all things. Mindful of the patriarchs' love for Thee, Thou wilt in Thy love bring a redeemer to their children's children for the sake of Thy name.

On the Sabbath of Repentance add:

Remember us unto life, O King who delightest in life, and inscribe us in the Book of Life so that we may live worthily for Thy sake, O Lord of life.

O King, Thou Helper, Redeemer and Shield, be Thou praised, O Lord, Shield of Abraham.

Thou, O Lord, art mighty forever. Thou callest the dead to immortal life for Thou art mighty in deliverance.

From Shemini Aẓeret until Pesaḥ add:

Thou causest the wind to blow and the rain to fall.

Thou sustainest the living with lovingkindness, and in great mercy callest the departed to everlasting life. Thou upholdest the falling, healest the sick, settest free those in bondage, and keepest faith with those that sleep in the dust. Who is like unto Thee, Almighty King, who decreest death and life and bringest forth salvation?

On the Sabbath of Repentance add:

Who may be compared to Thee, Father of mercy, who in love rememberest Thy creatures unto life?

וְנֶאֱמָן אַתָּה לְהַחֲיוֹת מֵתִים. בָּרוּךְ אַתָּה יְיָ מְחַיֵּה הַמֵּתִים:*

אַתָּה קָדוֹשׁ וְשִׁמְךָ קָדוֹשׁ. וּקְדוֹשִׁים בְּכָל־יוֹם יְהַלְלוּךָ סֶּלָה. בָּרוּךְ אַתָּה יְיָ הָאֵל הַקָּדוֹשׁ:

On Shabbat Shuvah conclude thus:

בָּרוּךְ אַתָּה יְיָ. הַמֶּלֶךְ הַקָּדוֹשׁ:

---

*When the Reader chants the Amidah, the Kedushah is added:

נְקַדֵּשׁ אֶת־שִׁמְךָ בָּעוֹלָם. כְּשֵׁם שֶׁמַּקְדִּישִׁים אוֹתוֹ בִּשְׁמֵי מָרוֹם. כַּכָּתוּב עַל־יַד נְבִיאֶךָ. וְקָרָא זֶה אֶל־זֶה וְאָמַר:

קָדוֹשׁ קָדוֹשׁ קָדוֹשׁ יְיָ צְבָאוֹת. מְלֹא כָל־הָאָרֶץ כְּבוֹדוֹ:

Reader לְעֻמָּתָם בָּרוּךְ יֹאמֵרוּ.

בָּרוּךְ כְּבוֹד יְיָ מִמְּקוֹמוֹ:

Reader וּבְדִבְרֵי קָדְשְׁךָ כָּתוּב לֵאמֹר.

יִמְלֹךְ יְיָ לְעוֹלָם. אֱלֹהַיִךְ צִיּוֹן לְדֹר וָדֹר. הַלְלוּיָהּ:

Reader

לְדוֹר וָדוֹר נַגִּיד גָּדְלֶךָ. וּלְנֵצַח נְצָחִים קְדֻשָּׁתְךָ נַקְדִּישׁ. וְשִׁבְחֲךָ אֱלֹהֵינוּ מִפִּינוּ לֹא יָמוּשׁ לְעוֹלָם וָעֶד. כִּי אֵל מֶלֶךְ גָּדוֹל וְקָדוֹשׁ אָתָּה. בָּרוּךְ אַתָּה יְיָ הָאֵל הַקָּדוֹשׁ:

On Shabbat Shuvah conclude thus:

בָּרוּךְ אַתָּה יְיָ. הַמֶּלֶךְ הַקָּדוֹשׁ:

Faithful art Thou to grant eternal life to the departed. Blessed art Thou, O Lord, who callest the dead to life everlasting.*

Holy art Thou and holy is Thy name and unto Thee holy beings render praise daily. Blessed art Thou, O Lord, the holy God.

On the Sabbath of Repentance conclude thus:

Blessed art Thou, O Lord, the holy King.

When the Reader chants the Amidah, the Kedushah is added:

We sanctify Thy name on earth even as it is sanctified in the heavens above, as described in the vision of Thy prophet:

And the seraphim called one unto another saying:
Holy, holy, holy is the Lord of hosts,
The whole earth is full of His glory.

Reader Whereupon the angels declare:

Blessed be the glory of God from his heavenly abode.

Reader And as it is written in holy Scripture:

The Lord shall reign forever; Thy God, O Zion, shall be Sovereign unto all generations. Hallelujah!

Reader

Unto all generations we will declare Thy greatness and to all eternity we will proclaim Thy holiness. Our mouth shall ever speak Thy praise, O our God, for Thou art a great and holy God and King. Blessed art Thou, O Lord, the holy God.

On the Sabbath of Repentance conclude thus:

Blessed art Thou, O Lord, the holy King.

On Sabbath

אַתָּה אֶחָד וְשִׁמְךָ אֶחָד.
וּמִי כְּעַמְּךָ יִשְׂרָאֵל. גּוֹי אֶחָד בָּאָרֶץ:
תִּפְאֶרֶת גְּדֻלָּה. וַעֲטֶרֶת יְשׁוּעָה.
יוֹם מְנוּחָה וּקְדֻשָּׁה לְעַמְּךָ נָתָתָּ:
אַבְרָהָם יָגֵל. יִצְחָק יְרַנֵּן. יַעֲקֹב וּבָנָיו יָנוּחוּ בוֹ:
מְנוּחַת אַהֲבָה וּנְדָבָה. מְנוּחַת אֱמֶת וֶאֱמוּנָה.
מְנוּחַת שָׁלוֹם וְשַׁלְוָה וְהַשְׁקֵט וָבֶטַח.
מְנוּחָה שְׁלֵמָה שֶׁאַתָּה רוֹצֶה בָּהּ.
יַכִּירוּ בָנֶיךָ וְיֵדְעוּ. כִּי מֵאִתְּךָ הִיא מְנוּחָתָם.
וְעַל־מְנוּחָתָם יַקְדִּישׁוּ אֶת־שְׁמֶךָ:

On Festivals

אַתָּה בְחַרְתָּנוּ מִכָּל־הָעַמִּים. אָהַבְתָּ אוֹתָנוּ. וְרָצִיתָ בָּנוּ. וְרוֹמַמְתָּנוּ מִכָּל־הַלְּשׁוֹנוֹת. וְקִדַּשְׁתָּנוּ בְּמִצְוֹתֶיךָ. וְקֵרַבְתָּנוּ מַלְכֵּנוּ לַעֲבוֹדָתֶךָ. וְשִׁמְךָ הַגָּדוֹל וְהַקָּדוֹשׁ עָלֵינוּ קָרָאתָ:

On Sabbath include the words in brackets

וַתִּתֶּן לָנוּ יְיָ אֱלֹהֵינוּ בְּאַהֲבָה [שַׁבָּתוֹת לִמְנוּחָה וּ] מוֹעֲדִים לְשִׂמְחָה חַגִּים וּזְמַנִּים לְשָׂשׂוֹן. אֶת־יוֹם [הַשַּׁבָּת הַזֶּה וְאֶת־יוֹם]

On Pesaḥ say:

חַג הַמַּצּוֹת הַזֶּה. זְמַן חֵרוּתֵנוּ

On Shavuot say:

חַג הַשָּׁבֻעוֹת הַזֶּה. זְמַן מַתַּן תּוֹרָתֵנוּ

On Sukkot say:

חַג הַסֻּכּוֹת הַזֶּה. זְמַן שִׂמְחָתֵנוּ

On Sabbath

Thou art One, Thy name is one,
And who is like Thy people Israel,
Unique on earth?

A crown of distinction, a crown of salvation,
The Sabbath Thou gavest us
For the spirit's rebirth.

Our fathers have told us that on the Sabbath day,
Abraham and Isaac rejoiced; Jacob and his sons
Found joy and rest.

This day of true peace, this day of delight,
Granted in love for tranquil repose,
By Thee was blest.

May Thy children know that from Thee cometh rest.
In observing the Sabbath, choicest of days,
They hallow Thy name.

On Festivals

Thou didst choose us for Thy service from among all peoples, loving us and taking delight in us. Thou didst exalt us above all tongues by making us holy through Thy commandments. Thou hast drawn us near, O our King, unto Thy service and hast called us by Thy great and holy name.

On Sabbath include the words in brackets

And Thou hast given us in love, O Lord our God, [Sabbaths for rest,] holidays for gladness, festivals and seasons for rejoicing. Thou hast granted us [this Sabbath day and]

On Pesaḥ say:

This Feast of Unleavened Bread, the Season of our Freedom,

On Shavuot say:

This Feast of Weeks, the Season of the Giving of our Torah,

On Sukkot say:

This Feast of Tabernacles, the Season of our Gladness,

On Sabbath

אֱלֹהֵינוּ וֵאלֹהֵי אֲבוֹתֵינוּ. רְצֵה בִמְנוּחָתֵנוּ. קַדְּשֵׁנוּ בְּמִצְוֹתֶיךָ וְתֵן חֶלְקֵנוּ בְּתוֹרָתֶךָ. שַׂבְּעֵנוּ מִטּוּבֶךָ וְשַׂמְּחֵנוּ בִּישׁוּעָתֶךָ. וְטַהֵר לִבֵּנוּ לְעָבְדְּךָ בֶּאֱמֶת. וְהַנְחִילֵנוּ יְיָ אֱלֹהֵינוּ. בְּאַהֲבָה וּבְרָצוֹן שַׁבַּת קָדְשֶׁךָ. וְיָנוּחוּ בָהּ יִשְׂרָאֵל מְקַדְּשֵׁי שְׁמֶךָ. בָּרוּךְ אַתָּה יְיָ. מְקַדֵּשׁ הַשַּׁבָּת:

רְצֵה יְיָ אֱלֹהֵינוּ בְּעַמְּךָ יִשְׂרָאֵל וּבִתְפִלָּתָם. וְהָשֵׁב אֶת־הָעֲבוֹדָה לִדְבִיר בֵּיתֶךָ. וּתְפִלָּתָם בְּאַהֲבָה תְקַבֵּל בְּרָצוֹן. וּתְהִי לְרָצוֹן תָּמִיד עֲבוֹדַת יִשְׂרָאֵל עַמֶּךָ:

On Festivals

On Shemini Aẓeret and Simḥat Torah say:

הַשְּׁמִינִי חַג הָעֲצֶרֶת הַזֶּה. זְמַן שִׂמְחָתֵנוּ

[בְּאַהֲבָה] מִקְרָא קֹדֶשׁ זֵכֶר לִיצִיאַת מִצְרָיִם:

אֱלֹהֵינוּ וֵאלֹהֵי אֲבוֹתֵינוּ. יַעֲלֶה וְיָבֹא וְיַגִּיעַ. וְיֵרָאֶה וְיֵרָצֶה וְיִשָּׁמַע. וְיִפָּקֵד וְיִזָּכֵר. זִכְרוֹנֵנוּ וּפִקְדוֹנֵנוּ וְזִכְרוֹן אֲבוֹתֵינוּ וְזִכְרוֹן מָשִׁיחַ בֶּן־דָּוִד עַבְדֶּךָ. וְזִכְרוֹן יְרוּשָׁלַיִם עִיר קָדְשֶׁךָ. וְזִכְרוֹן כָּל־עַמְּךָ בֵּית יִשְׂרָאֵל לְפָנֶיךָ. לִפְלֵיטָה לְטוֹבָה לְחֵן וּלְחֶסֶד וּלְרַחֲמִים לְחַיִּים וּלְשָׁלוֹם בְּיוֹם

On Pesaḥ say:	*On Shavuot say:*	*On Sukkot say:*
חַג הַמַּצּוֹת	חַג הַשָּׁבֻעוֹת	חַג הַסֻּכּוֹת

On Shemini Aẓeret and Simḥat Torah say:

הַשְּׁמִינִי חַג הָעֲצֶרֶת

On Sabbath

Our God and God of our fathers, accept our rest. Sanctify us through Thy commandments, and grant our portion in Thy Torah. Give us abundantly of Thy goodness and make us rejoice in Thy salvation. Purify our hearts to serve Thee in truth. In Thy loving favor, O Lord our God, grant that Thy holy Sabbath be our joyous heritage, and may Israel who sanctifies Thy name, rest thereon. Blessed art Thou, O Lord, who hallowest the Sabbath.

O Lord our God, be gracious unto Thy people Israel and accept their prayer. Restore the worship to Thy sanctuary and receive in love and favor the supplication of Israel. May the worship of Thy people be ever acceptable unto Thee.

On Festivals

On Shemini Aẓeret and Simḥat Torah say:

This Eighth Day Feast of Assembly, the Season of our Gladness,

as a holy convocation, commemorating our liberation from Egypt.

Our God and God of our fathers, may our remembrance and the remembrance of our forefathers come before Thee. Remember the Messiah of the house of David, Thy servant, and Jerusalem, Thy holy city, and all Thy people, the house of Israel. Grant us deliverance and wellbeing, loving-kindness, life and peace on this day of

On Pesaḥ say:	*On Shavuot say:*	*On Sukkot say:*
The Feast of Unleavened Bread.	The Feast of Weeks.	The Feast of Tabernacles.

On Shemini Aẓeret and Simḥat Torah say:

The Eighth Day Feast of Assembly.

On Rosh Ḥodesh and Ḥol Hamoed add:

אֱלֹהֵינוּ וֵאלֹהֵי אֲבוֹתֵינוּ. יַעֲלֶה וְיָבֹא וְיַגִּיעַ. וְיֵרָאֶה וְיֵרָצֶה וְיִשָּׁמַע. וְיִפָּקֵד וְיִזָּכֵר. זִכְרוֹנֵנוּ וּפִקְדּוֹנֵנוּ וְזִכְרוֹן אֲבוֹתֵינוּ. וְזִכְרוֹן מָשִׁיחַ בֶּן־דָּוִד עַבְדֶּךָ. וְזִכְרוֹן יְרוּשָׁלַיִם עִיר קָדְשֶׁךָ. וְזִכְרוֹן כָּל־עַמְּךָ בֵּית יִשְׂרָאֵל לְפָנֶיךָ. לִפְלֵיטָה לְטוֹבָה לְחֵן וּלְחֶסֶד וּלְרַחֲמִים לְחַיִּים וּלְשָׁלוֹם בְּיוֹם

On Rosh Ḥodesh say: ראֹשׁ הַחֹדֶשׁ

On Pesaḥ say: חַג הַמַּצּוֹת

On Sukkot say: חַג הַסֻּכּוֹת

הַזֶּה. זָכְרֵנוּ יְיָ אֱלֹהֵינוּ בּוֹ לְטוֹבָה. וּפָקְדֵנוּ בוֹ לִבְרָכָה. וְהוֹשִׁיעֵנוּ בוֹ לְחַיִּים. וּבִדְבַר יְשׁוּעָה וְרַחֲמִים חוּס וְחָנֵּנוּ וְרַחֵם עָלֵינוּ וְהוֹשִׁיעֵנוּ. כִּי אֵלֶיךָ עֵינֵינוּ. כִּי אֵל מֶלֶךְ חַנּוּן וְרַחוּם אָתָּה:

On Festivals

הַזֶּה. זָכְרֵנוּ יְיָ אֱלֹהֵינוּ בּוֹ לְטוֹבָה. וּפָקְדֵנוּ בוֹ לִבְרָכָה. וְהוֹשִׁיעֵנוּ בוֹ לְחַיִּים: וּבִדְבַר יְשׁוּעָה וְרַחֲמִים חוּס וְחָנֵּנוּ וְרַחֵם עָלֵינוּ וְהוֹשִׁיעֵנוּ כִּי אֵלֶיךָ עֵינֵינוּ. כִּי אֵל מֶלֶךְ חַנּוּן וְרַחוּם אָתָּה:

וְהַשִּׂיאֵנוּ יְיָ אֱלֹהֵינוּ אֶת־בִּרְכַּת מוֹעֲדֶיךָ לְחַיִּים וּלְשָׁלוֹם לְשִׂמְחָה וּלְשָׂשׂוֹן כַּאֲשֶׁר רָצִיתָ וְאָמַרְתָּ לְבָרְכֵנוּ: וֵאלֹהֵינוּ וֵאלֹהֵי אֲבוֹתֵינוּ רְצֵה בִמְנוּחָתֵנוּ] קַדְּשֵׁנוּ בְּמִצְוֹתֶיךָ וְתֵן חֶלְקֵנוּ בְּתוֹרָתֶךָ שַׂבְּעֵנוּ מִטּוּבֶךָ וְשַׂמְּחֵנוּ בִּישׁוּעָתֶךָ וְטַהֵר לִבֵּנוּ לְעָבְדְּךָ בֶּאֱמֶת. וְהַנְחִילֵנוּ יְיָ אֱלֹהֵינוּ [בְּאַהֲבָה וּבְרָצוֹן] בְּשִׂמְחָה וּבְשָׂשׂוֹן [שַׁבָּת וּ] מוֹעֲדֵי קָדְשֶׁךָ. וְיִשְׂמְחוּ בְךָ יִשְׂרָאֵל מְקַדְּשֵׁי שְׁמֶךָ. בָּרוּךְ אַתָּה יְיָ מְקַדֵּשׁ [הַשַּׁבָּת וְ] יִשְׂרָאֵל וְהַזְּמַנִּים:

רְצֵה יְיָ אֱלֹהֵינוּ בְּעַמְּךָ יִשְׂרָאֵל וּבִתְפִלָּתָם. וְהָשֵׁב אֶת־הָעֲבוֹדָה לִדְבִיר בֵּיתֶךָ וּתְפִלָּתָם בְּאַהֲבָה תְקַבֵּל בְּרָצוֹן. וּתְהִי לְרָצוֹן תָּמִיד עֲבוֹדַת יִשְׂרָאֵל עַמֶּךָ.

On New Moon and the Intermediate Days of Festivals add:

Our God and God of our fathers, may our remembrance and the remembrance of our forefathers come before Thee. Remember the Messiah of the house of David, Thy servant, and Jerusalem, Thy holy city, and all Thy people, the house of Israel. Grant us deliverance and well being, lovingkindness, life and peace on this day of

On Rosh Ḥodesh say:	*On Pesaḥ say:*	*On Sukkot say:*
the New Moon.	the Feast of Unleavened Bread.	the Feast of Tabernacles.

Remember us this day, O Lord our God, for our good, and be mindful of us for a life of blessing. With Thy promise of salvation and mercy, deliver us and be gracious unto us, have compassion upon us and save us. Unto Thee do we lift our eyes for Thou art a gracious and merciful God and King.

On Festivals

Remember us this day, O Lord our God, for our good, and be mindful of us for a life of blessing. With Thy promise of salvation and mercy, deliver us and be gracious unto us, have compassion upon us and save us. Unto Thee do we lift our eyes for Thou art a gracious and merciful God and King.

O Lord our God, bestow upon us the blessing of Thy festivals for life and peace, for joy and gladness, even as Thou hast graciously promised to bless us. [Our God and God of our fathers, accept our rest.] Sanctify us through Thy commandments, and grant our portion in Thy Torah; give us abundantly of Thy goodness and make us rejoice in Thy salvation. Purify our hearts to serve Thee in truth. In Thy loving favor, O Lord our God, let us inherit with joy and gladness Thy holy [Sabbath and] festivals; and may Israel who sanctifies Thy name, rejoice in Thee. Blessed art Thou, O Lord, who hallowest [the Sabbath and] Israel and the seasons.

O Lord our God, be gracious unto Thy people Israel and accept their prayer. Restore the worship to Thy sanctuary and receive in love the supplication of Israel; and may the worship of Thy people be ever acceptable unto Thee.

וְתֶחֱזֶינָה עֵינֵינוּ בְּשׁוּבְךָ לְצִיּוֹן בְּרַחֲמִים. בָּרוּךְ אַתָּה יְיָ הַמַּחֲזִיר שְׁכִינָתוֹ לְצִיּוֹן:

*מוֹדִים אֲנַחְנוּ לָךְ שָׁאַתָּה הוּא יְיָ אֱלֹהֵינוּ וֵאלֹהֵי אֲבוֹתֵינוּ לְעוֹלָם וָעֶד. צוּר חַיֵּינוּ מָגֵן יִשְׁעֵנוּ אַתָּה הוּא לְדוֹר וָדוֹר. נוֹדֶה לְּךָ וּנְסַפֵּר תְּהִלָּתֶךָ עַל חַיֵּינוּ הַמְּסוּרִים בְּיָדֶךָ וְעַל נִשְׁמוֹתֵינוּ הַפְּקוּדוֹת לָךְ. וְעַל נִסֶּיךָ שֶׁבְּכָל־יוֹם עִמָּנוּ וְעַל נִפְלְאוֹתֶיךָ וְטוֹבוֹתֶיךָ שֶׁבְּכָל־עֵת עֶרֶב וָבֹקֶר וְצָהֳרָיִם. הַטּוֹב כִּי לֹא־כָלוּ רַחֲמֶיךָ. וְהַמְרַחֵם כִּי לֹא תַמּוּ חֲסָדֶיךָ מֵעוֹלָם קִוִּינוּ לָךְ:

**When the Reader chants the Amidah, the Congregation says:*

מוֹדִים אֲנַחְנוּ לָךְ שָׁאַתָּה הוּא יְיָ אֱלֹהֵינוּ וֵאלֹהֵי אֲבוֹתֵינוּ. אֱלֹהֵי כָל בָּשָׂר יוֹצְרֵנוּ יוֹצֵר בְּרֵאשִׁית. בְּרָכוֹת וְהוֹדָאוֹת לְשִׁמְךָ הַגָּדוֹל וְהַקָּדוֹשׁ. עַל שֶׁהֶחֱיִיתָנוּ וְקִיַּמְתָּנוּ. כֵּן תְּחַיֵּנוּ וּתְקַיְּמֵנוּ. וְתֶאֱסוֹף גָּלֻיּוֹתֵינוּ לְחַצְרוֹת קָדְשֶׁךָ. לִשְׁמוֹר חֻקֶּיךָ וְלַעֲשׂוֹת רְצוֹנֶךָ וּלְעָבְדְּךָ בְּלֵבָב שָׁלֵם עַל שֶׁאֲנַחְנוּ מוֹדִים לָךְ. בָּרוּךְ אֵל הַהוֹדָאוֹת:

On Ḥanukkah add:

עַל הַנִּסִּים וְעַל הַפֻּרְקָן וְעַל הַגְּבוּרוֹת וְעַל הַתְּשׁוּעוֹת וְעַל הַמִּלְחָמוֹת שֶׁעָשִׂיתָ לַאֲבוֹתֵינוּ בַּיָּמִים הָהֵם בַּזְּמַן הַזֶּה:

בִּימֵי מַתִּתְיָהוּ בֶּן־יוֹחָנָן כֹּהֵן גָּדוֹל חַשְׁמוֹנַאי וּבָנָיו. כְּשֶׁעָמְדָה מַלְכוּת יָוָן הָרְשָׁעָה עַל־עַמְּךָ יִשְׂרָאֵל. לְהַשְׁכִּיחָם תּוֹרָתֶךָ וּלְהַעֲבִירָם מֵחֻקֵּי רְצוֹנֶךָ: וְאַתָּה בְּרַחֲמֶיךָ הָרַבִּים עָמַדְתָּ לָהֶם בְּעֵת צָרָתָם. רַבְתָּ אֶת־רִיבָם דַּנְתָּ אֶת־דִּינָם נָקַמְתָּ אֶת נִקְמָתָם. מָסַרְתָּ גִבּוֹרִים בְּיַד חַלָּשִׁים. וְרַבִּים בְּיַד

O may our eyes witness Thy return to Zion. Blessed art Thou, O Lord, who restorest Thy divine presence unto Zion.

* We thankfully acknowledge Thee, O Lord our God, our fathers' God to all eternity. Our Rock art Thou, our Shield that saves through every generation. We give Thee thanks and we declare Thy praise for all Thy tender care. Our lives we trust into Thy loving hand. Our souls are ever in Thy charge; Thy wonders and Thy miracles are daily with us, evening, morn and noon. O Thou who art all-good, whose mercies never fail us, Compassionate One, whose lovingkindnesses never cease, we ever hope in Thee.

*When the Reader chants the Amidah, the Congregation says:

We thankfully acknowledge that Thou art the Lord our God and God of our fathers, the God of all that lives, our Creator and Creator of the universe. We offer blessings and thanksgiving to Thy great and holy name because Thou hast kept us in life and sustained us; so mayest Thou continue to keep us in life and sustain us. O gather our exiles into the courts of Thy holy sanctuary to observe Thy statutes, to do Thy will, and to serve Thee with a perfect heart. We give thanks unto Thee. Blessed be God to whom we are ever grateful.

On Ḥanukkah add:

We thank Thee also for the miraculous and mighty deeds of liberation wrought by Thee, and for Thy victories in the battles our forefathers fought in days of old, at this season of the year.

In the days of the High Priest Mattathias, son of Johanan, of the Hasmonean family, a tyrannical power rose up against Thy people Israel to compel them to forsake Thy Torah, and to force them to transgress Thy commandments. In Thine abundant mercy Thou didst stand by them in time of distress. Thou didst rise to their defense and didst vindicate their cause. Thou didst bring retribution upon the evil doers, delivering the strong into the hands

מְעַטִּים. וּטְמֵאִים בְּיַד טְהוֹרִים. וּרְשָׁעִים בְּיַד צַדִּיקִים. וְזֵדִים בְּיַד עוֹסְקֵי תוֹרָתֶךָ. וּלְךָ עָשִׂיתָ שֵׁם גָּדוֹל וְקָדוֹשׁ בְּעוֹלָמֶךָ. וּלְעַמְּךָ יִשְׂרָאֵל עָשִׂיתָ תְּשׁוּעָה גְדוֹלָה וּפֻרְקָן כְּהַיּוֹם הַזֶּה: וְאַחַר כֵּן בָּאוּ בָנֶיךָ לִדְבִיר בֵּיתֶךָ. וּפִנּוּ אֶת־הֵיכָלֶךָ וְטִהֲרוּ אֶת־מִקְדָּשֶׁךָ. וְהִדְלִיקוּ נֵרוֹת בְּחַצְרוֹת קָדְשֶׁךָ. וְקָבְעוּ שְׁמוֹנַת יְמֵי חֲנֻכָּה אֵלּוּ. לְהוֹדוֹת וּלְהַלֵּל לְשִׁמְךָ הַגָּדוֹל:

וְעַל כֻּלָּם יִתְבָּרַךְ וְיִתְרוֹמַם שִׁמְךָ מַלְכֵּנוּ תָּמִיד לְעוֹלָם וָעֶד:

On Shabbat Shuvah add:

וּכְתוֹב לְחַיִּים טוֹבִים כָּל בְּנֵי־בְרִיתֶךָ:

וְכֹל הַחַיִּים יוֹדוּךָ סֶּלָה וִיהַלְלוּ אֶת־שִׁמְךָ בֶּאֱמֶת הָאֵל יְשׁוּעָתֵנוּ וְעֶזְרָתֵנוּ סֶלָה. בָּרוּךְ אַתָּה יְיָ הַטּוֹב שִׁמְךָ וּלְךָ נָאֶה לְהוֹדוֹת:

שָׁלוֹם רָב עַל־יִשְׂרָאֵל עַמְּךָ תָּשִׂים לְעוֹלָם. כִּי אַתָּה הוּא מֶלֶךְ אָדוֹן לְכָל הַשָּׁלוֹם. וְטוֹב בְּעֵינֶיךָ לְבָרֵךְ אֶת־עַמְּךָ יִשְׂרָאֵל בְּכָל־עֵת וּבְכָל־שָׁעָה בִּשְׁלוֹמֶךָ.*

בָּרוּךְ אַתָּה יְיָ הַמְבָרֵךְ אֶת־עַמּוֹ יִשְׂרָאֵל בַּשָּׁלוֹם:

**On Shabbat Shuvah conclude thus:*

בְּסֵפֶר חַיִּים בְּרָכָה וְשָׁלוֹם וּפַרְנָסָה טוֹבָה. נִזָּכֵר וְנִכָּתֵב לְפָנֶיךָ. אֲנַחְנוּ וְכָל עַמְּךָ בֵּית יִשְׂרָאֵל. לְחַיִּים טוֹבִים וּלְשָׁלוֹם. בָּרוּךְ אַתָּה יְיָ עוֹשֵׂה הַשָּׁלוֹם:

of the weak, the many into the hands of the few, the wicked into the hands of the just, and the arrogant into the hands of those devoted to Thy Torah. Thou didst thus make Thy greatness and holiness known in Thy world, and didst bring great deliverance to Israel. Then Thy children came into Thy dwelling place, cleansed the Temple, purified the Sanctuary, kindled lights in Thy sacred courts, and they designated these eight days of Hanukkah for giving thanks and praise unto Thy great name.

For all this, Thy name, O our King, shall be blessed and exalted for ever and ever.

On the Sabbath of Repentance add:

O inscribe all the children of Thy covenant for a happy life.

May all the living do homage unto Thee forever and praise Thy name in truth, O God, who art our salvation and our help. Blessed be Thou, O Lord, Beneficent One, unto whom our thanks are due.

Grant lasting peace unto Israel Thy people, for Thou art the Sovereign Lord of peace; and may it be good in Thy sight to bless Thy people Israel at all times with Thy peace.*

Blessed art Thou, O Lord, who blessest Thy people Israel with peace.

*On the Sabbath of Repentance conclude thus:

In the book of life, blessing, peace and ample sustenance, may we, together with all Thy people, the house of Israel, be remembered and inscribed before Thee for a happy life and for peace. Blessed art Thou, O Lord, who establishest peace.

אֱלֹהַי נְצוֹר לְשׁוֹנִי מֵרָע וּשְׂפָתַי מִדַּבֵּר מִרְמָה וְלִמְקַלְלַי נַפְשִׁי תִדּוֹם וְנַפְשִׁי כֶּעָפָר לַכֹּל תִּהְיֶה: פְּתַח לִבִּי בְּתוֹרָתֶךָ וּבְמִצְוֹתֶיךָ תִּרְדּוֹף נַפְשִׁי. וְכֹל הַחוֹשְׁבִים עָלַי רָעָה. מְהֵרָה הָפֵר עֲצָתָם וְקַלְקֵל מַחֲשַׁבְתָּם: עֲשֵׂה לְמַעַן שְׁמֶךָ עֲשֵׂה לְמַעַן יְמִינֶךָ עֲשֵׂה לְמַעַן קְדֻשָּׁתֶךָ עֲשֵׂה לְמַעַן תּוֹרָתֶךָ: לְמַעַן יֵחָלְצוּן יְדִידֶיךָ הוֹשִׁיעָה יְמִינְךָ וַעֲנֵנִי: יִהְיוּ לְרָצוֹן אִמְרֵי־פִי וְהֶגְיוֹן לִבִּי לְפָנֶיךָ יְיָ צוּרִי וְגוֹאֲלִי: עֹשֶׂה שָׁלוֹם בִּמְרוֹמָיו הוּא יַעֲשֶׂה שָׁלוֹם עָלֵינוּ וְעַל כָּל־יִשְׂרָאֵל וְאִמְרוּ אָמֵן:

יְהִי רָצוֹן מִלְּפָנֶיךָ יְיָ אֱלֹהֵינוּ וֵאלֹהֵי אֲבוֹתֵינוּ שֶׁיִּבָּנֶה בֵּית הַמִּקְדָּשׁ בִּמְהֵרָה בְיָמֵינוּ וְתֵן חֶלְקֵנוּ בְּתוֹרָתֶךָ: וְשָׁם נַעֲבָדְךָ בְּיִרְאָה כִּימֵי עוֹלָם וּכְשָׁנִים קַדְמוֹנִיּוֹת:

Omit on Festivals, also on Sabbaths occurring on occasions when Taḥanun is not said on weekdays.

צִדְקָתְךָ צֶדֶק לְעוֹלָם וְתוֹרָתְךָ אֱמֶת: וְצִדְקָתְךָ אֱלֹהִים עַד־מָרוֹם אֲשֶׁר עָשִׂיתָ גְדֹלוֹת אֱלֹהִים מִי כָמוֹךָ: צִדְקָתְךָ כְּהַרְרֵי־אֵל מִשְׁפָּטֶיךָ תְּהוֹם רַבָּה אָדָם וּבְהֵמָה תוֹשִׁיעַ יְיָ:

קדיש תתקבל, *page 156.*
עלינו, *page 158.*

O Lord,

Guard my tongue from evil and my lips from speaking
guile,

And to those who slander me, let me give no heed.

May my soul be humble and forgiving unto all.

Open Thou my heart, O Lord, unto Thy sacred Law,

That Thy statutes I may know and all Thy truths pursue.

Bring to naught designs of those who seek to do me ill;

Speedily defeat their aims and thwart their purposes

For Thine own sake, for Thine own power,

For Thy holiness and Law.

That Thy loved ones be delivered,

Answer us, O Lord, and save with Thy redeeming power.

May the words of my mouth and the meditation of my
heart be acceptable unto Thee, O Lord, my Rock and my
Redeemer. Thou who establishest peace in the heavens,
grant peace unto us and unto all Israel. Amen.

May it be Thy will, O Lord our God and God of our fathers, to
grant our portion in Thy Torah, and may the Temple be rebuilt
in our day. There we will serve Thee with awe as in the days of old.

*Omit on Festivals, also on Sabbaths occurring on occasions
when Taḥanun is not said on weekdays.*

Thy righteousness is an everlasting righteousness, and
Thy Law is truth. Thy righteousness, O God, is highly
exalted; Thou who doest great things, O God, who is like
unto Thee? Thy righteousness is like the eternal mountains;
Thy judgments, fathomless depths; both man and beast
dost Thou save, O Lord.

Reader's Kaddish, page 156.
Alenu, page 158.

פיוטים לרגלים

Hymns for the Festivals

Hymn for the First Day of Pesaḥ

בְּרַח דּוֹדִי עַד שֶׁתְּחְפָּץ אַהֲבַת כְּלוּלֵנוּ. שׁוּב לְרַחֵם כִּי כִלּוּנוּ מַלְכֵי אֱדוֹם הָרְשָׁעָה שׁוֹבֵינוּ תוֹלָלֵינוּ. הֲרוֹס וְקַעֲקַע בִּצָּתָם מִתְּלֵנוּ. הָקֵם טוּרְךָ נַגֵּן שְׁתִילֵנוּ. הִנֵּה זֶה עוֹמֵד אַחַר כָּתְלֵנוּ:

בְּרַח דּוֹדִי עַד שֶׁיָּפוּחַ קֵץ מַחֲזֶה. חִישׁ וְנָסוּ הַצְּלָלִים מִזֶּה. יָרוּם וְנִשָּׂא וְגָבַהּ נִבְזֶה. יַשְׂכִּיל וְיוֹכִיחַ וְגוֹיִם רַבִּים יַזֶּה. חֲשׂוֹף זְרוֹעֲךָ קְרוֹא כָזֶה. קוֹל דּוֹדִי הִנֵּה זֶה:

בְּרַח דּוֹדִי וּדְמֵה לְךָ לִצְבִי. יָגֹל יַגֵּשׁ קֵץ קִצְבִּי. דְּלוּתִי מִשְּׁבִי. לַעֲטֶרֶת צְבִי. תְּעוּבִים תְּאֵבִים הַר צְבִי. וְאֵין מֵבִיא וְנָבִיא. וְלֹא תִשְׁבִּי. מְשַׁוִּי מְשִׁיבִי. רִיבָה רִיבִי. הָסֵר חוֹבִי וּכְאֵבִי. וְיֵרָא וְיֵבוֹשׁ אוֹיְבִי. וְאָשִׁיבָה חוֹרְפִי בְּנִיבִי. זֶה דוֹדִי גּוֹאֲלִי קְרוֹבִי. רֵעִי וַאֲהוּבִי. אֵל אֱלֹהֵי אָבִי:

בִּגְלַל אָבוֹת תּוֹשִׁיעַ בָּנִים. וְתָבִיא גְאֻלָּה
לִבְנֵי בְנֵיהֶם. בָּרוּךְ אַתָּה יְיָ גָּאַל יִשְׂרָאֵל:

Continue with the Amidah, page 102.

Hymn for the First Day of Passover

Flee, my Belovèd, till our love shall please Thee.
  Then turn in pity. Base kings would sweep
Us hence;—shall their despoiling not appease Thee?
  O tear their roots up from our ruined heap!
Then raise our rampart; let our songful children call,
  "Behold, He standeth now behind our wall."

Flee, my Belovèd, till the day be breaking
  Beyond the end of vision—then arise
And chase these shadows,—him Thou wast forsaking,
  Despised, shall be exalted, high and wise,
Sprinkling the nations.—Bare Thine arm, Lord, when we
    cry,
  "The voice of my Belovèd soundeth nigh."

Flee, my Belovèd,—like a roe be flying
  Till Thou reveal the end of mine account.
Despoiled, and for my crown of beauty sighing,
  Contemned, but longing for the glorious mount,—
So with no leader and no prophet leave me,
  With yet no Tishbite to renew my fame;
But plead my cause at last; the bonds that grieve me
  Break; and my foe shall turn away in shame
When these that do reproach me and deceive me
  I answer with sweet words that speak Thy name:
"Lo, this is my Belovèd, my Redeemer, Lover, Friend,
  My father's God, my God until the end."

For the fathers' sake Thou wilt save the children, yea, and bring
redemption unto their children's children. Blessed art Thou, O
Lord, who hast redeemed Israel.

Continue with the Amidah, page 102.

Reader

בָּרוּךְ אַתָּה יְיָ אֱלֹהֵינוּ וֵאלֹהֵי אֲבוֹתֵינוּ. אֱלֹהֵי אַבְרָהָם אֱלֹהֵי יִצְחָק וֵאלֹהֵי יַעֲקֹב. הָאֵל הַגָּדוֹל הַגִּבּוֹר וְהַנּוֹרָא אֵל עֶלְיוֹן. גּוֹמֵל חֲסָדִים טוֹבִים וְקוֹנֵה הַכֹּל. וְזוֹכֵר חַסְדֵי אָבוֹת וּמֵבִיא גוֹאֵל לִבְנֵי בְנֵיהֶם לְמַעַן שְׁמוֹ בְּאַהֲבָה. מֶלֶךְ עוֹזֵר וּמוֹשִׁיעַ וּמָגֵן. בָּרוּךְ אַתָּה יְיָ. מָגֵן אַבְרָהָם: אַתָּה גִּבּוֹר לְעוֹלָם אֲדֹנָי מְחַיֵּה מֵתִים אַתָּה רַב לְהוֹשִׁיעַ.

Reader and Congregation

אֱלֹהֵינוּ וֵאלֹהֵי אֲבוֹתֵינוּ

טַל תֵּן לִרְצוֹת אַרְצֶךָ.
שִׁיתֵנוּ בְרָכָה בְּדִיצֶךָ.
רֹב דָּגָן וְתִירוֹשׁ בְּהַפְרִיצֶךָ.
קוֹמֵם עִיר בָּהּ חֶפְצֶךָ. בְּטָל:

טַל צַוֵּה שָׁנָה טוֹבָה וּמְעֻטֶּרֶת.
פְּרִי הָאָרֶץ לְגָאוֹן וּלְתִפְאֶרֶת.
עִיר כְּסֻכָּה נוֹתֶרֶת.
שִׂימָהּ בְּיָדְךָ עֲטֶרֶת. בְּטָל:

טַל נוֹפֵף עֲלֵי אֶרֶץ בְּרוּכָה.
מִמֶּגֶד שָׁמַיִם שַׂבְּעֵנוּ בְרָכָה.
לְהָאִיר מִתּוֹךְ חֲשֵׁכָה.
כַּנָּה אַחֲרֶיךָ מְשׁוּכָה. בְּטָל:

Reader

Praised art Thou, O Lord our God and God of our fathers, God of Abraham, God of Isaac, and God of Jacob, mighty, revered and exalted God. Thou bestowest lovingkindness and possessest all things. Mindful of the patriarchs' love for Thee, Thou wilt in Thy love bring a redeemer to their children's children for the sake of Thy name. O King, Thou Helper, Redeemer and Shield, be Thou praised, O Lord, Shield of Abraham. Thou, O Lord, art mighty forever. Thou callest the dead to immortal life for Thou art mighty in deliverance.

Reader and Congregation

Our God and God of our fathers,
Dew, precious dew, unto Thy land forlorn!
Pour out our blessing in Thy exultation,
To strengthen us with ample wine and corn,
And give Thy chosen city safe foundation
In dew.

Dew, precious dew, the good year's crown, we wait,
That earth in pride and glory may be fruited,
And that the city now so desolate
Into a gleaming crown may be transmuted
By dew.

Dew, precious dew, let fall upon the land,
From heaven's treasury be this accorded,
So shall the darkness by a beam be spanned,
The faithful of Thy vineyard be rewarded
With dew.

טַל יַעֲסִיס צוּף הָרִים.
טְעֵם בִּמְאֹדָךְ מֻבְחָרִים.
חֲנוּנֶיךָ חַלֵּץ מִמַּסְגְּרִים.
זִמְרָה נַנְעִים וְקוֹל נָרִים. בְּטָל:

טַל וְשָׂבָע מַלֵּא אֲסָמֵינוּ.
הֲכָעֵת תְּחַדֵּשׁ יָמֵינוּ.
דּוֹד כְּעֶרְכְּךָ הַעֲמֵד שְׁמֵנוּ.
גַּן רָוֶה שִׂימֵנוּ. בְּטָל:

טַל בּוֹ תְּבָרֵךְ מָזוֹן.
בְּמִשְׁמַנֵּינוּ אַל יְהִי רָזוֹן.
אֲיֻמָּה אֲשֶׁר הִסַּעְתָּ כַּצֹּאן.
אָנָּא תָּפֶק־לָהּ רָצוֹן. בְּטָל:

שָׁאַתָּה הוּא יְיָ אֱלֹהֵינוּ
מַשִּׁיב הָרוּחַ וּמוֹרִיד הַטָּל:

Reader	*Congregation*
לִבְרָכָה וְלֹא לִקְלָלָה.	אָמֵן:
לְחַיִּים וְלֹא לְמָוֶת.	אָמֵן:
לְשֹׂבַע וְלֹא לְרָזוֹן.	אָמֵן:

The Reader continues with מכלכל חיים, *page 147.*

Dew, precious dew, to make the mountains sweet,
The savor of Thy excellence recalling!
Deliver us from exile, we entreat,
So we may sing Thy praises, softly falling
    As dew.

Dew, precious dew, our granaries to fill,
And us with youthful freshness to enharden!
Belovèd God, uplift us at Thy will
And make us as a richly-watered garden
    With dew.

Dew, precious dew, that we our harvest reap,
And guard our fatted flocks and herds from leanness!
Behold our people follows Thee like sheep,
And looks to Thee to give the earth her greenness
    With dew.

For Thou art the Lord our God who causest
the wind to blow and the dew to descend:

Reader	*Congregation*
For a blessing and not for a curse.	Amen.
For life and not for death.	Amen.
For plenty and not for famine	Amen.

The Reader continues with the Amidah, page 147.

Hymn for the Second Day of Pesaḥ

בְּרַח דּוֹדִי אֶל מָכוֹן לְשִׁבְתָּךְ. וְאִם עָבַרְנוּ אֶת בְּרִיתָךְ. אָנָּא זְכוֹר אִוּוּי חֻפָּתָךְ. הָקֵם קוֹשְׁטְ מִלָּתָךְ. כּוֹנֵן מְשׂוֹשׂ קִרְיָתָךְ. הַעֲלוֹתָהּ עַל רֹאשׁ שִׂמְחָתָךְ:

בְּרַח דּוֹדִי אֶל שָׁלֵם סֻכָּךְ. וְאִם תָּעִינוּ מִדַּרְכָּךְ. אָנָּא הָצֵץ מֵחֲרַכָּךְ. וְתוֹשִׁיעַ עַם עָנִי וּמְתֻכָּךְ. חֲמָתְךָ מֵהֶם לְשַׁכָּךְ. וּבְאֶבְרָתְךָ סֶלָה לְהִסְתּוֹכָךְ:

בְּרַח דּוֹדִי אֶל מָרוֹם מֵרִאשׁוֹן. וְאִם בָּגַדְנוּ בְּכַחֲשׁוֹן. אָנָּא סְכוֹת צְקוֹן לַחֲשׁוֹן. דְּלוֹתִי מִטְּבוּעַ רִפְשׁוֹן. גְּאַל נְצוּרֵי כְּאִישׁוֹן. כְּאָז בַּחֹדֶשׁ הָרִאשׁוֹן:

בִּגְלַל אָבוֹת תּוֹשִׁיעַ בָּנִים. וְתָבִיא גְאֻלָּה
לִבְנֵי בְנֵיהֶם: בָּרוּךְ אַתָּה יְיָ גָּאַל יִשְׂרָאֵל:

Continue with the Amidah, page 102.

Hymn for the Second Day of Passover

Belovèd, hasten to Thy habitation,
And from Thy covenant although we err,
Remember, pray, Thy tabernacle's station,
And all Thy promised grace on us confer,
Thy city rearing on its old foundation,
Which I above my chiefest joy prefer.

Belovèd, hasten to Thy shrine in Zion,
And though from Thy appointed path we stray,
Yet cast, we pray, no unrelenting eye on
Thy hapless folk upon their thorny way,
Nor let Thy wrath go roaring like a lion,
But shelter them beneath Thy wings for aye.

Belovèd, hasten to Thy haunt primeval,
And though base treachery our souls enfold,
Yet take our silent prayer for retrieval,
And from the miry depths our feet uphold,
Redeem the nation guarded through all evil,
As at this first of months in days of old.

For the fathers' sake Thou wilt save the children, yea, and bring
redemption unto their children's children. Blessed art Thou, O
Lord, who hast redeemed Israel.

Continue with the Amidah, page 102.

Hymn for the Sabbath of Ḥol Hamoed Pesaḥ

בְּרַח דּוֹדִי אֶל שַׁאֲנָן נָוֶה. וְאִם הֶלְאֵינוּ דֶּרֶךְ הַעֲוֵה. הִנֵּה לָקִינוּ בְּכָל מַדְוֶה. וְאַתָּה יְיָ מָעוֹז וּמִקְוֶה. עָלֶיךָ כָּל הַיּוֹם נְקַוֶּה. לְגָאֳלֵנוּ וּלְשִׁיתֵנוּ כְּגַן רָוֶה:

בְּרַח דּוֹדִי אֶל מְקוֹם מִקְדָּשֵׁנוּ. וְאִם עֲוֹנוֹת עָבְרוּ רֹאשֵׁנוּ. הִנֵּה בָאָה בַבַּרְזֶל נַפְשֵׁנוּ. וְאַתָּה יְיָ גֹּאֲלֵנוּ קְדוֹשֵׁנוּ. עָלֶיךָ נִשְׁפֹּךְ שִׂיחַ רַחֲשֵׁנוּ. לְגָאֳלֵנוּ מִמְּעוֹן קָדְשְׁךָ לְהַחְפִּישֵׁנוּ:

בְּרַח דּוֹדִי אֶל עִיר צִדְקֵנוּ. וְאִם לֹא שָׁמַעְנוּ לְקוֹל מַצְדִּיקֵנוּ. הִנֵּה אֲכָלוּנוּ בְּכָל פֶּה מַדִּיקֵנוּ. וְאַתָּה יְיָ שׁוֹפְטֵנוּ מְחֹקְקֵנוּ. עָלֶיךָ נַשְׁלִיךְ יְהַב חֶלְקֵנוּ. לְגָאֳלֵנוּ בְּהַשְׁקֵט וּבְבִטְחָה לְהַחֲזִיקֵנוּ:

בְּרַח דּוֹדִי אֶל וַעַד הַזְּבוּל. וְאִם עֻלְּךָ שָׁבַרְנוּ בְּלִי סָבוּל. הִנֵּה לָקִינוּ בְּכָל מִינֵי חִבּוּל. וְאַתָּה יְיָ מְשַׂמֵּחַ אָבוּל. עָלֶיךָ נַסְבִּיר לְהַתִּיר כָּבוּל. לְגָאֳלֵנוּ לְהִתְגַּדֵּל מֵעַל לִגְבוּל:

בְּרַח דּוֹדִי אֶל נִשָּׂא מִגְּבָעוֹת. וְאִם זַדְנוּ בִּפְרֹעַ פְּרָעוֹת. הִנֵּה הִשִּׂיגֻנוּ צָרוֹת רַבּוֹת וְרָעוֹת. וְאַתָּה יְיָ אֵל לְמוֹשָׁעוֹת. עָלֶיךָ נִשְׁפֹּךְ שִׂיחַ שְׁוָעוֹת. לְגָאֳלֵנוּ וּלְעַטְּרֵנוּ כּוֹבַע יְשׁוּעוֹת:

בִּגְלַל אָבוֹת תּוֹשִׁיעַ בָּנִים. וְתָבִיא גְאֻלָּה לִבְנֵי בְנֵיהֶם. בָּרוּךְ אַתָּה יְיָ גָּאַל יִשְׂרָאֵל:

Continue with Amidah, page 96.

Hymn for the Intermediate Sabbath of Passover

Belovèd, hasten to Thy hallowed dwelling,
And though our wanton ways have vexed Thy face,
Behold our woe, all other woe excelling,
Thou art our only strength and resting-place;
With hope in Thee our hearts are daily swelling,
O make us watered gardens of Thy grace.

Belovèd, hasten to our shrine all-holy,
And though Sin claims us almost for its own,
Behold how bound in chains we cower lowly,
Thou art the sacred Savior, Thou alone;
To Thee we give ourselves in prayer wholly,
O grant redemption from Thy lofty throne.

Belovèd, hasten to our righteous city,
And though we lent no ear to lore divine,
Behold us now consumed, a thing of pity,
Thou art our Judge, we make our burden Thine.
Our Legislator, hear our mournful ditty,
O send the strength and peace for which we pine.

Belovèd, hasten to Thy habitation,
And though impatiently we spurned Thy rein,
Behold the measure of our tribulation,
Thou art the comforter of every pain;
We look to Thee to free our captive nation,
And in our boundaries be hymned again.

Belovèd, hasten to Thy seat uplifted,
And though presumption did our duty whelm,
Behold to what distress we have drifted,
Thou art the liberator of our realm;
Our pleading trust in Thee hath never shifted,
O place upon our head salvation's helm.

For the fathers' sake Thou wilt save the children, yea, and bring
redemption unto their children's children.   Blessed art Thou, O
Lord, who hast redeemed Israel.

Continue with the Amidah, page 96.

Hymn for the Seventh Day of Pesaḥ.

י ום לְיַבָּשָׁה נֶהֶפְכוּ מְצוּלִים. שִׁירָה חֲדָשָׁה שִׁבְּחוּ גְאוּלִים:

הִ טְבַּעְתָּ בְתַרְמִית. רַגְלֵי בַּת עֲנָמִית. וּפַעֲמֵי שׁוּלַמִּית.

יָפוּ בַנְּעָלִים. שִׁירָה חֲדָשָׁה שִׁבְּחוּ גְאוּלִים:

וְ כָל רוֹאַי יְשׁוּרוּן. בְּבֵית הוֹדִי יְשׁוֹרְרוּן. אֵין כָּאֵל יְשֻׁרוּן.

וְאוֹיְבֵינוּ פְּלִילִים. שִׁירָה חֲדָשָׁה שִׁבְּחוּ גְאוּלִים:

דְּ גָלֵי כֵּן תָּרִים. עַל הַנִּשְׁאָרִים. וּתְלַקֵּט נִפְזָרִים.

כִּמְלַקֵּט שִׁבֳּלִים. שִׁירָה חֲדָשָׁה שִׁבְּחוּ גְאוּלִים:

הַ בָּאִים עִמְּךָ. בִּבְרִית חוֹתָמְךָ. וּמִבֶּטֶן לִשְׁמְךָ.

הֵמָּה נִמוֹלִים. שִׁירָה חֲדָשָׁה שִׁבְּחוּ גְאוּלִים:

הַ רְאֵה אוֹתוֹתָם. לְכָל רוֹאֵי אוֹתָם. וְעַל כַּנְפֵי כְסוּתָם.

יַעֲשׂוּ גְדִילִים. שִׁירָה חֲדָשָׁה שִׁבְּחוּ גְאוּלִים:

לְ מִי זֹאת נִרְשֶׁמֶת. הַכֶּר־נָא דְּבַר אֱמֶת. לְמִי הַחֹתֶמֶת.

וּלְמִי הַפְּתִילִים. שִׁירָה חֲדָשָׁה שִׁבְּחוּ גְאוּלִים:

וְ שׁוּב שֵׁנִית לְקַדְּשָׁהּ. וְאַל תּוֹסִיף לְגָרְשָׁהּ. וְהַעֲלֵה אוֹר

שִׁמְשָׁהּ. וְנָסוּ הַצְּלָלִים. שִׁירָה חֲדָשָׁה שִׁבְּחוּ גְאוּלִים.

יְ דִידִים רוֹמְמוּךָ. בְּשִׁירָה קִדְּמוּךָ. מִי כָמוֹךָ.

יְיָ בָּאֵלִים. שִׁירָה חֲדָשָׁה שִׁבְּחוּ גְאוּלִים:

בִּגְלַל אָבוֹת תּוֹשִׁיעַ בָּנִים. וְתָבִיא גְאֻלָּה
לִבְנֵי בְנֵיהֶם: בָּרוּךְ אַתָּה יְיָ גָּאַל יִשְׂרָאֵל:

Continue with the Amidah, page 102.

Hymn for the Seventh Day of Passover

The day the saved of God traversed the deep dryshod,
Then a new song sang Thy redeemèd throng.

Lo, sunken in deceit the Egyptian daughter's feet,[1]
But lo, the Shulamite[2] went shod in fair delight.
Then a new song sang Thy redeemèd throng.

All that on Jeshurun gaze shall see him shrined in praise,
For Jeshurun's God arose acclaimèd by His foes.
Then a new song sang Thy redeemèd throng.

Thy banners Thou wilt set o'er those remaining yet,
And gather those forlorn as gathering ears of corn.
Then a new song sang Thy redeemèd throng.

Those that have come to Thee under Thy seal to be,
They from the birth are Thine bound by a holy sign.
Then a new song sang Thy redeemèd throng.

Their token show to all whose eyes upon them fall:
Lo, on their garments' hem the fringe ordained for them!
Then a new song sang Thy redeemèd throng.

For whom then are they sealed? Let truth be now revealed.
Whose is the seal, and who shall claim the thread of blue?
Then a new song sang Thy redeemèd throng.

Ah, take her as of yore, and cast her forth no more.
Let sunlight crown her day and shadows flee away.
Then a new song sang Thy redeemèd throng.

For Thy belovèd throng still come to Thee with song,
Singing with one accord:
"Now who is like Thee 'mid the gods, O Lord?"
Still Thy redeemèd throng sing a new song.

For the fathers' sake Thou wilt save the children, yea, and
bring redemption unto their children's children. Blessed art Thou,
O Lord, who hast redeemed Israel.

Continue with the Amidah, page 102.

---

[1] Gen. 10:13
[2] Song of Songs 7:1–2

In some Congregations the following Hymn is chanted by the Reader before or after the first verses of the portion of the Torah on the First Day of Shavuot.

אַקְדָּמוּת מִלִּין וְשָׁרָיוּת שׁוּתָא.
אַוְלָא שָׁקֵלְנָא הַרְמָן וּרְשׁוּתָא:

בְּבָבֵי תְּרֵי וּתְלָת דְּאֶפְתַּח בְּנַקְשׁוּתָא.
בְּבָרֵי דְבָרֵי וְטָרֵי עֲדֵי לְקַשִּׁישׁוּתָא:

גְּבוּרָן עָלְמִין לֵהּ וְלָא סְפֵק פְּרִישׁוּתָא.
גְּוִיל אִלּוּ רְקִיעֵי קְנֵי כָּל חוּרְשָׁתָא:

דְּיוֹ אִלּוּ יַמֵּי וְכָל מֵי כְנִישׁוּתָא.
דָּיְרֵי אַרְעָא סָפְרֵי וְרָשְׁמֵי רַשְׁוָתָא:

הֲדַר מָרֵי שְׁמַיָּא וְשַׁלִּיט בְּיַבֶּשְׁתָּא.
הֲקֵים עָלְמָא יְחִידָאִי וְכַבְשֵׁהּ בְּכַבְשׁוּתָא:

וּבְלָא לֵאוּ שַׁכְלְלֵהּ וּבְלָא תְשָׁשׁוּתָא.
וּבְאָתָא קַלִּילָא דְּלֵית בַּהּ מְשָׁשׁוּתָא:

זַמֵּין כָּל עֲבִידְתֵּהּ בְּהַךְ יוֹמֵי שִׁתָּא.
זְהוֹר יְקָרֵהּ עַלִּי. עֲלֵי כָרְסְיֵהּ דְּאֶשָּׁתָא:

חֲיָל אֶלֶף אַלְפִין וְרִבּוֹא לְשַׁמְשׁוּתָא.
חַדְתִּין נְבוֹט לְצַפְרִין סַגִּיאָה טְרָשׁוּתָא:

טְפֵי יְקִידִין שְׂרָפִין כְּלוֹל גַּפֵּי שִׁתָּא.
טְעֵם עַד יִתְיְהֵב לְהוֹן שְׁתִיקִין בְּאִדְשָׁתָא:

יְקַבְּלוּן דֵּין מִן דֵּין שָׁנֵי דְּלָא בְשַׁשְׁתָּא.
יְקַר מְלֵי כָּל אַרְעָא לְתַלּוּתֵי קְדוּשְׁתָּא:

כְּקָל מִן קֳדָם שַׁדַּי כְּקָל מֵי נְפִישׁוּתָא.
כְּרוּבִין קֳבֵל גַּלְגְּלִין מְרוֹמְמִין בְּאַוְשָׁתָא:

Before the Words of God Supreme
To-day are read, for this my theme
Approbation will I seek
These my sentences to speak;
>> Just two or three,
>> While tremblingly
> On Him I meditate:
>> The Pure, who doth bear
>> The world for e'er,
> His power who can relate?

Were the sky of parchment made,
A quill each reed, each twig and blade,
Could we with ink the oceans fill,
Were every man a scribe of skill,
>> The marvelous story
>> Of God's great glory
> Would still remain untold;
>> For He, Most High,
>> The earth and sky
> Created alone of old.

Without fatigue or weary hand,
He spoke the word, He breathed command;
The world and all that therein dwell,
Field and meadow, fen and fell,
>> Mount and sea,
>> In six days He
> With life did then inspire;
>> The work when ended,
>> His glory ascended
> Upon His throne of fire.

Before Him myriads angels flash,
To do His Will they run and dash;
Each day new hosts gleam forth to praise
The Mighty One, Ancient of Days;
>> Six-winged hosts
>> Stand at their posts —
> The flaming Seraphim —
>> In hushed awe
>> Together draw
> To chant their morning hymn.

The angels, together, without delay,
Call one to another in rapturous lay:
>> "Thrice holy He
>> Whose majesty
> Fills earth from end to end."
>> The Cherubim soar,
>> Like the oceans's roar,
> On celestial spheres ascend,

לְמֶחֱזֵי בְּאַנְפָּא עֵין כְּוָת גִּירֵי קַשְׁתָּא.
לְכָל אֲתַר דְּמִשְׁתַּלְחִין זְרִיזִין בְּאַשְׁוָתָא:
מְבָרְכִין בְּרִיךְ יְקָרֵהּ בְּכָל לְשָׁן לְחִישׁוּתָא.
מֵאֲתַר בֵּית שְׁכִינְתֵּהּ דְּלָא צָרִיךְ בְּחִישׁוּתָא:
נָהֵם כָּל חֵיל מְרוֹמָא מְקַלְּסִין בַּחֲשַׁשְׁתָּא.
נְהִירָא מַלְכוּתֵהּ לְדָר וְדָר לְאַפְרַשְׁתָּא:
סְדִירָא בְהוֹן קְדוּשְׁתָּא וְכַד חָלְפָא שַׁעְתָּא.
סִיּוּמָא דִלְעָלָם וְאוֹף לָא לִשְׁבוּעֲתָא:
עֲדַב יְקַר אַחְסַנְתֵּהּ חֲבִיבִין דִּבְקְבַעְתָּא.
עָבְדִין לֵהּ חֲטִיבָה בִּדְנַח וּשְׁקַעְתָּא:
פְּרִישָׁן לְמָנָתֵהּ לְמֶעְבַּד לֵהּ רְעוּתָא.
פְּרִישְׁתֵּי שְׁבָחֵהּ יְחַוּוֹן בְּשָׁעוּתָא:
צְבִי וְחָמֵד וְרָגֵג דְּיִלְאוּן בְּלָעוּתָא.
צְלוֹתְהוֹן בְּכֵן מְקַבֵּל וְהַנְיָא בָעוּתָא:
קְטִירָא לְחַי עָלְמָא בְּתָגָא בִּשְׁבוּעֲתָא.
קֳבֵל יְקַר טוֹטַפְתָּא יְתִיבָא בִקְבִיעוּתָא:
רְשִׁימָה הִיא גּוּפָא בְּחָכְמְתָא וּבְדַעְתָּא.
רְבוּתְהוֹן דְּיִשְׂרָאֵל קָרָאֵי בְשַׁמַּעְתָּא:
שְׁבַח רִבּוֹן עָלְמָא אֲמִירָא דִכְוָתָא.
שְׁפַר עֲלַי לְחַוּוֹיֵהּ בְּאַפֵּי מַלְכְּוָתָא:
תָּאִין וּמִתְכַּנְּשִׁין כְּחֵזוּ אִדְוָתָא.
תְּמֵהִין וְשָׁיְלִין לֵהּ בְּעֵסֶק אָתְוָתָא:

To gaze upon the Light on high,
Which, like the bow in cloudy sky,
Is iris-colored, silver-lined;
While hasting on their task assigned,
In every tongue
They utter song
And bless and praise the Lord,
Whose secret and source,
Whose light and force
Can ne'er be fully explored.

The heavenly hosts in awe reply:
"His Kingdom be blessed for e'er and aye."
Their song being hushed, they vanish away;
They may ne'er again offer rapturous lay.
But Israel,
Therein excel —
Fixed times they set aside,
With praise and prayer,
Him One declare,
At morn and eventide.

His portion them He made, that they
His praise declare by night and day;
A Torah, precious more than gold,
He bade them study, fast to hold;
That He may be near,
Their prayer to hear,
For always wear will He
As diadem fair
His people's prayer
In His phylactery,[1]

Wherein is told of Israel's fame
Who oft God's unity proclaim.
'Tis also meet God's praise to sing
In presence of both prince and king.[2]
With tempestuous glee,
Like a stormy sea,
They surge and ask: "Who, then,
Is the Friend of thy heart,
For whom thou art
Cast in the lions' den?

---

[1] See Berakhot 6a.
[2] This refers to the religious disputations of the Middle Ages.

מְנָן וּמָאן הוּא רְחִימָךְ שַׁפִּירָא בְּרֵיוָתָא.
אֲרוּם בְּגִינֵהּ סְפִית מְדוֹר אַרְיָוָתָא:
יְקָרָא וְיָאָה אַתְּ אִין תְּעָרְבִי לְמַרְוָתָא.
רְעוּתִיךְ נַעֲבִיד לִיךְ בְּכָל אַתְרְוָתָא:
בְּחָכְמְתָא מְתִיבָא לְהוֹן קְצָת לְהוֹדָעוּתָא.
יְדַעְתּוּן חַכִּימִין לֵהּ בְּאִשְׁתְּמוֹדָעוּתָא:
רְבוּתְכוֹן מָה חֲשִׁיבָא קֳבֵל הַהִיא שְׁבַחְתָּא.
רְבוּתָא דְיַעְבֵּד לִי כַּד מַטְיָא יְשׁוּעֲתָא:
בְּמֵיתֵי לִי נְהוֹרָא וְתַחֲפֵי לְכוֹן בַּהֲתָא.
יְקָרֵהּ כַּד אִתְגְּלֵי בְּתָקְפָּא וּבְגֵיוָתָא:
יְשַׁלֵּם גְּמָלַיָּא לְסַנְאֵי וְנַגְוָתָא.
צִדְקָתָא לְעַם חַבִּיב וְסַגִּיא זַכְוָתָא:
חֲדוּ שְׁלֵמָא בְּמֵיתֵי וּמָנָא דַכְיָתָא.
קִרְיְתָא דִירוּשְׁלֵם כַּד יְכַנֵּשׁ גָּלְוָתָא:
יְקָרֵהּ מַטִּיל עֲלַהּ בְּיוֹמֵי וְלֵילָוָתָא.
גְּנוּנֵהּ לְמֶעְבַּד בַּהּ בְּתוּשְׁבְּחָן כְּלִילָתָא:
דְּזִהוֹר עֲנָנַיָּא לְמִשְׁפַּר כִּילָתָא.
לְפוּמֵהּ דַעֲבִידְתָּא עֲבִידָן מְטַלַּלְתָּא:
בְּתַכְתְּקֵי דְהַב פִּזָּא וּשְׁבַע מַעֲלָתָא.
תְּחִימִין צַדִּיקֵי קֳדָם רַב פָּעֳלָתָא:
וְרֵוֵיהוֹן דָּמֵה לְשַׂבְעָא חֶדְוָתָא.
רְקִיעָא בְּזִהוֹרֵהּ וְכוֹכְבֵי זִיוָתָא:

How fairer wilt thou be to sight,
If thou with us in faith unite;
Thy favor we shall always seek."
But Israel's sons with wisdom speak:

"O ye, who are wise
In your own eyes,
How can your trumpery
At all compare
With our great share
When God proclaims us free."

And shines on us in glorious light,
While you are wrapped in gloom of night?
His glory then will shine and gleam —
Almighty God, o'er all supreme!

His enemies,
On isles and seas,
Will suffering endure;
But He'll increase
Abundant peace
To upright men and pure.

Then perfect joy will bring our Lord,
The sacred vessels will be restored;
The exiles, He will gather them
Into rebuilt Jerusalem;

Day and night
Shall be His light
A canopy of splendor;
A crown of praise
His people will raise
To crown their Lord and Defender.

הֲדָרָא דְלָא אֶפְשַׁר לְמִפְרַט בְּשִׁפְוָתָא.
וְלָא אִשְׁתְּמַע וַחֲמֵי נְבִיאָן חֶזְוָתָא:
בְּלָא שָׁלְטָא בֵהּ עֵין בְּגוֹ עֵדֶן גִּנְּתָא.
מְטַיְּלֵי בֵי חִנְגָּא לְבַהֲדֵי דִשְׁכִינְתָּא:
עֲלֵהּ רָמְזֵי דֵין הוּא בְּרַם בְּאֶמְתְּנוּתָא.
שַׂבַּרְנָא לֵהּ בְּשִׁבְיָן תְּקוֹף הֵימָנוּתָא:
יַדְבַּר לָן עָלְמִין עֲלַמִין מְדַמּוּתָא.
מְנָת דִּילָן דְּמִלְּקַדְמִין פָּרֵשׁ בְּאֲרָמוּתָא:
טְלוּלָה דְלִוְיָתָן וְתוֹר טוּר רָמוּתָא.
וְחַד בְּחַד כִּי סָבִיךְ וְעָבִיד קְרָבוּתָא:
בְּקַרְנוֹהִי מְנַגַּח בְּהֵמוֹת בְּרַבְרְבוּתָא.
יְקַרְטַע נוּן לְקִבְלֵהּ בְּצִיצוֹי בִּגְבוּרְתָּא:
מְקָרֵב לֵהּ בָּרְיֵהּ בְּחַרְבֵּהּ רַבְרְבָתָא.
אֲרִיסְטוֹן לְצַדִּיקֵי יְתַקֵּן וְשֵׁרוּתָא:
מְסַחֲרִין עֲלֵי תַכֵּי דְּכַדְכֹּד וְגוּמַרְתָּא.
נְגִידִין קַמֵּיהוֹן אֲפַרְסְמוֹן נַהֲרָתָא:
וּמִתְפַּנְקִין וְרָווּ בְּכַסֵּי רְוָיָתָא.
חֲמַר מְרַת דְּמִבְּרֵאשִׁית נְטִיר בֵּי נַעֲוָתָא:
זַכָּאִין כַּד שְׁמַעְתּוּן שְׁבַח דָּא שִׁירָתָא.
קְבִיעִין כֵּן תֶּהֱווֹן בְּהַנְהוּ חֲבוּרָתָא:
וְתִזְכּוּן דִּי תֵיתְבוּן בְּעֵלָּא דָרָתָא.
אֲרֵי תְצִיתוּן לְמִלּוֹי דְּנָפְקִין בְּהַדְרָתָא:
מְרוֹמָם הוּא אֱלָהִין בְּקַדְמְתָא וּבָתְרָיְתָא.
צְבִי וְאִתְרְעִי בָן וּמְסַר לָן אוֹרָיְתָא:

With brilliant clouds He'll ornament
Each deserving festive tent;
The pure, on stools with gold inlaid,
Before the Lord shall be arrayed;
> Their countenance bright,
> With sevenfold light,
> Will dim the heavenly sheen;
> Such beauty rare
> None can declare,
> No prophet's eye has seen.

The joy and bliss of Paradise
Have not been seen by human eyes;
There the pure rejoice and dance
In the light of His countenance;
> And point: " Tis He,
> We patiently
> Have hoped and waited for,
> To set us free
> From captivity
> And guide us as of yore."

*   *   *

You upright who heard the voice of my song,
May you merit to join this glorious throng;
In heavenly halls you shall meet them in time,
If you hearken His Words, melodious, sublime.
> Exalted on high,
> For e'er and aye,
> Our Lord in glory and awe!
> We are His choice,
> Then let us rejoice
> That He blessed us and gave us the Law.

הושענות לשני ימים הראשונים של סכות

A Scroll of the Torah is taken from the Ark. The Reader takes the Lulav and Ethrog and chants:

הוֹשַׁע נָא:

לְמַעַנְךָ אֱלֹהֵינוּ הוֹשַׁע נָא: לְמַעַנְךָ בּוֹרְאֵנוּ הוֹשַׁע נָא:
לְמַעַנְךָ גּוֹאֲלֵנוּ הוֹשַׁע נָא: לְמַעַנְךָ דּוֹרְשֵׁנוּ הוֹשַׁע נָא:

A procession is formed round the Synagogue, each participant carrying his Lulav and Ethrog.

For the First Day, or for the Second Day, if it occur on Sunday

לְמַעַן אֲמִתָּךְ. לְמַעַן בְּרִיתָךְ. לְמַעַן גָּדְלָךְ וְתִפְאַרְתָּךְ. לְמַעַן דָּתָךְ. לְמַעַן הוֹדָךְ. לְמַעַן וִעוּדָךְ. לְמַעַן זִכְרָךְ. לְמַעַן חַסְדָּךְ. לְמַעַן טוּבָךְ. לְמַעַן יִחוּדָךְ. לְמַעַן כְּבוֹדָךְ. לְמַעַן לִמּוּדָךְ. לְמַעַן מַלְכוּתָךְ. לְמַעַן נִצְחָךְ. לְמַעַן סוֹדָךְ. לְמַעַן עֻזָּךְ. לְמַעַן פְּאֵרָךְ. לְמַעַן צִדְקָתָךְ. לְמַעַן קְדֻשָּׁתָךְ. לְמַעַן רַחֲמֶיךָ הָרַבִּים. לְמַעַן שְׁכִינָתָךְ. הוֹשַׁע נָא. לְמַעַן תְּהִלָּתָךְ. הוֹשַׁע נָא:

אֲנִי וָהוֹ הוֹשִׁיעָה נָּא:

Continue with כהושעת אלים *and* הושיעה את עמך *pages 190–191.*

For the Second Day

אֶבֶן שְׁתִיָּה. בֵּית הַבְּחִירָה. גֹּרֶן אָרְנָן. דְּבִיר הַמֻּצְנָע. הַר הַמּוֹרִיָּה. וְהַר יֵרָאֶה. זְבוּל תִּפְאַרְתֶּךָ. חָנָה דָוִד. טוֹב הַלְּבָנוֹן. יְפֵה נוֹף מְשׂוֹשׂ כָּל־הָאָרֶץ. כְּלִילַת יֹפִי.

HOSHANOT FOR THE FIRST TWO DAYS
OF SUKKOT

A Scroll of the Torah is taken from the Ark. The Reader takes the Lulav and Ethrog and chants:

Save us, we beseech Thee!

For Thy sake, our God, do Thou save us.

For Thy sake, our Creator, O save us.

For Thy sake, our Redeemer, O save us.

For Thy sake, O Thou who seekest us, save us, we beseech Thee.

A procession is formed round the Synagogue, each participant carrying his Lulav and Ethrog.

For the First Day, or for the Second Day, if it occur on Sunday

For the sake of Thy truth, Thy covenant, Thy greatness and glory; for the sake of Thy Torah, Thy majesty, Thy troth and Thy fame; for the sake of Thy mercy, Thy goodness, Thy unity, Thine honor, and Thy wisdom; for the sake of Thy sovereignty, Thine eternity, Thy mystic bond with us, Thy strength and Thy splendor; for the sake of Thy righteousness, Thy holiness, Thine abundant mercies, and Thy divine presence, do Thou save us; for the sake of Thy praise, do Thou save us, we beseech Thee.

O Eternal, do Thou save us.

Continue with "Savior of mighty ones," pages 190–191.

For the Second Day

Save Thou the world's foundation-stone, the Temple, the house of Thy choice, the threshing-floor of Ornan, the Jebusite, from whom David bought the site of the Temple, the sacred shrine, even Mount Moriah, hill of revelation and abode of Thy majesty, where once David dwelt, goodliest of Lebanon, lovely height, the joy of the

לִינַת הַצֶּדֶק. מָכוֹן לְשִׁבְתְּךָ. נָוֶה שַׁאֲנָן. סֻכַּת שָׁלֵם. עֲלִיַּת שְׁבָטִים. פִּנַּת יִקְרַת. צִיּוֹן הַמְצֻיֶּנֶת. קֹדֶשׁ הַקֳּדָשִׁים. רָצוּף אַהֲבָה. שְׁכִינַת כְּבוֹדֶךָ. הוֹשַׁע נָא. תֵּל תַּלְפִּיּוֹת. הוֹשַׁע נָא:

אֲנִי וָהוֹ הוֹשִׁיעָה נָּא:

כְּהוֹשַׁעְתָּ אֵלִים בְּלוּד עִמָּךְ. בְּצֵאתְךָ לְיֵשַׁע עַמָּךְ.
כֵּן הוֹשַׁע נָא:

כְּהוֹשַׁעְתָּ גּוֹי וֵאלֹהִים. דְּרוּשִׁים לְיֵשַׁע אֱלֹהִים.
כֵּן הוֹשַׁע נָא:

כְּהוֹשַׁעְתָּ הֲמוֹן צְבָאוֹת. וְעִמָּם מַלְאֲכֵי צְבָאוֹת.
כֵּן הוֹשַׁע נָא:

כְּהוֹשַׁעְתָּ זַכִּים מִבֵּית עֲבָדִים. חַנּוּן בְּיָדָם מַעֲבִידִים.
כֵּן הוֹשַׁע נָא:

כְּהוֹשַׁעְתָּ טְבוּעִים בְּצוּל גְּזָרִים. יְקָרְךָ עִמָּם מַעֲבִירִים.
כֵּן הוֹשַׁע נָא:

כְּהוֹשַׁעְתָּ כַּנָּה מְשׁוֹרֶרֶת וַיּוֹשַׁע. לְגוֹחָהּ מְצֻיֶּנֶת וַיִּוָּשַׁע.
כֵּן הוֹשַׁע נָא:

כְּהוֹשַׁעְתָּ מַאֲמַר וְהוֹצֵאתִי אֶתְכֶם. נָקוּב וְהוּצֵאתִי אִתְּכֶם.
כֵּן הוֹשַׁע נָא:

whole earth, perfection of beauty, lodging-place of righteousness. Help Thine established dwelling, the tranquil habitation, the tabernacle of Jerusalem, the goal of the tribe's pilgrimage, the precious corner-stone, even Zion, the excellent, the Holy of Holies, the object of our affection, the home of Thy glory. O save Zion, yea save the hill to which the world turns.

O Eternal, we beseech Thee, do Thou save us.

———————

Savior of mighty ones that dwelt with Thee
In Lud, the land whence Thou didst set them free;

So save Thou us!

As Thou didst save together God and nation,
The people singled out for God's salvation;

So save Thou us!

The hosts of Thy redeemed, with manifold
Angelic hosts were saved by Thee of old.

So save Thou us!

From bondage grim Thy power brought forth the pure,
Thou, Gracious One, didst all their grief endure.

So save Thou us!

They passed between the deep divided sea;
And with them for their guide, the light from Thee.

So save Thou us!

"He saved": Thy stock with joyful singing told;
Then saved was He, who gave them birth of old.

So save Thou us!

"And I will bring you out," the mandate said:
"And I went out with you," the mystics read.

So save Thou us!

כְּהוֹשַׁעְתָּ סוֹבְבֵי מִזְבֵּחַ. עוֹמְסֵי עֲרָבָה לְהַקִּיף מִזְבֵּחַ.
כֵּן הוֹשַׁע נָא:
כְּהוֹשַׁעְתָּ פִּלְאֵי אָרוֹן כְּהֻפְשַׁע. צִעֵר פְּלֶשֶׁת בַּחֲרוֹן אַף
וְנוֹשַׁע. כֵּן הוֹשַׁע נָא:
כְּהוֹשַׁעְתָּ קְהִלּוֹת בָּבֶלָה שִׁלַּחְתָּ. רַחוּם לְמַעֲנָם שֻׁלַּחְתָּ.
כֵּן הוֹשַׁע נָא:

כְּהוֹשַׁעְתָּ שְׁבוּת שִׁבְטֵי יַעֲקֹב.
תָּשׁוּב וְתָשִׁיב שְׁבוּת אָהֳלֵי יַעֲקֹב.
וְהוֹשִׁיעָה נָּא:
אֲנִי וָהוֹ הוֹשִׁיעָה נָּא:

הוֹשִׁיעָה אֶת־עַמֶּךָ וּבָרֵךְ אֶת־נַחֲלָתֶךָ וּרְעֵם וְנַשְּׂאֵם עַד־הָעוֹלָם: וְיִהְיוּ דְבָרַי אֵלֶּה אֲשֶׁר הִתְחַנַּנְתִּי לִפְנֵי יְיָ קְרֹבִים אֶל־יְיָ אֱלֹהֵינוּ יוֹמָם וָלָיְלָה לַעֲשׂוֹת מִשְׁפַּט עַבְדּוֹ וּמִשְׁפַּט עַמּוֹ יִשְׂרָאֵל דְּבַר־יוֹם בְּיוֹמוֹ: לְמַעַן דַּעַת כָּל־עַמֵּי הָאָרֶץ כִּי יְיָ הוּא הָאֱלֹהִים אֵין עוֹד:

The Scroll is returned to the Ark.

The Service is continued on page 156.

Thy sons with circling step, (their guardian Thou!)
Around Thine altar bore the willow bough.

> So save Thou us!

Thine Ark was won by marvels from the foe,
Philistia, sinful, by Thy wrath laid low.

> So save Thou us!

And with Thy banished throngs to Babylon
Journeyed in love Thy presence, Gracious One!

> So save Thou us!

Helper of Jacob's captive tribes of yore,
Return, and Jacob's exiled tents restore,

> And save Thou us!

> O Eternal, we beseech Thee, save us now.

Save Thy people, and bless Thine inheritance; nourish and sustain them forever. And may my words of supplication before the Lord be nigh unto the Lord our God, day and night, that He maintain the cause of His servant and the cause of His people Israel, as every day shall require; that all the people of the earth may know that the Lord is God; there is none else.

The Scroll is returned to the Ark.

The Service is continued on page 156.

סדר הושענות לשבת

The Lulav and Ethrog are not used. The Ark is opened but the Torah is not taken out.

Reader

הוֹשַׁע נָא:

לְמַעַנְךָ אֱלֹהֵינוּ. הוֹשַׁע נָא: לְמַעַנְךָ בּוֹרְאֵנוּ. הוֹשַׁע נָא:
לְמַעַנְךָ גּוֹאֲלֵנוּ. הוֹשַׁע נָא: לְמַעַנְךָ דּוֹרְשֵׁנוּ. הוֹשַׁע נָא:

Congregation

אֹם נְצוּרָה כְּבָבַת. בּוֹנֶנֶת בְּדָת נֶפֶשׁ מְשִׁיבַת. גּוֹמֶרֶת הִלְכוֹת שַׁבָּת. דּוֹרֶשֶׁת מַשְׂאַת שַׁבָּת. הַקּוֹבַעַת אַלְפַּיִם תְּחוּם שַׁבָּת. וּמְשִׁיבַת רֶגֶל מִשַּׁבָּת. זָכוֹר וְשָׁמוֹר מְקַיֶּמֶת בְּשַׁבָּת. חָשָׁה לְמַהֵר בִּיאַת שַׁבָּת. טוֹרַחַת כֹּל מִשִּׁשָּׁה לַשַּׁבָּת. יוֹשֶׁבֶת וּמַמְתֶּנֶת עַד כְּלוֹת שַׁבָּת. כָּבוֹד וָעֹנֶג קוֹרְאָה לַשַּׁבָּת. לְבוּשׁ וּכְסוּת מְחַלֶּפֶת בַּשַּׁבָּת. מַאֲכָל וּמִשְׁתֶּה מְכִינָה לַשַּׁבָּת. נֹעַם מְגָדִים מַנְעֶמֶת לַשַּׁבָּת. סְעוּדוֹת שָׁלֹשׁ מְקַיֶּמֶת בַּשַּׁבָּת. עַל שְׁתֵּי כִכָּרוֹת בּוֹצַעַת בַּשַּׁבָּת. פּוֹרֶטֶת אַרְבַּע רְשׁוּיוֹת בַּשַּׁבָּת. צִוּוּי הַדְלָקַת נֵר מַדְלֶקֶת בַּשַּׁבָּת. קִדּוּשׁ הַיּוֹם מְקַדֶּשֶׁת בַּשַּׁבָּת. רֶנֶן שֶׁבַע מְפַלֶּלֶת בַּשַּׁבָּת. שִׁבְעָה בַּדָּת קוֹרְאָה בַּשַּׁבָּת. תַּנְחִילֶנָּה יוֹם שֶׁכֻּלּוֹ שַׁבָּת. הוֹשַׁע נָא:

אֲנִי וָהוֹ הוֹשִׁיעָה נָּא:

כְּהוֹשַׁעְתָּ אָדָם יְצִיר כַּפֶּיךָ לְגוֹנְנָה. בְּשַׁבַּת קֹדֶשׁ הִמְצֵאתוֹ כֹּפֶר וַחֲנִינָה. כֵּן הוֹשַׁע נָא:

The Lulav and Ethrog are not used. The Ark is opened but the Torah is not taken out.

Reader

Save us, we beseech Thee!

For Thy sake, our God, do Thou save us.

For Thy sake, our Creator, O save us.

For Thy sake, our Redeemer, O save us.

For Thy sake, O Thou who seekest us, save us, we beseech Thee.

Congregation

Save the people whom Thou guardest as one guards the apple of his eye, Thy sons who understand Thy Torah, the solace of the soul; who learn the precepts of the Sabbath, deriving the laws concerning the carrying of burdens and the regulations concerning the limitations of Sabbath-day journey; who restrain their foot from profaning the Sabbath, fulfilling Thy behest to "remember" and to "keep" the Sabbath. They hasten to welcome its advent, and from the labor of six days, provide for the Sabbath. They rest and wait until the Sabbath is concluded, calling it a glory and a delight. They don new garments for the Sabbath and prepare special food for its coming, and delectable dishes in its honor. They arrange three meals for the Sabbath and pronounce the blessing over two loaves of bread. They teach the delineated areas of activity on the Sabbath. They obey Thy command to kindle the Sabbath lamp and pronounce the sanctification of the holy day. They offer on the Sabbath a service of seven-fold exaltation and call seven people to read the Scroll. Do Thou grant them to inherit life eternal that shall be wholly a Sabbath; yea, do Thou save, we beseech Thee.

O Eternal, do Thou save us.

As Thou didst save and shield the first man, created by Thee, granting Him redemption and grace on the holy Sabbath, do Thou save us.

כְּהוֹשַׁעְתָּ גּוֹי מְצֻיָּן מְקַוִּים חֹפֶשׁ. דֵּעָה כִּוְּנוּ לָבוֹר שְׁבִיעִי לְנֹפֶשׁ. כֵּן הוֹשַׁע נָא:

כְּהוֹשַׁעְתָּ הָעָם נִהַגְתָּ כַּצֹּאן לְהַנְחוֹת. וְחֹק שַׂמְתָּ בְּמָרָה עַל מֵי מְנוּחוֹת. כֵּן הוֹשַׁע נָא:

כְּהוֹשַׁעְתָּ זְבוּדֶיךָ בְּמִדְבַּר סִין בַּמַּחֲנֶה. חָכְמוּ וְלָקְטוּ בַּשִּׁשִּׁי לֶחֶם מִשְׁנֶה. כֵּן הוֹשַׁע נָא:

כְּהוֹשַׁעְתָּ טְפוּלֶיךָ הוֹרוּ הֲכָנָה בְּמַדָּעָם. יָשַׁר כֹּחָם וְהוֹדָה לָמוֹ רוֹעָם. כֵּן הוֹשַׁע נָא:

כְּהוֹשַׁעְתָּ כָּלְכְּלוּ בְּעֹנֶג מָן הַמְשֻׁמָּר. לֹא הָפַךְ עֵינוֹ וְרֵיחוֹ לֹא נָמָר. כֵּן הוֹשַׁע נָא:

כְּהוֹשַׁעְתָּ מִשְׁפְּטֵי מַשְׂאַת שַׁבָּת גָּמֵרוּ. נָחוּ וְשָׁבְתוּ רְשׁוּיוֹת וּתְחוּמִים שָׁמֵרוּ. כֵּן הוֹשַׁע נָא:

כְּהוֹשַׁעְתָּ סִינַי הָשְׁמְעוּ בְּדִבּוּר רְבִיעִי. עִנְיַן זָכוֹר וְשָׁמוֹר לְקַדֵּשׁ שְׁבִיעִי. כֵּן הוֹשַׁע נָא:

כְּהוֹשַׁעְתָּ פְּקְדוּ יְרִיחוֹ שֶׁבַע לְהַקֵּף. צָרוּ עַד רִדְתָּהּ בַּשַּׁבָּת לְתַקֵּף. כֵּן הוֹשַׁע נָא:

כְּהוֹשַׁעְתָּ קֹהֶלֶת וְעַמּוֹ בְּבֵית עוֹלָמִים. רָצוּךָ בְּחָגְגָם שִׁבְעָה וְשִׁבְעָה יָמִים. כֵּן הוֹשַׁע נָא:

כְּהוֹשַׁעְתָּ שָׁבִים עוֹלֵי גוֹלָה לִפְדְיוֹם. תּוֹרָתְךָ בְּקָרְאָם בֶּחָג יוֹם יוֹם. כֵּן הוֹשַׁע נָא:

כְּהוֹשַׁעְתָּ מְשַׂמְּחֶיךָ בְּבִנְיַן שֵׁנִי הַמְחֻדָּשׁ. נוֹטְלִים לוּלָב כָּל שִׁבְעָה בַּמִּקְדָּשׁ. כֵּן הוֹשַׁע נָא:

As Thou didst save the distinguished people who longed for freedom and with unity of purpose chose the Sabbath day for rest, do Thou save us.

As Thou didst save this people, leading them as a flock on their path, and at Marah by still waters, didst ordain a statute for them, do Thou save us.

As Thou didst save Thy treasured sons in their camp in the wilderness of Sin, where they gathered a double measure of food on the sixth day, do Thou save us.

As Thou didst save Thy children, who in setting the example of preparation for the Sabbath won the approval of their Shepherd who praised their deed, so save us now.

As Thou didst save them who were sustained on the Sabbath by the prepared manna, the appearance of which altered not, and the fragrance thereof did not change, so save us now.

As Thou didst save those who from the Torah derived the laws concerning Sabbath-burdens, who in resting and reposing thereon observed its bounds and limits, so save us now.

As Thou didst save them who at Sinai were instructed in the Fourth Commandment to "Remember" and "Observe" the holiness of the Sabbath, so save us now.

As Thou didst save them that were commanded to encircle Jericho seven times, who besieged and attacked it until it fell on the Sabbath, so save us now.

As Thou didst save Solomon and his people in the holy Temple, who sought Thy favor with a festival of twice seven days, so save us now.

As Thou didst save the exiled throngs returning to redemption, who on this festival read from Thy Torah each day, so save us now.

As Thou didst save Thy rejoicing hosts in the renewed glory of the second Temple, as on each of these seven days, they bore the palm-branch in the Sanctuary, so save us now.

כְּהוֹשַׁעְתָּ חִבּוּט עֲרָבָה שַׁבָּת מַדְחִים. מְרַבִּיּוֹת מוֹצָא לִיסוֹד מִזְבֵּחַ מַנִּיחִים. כֵּן הוֹשַׁע נָא:

כְּהוֹשַׁעְתָּ בְּרַכּוֹת אֲרֻכּוֹת וּגְבוֹהוֹת מְעַלְּסִים. בִּפְטִירָתָם יֹפִי לְךָ מִזְבֵּחַ מְקַלְּסִים. כֵּן הוֹשַׁע נָא:

כְּהוֹשַׁעְתָּ מוֹדִים וּמְיַחֲלִים וְלֹא מְשַׁנִּים. כֻּלָּנוּ אָנוּ לְיָהּ וְעֵינֵינוּ שׁוֹנִים. כֵּן הוֹשַׁע נָא:

כְּהוֹשַׁעְתָּ יֶקֶב מֵחֲצֵבְךָ סוֹבְבִים בִּרְנָנָה. רוֹנְנִים אֲנִי וָהוֹ הוֹשִׁיעָה נָּא. כֵּן הוֹשַׁע נָא:

כְּהוֹשַׁעְתָּ חֵיל זְרִיזִים מְשָׁרְתִים בִּמְנוּחָה. קָרְבַּן שַׁבָּת כָּפוּל עוֹלָה וּמִנְחָה. כֵּן הוֹשַׁע נָא:

כְּהוֹשַׁעְתָּ לְוִיֶּיךָ עַל דוּכָנָם לְהַרְבָּת. אוֹמְרִים מִזְמוֹר שִׁיר לְיוֹם הַשַּׁבָּת. כֵּן הוֹשַׁע נָא:

כְּהוֹשַׁעְתָּ נְחוּמֶיךָ בְּמִצְוֹתֶיךָ תָּמִיד יִשְׁתַּעַשְׁעוּן. וּרְצֵם וְהַחֲלִיצֵם בְּשׁוּבָה וָנַחַת יִוָּשֵׁעוּן. כֵּן הוֹשַׁע נָא:

כְּהוֹשַׁעְתָּ שְׁבוּת שִׁבְטֵי יַעֲקֹב.

תָּשׁוּב וְתָשִׁיב שְׁבוּת אָהֳלֵי יַעֲקֹב. וְהוֹשִׁיעָה נָּא:

אֲנִי וָהוֹ הוֹשִׁיעָה נָּא:

הוֹשִׁיעָה אֶת־עַמֶּךָ וּבָרֵךְ אֶת־נַחֲלָתֶךָ וּרְעֵם וְנַשְּׂאֵם עַד־הָעוֹלָם: וְיִהְיוּ דְבָרַי אֵלֶּה אֲשֶׁר הִתְחַנַּנְתִּי לִפְנֵי יְיָ קְרֹבִים אֶל־יְיָ אֱלֹהֵינוּ יוֹמָם וָלָיְלָה לַעֲשׂוֹת מִשְׁפַּט עַבְדּוֹ וּמִשְׁפַּט עַמּוֹ יִשְׂרָאֵל דְּבַר־יוֹם בְּיוֹמוֹ: לְמַעַן דַּעַת כָּל־עַמֵּי הָאָרֶץ כִּי יְיָ הוּא הָאֱלֹהִים אֵין עוֹד:

The Service is continued on page 156.

As Thou didst save them who in worshipful reverence on the Sabbath did beat the willow-leaves and who at the altar's base set boughs from Moza, so save us now.

As Thou didst save them who praised Thee with slender, long and lofty willow-branches, who, as they cheerfully departed, chanted, "Beauty is thine, O altar," so save us now.

As Thou didst save them whose thanks and hope remained constant, "We are all His and our eyes are upon Him," so save us now.

As Thou didst save them that with green shoots surrounded Thine earth-dug altar crying, "We beseech Thee, O Lord, do save us," so save us now.

As Thou didst save the host of Thy zealous priests who ministered on the day of rest with double offering and sacrifice, so save us now.

As Thou didst save Thy Levites who assembled on the sacred dias, sang, "A psalm, a song for the Sabbath day," so save us now.

As Thou hast saved Thy comforted sons, whose constant delight is in Thy commandments, so in Thy grace grant them redemption and a peaceful home-coming; yea, save them now.

Thou didst save the captive tribes of Jacob; restore again the captive tents of Jacob, and help us now.

O Eternal, we beseech Thee, save us now.

Save Thy people, and bless Thine inheritance; nourish and sustain them forever. And may my words of supplication before the Lord be nigh unto the Lord our God, day and night, that He maintain the cause of His servant and the cause of His people Israel as every day shall require; that all the people of the earth may know that the Lord is God; there is none else.

The Service is continued on page 156.

הושענות לחול המועד סכות

A Scroll of the Torah is taken from the Ark. The Reader takes the Lulav and Ethrog and chants:

הוֹשַׁע נָא:

לְמַעַנְךָ אֱלֹהֵינוּ הוֹשַׁע נָא: לְמַעַנְךָ בּוֹרְאֵנוּ הוֹשַׁע נָא:
לְמַעַנְךָ גּוֹאֲלֵנוּ הוֹשַׁע נָא: לְמַעַנְךָ דּוֹרְשֵׁנוּ הוֹשַׁע נָא:

For Procession — First Day Ḥol Hamoed

אֶעֱרוֹךְ שׁוּעִי. בְּבֵית שַׁוְעִי. גִּלִּיתִי בַצּוֹם פִּשְׁעִי. דְּרַשְׁתִּיךָ בּוֹ לְהוֹשִׁיעִי. הַקְשִׁיבָה לְקוֹל שַׁוְעִי. וְקוּמָה וְהוֹשִׁיעִי. זְכוֹר וְרַחֵם מוֹשִׁיעִי. חַי כֵּן תְּשַׁעְשְׁעִי. טוֹב בְּאֶנֶק שְׁעִי. יָחִישׁ מוֹשִׁיעִי. כַּלֵּה מַרְשִׁיעִי. לְבַל עוֹד תַּרְשִׁיעִי. מַהֵר אֱלֹהֵי יִשְׁעִי. נֶצַח לְהוֹשִׁיעִי. שָׂא נָא עֲוֹן רִשְׁעִי. עֲבוֹר עַל פִּשְׁעִי. פְּנֵה נָא לְהוֹשִׁיעִי. צוּר צַדִּיק מוֹשִׁיעִי. קַבֵּל נָא שַׁוְעִי. רוֹמֵם קֶרֶן יִשְׁעִי. שַׁדַּי מוֹשִׁיעִי. הוֹשַׁע נָא. תּוֹפִיעַ וְתוֹשִׁיעִי. הוֹשַׁע נָא: כהושעת אלים . . .

For Procession — Second Day Ḥol Hamoed

אוֹם אֲנִי חוֹמָה. בָּרָה כַּחַמָּה. גּוֹלָה וְסוּרָה. דָּמְתָה לְתָמָר. הַהֲרוּגָה עָלֶיךָ. וְנֶחְשֶׁבֶת כְּצֹאן טִבְחָה. זְרוּיָה בֵּין מַכְעִיסֶיהָ. חֲבוּקָה וּדְבוּקָה בָךְ. טוֹעֶנֶת עֻלָּךְ. יְחִידָה לְיַחֲדָךְ. כְּבוּשָׁה בַּגּוֹלָה. לוֹמֶדֶת יִרְאָתָךְ. מְרוּטַת לֶחִי. נְתוּנָה לְמַכִּים. סוֹבֶלֶת סִבְלָךְ. עֲנִיָּה סֹעֲרָה. פְּדוּיַת טוֹבִיָּה. צֹאן קָדָשִׁים. קְהִלּוֹת יַעֲקֹב. רְשׁוּמִים בִּשְׁמֶךָ. שׁוֹאֲגִים הוֹשַׁע נָא. תְּמוּכִים עָלֶיךָ. הוֹשַׁע נָא:

The service is continued with כהושעה אלים, הושיעה את עמך, *pages 190–191.*

HOSHANOT FOR INTERMEDIATE DAYS OF SUKKOT

A Scroll of the Torah is taken from the Ark. The Reader takes the Lulav and Ethrog and chants:

Save us, we beseech Thee!

For Thy sake, our God, do Thou save us. For Thy sake, our Creator, O save us. For Thy sake, our Redeemer, O save us. For Thy sake, O Thou who seekest us, save us, we beseech Thee.

For Procession — First Intermediate Day

I will make my supplication in this, my house of prayer. On the Fast Day I revealed my transgression. Thereon I besought Thee to save me. Hearken to the voice of my cry; arise and save me. Remember and have compassion, my Redeemer. Comfort me with Thy solaces, O living God. O Thou good God, heed my prayer. Hasten the coming of my redeemer and destroy my evil desires so that Thou condemn me not again. Hasten, O God of my salvation, to save me for eternity. Forgive the stain of my wickedness and pass by mine iniquities, and turn, I pray Thee, to save me. O my Rock, my righteous Redeemer, accept my supplication; grant me my deliverance. Almighty, my Redeemer, save me now. Shine forth to save, yea, save, I beseech Thee.

For Procession — Second Intermediate Day

Save now this nation, once firm as a rampart and clear as the sun;
 She is exiled, a wandering one.
Likened of yore to a palm-tree, to-day she is borne to the stake,
 To-day she is slain for Thy sake.
Scattered amid her oppressors, she flyeth to Thee from their stroke,
 She bends to the love of Thy yoke.
One to proclaim Thou art One, crushed by the far and the near,
 She awaits, she is learning Thy fear.
Giving the cheek to the smiters, Thy burden of sorrow she bears,
 Tossed in the storm of the years.
Moses delivered her once; — the sanctified sheep of his fold
 Were Jacob's assembly of old,
Marked by Thy name: — O save! They are falling, they grasp Thee, they crave.
 They are calling, beseeching Thee, "Save!"

The Service is continued on pages 190–191.

הושענות לחול המועד סכות

A Scroll of the Torah is taken from the Ark. The Reader takes the Lulav and Ethrog, and chants:

הוֹשַׁע נָא:

לְמַעַנְךָ אֱלֹהֵינוּ הוֹשַׁע נָא: לְמַעַנְךָ בּוֹרְאֵנוּ הוֹשַׁע נָא:
לְמַעַנְךָ גּוֹאֲלֵנוּ הוֹשַׁע נָא: לְמַעַנְךָ דּוֹרְשֵׁנוּ הוֹשַׁע נָא:

For Procession — Third Day Ḥol Hamoed

אֵל לְמוֹשָׁעוֹת. בְּאַרְבַּע שְׁבֻעוֹת. נָּשִׁים בְּשַׁוְעוֹת. דּוֹפְקֵי עֶרֶךְ שׁוּעוֹת. הוֹגֵי שַׁעְשֻׁעוֹת. וְחִידוֹתָם מִשְׁתַּעַשְׁעוֹת. זוֹעֲקִים לְהִשָּׁעוֹת. חוֹכֵי יְשׁוּעוֹת. טְפוּלִים בְּךָ שְׁעוֹת. יוֹדְעֵי בִּין שָׁעוֹת. כּוֹרְעֶיךָ בְּשַׁוְעוֹת. לְהָבִין שְׁמוּעוֹת. מִפִּיךָ נִשְׁמָעוֹת. נוֹתֵן תְּשׁוּעוֹת. סְפוּרוֹת מַשְׁמָעוֹת. עֵדוּת מַשְׁמִיעוֹת. פּוֹעֵל יְשׁוּעוֹת. צַדִּיק נוֹשָׁעוֹת. קִרְיַת תְּשׁוּעוֹת. רֶגֶשׁ תְּשׁוּאוֹת. שָׁלֹשׁ שָׁעוֹת. הוֹשַׁע נָא: תָּחִישׁ לִתְשׁוּעוֹת.

הוֹשַׁע נָא:

כהושעת אלים...

For Procession — Fourth Day Ḥol Hamoed

אָדוֹן הַמּוֹשִׁיעַ. בִּלְתְּךָ אֵין לְהוֹשִׁיעַ. גִּבּוֹר וּמוֹשִׁיעַ. דַּלּוֹתִי וְלִי יְהוֹשִׁיעַ. הָאֵל הַמּוֹשִׁיעַ. וּמַצִּיל וּמוֹשִׁיעַ. זוֹעֲקֶיךָ תּוֹשִׁיעַ. חוֹכֶיךָ הוֹשִׁיעַ. טְלָאֶיךָ תַּשְׂבִּיעַ. יְבוּל לְהַשְׁפִּיעַ. כָּל־שִׂיחַ תַּדְשֵׁא וְתוֹשִׁיעַ. לְגַיְא בַּל תַּרְשִׁיעַ. מְגָדִים תַּמְתִּיק וְתוֹשִׁיעַ. נְשִׂיאִים לְהַסִּיעַ. שְׂעִירִים לְהָנִיעַ. עֲנָנִים מִלְּהַמְנִיעַ. פּוֹתֵחַ יָד וּמַשְׂבִּיעַ. צְמֵאֶיךָ תַּשְׂבִּיעַ. קוֹרְאֶיךָ תּוֹשִׁיעַ. רַב לְהוֹשִׁיעַ. שׁוֹחֲרֶיךָ הוֹשִׁיעַ. הוֹשַׁע נָא. תְּמִימֶיךָ תּוֹשִׁיעַ. הוֹשַׁע נָא:

אֲנִי וָהוֹ הוֹשִׁיעָה נָּא:

The Service is continued with כהושעת אלים, הושיעה את עמך *pages 190–191.*

HOSHANOT FOR INTERMEDIATE DAYS OF SUKKOT

A Scroll of the Torah is taken from the Ark. The Reader takes the Lulav and Ethrog and chants:

Save us, we beseech Thee!

For Thy sake, our God, do Thou save us.

For Thy sake, our Creator, O save us.

For Thy sake, our Redeemer, O save us.

For Thy sake, O Thou who seekest us, save us, we beseech Thee.

For Procession — Third Intermediate Day

O God of salvation, prompted by Thy four-fold promise, Thy people draw nigh in supplication and knock at Thy gate with offering of prayer, meditating upon the comforting words of Thy Torah and delighting in their deep-stored message. They pray fervently that Thou mayest hear. They long for salvation, yea, their hearts are close-knit unto Thee. They study and observe the sacred seasons. They bend the knee unto Thee in supplication that they may hear proclaimed from Thy lips, the tidings foretold and declared of yore that shall fulfill Thy testimony. O Thou who workest salvation, who art righteous to save, thrice save the city of our salvation that was filled with multitudes acclaiming Thee. Hasten our salvation; yea save, we beseech Thee.

For Procession — Fourth Intermediate Day

O Lord and Redeemer, beside Thee there is none to save. Thou art mighty and redeemest. I was brought low, but Thou didst save me. O God of salvation who deliverest and savest, save Thy supplicants, save them that hope in Thee. Sustain Thy lambs; increase the earth's riches. Cause to flourish and save each shrub, and condemn not the earth to infertility, but sweeten and save its fruit. Urge on the rain-mists that they discharge their showers, and hold not back the clouds. Thou who openest Thine hand to sustain Thy creatures, satisfy the thirsty with water. Save them that call on Thee, Thou who art mighty to save. Save them that seek Thee at morn, yea, do Thou save them. Save Thy whole-hearted servants, yea save them, we beseech Thee.

O Eternal, we beseech Thee, save us now.

The Service is continued on pages 190–191.

סדר הושענות להושענא רבא

The Scrolls of the Torah are taken from the Ark. The Reader takes the Lulav and Ethrog and chants:

הוֹשַׁע נָא:

לְמַעַנְךָ אֱלֹהֵינוּ. הוֹשַׁע נָא: לְמַעַנְךָ בּוֹרְאֵנוּ. הוֹשַׁע נָא:

לְמַעַנְךָ גּוֹאֲלֵנוּ. הוֹשַׁע נָא: לְמַעַנְךָ דּוֹרְשֵׁנוּ. הוֹשַׁע נָא:

For the First Procession

לְמַעַן אֲמִתָּךְ. לְמַעַן בְּרִיתָךְ. לְמַעַן גָּדְלָךְ וְתִפְאַרְתָּךְ. לְמַעַן דָּתָךְ. לְמַעַן הוֹדָךְ. לְמַעַן וִעוּדָךְ. לְמַעַן זִכְרָךְ. לְמַעַן חַסְדָּךְ. לְמַעַן טוּבָךְ. לְמַעַן יִחוּדָךְ. לְמַעַן כְּבוֹדָךְ. לְמַעַן לִמּוּדָךְ. לְמַעַן מַלְכוּתָךְ. לְמַעַן נִצְחָךְ. לְמַעַן סוֹדָךְ. לְמַעַן עֻזָּךְ. לְמַעַן פְּאֵרָךְ. לְמַעַן צִדְקָתָךְ. לְמַעַן קְדֻשָּׁתָךְ. לְמַעַן רַחֲמֶיךָ הָרַבִּים. לְמַעַן שְׁכִינָתָךְ. הוֹשַׁע נָא. לְמַעַן תְּהִלָּתָךְ. הוֹשַׁע נָא:

For the Second Procession

אֶבֶן שְׁתִיָּה. בֵּית הַבְּחִירָה. גֹּרֶן אָרְנָן. דְּבִיר הַמֻּצְנָע. הַר הַמּוֹרִיָּה וְהַר יֵרָאֶה. זְבוּל תִּפְאַרְתֶּךָ. חָנָה דָוִד. טוֹב הַלְּבָנוֹן. יְפֵה נוֹף מְשׂוֹשׂ כָּל־הָאָרֶץ. כְּלִילַת יֹפִי. לִינַת הַצֶּדֶק. מָכוֹן לְשִׁבְתֶּךָ. נָוֶה שַׁאֲנָן. סֻכַּת שָׁלֵם. עֲלִיַּת שְׁבָטִים. פִּנַּת יִקְרַת. צִיּוֹן הַמְצֻיֶּנֶת. קֹדֶשׁ הַקֳּדָשִׁים. רָצוּף אַהֲבָה. שְׁכִינַת כְּבוֹדֶךָ. הוֹשַׁע נָא. תֵּל תַּלְפִּיּוֹת. הוֹשַׁע נָא:

HOSHANA RABBA

Hoshana Rabba calls to mind the colorful and joyous ceremony of the Drawing of Water for the altars of the Temple. On Hoshana Rabba we pray that we may be worthy of God's sustaining care and that He may confer upon us the bounties of nature. Hence, many prayers of Hoshana Rabba plead for the forgiveness of sin. The Service takes on a solemn character, reminiscent of Yom Kippur.

The Scrolls of the Torah are taken from the Ark. The Reader takes the Lulav and Ethrog and chants:

Save us, we beseech Thee!

For Thy sake, our God, do Thou save us.

For Thy sake, our Creator, O save us.

For Thy sake, our Redeemer, O save us.

For Thy sake, O Thou who seekest us, save us, we beseech Thee.

For the First Procession

For the sake of Thy truth, Thy covenant, Thy greatness and glory; for the sake of Thy Torah, Thy majesty, Thy troth and Thy fame; for the sake of Thy mercy, Thy goodness, Thy unity, Thine honor, and Thy wisdom; for the sake of Thy sovereignty, Thine eternity, Thy mystic bond with us, Thy strength and Thy splendor; for the sake of Thy righteousness, Thy holiness, Thine abundant mercies, and Thy divine presence, do Thou save us; for the sake of Thy praise, do Thou save us, we beseech Thee.

O Eternal, do Thou save us.

For the Second Procession

Save Thou the world's foundation-stone, the Temple, the house of Thy choice, the threshing-floor of Ornan, the Jebusite, from whom David bought the site of the Temple, the sacred shrine, even Mount Moriah, the hill of revelation and abode of Thy majesty, where once David dwelt, goodliest of Lebanon, lovely height, the joy of the whole earth, perfection of beauty, lodging-place of right-eousness. Help Thine established dwelling, the tranquil habitation, the tabernacle of Jerusalem, the goal of the tribe's pilgrimage, the precious corner-stone, even Zion, the excellent, the Holy of Holies, the object of our affection, the home of Thy glory. O save Zion, yea save the hill to which the world turns.

For the Third Procession

אם אֲנִי חוֹמָה. בָּרָה כַּחַמָּה. גּוֹלָה וְסוּרָה. דָּמְתָה לְתָמָר. הַהֲרוּגָה עָלֶיךָ. וְנֶחֱשֶׁבֶת כְּצֹאן טִבְחָה. זְרוּיָה בֵּין מַכְעִיסֶיהָ. חֲבוּקָה וּדְבוּקָה בָּךְ. טוֹעֶנֶת עֻלָּךְ. יְחִידָה לְיַחֲדָךְ. כְּבוּשָׁה בַּגּוֹלָה. לוֹמֶדֶת יִרְאָתָךְ. מְרוּטַת לֶחִי. נְתוּנָה לְמַכִּים. סוֹבֶלֶת סִבְלָךְ. עֲנִיָּה סֹעֲרָה. פְּדוּיַת טוֹבִיָּה. צֹאן קָדָשִׁים. קְהִלּוֹת יַעֲקֹב. רְשׁוּמִים בִּשְׁמֶךָ. שׁוֹאֲגִים הוֹשַׁע נָא. תְּמוּכִים עָלֶיךָ. הוֹשַׁע נָא:

For the Fourth Procession

אָדוֹן הַמּוֹשִׁיעַ. בִּלְתְּךָ אֵין לְהוֹשִׁיעַ. גִּבּוֹר וּמוֹשִׁיעַ. דַּלּוֹתִי וְלִי יְהוֹשִׁיעַ. הָאֵל הַמּוֹשִׁיעַ. וּמַצִּיל וּמוֹשִׁיעַ. זוֹעֲקֶיךָ תּוֹשִׁיעַ. חוֹכֶיךָ הוֹשִׁיעַ. טְלָאֶיךָ תַּשְׂבִּיעַ. יְבוּל לְהַשְׁפִּיעַ. כָּל־שִׂיחַ תַּדְשֵׁא וְתוֹשִׁיעַ. לְגֵיא בַּל תַּרְשִׁיעַ. מְגָדִים תַּמְתִּיק וְתוֹשִׁיעַ. נְשִׂיאִים לְהַסִּיעַ. שְׂעִירִים לְהָנִיעַ. עֲנָנִים מִלְּהַמְנִיעַ. פּוֹתֵחַ יָד וּמַשְׂבִּיעַ. צְמֵאֶיךָ תַּשְׂבִּיעַ. קוֹרְאֶיךָ תּוֹשִׁיעַ. רַב לְהוֹשִׁיעַ. שׁוֹחֲרֶיךָ הוֹשִׁיעַ. הוֹשַׁע נָא: תְּמִימֶיךָ תּוֹשִׁיעַ. הוֹשַׁע נָא:

For the Fifth Procession

אָדָם וּבְהֵמָה. בָּשָׂר וְרוּחַ וּנְשָׁמָה. גִּיד וְעֶצֶם וְקָרְמָה. דְּמוּת וְצֶלֶם וְרִקְמָה. הוֹד לַהֶבֶל דָּמָה. וְנִמְשַׁל כַּבְּהֵמוֹת נִדְמָה. זִיו וְתֹאַר וְקוֹמָה. חִדּוּשׁ פְּנֵי אֲדָמָה. טִיעַת עֲצֵי נְשַׁמָּה. יְקָבִים וְקָמָה. כְּרָמִים וְשִׁקְמָה. לְתֵבֵל הַמְסֻיָּמָה.

For the Third Procession

Save now this nation, once firm as a rampart and clear as the sun;
  She is exiled, a wandering one.
Likened of yore to a palm-tree, to-day she is borne to the stake,
  To-day she is slain for Thy sake.
Scattered amid her oppressors, she flyeth to Thee from their stroke,
  She bends to the love of Thy yoke.
One to proclaim Thou art One, crushed by the far and the near,
  She waits, she is learning Thy fear.
Giving the cheek to the smiters, Thy burden of sorrow she bears,
  Tossed in the storm of the years.
Moses delivered her once; — the sanctified sheep of his fold
  Were Jacob's assembly of old,
Marked by Thy name: — O save! They are falling, they grasp
  Thee, they crave,
  They are calling, beseeching Thee, "Save!"

For the Fourth Procession

O Lord and Redeemer, beside Thee there is none to
save. Thou art mighty and redeemest. I was brought
low, but Thou didst save me. O God of salvation who
deliverest and savest, save Thy supplicants, save them
that hope in Thee. Sustain thy lambs; increase the earth's
riches. Cause to flourish and save each shrub, and condemn
not the earth to infertility, but sweeten and save its fruit.
Urge on the rain-mists that they discharge their showers,
and hold not back the clouds. Thou who openest Thine
hand to sustain Thy creatures, satisfy the thirsty with
water. Save them that call on Thee, Thou who art mighty
to save. Save them that seek Thee at morn, yea, do Thou
save them. Save Thy whole-hearted servants, yea, save
them, we beseech Thee.

For the Fifth Procession

O save man and beast; save him who is flesh, spirit and
soul; sinew, bone and skin; form and image of wondrous
frame; beauty akin, alas, to vanity, and like the beasts
that perish; radiance and glorious stature. Renew the
face of the earth and cause trees to sprout from the arid
soil. Bless the vine-press and the corn, vineyards and
sycamores upon the fair-bounded earth. Grant that the

מְטְרוֹת עֹז לְסַמְּמָה. נְשִׁיָּה לְקַיְּמָה. שִׂיחִים לְקוֹמְמָה. עֲדָנִים לְעָצְמָה. פְּרָחִים לְהַעֲצִימָה. צְמָחִים לְנָשְׁמָה. קָרִים לְזָרְמָה. רְבִיבִים לְשַׁלְּמָה. שְׁתִיָּה לְרוֹמְמָה. הוֹשַׁע נָא. תְּלוּיָה עַל בְּלִימָה. הוֹשַׁע נָא:

For the Sixth Procession

אֲדָמָה מֵאֶרֶר. בְּהֵמָה מִמְּשַׁכֶּלֶת. גֹּרֶן מִגָּזָם. דָּגָן מִדַּלֶּקֶת. הוֹן מִמְּאֵרָה. וְאֹכֶל מִמְּהוּמָה. זַיִת מִנֶּשֶׁל. חִטָּה מֵחָגָב. טֶרֶף מִגּוֹבַי. יֶקֶב מִיֶּלֶק. כֶּרֶם מִתּוֹלַעַת. לֶקֶשׁ מֵאַרְבֶּה. מֶגֶד מִצְּלָצַל. נֶפֶשׁ מִבֶּהָלָה. שֹׂבַע מִסָּלְעָם. עֲדָרִים מִדַּלּוּת. פֵּרוֹת מִשִּׁדָּפוֹן. צֹאן מִצַּמִּיתוּת. קָצִיר מִקְּלָלָה. רֹב מֵרָזוֹן. שִׁבֹּלֶת מִצִּנָּמוֹן. הוֹשַׁע נָא. תְּבוּאָה מֵחָסִיל. הוֹשַׁע נָא:

For the Seventh Procession

לְמַעַן אֵיתָן הַנִּזְרָק בְּלַהַב אֵשׁ: לְמַעַן בֵּן הַנֶּעֱקַד עַל עֵצִים וָאֵשׁ: לְמַעַן גִּבּוֹר הַנֶּאֱבַק עִם שַׂר אֵשׁ: לְמַעַן דְּגָלִים הִנְחִיתָ בְּעָנָן וְאוֹר אֵשׁ: לְמַעַן הָעֲלָה לַמָּרוֹם וְנִתְעַלָּה כְּמַלְאֲכֵי אֵשׁ: לְמַעַן וְהוּא לְךָ כְּסֶגֶן בְּאֶרְאֶלֵּי אֵשׁ: לְמַעַן זֶבֶד דִּבְּרוֹת הַנְּתוּנוֹת מֵאֵשׁ: לְמַעַן חִפּוּי יְרִיעוֹת וַעֲנַן אֵשׁ: לְמַעַן טֶכֶס הַר יָרַדְתָּ עָלָיו בָּאֵשׁ: לְמַעַן יְדִידוּת אֲשֶׁר אָהַבְתָּ מִשְּׁמֵי אֵשׁ: לְמַעַן כָּמַה עַד שָׁקְעָה הָאֵשׁ: לְמַעַן לָקַח מַחְתַּת אֵשׁ וְהֵסִיר חָרוֹן אֵשׁ:

reviving rains send forth their fragrance to make fertile the earth, to nurture the green herbs, to foster the pleasant fruits, and to strengthen the buds. Send rain upon the tender shoots, and let cool waters flow, supplementing with the latter rain. Sustain the world which Thou hast founded, yea, save our earth, suspended in space.

For the Sixth Procession

Save the earth from the curse, our cattle from sterility, our threshing-floor from the locust, our corn from fire, our substance from catastrophe, our feed from destruction. Guard the olives from falling, and save the wheat from the grasshopper. Protect our granaries from the worm, our vines from the caterpillar, the vineyard from the canker-worm, the autum-fruit from blight. O protect our produce from the devouring locust, our souls from terror, our plenty from the winged-locust. Keep our flocks from ravaging disease, our fruits from the blasting wind. Shield our sheep from the plague, our harvest from ruin, our abundance from leanness. Save the barley from mildew, the field's increase from the palmer-worm. O do Thou save us, we beseech Thee.

For the Seventh Procession

Save us for the sake of Abraham cast into flames of fire; for the sake of Isaac who was bound upon the wood and the fire; for the sake of Jacob who wrestled with a prince of fire; for the sake of the hosts Thou didst lead by cloud and flash of fire; for the sake of Moses who was received on high and exalted as the angels of fire; for the sake of Aaron Thy representative who was amid the angels of fire; for the sake of the gift of Thy commands given from out the fire; for the sake of the tabernacle canopied beneath curtains and a cloud of fire; for the sake of the fair mountain whereon Thou didst descend in fire; for the sake of the beloved habitation which Thou didst love more than the heavens of fire; for the sake of Moses who abode in prayer until the sinking of the fire; for the sake of Aaron who with fiery censer allayed Thy displeasure with fire; for the sake

לְמַעַן מְקַנֵּא קִנְאָה גְדוֹלָה בָּאֵשׁ: לְמַעַן נָף יָדוֹ וְיָרְדוּ אַבְנֵי אֵשׁ: לְמַעַן שָׂם טְלֵה חָלָב כְּלִיל אֵשׁ: לְמַעַן עָמַד בַּגֹּרֶן וְנִתְרַצָּה בָּאֵשׁ: לְמַעַן פִּלֵּל בָּעֲזָרָה וְיָרְדָה הָאֵשׁ: לְמַעַן צִיר עָלָה וְנִתְעַלָּה בְּרֶכֶב וְסוּסֵי אֵשׁ: לְמַעַן קְדוֹשִׁים מֻשְׁלָכִים בָּאֵשׁ: לְמַעַן רִבּוֹ רִבְבָן חָז וְנַהֲרֵי אֵשׁ: לְמַעַן שִׁמְמוֹת עִירְךָ הַשְּׂרוּפָה בָּאֵשׁ. הוֹשַׁע נָא: לְמַעַן תּוֹלְדוֹת אַלּוּפֵי יְהוּדָה תָּשִׂים כְּכִיּוֹר אֵשׁ. הוֹשַׁע נָא:

אֲנִי וָהוֹ הוֹשִׁיעָה נָא:

כְּהוֹשַׁעְתָּ אֵלִים בְּלוּד עִמָּךְ. בְּצֵאתְךָ לְיֵשַׁע עַמָּךְ.

כֵּן הוֹשַׁע נָא:

כְּהוֹשַׁעְתָּ גּוֹי וֵאלֹהִים. דְּרוּשִׁים לְיֵשַׁע אֱלֹהִים.

כֵּן הוֹשַׁע נָא:

כְּהוֹשַׁעְתָּ הֲמוֹן צְבָאוֹת. וְעִמָּם מַלְאֲכֵי צְבָאוֹת.

כֵּן הוֹשַׁע נָא:

כְּהוֹשַׁעְתָּ זַכִּים מִבֵּית עֲבָדִים. חַנּוּן בְּיָדָם מַעֲבִידִים.

כֵּן הוֹשַׁע נָא:

כְּהוֹשַׁעְתָּ טְבוּעִים בְּצוּל גְּזָרִים. יְקָרְךָ עִמָּם מַעֲבִירִים.

כֵּן הוֹשַׁע נָא:

כְּהוֹשַׁעְתָּ כַּנָּה מְשׁוֹרֶרֶת וַיּוֹשַׁע. לְגוֹחָהּ מְצֻיֶּנֶת וַיִּוָּשַׁע.

כֵּן הוֹשַׁע נָא:

כְּהוֹשַׁעְתָּ מַאֲמַר וְהוֹצֵאתִי אֶתְכֶם. נָקוּב וְהוּצֵאתִי אִתְּכֶם.

כֵּן הוֹשַׁע נָא:

כְּהוֹשַׁעְתָּ סוֹבְבֵי מִזְבֵּחַ. עוֹמְסֵי עֲרָבָה לְהַקִּיף מִזְבֵּחַ.

כֵּן הוֹשַׁע נָא:

כְּהוֹשַׁעְתָּ פִּלְאֵי אָרוֹן כְּהֻפְשַׁע. צִעֵר פְּלֶשֶׁת בַּחֲרוֹן אַף וְנוֹשַׁע.

כֵּן הוֹשַׁע נָא:

of Phineas who burned with a jealousy great as fire; for the sake of Joshua who waved his hand and there fell stones of fire; for the sake of Samuel who placed upon the altar a suckling lamb, an offering consumed by fire; for the sake of David who stood on the threshing-floor and won grace by his offerings on fire; for the sake of Solomon who interceded in the Temple-court till there descended fire; for the sake of Elijah who rose and was received aloft with chariot and horses of fire; for the sake of Hananiah, Mishael and Azariah who were cast into the furnace of fire; for the sake of Daniel who beheld many myriads of ministering angels and streams of fire; for the sake of the desolations of Thy city, burnt with fire;—O do Thou save us. Save us for the sake of the generations of Judah's princes whom Thou wilt purify as a refining furnace of fire.

O, Eternal, we beseech Thee, save us now.

Savior of mighty ones that dwelt with Thee
In Lud, the land whence Thou didst set them free;
So save Thou us!

As Thou didst save together God and nation,
The people singled out for God's salvation;
So save Thou us!

The hosts of Thy redeemed, with manifold
Angelic hosts were saved by Thee of old.
So save Thou us!

From bondage grim Thy power brought forth the pure,
Thou, Gracious One, didst all their grief endure!
So save Thou us!

They passed between the deep divided sea;
And with them for their guide, the light from Thee.
So save Thou us!

"He saved": Thy stock with joyful singing told;
Then saved was He, who gave them birth of old.
So save Thou us!

"And I will bring you out," the mandate said:
"And I went out with you," the mystics read.
So save Thou us!

Thy sons with circling step, (their guardian Thou!)
Around Thine altar bore the willow bough.
So save Thou us!

Thine Ark was won by marvels from the foe,
Philistia, sinful, by Thy wrath laid low.
So save Thou us!

כְּהוֹשַׁעְתָּ קְהִלּוֹת בָּבֶלָה שִׁלַּחְתָּ. רַחוּם לְמַעֲנָם שֻׁלַּחְתָּ.
כֵּן הוֹשַׁע נָא:
כְּהוֹשַׁעְתָּ שְׁבוּת שִׁבְטֵי יַעֲקֹב. תָּשׁוּב וְתָשִׁיב שְׁבוּת אָהֳלֵי יַעֲקֹב.
וְהוֹשִׁיעָה נָּא:

אֲנִי וָהוֹ הוֹשִׁיעָה נָּא:

תִּתְּנֵנוּ לְשֵׁם וְלִתְהִלָּה. תְּשִׁיבֵנוּ אֶל־הַחֶבֶל וְאֶל־הַנַּחֲלָה. תְּרוֹמְמֵנוּ לְמַעְלָה לְמָעְלָה. תְּקוֹמְמֵנוּ לְכֶרֶם סְגֻלָּה. תַּצִּיבֵנוּ כְּעֵץ עַל פַּלְגֵי מַיִם שְׁתוּלָה. תִּפְדֵּנוּ מִכָּל־נֶגַע וּמַחֲלָה. תְּעַטְּרֵנוּ בְּאַהֲבָה כְלוּלָה. תְּשַׂמְּחֵנוּ בְּבֵית הַתְּפִלָּה. תְּנַהֲלֵנוּ עַל־מֵי מְנוּחוֹת סֶלָה. תְּמַלְּאֵנוּ חָכְמָה וְשִׂכְלָה. תַּלְבִּישֵׁנוּ עֹז וּגְדֻלָּה. תַּכְתִּירֵנוּ בְּכֶתֶר כְּלוּלָה. תְּיַשְּׁרֵנוּ בְּאֹרַח סְלוּלָה. תִּטָּעֵנוּ בְּיֹשֶׁר מְסִלָּה. תְּחָנֵּנוּ בְּרַחֲמִים וּבְחֶמְלָה. תַּזְכִּירֵנוּ בְּמִי זֹאת עוֹלָה. תּוֹשִׁיעֵנוּ בְּיָדְךָ הַגְּדוֹלָה. תְּהַדְּרֵנוּ בְּזִיו הַמְּלָה. תַּדְבִּיקֵנוּ כְּאֵזוֹר חֲתֻלָּה. תַּגִּיעֵנוּ לְקֵץ הַגְּאֻלָּה. תְּבִיאֵנוּ לְבֵיתְךָ בְּרִנָּה וְצָהֳלָה. תְּאַדְּרֵנוּ בְּיֶשַׁע וְגִילָה. תְּאַמְּצֵנוּ בְּרֶוַח וְהַצָּלָה. תְּלַבְּבֵנוּ בְּבִנְיַן עִירְךָ כְּבַתְּחִלָּה. תַּעֲלֵנוּ עַל כָּל־אוֹם לִתְהִלָּה. תַּזְכִּירֵנוּ בְּשָׂשׂוֹן וְגִילָה. תַּרְבִּיצֵנוּ בְּמִרְעֶה שָׁמֵן לְהַצְהִילָה. הוֹשַׁע נָא. תְּחַזְּקֵנוּ אֱלֹהֵי יַעֲקֹב סֶלָה. הוֹשַׁע נָא:

אָנָּא הוֹשִׁיעָה נָּא:

אָנָּא אֱזוֹן חִין תְּאֵבֵי יִשְׁעָךְ. בְּעַרְבֵי נַחַל לְשַׁעְשְׁעָךְ.
וְהוֹשִׁיעָה נָּא:
אָנָּא גְּאוֹל כַּנַּת נִטְעָךְ. דוּמָה בְּטַאטְאָךְ.
וְהוֹשִׁיעָה נָּא:
אָנָּא הַבֵּט לִבְרִית טִבְעָךְ. וּמַחֲשַׁכֵּי אֶרֶץ בְּהַטְבִּיעָךְ.
וְהוֹשִׁיעָה נָּא:

And with Thy banished throngs to Babylon
Journeyed in love Thy presence, Gracious One!

So save Thou us!

Helper of Jacob's captive tribes of yore,
Return, and Jacob's exiled tents restore,

And save Thou us!

O Eternal, we beseech Thee, save us now.

Restore us to a position of honor and praise. Bring us back unto
our lot and inheritance, and exalt us higher and higher. Establish
us as Thy chosen vineyard and make us as a tree planted by
streams of water. Redeem us from all plague and disease, and
crown us with perfect love. Gladden us in our house of prayer, and
lead us by still waters. Fill us with wisdom and discernment;
clothe us with strength and greatness; adorn us with the diadem
of perfection. Lead us forward on the way of righteousness and
guide us upon the straight path of equity. Grant us Thy mercy
and compassion. May it be said of us again, "Who is this that
goeth up?" Save us with Thy mighty hand. Adorn us with the
radiance of a victorious host. Cause us to cleave close to Thee.
Bring us near to the time of redemption. Lead us to Thy house
with song and gladness. Glorify us with salvation and joy. Bless
us with ample substance and deliverance. Hearten us with the
rebuilding of Thy city to its former glory. Exalt us so that we may
merit respect everywhere. May we be remembered for gladness
and rejoicing. Cause us to lie down in a fertile valley, bright with
Thy splendor, and do Thou save us. Fortify us, O God of Jacob,
and do Thou save us.

O save, we beseech Thee.

I beseech Thee, give ear to their cry that implore Thee to save,
That seek to give joy unto Thee with the willows that wave —

O save!

I beseech Thee, deliver the stock Thou hast planted, and say
On the day when Thou sweepest the remnant of nations away:

"I will save."

I beseech Thee to look to the covenant sealed at our birth,
When Thou castest men down to the darkness under the earth,

And save.

אָנָּא זְכָר־לָנוּ אָב יְדָעֲךָ. חַסְדְּךָ לָמוֹ בְּהוֹדִיעֲךָ.
וְהוֹשִׁיעָה נָּא:

אָנָּא טְהוֹרֵי לֵב בְּהַפְלִיאֲךָ. יִוָּדַע כִּי הוּא פִלְאָךְ.
וְהוֹשִׁיעָה נָּא:

אָנָּא כַּבִּיר כֹּחַ תְּדְלֵנוּ יִשְׁעֶךָ. לַאֲבוֹתֵינוּ כְּהִשָּׁבְעָךְ.
וְהוֹשִׁיעָה נָּא:

אָנָּא מַלֵּא מִשְׁאֲלוֹת עַם מְשַׁוְּעָךְ. נֶעֱקַד כְּמוֹ בְּהַר מוֹר שַׁוְעָךְ.
וְהוֹשִׁיעָה נָּא:

אָנָּא סַגֵּב אֶשְׁלֵי נִטְעָךְ. עָרִיצִים בְּהַנִיעָךְ.
וְהוֹשִׁיעָה נָּא:

אָנָּא פְּתַח לָנוּ אוֹצְרוֹת רִבְעָךְ. צִיָּה מֵהֶם בְּהַרְבִּיעָךְ.
וְהוֹשִׁיעָה נָּא:

אָנָּא קוֹרְאֶיךָ אֶרֶץ בְּרוֹעֲעָךְ. רְעֵה בְטוּב מִרְעָךְ.
וְהוֹשִׁיעָה נָּא:

אָנָּא שְׁעָרֶיךָ תַּעַל מִמְּשׁוּאָךְ. תֵּל תַּלְפִּיּוֹת בְּהַשִּׂיאָךְ.
וְהוֹשִׁיעָה נָּא:

אָנָּא אֵל נָא הוֹשַׁע נָא וְהוֹשִׁיעָה נָּא.

אֵל נָא תָּעִינוּ כְּשֶׂה אוֹבֵד. שְׁמֵנוּ מִסִּפְרְךָ אַל תְּאַבֵּד.
הוֹשַׁע נָא וְהוֹשִׁיעָה נָּא:

אֵל נָא רְעֵה אֶת־צֹאן הַהֲרֵגָה. קְצוּפָה וְעָלֶיךָ הֲרוּגָה.
הוֹשַׁע נָא וְהוֹשִׁיעָה נָּא:

אֵל נָא צֹאנְךָ וְצֹאן מַרְעִיתֶךָ. פְּעֻלָּתְךָ וְרַעְיָתֶךָ.
הוֹשַׁע נָא וְהוֹשִׁיעָה נָּא:

אֵל נָא עֲנִיֵּי הַצֹּאן. שִׂיחָם עֲנֵה בְּעֵת רָצוֹן.
הוֹשַׁע נָא וְהוֹשִׁיעָה נָּא:

אֵל נָא נוֹשְׂאִים לְךָ עַיִן. מִתְקוֹמְמֶיךָ יִהְיוּ כְאַיִן.
הוֹשַׁע נָא וְהוֹשִׁיעָה נָּא:

I beseech Thee, remember the father who knew Thee alone,
When we say, "To his children to-day make Thy kindnesses known";
>> Then save.

I beseech Thee, O worker of wonders for hearts without stain,
Be it known that herein is the wonder of Thee — that again
>> Thou wilt save.

I beseech Thee, O honored in strength, give salvation to us,
For in ages of yore Thou didst swear to our forefathers thus:
>> "I will save."

I beseech Thee, fulfil their desire that do call Thee in woe,
That are bound as Thy suppliant was on the mountain, when lo!
>> Thou didst save.

I beseech Thee, the trees of Thy planting! — give shelter to these;
When uprooting the mighty — Almighty, remember Thy trees,
>> And save.

I beseech Thee, throw open Thy treasures of rain; let us see
The good of the land that is thirsting for showers from Thee,
>> And save.

I beseech Thee, give friendship to those who have called Thee; and
feed
With the goodness and fat of Thy pasture their hunger and need,
>> And save.

I beseech Thee, O lift up Thy gates from their desolate fall,
O lift up that ruinous heap for Thy people that call,
>> O save!"

O God, we beseech Thee, save! O save!

O God! like sheep we all have gone astray;
From out Thy book wipe not our name away. Save! O save!
O God! sustain the sheep for slaughter; — see
These dealt with wrathfully and slain for Thee. Save! O save!
O God! Thy sheep! the sheep whom Thou didst tend
In pasture; Thy creation and Thy friend. Save! O save!
O God! the poor among the sheep! Give heed;
Answer in time of favor to their need. Save! O save!
O God! they lift their eyes to Thee, long sought;
Let those who rise against Thee count as naught. Save! O save!

אֵל נָא לִמְנַסְּכֵי לְךָ מָיִם. כְּמִמַּעַיְנֵי הַיְשׁוּעָה יִשְׁאֲבוּן מָיִם.
הוֹשַׁע נָא וְהוֹשִׁיעָה נָּא:
אֵל נָא יַעֲלוּ לְצִיּוֹן מוֹשִׁיעִים. טְפוּלִים בְּךָ וּבְשִׁמְךָ נוֹשָׁעִים.
הוֹשַׁע נָא וְהוֹשִׁיעָה נָּא:
אֵל נָא חֲמוּץ בְּגָדִים. זְעוֹם לְנַעֵר כָּל־בּוֹגְדִים.
הוֹשַׁע נָא וְהוֹשִׁיעָה נָּא:
אֵל נָא וְזָכוֹר תִּזְכּוֹר. הַנְּכוּרִים בְּלֶחְךָ וָכוֹר.
הוֹשַׁע נָא וְהוֹשִׁיעָה נָּא:
אֵל נָא דוֹרְשֶׁיךָ בְּעַנְפֵי עֲרָבוֹת. נְעִים שְׁעֵה מֵעֲרָבוֹת.
הוֹשַׁע נָא וְהוֹשִׁיעָה נָּא:
אֵל נָא בָּרֵךְ בְּעִטּוּר שָׁנָה. אֲמָרֵי בְּפִלּוּלֵי שְׁעֵה נָא.
הוֹשַׁע נָא וְהוֹשִׁיעָה נָּא:

אָנָּא אֵל נָא הוֹשַׁע נָא וְהוֹשִׁיעָה נָּא אָבִינוּ אָתָּה:

לְמַעַן תָּמִים בְּדוֹרוֹתָיו. הַנִּמְלָט בְּרֹב צִדְקוֹתָיו. מֻצָּל מִשֶּׁטֶף בְּבוֹא מַבּוּל מָיִם. לְאֹם אֲנִי חוֹמָה.
הוֹשַׁע נָא וְהוֹשִׁיעָה נָּא אָבִינוּ אָתָּה:
לְמַעַן שָׁלֵם בְּכָל־מַעֲשִׂים. הַמְנֻסֶּה בַּעֲשָׂרָה נִסִּים. כְּשֶׁר מַלְאָכִים נָם יֻקַּח־נָא מְעַט־מַיִם. לְבָרָה כַּחַמָּה.
הוֹשַׁע נָא וְהוֹשִׁיעָה נָּא אָבִינוּ אָתָּה:
לְמַעַן רַךְ וְיָחִיד נֶחֱנַט לְמֵאָה. זָעַק אַיֵּה הַשֶּׂה לְעוֹלָה. בִּשְּׂרוּהוּ עֲבָדָיו מָצָאנוּ מָיִם. לְגוֹלָה וְסוּרָה.
הוֹשַׁע נָא וְהוֹשִׁיעָה נָּא אָבִינוּ אָתָּה:
לְמַעַן קִדֵּם שְׂאֵת בְּרָכָה. הַנִּשְׂטָם וּלְשִׁמְךָ חִכָּה. מְיַחֵם בְּמַקְלוֹת בְּשִׁקְתוֹת הַמָּיִם. לְדָמְתָה לְתָמָר.
הוֹשַׁע נָא וְהוֹשִׁיעָה נָּא אָבִינוּ אָתָּה:

O God! they pour out water, worshipping —
Let them be drawing from salvation's spring. Save! **O save!**
O God! to Zion saviors send at length,
Endowed of Thee, and saved by Thy name's strength. Save! **O save!**
O God! in garb of vengeance clad about,
In mighty wrath cast all deceivers out. Save! O save!
O God! and Thou wilt surely not forget
Her, by love-tokens bought, that hopeth yet. Save! O save!
O God! they seeking Thee with willow bough,
Regard their crying from Thine heaven now. Save! O save!
O God! as with a crown bless Thou the year;
Yea, Lord, my singing, I beseech Thee, hear. Save! O save!

I beseech Thee, O God, save! O save, I beseech Thee.
Thou art our Father.

For him who was a perfect man 'mid all.
Who once was saved through goodness at Thy call,
Redeemed from overflowing floods of water —
Save her who standeth steadfast as a wall,
Save her, our Father.

For one unblemished in his works and ways
Though tried tenfold who, lifting up his gaze,
Saw angel forms, and ran to give them water —
Save her that shineth as the sunlight's rays,
Save her, our Father.

For that loved son who asked his aged sire,
"Where is the lamb for offering made by fire?"
For him who heard the tidings, "Here is water" —
Save her that wandereth in exile dire,
Save her, our Father.

For his sake who before his brother came
To take his blessing — hoping in Thy name;
For him whose flocks increased by troughs of water —
Save her that was a palm-tree in her fame,
Save her, our Father.

לְמַעַן צָדֵק הֱיוֹת לְךָ לְכַהֵן. כְּחָתָן פְּאֵר יְכַהֵן. מְנֻסֶּה בְּמַסָּה בְּמֵי
מְרִיבַת מָיִם. לְהַר הַטּוֹב.

הוֹשַׁע נָא וְהוֹשִׁיעָה נָּא אָבִינוּ אָתָּה:

לְמַעַן פְּאַר הֱיוֹת גְּבִיר לְאֶחָיו. יְהוּדָה אֲשֶׁר גָּבַר בְּאֶחָיו. מִסְפַּר
רֹבַע מִדָּלְיָו יִזַּל מַיִם. לוּא לָנוּ כִּי־אִם לְמַעַנְךָ.

הוֹשַׁע נָא וְהוֹשִׁיעָה נָּא אָבִינוּ אָתָּה:

לְמַעַן עָנָו מִכֹּל וְנֶאֱמָן. אֲשֶׁר בְּצִדְקוֹ כִּלְכֵּל הַמָּן. מָשׁוּךְ לְגוֹאֵל
וּמָשׁוּי מִמַּיִם. לְזֹאת הַנִּשְׁקָפָה.

הוֹשַׁע נָא וְהוֹשִׁיעָה נָּא אָבִינוּ אָתָּה:

לְמַעַן שַׂמְתּוֹ כְּמַלְאֲכֵי מְרוֹמִים. הַלּוֹבֵשׁ אוּרִים וְתֻמִּים. מְצֻוֶּה
לָבוֹא בַּמִּקְדָּשׁ בְּקִדּוּשׁ יָדַיִם וְרַגְלַיִם וּרְחִיצַת מַיִם. לְחוֹלַת
אַהֲבָה.

הוֹשַׁע נָא וְהוֹשִׁיעָה נָּא אָבִינוּ אָתָּה:

לְמַעַן נְבִיאָה מְחוֹלַת מַחֲנַיִם. לִכְמֵהֵי לֵב הוּשְׂמָה עֵינַיִם. לְרַגְלָהּ
רָצָה עֲלוֹת וְיָרֹדֶת בְּאֵר מַיִם. לְטֹבוּ אֹהָלָיו.

הוֹשַׁע נָא וְהוֹשִׁיעָה נָּא אָבִינוּ אָתָּה:

לְמַעַן מְשָׁרֵת לֹא מָשׁ מֵאֹהֶל. וְרוּחַ הַקֹּדֶשׁ עָלָיו אֹהֵל. בְּעָבְרוֹ
בַּיַּרְדֵּן נִכְרְתוּ הַמַּיִם. לְיָפָה וּבָרָה.

הוֹשַׁע נָא וְהוֹשִׁיעָה נָּא אָבִינוּ אָתָּה:

לְמַעַן לָמַד רְאוֹת לְטוֹבָה אוֹת. זָעַק אַיֵּה נִפְלָאוֹת. מִצָּה טַל מִגִּזָּה
מְלֹא הַסֵּפֶל מַיִם. לְכַלַּת לְבָנוֹן.

הוֹשַׁע נָא וְהוֹשִׁיעָה נָּא אָבִינוּ אָתָּה:

לְמַעַן כְּלוּלֵי עֲשׂוֹת מִלְחַמְתֶּךָ. אֲשֶׁר בְּיָדָם תַּתָּה יְשׁוּעָתֶךָ. צְרוּפֵי
מִגּוֹי בְּלָקְקָם בְּיָדָם מַיִם. לְלֹא בָגְדוּ בָךְ.

הוֹשַׁע נָא וְהוֹשִׁיעָה נָּא אָבִינוּ אָתָּה:

לְמַעַן יָחִיד צוֹרְרִים דָּשׁ. אֲשֶׁר מֵרֶחֶם לְנָזִיר הָקְדָּשׁ. מִמַּכְתֵּשׁ
לֶחִי הִבְקַעְתָּ לוֹ מַיִם. לְמַעַן שֵׁם קָדְשֶׁךָ.

הוֹשַׁע נָא וְהוֹשִׁיעָה נָּא אָבִינוּ אָתָּה:

For him who meet to serve Thee Thou didst deem,
Apparelled as a bridegroom doth beseem;
  At Massah tried, at Meribah's sad water —
O save that goodly mountain of our dream,
                Save her, our Father.

For him above his brethren set to shine: —
Yet we be but a fourth of Judah's line —
  Whereof 'tis said "His buckets flowed with water" —
So save not, Lord, for our sake, but for Thine,
                Save now, our Father.

For one more meek than all men and more true,
Whose merit brought down manna on the dew,
  Chosen redeemer, drawn from out the water —
Save her that ever looketh forth anew,
                Save her, our Father.

For one who was as angels are above,
Who, meetly clad, did in Thy precincts move
  In holiness, all purified with water —
Save her, O Lord, her that is sick with love,
                Save her, our Father.

For that glad prophetess who danced before
The camp, to them whose heart was sad and sore,
  For whom there rose and sank a well of water —
Save them that dwelt in goodly tents of yore
                Save them, our Father.

For him who in the tent was fain to stay,
On whom the spirit shone, who went his way
  O'er Jordan, and Thou didst divide the water —
Save her, the beautiful and pure as day,
                Save her, our Father.

For his sake who besought a sign, who cried
"Where be Thy wonders?" and at morning-tide
  Wringed dew from out the fleece, a bowl of water —
Save her who was in Lebanon a bride,
                Save her, our Father.

For those of old who went Thy wars to fight
Whole-hearted, in their hands Thy saving might;
  Chosen when gathering in their palms the water —
Save them for ever faithful in Thy sight,
                Save them, our Father.

For him, that only son, who crushed the foe,
Sacred from birth, a Nazarite to grow,
  For whom from out a jaw-bone gushed forth water —
Save! even for Thine holy name save now!
                Save us, our Father.

לְמַעַן טוֹב הֹלֵךְ וְגָדֵל. מֵעִקְּשׁוּת לֵב עֵדָה חָדֵל. בְּשׁוּב עָם מֵחֵטְא
צָו שְׁאָב־מָיִם. לְנָוֶה כִּירוּשָׁלָיִם.

הוֹשַׁע נָא וְהוֹשִׁיעָה נָּא אָבִינוּ אָתָּה:

לְמַעַן חַיָּךְ מְכַרְכֵּר בְּשִׁיר. הַמְלַמֵּד תּוֹרָה בְּכָל־כְּלֵי שִׁיר. מְנַסֵּךְ
לְפָנֶיךָ כְּתָאֵב שְׁתוֹת מָיִם. לְשָׁמוּ בָךְ סִבְרָם.

הוֹשַׁע נָא וְהוֹשִׁיעָה נָּא אָבִינוּ אָתָּה:

לְמַעַן זָךְ עָלָה בִּסְעָרָה. הַמְקַנֵּא וּמֵשִׁיב עֶבְרָה. לִפְלוּלוֹ יָרְדָה
אֵשׁ וְלִחֲכָה עָפָר וּמָיִם. לְעֵינֶיהָ בְּרֵכוֹת.

הוֹשַׁע נָא וְהוֹשִׁיעָה נָּא אָבִינוּ אָתָּה:

לְמַעַן וְשֵׁרַת בֶּאֱמֶת לְרַבּוֹ. פִּי־שְׁנַיִם בְּרוּחוֹ נֶאֱצַל בּוֹ. בְּקַחְתּוֹ
מְנַגֵּן נִתְמַלְּאוּ גֵבִים מָיִם. לְפָצוּ מִי כָמֹכָה.

הוֹשַׁע נָא וְהוֹשִׁיעָה נָּא אָבִינוּ אָתָּה:

לְמַעַן הִרְהֵר עֲשׂוֹת רְצוֹנֶךָ. הַמַּכְרִיז תְּשׁוּבָה לְצֹאנֶךָ. אָז בְּבוֹא
מְחָרֵף סָתַם עֵינוֹת מָיִם: לְצִיּוֹן מִכְלַל יֹפִי.

הוֹשַׁע נָא וְהוֹשִׁיעָה נָּא אָבִינוּ אָתָּה:

לְמַעַן דָּרְשׁוּךָ בְּתוֹךְ הַגּוֹלָה. וְסוֹדְךָ לָמוֹ נִגְלָה. בְּלִי לְהִתְגָּאֵל
דָּרְשׁוּ זֵרְעוֹנִים וּמָיִם. לְקוֹרְאֶיךָ בַּצָּר.

הוֹשַׁע נָא וְהוֹשִׁיעָה נָּא אָבִינוּ אָתָּה:

לְמַעַן גָּמַר חָכְמָה וּבִינָה. סוֹפֵר מָהִיר מְפַלֵּשׂ אֲמָנָה. מַחְכִּמֵנוּ
אֲמָרִים הַמְשׁוּלִים בְּרַחֲבֵי מָיִם. לְרַבָּתִי עָם.

הוֹשַׁע נָא וְהוֹשִׁיעָה נָּא אָבִינוּ אָתָּה:

לְמַעַן בָּאֵי לְךָ הַיּוֹם בְּכָל־לֵב. שׁוֹפְכִים לְךָ שִׂיחַ בְּלֹא לֵב וָלֵב.
שׁוֹאֲלִים מִמְּךָ עֹז מִטְרוֹת מָיִם. לְשׁוֹרְרוּ בַיָּם.

הוֹשַׁע נָא וְהוֹשִׁיעָה נָּא אָבִינוּ אָתָּה:

לְמַעַן אוֹמְרֵי יִגְדַּל שְׁמֶךָ. וְהֵם נַחֲלָתְךָ וְעַמֶּךָ. צְמֵאִים לְיֶשְׁעֲךָ
כְּאֶרֶץ עֲיֵפָה לַמָּיִם. לְתַרְתָּ לָמוֹ מְנוּחָה.

הוֹשַׁע נָא וְהוֹשִׁיעָה נָּא אָבִינוּ אָתָּה:

For his sake who in favor yet grew on
When through their sinfulness the throngs had gone;
    Who, turning men from sin, spake: "Now draw water" —
Save her more fair than Zion when she shone,
                    Save her, our Father.

For his sake who did play and dance and sing,
Who taught the Law with sound of pipe and string,
    Who, thirsting sore, poured out to Thee the water —
Save those who trust salvation Thou wilt bring,
                    Save them, our Father.

For his sake whom a whirlwind once did bear
To heav'n, whose zeal turned back Thy wrath, whose prayer
    Drew fire from heav'n, which licked up dust and water —
Save her, O God, whose eyes are fountains fair,
                    Save her, our Father.

For him who served his lord in deed and thought,
On whom twofold the spirit fell; who sought
    A minstrel ere the ditches filled with water —
Save them that sang: "Lord, who such deeds hath wrought?"
                    Save them, our Father.

For his sake, swift to do the word from Thee,
Who bid Thy sheep repent, and set them free
    From the blasphemer, staying founts of water —
Save Zion, beautiful and fair to see,
                    Save her, our Father.

For those who sought in exile for Thy face,
Who knew Thy secret, who to gather grace
    And shun defilement, ate but pulse and water —
Save them that call Thee, grieving from their place,
                    Save them, our Father.

For one who witnessed wisdom's light arise,
The ready scribe of yore, who made us wise
    With outspread truth like spaces wide of water —
O save that once full city, when she cries
                    Save us, our Father.

For their sake who with all their soul this day
Have come to pour their heart out and to pray,
    Begging from Thee Thy rains of mighty water —
Save them who sang to Thee upon their way,
                    Save them, our Father.

For their sake who have said: "Thy name be blest,"
Thine heritage, the sons of Thy behest,
    Longing for Thee like land that faints for water —
Save them for whom so long Thou seekest rest,
                    Save them, our Father.

Reader and Congregation

הוֹשַׁע נָא אֵל נָא. אָנָּא הוֹשִׁיעָה נָּא:

The Lulav and Ethrog are laid aside and the willow twigs are taken.

הוֹשַׁע נָא. סְלַח נָא. וְהַצְלִיחָה נָא. וְהוֹשִׁיעֵנוּ אֵל מָעֻזֵּנוּ:

תַּעֲנֶה אֱמוּנִים שׁוֹפְכִים לְךָ לֵב כַּמַּיִם. **וְהוֹשִׁיעָה נָּא:**

לְמַעַן בָּא בָאֵשׁ וּבַמַּיִם. **וְהַצְלִיחָה נָא:**

גָּזַר וְנָם יֻקַּח־נָא מְעַט־מַיִם. **וְהוֹשִׁיעֵנוּ אֵל מָעֻזֵּנוּ:**

תַּעֲנֶה דְגָלִים גָּזוּ גִּזְרֵי מַיִם. **וְהוֹשִׁיעָה נָּא:**

לְמַעַן הַנֶּעֱקַד בְּשַׁעַר הַשָּׁמַיִם. **וְהַצְלִיחָה נָא:**

וְשָׁב וְחָפַר בְּאֵרוֹת מַיִם. **וְהוֹשִׁיעֵנוּ אֵל מָעֻזֵּנוּ:**

תַּעֲנֶה זַכִּים חוֹנִים עֲלֵי־מָיִם. **וְהוֹשִׁיעָה נָּא:**

לְמַעַן חָלָק מְפַצֵּל מַקְלוֹת בְּשִׁקֲתוֹת הַמָּיִם. **וְהַצְלִיחָה נָא:**

טָעַן וְגָל אֶבֶן מִבְּאֵר מַיִם. **וְהוֹשִׁיעֵנוּ אֵל מָעֻזֵּנוּ:**

תַּעֲנֶה יְדִידִים נוֹחֲלֵי דָת מְשׁוּלַת מַיִם. **וְהוֹשִׁיעָה נָּא:**

לְמַעַן כָּרוּ בְּמִשְׁעֲנוֹתָם מַיִם. **וְהַצְלִיחָה נָא:**

לְהָכִין לָמוֹ וּלְצֶאֱצָאֵימוֹ מַיִם. **וְהוֹשִׁיעֵנוּ אֵל מָעֻזֵּנוּ:**

תַּעֲנֶה מִתְחַנְּנִים כְּבִישִׁימוֹן עֲלֵי מָיִם. **וְהוֹשִׁיעָה נָּא:**

לְמַעַן נֶאֱמַן בַּיִת מַסְפִּיק לָעָם מָיִם. **וְהַצְלִיחָה נָא:**

סֶלַע הָךְ וַיָּזוּבוּ מַיִם. **וְהוֹשִׁיעֵנוּ אֵל מָעֻזֵּנוּ:**

תַּעֲנֶה עוֹנִים עֲלִי בְאֵר מַיִם. **וְהוֹשִׁיעָה נָּא:**

לְמַעַן פָּקַד בְּמֵי מְרִיבַת מָיִם. **וְהַצְלִיחָה נָא:**

צְמֵאִים לְהַשְׁקוֹת מַיִם. **וְהוֹשִׁיעֵנוּ אֵל מָעֻזֵּנוּ:**

תַּעֲנֶה קְדוֹשִׁים מְנַסְּכִים לְךָ מַיִם. **וְהוֹשִׁיעָה נָּא:**

לְמַעַן רֹאשׁ מְשׁוֹרְרִים כְּתָאַב שְׁתוֹת מַיִם. **וְהַצְלִיחָה נָא:**

שָׁב וְנָסַךְ לְךָ מַיִם. **וְהוֹשִׁיעֵנוּ אֵל מָעֻזֵּנוּ:**

Reader and Congregation

O God, save, yea, save, we beseech Thee.

The Lulav and Ethrog are laid aside and the willow twigs are taken.

O save, O forgive, O send prosperity; yea, save us, God of our stronghold.

Give rain! Thy lieges pour their hearts as water,

O save us!

For Abram's sake who went through fire and water,

O speed us!

In courtesy he gave the angels water.

O save us, mighty God!

Give rain! For us to pass was cleft the water.

O save us!

For Isaac's sake on mountain bound for slaughter,

O speed us!

He turned and digged his people wells of water.

O save us, mighty God!

Give rain! We are the pure who camped by water.

O save us!

For Jacob's sake who set the rods in water,

O speed us!

He strained and rolled the stone from off the water.

O save us, mighty God!

Give rain! Blest heirs to Torah's quickening water.

O save us!

Because of those who digged with staves for water,

O speed us!

To win for them and for their offspring water.

O save us, mighty God!

Give rain! To-day as then we cry for water.

O save us!

For Moses' sake who found his people water,

O speed us!

He smote the rock and lo! out gushed the water.

O save us, mighty God!

Give rain! Our sires sang round the well of water.

O save us!

Because of Moses at Meribah's water,

O speed us!

At Thy command he gave the thirsting water.

O save us, mighty God!

Give rain! Thy holy servants poured Thee water.

O save us!

For Thy chief minstrel's sake who longed for water,

O speed us!

Yet turned and made libation with the water,

O save us, mighty God!

תַּעֲנֶה שׁוֹאֲלִים בְּרִבּוּעַ אֶשְׁלֵי מָיִם. וְהוֹשִׁיעָה נָּא:
לְמַעַן תֵּל תַּלְפִּיּוֹת בֵּית מוֹצָא מָיִם. וְהַצְלִיחָה נָּא:
תִּפְתַּח אֶרֶץ וְתַרְעִיף שָׁמַיִם. וְהוֹשִׁיעֵנוּ אֵל מָעֻזֵּנוּ:

Reader and Congregation

רַחֶם־נָא קְהַל עֲדַת יְשֻׁרוּן. סְלַח וּמְחַל עֲוֹנָם.

וְהוֹשִׁיעֵנוּ אֱלֹהֵי יִשְׁעֵנוּ:

אָז כְּעֵינֵי עֲבָדִים אֶל־יַד אֲדוֹנִים. בָּאנוּ לְפָנֶיךָ נִדּוֹנִים.
וְהוֹשִׁיעֵנוּ אֱלֹהֵי יִשְׁעֵנוּ:
גַּאֲה אֲדֹנֵי הָאֲדֹנִים. נִתְגָּרוּ בָנוּ מְדָנִים. דְּשׁוּנוּ וּבְעָלוּנוּ זוּלָתְךָ אֲדֹנִים. וְהוֹשִׁיעֵנוּ אֱלֹהֵי יִשְׁעֵנוּ:
הֵן גַּשְׁנוּ הַיּוֹם בְּתַחֲנוּן. עָדֶיךָ רַחוּם וְחַנּוּן. וְסִפַּרְנוּ נִפְלְאוֹתֶיךָ בְּשִׁנּוּן. וְהוֹשִׁיעֵנוּ אֱלֹהֵי יִשְׁעֵנוּ:
זָבַת חָלָב וּדְבָשׁ. נָא אַל־תִּיבָשׁ. חַשְׁרַת מַיִם כְּאֵבֶה תֶּחְבָּשׁ.
וְהוֹשִׁיעֵנוּ אֱלֹהֵי יִשְׁעֵנוּ:
טְעֵנוּ בַשְּׁמֵנָה. בְּיַד שִׁבְעָה וּשְׁמֹנָה. יָשָׁר צַדִּיק אֵל אֱמוּנָה.
וְהוֹשִׁיעֵנוּ אֱלֹהֵי יִשְׁעֵנוּ:
כָּרַתָּ בְרִית לָאָרֶץ. עַד כָּל־יְמֵי הָאָרֶץ. לְבִלְתִּי פְּרָץ־בָּהּ פֶּרֶץ.
וְהוֹשִׁיעֵנוּ אֱלֹהֵי יִשְׁעֵנוּ:
מִתְחַנְּנִים עֲלֵי־מָיִם. בַּעֲרָבִים עַל־יִבְלֵי מָיִם. נָא זְכוֹר לָמוֹ נִסּוּךְ הַמָּיִם. וְהוֹשִׁיעֵנוּ אֱלֹהֵי יִשְׁעֵנוּ:
שִׂיחִים בְּדֶרֶךְ מַטָּעָתָם. עוֹמְסִים בְּשַׁוְעָתָם. עֲנֵם בְּקוֹל פְּגִיעָתָם.
וְהוֹשִׁיעֵנוּ אֱלֹהֵי יִשְׁעֵנוּ:
פֹּעַל יְשׁוּעוֹת. פְּנֵה לְפִלּוּלָם שְׁעוֹת. צַדְּקֵם אֵל לְמוֹשָׁעוֹת.
וְהוֹשִׁיעֵנוּ אֱלֹהֵי יִשְׁעֵנוּ:
קוֹל רִגְשָׁם תֶּשַׁע. תִּפְתַּח אֶרֶץ וְיִפְרוּ יֶשַׁע. רַב לְהוֹשִׁיעַ וְלֹא חָפֵץ רֶשַׁע. וְהוֹשִׁיעֵנוּ אֱלֹהֵי יִשְׁעֵנוּ:

Give rain! Four plants we wave that love the water, *O save us!*
For Zion's sake, the home of living water, *O speed us!*
The parched earth open to the heavens' water,
                                                O save us, mighty God!

Reader and Congregation

O pity Jeshurun's hosts, I pray to Thee;
Forgive them, pardon their iniquity.
                     O God of our salvation, save Thou us!
As slaves, with eyes beseeching, seek their lord,
We came before Thee stricken, and implored:
                     O God of our salvation, save Thou us!
Triumphant Lord of lords, to Thee we pray;
Strife like a whirlwind scattered us, and we
Thy sons lay crushed beneath the tyrant's sway.
                     O God of our salvation, save Thou us!
Behold! with supplication how we throng —
O Lord of grace and mercy, — unto Thee;
Thy wondrous deeds, our never-ceasing song.
                     O God of our salvation, save Thou us!
"Flowing with milk and honey": this Thy land
Spare Thou from drought. O stay her tears of woe;
Bind up her torrents with Thy healing hand.
                     O God of our salvation, save Thou us!
Plant us, we pray, upon a fruitful sod;
Send as of old defenders from the foe,
Thou just and righteous One! Thou faithful God!
                     O God of our salvation, save Thou us!
Recall Thy covenant with the earth of yore,
Thy sign, that while the earth doth yet abide,
Thine anger break and rend it nevermore.
                     O God of our salvation, save Thou us!
The while for water we entreat Thee now,
Athirst as willows by the waterside,
The pouring forth of old, remember Thou!
                     O God of our salvation, save Thou us!
These bearing boughs held upward in the way
They sprout from earth; these burdened by their plea,
O answer, when in sudden need they pray.
                     O God of our salvation, save Thou us!
Thou Worker of deliverance, alone!
Turn to them, hear the words that mount to Thee;
God of salvation, justify Thine own.
                     O God of our salvation, save Thou us!
List to the surging voices of Thy throng,
Open the earth, let help spring forth, O Thou
Delighting not in evil; Savior strong!
                     O God of our salvation, save Thou us!

שַׁעֲרֵי שָׁמַיִם פְּתַח. וְאוֹצָרְךָ הַטּוֹב לָנוּ תִפְתַּח. תּוֹשִׁיעֵנוּ וְרִיב אַל תִּמְתַּח. וְהוֹשִׁיעֵנוּ אֱלֹהֵי יִשְׁעֵנוּ:

Reader and Congregation

קוֹל מְבַשֵּׂר מְבַשֵּׂר וְאוֹמֵר:

אֹמֶן יֶשְׁעֲךָ בָּא. קוֹל דּוֹדִי הִנֵּה זֶה בָּא. מְבַשֵּׂר וְאוֹמֵר:

בָּא בְּרִבְבוֹת כִּתִּים. לַעֲמוֹד עַל־הַר הַזֵּיתִים. מְבַשֵּׂר וְאוֹמֵר:

גִּשְׁתּוֹ בְּשׁוֹפָר לִתְקַע. תַּחְתָּיו הַר יִבָּקַע. מְבַשֵּׂר וְאוֹמֵר:

דָּפַק וְהֵצִיץ וְזָרַח. וּמָשׁ חֲצִי הָהָר מִמִּזְרָח. מְבַשֵּׂר וְאוֹמֵר:

הֵקִים מִלּוּל נְאֻמוֹ. וּבָא הוּא וְכָל־קְדוֹשָׁיו עִמּוֹ. מְבַשֵּׂר וְאוֹמֵר:

וּלְכָל־בָּאֵי הָעוֹלָם. בַּת קוֹל יִשָּׁמַע בָּעוֹלָם. מְבַשֵּׂר וְאוֹמֵר:

זֶרַע עֲמוּסֵי רַחְמוֹ. נוֹלְדוּ כְּיֶלֶד מִמְּעֵי אִמּוֹ. מְבַשֵּׂר וְאוֹמֵר:

חָלָה וְיָלְדָה מִי זֹאת. מִי־שָׁמַע כָּזֹאת. מְבַשֵּׂר וְאוֹמֵר:

טָהוֹר פָּעַל כָּל־אֵלֶּה. מִי רָאָה כָּאֵלֶּה. מְבַשֵּׂר וְאוֹמֵר:

יֶשַׁע וּזְמַן הוּחַד. הֲיוּחַל אֶרֶץ בְּיוֹם אֶחָד. מְבַשֵּׂר וְאוֹמֵר:

כַּבִּיר רוּם וָתַחַת. אִם־יִוָּלֵד גּוֹי פַּעַם אֶחָת. מְבַשֵּׂר וְאוֹמֵר:

לְעֵת יִגְאַל עַמּוֹ נָאוֹר. וְהָיָה לְעֵת־עֶרֶב יִהְיֶה־אוֹר. מְבַשֵּׂר וְאוֹמֵר:

מוֹשִׁיעִים יַעֲלוּ לְהַר צִיּוֹן. כִּי־חָלָה גַּם יָלְדָה צִיּוֹן. מְבַשֵּׂר וְאוֹמֵר:

נִשְׁמַע בְּכָל־גְּבוּלֵךְ. הַרְחִיבִי מְקוֹם אָהֳלֵךְ. מְבַשֵּׂר וְאוֹמֵר:

שִׂימִי עַד דַּמֶּשֶׂק מִשְׁכְּנוֹתַיִךְ. קַבְּלִי בָנַיִךְ וּבְנוֹתַיִךְ. מְבַשֵּׂר וְאוֹמֵר:

עִלְזִי חֲבַצֶּלֶת הַשָּׁרוֹן. כִּי קָמוּ יְשֵׁנֵי חֶבְרוֹן. מְבַשֵּׂר וְאוֹמֵר:

פְּנוּ־אֵלַי וְהִוָּשְׁעוּ. הַיּוֹם אִם־בְּקוֹלִי תִשְׁמָעוּ. מְבַשֵּׂר וְאוֹמֵר:

צָמַח אִישׁ צֶמַח שְׁמוֹ. הוּא דָוִד בְּעַצְמוֹ. מְבַשֵּׂר וְאוֹמֵר:

קוּמוּ כְּפוּשֵׁי עָפָר. הָקִיצוּ וְרַנְּנוּ שׁוֹכְנֵי עָפָר. מְבַשֵּׂר וְאוֹמֵר:

רַבָּתִי עָם בְּהַמְלִיכוֹ. מַגְדִּיל יְשׁוּעוֹת מַלְכּוֹ. מְבַשֵּׂר וְאוֹמֵר:

Open for us the gates of heav'n, we crave:
Open for us Thy goodly treasure now;
Ah! strife prolong not endlessly, but save!
            O God of our salvation, save Thou us!

Reader and Congregation

A voice heralds, heralds and saith!

O hark to the herald of sure salvation, I hear my Beloved, his
    voice is nigh,
He comes with his myriads of hovering angels, on the Mount of
    Olives to stand and cry.
The herald comes — be the trumpet sounded, beneath his tread
    be the mountain cleft.
He knocks — at his radiant glance the hill-side shall half from the
    eastward be rent and reft.
Fulfilled is his ancient prophetic saying, the herald is come with
    saints around;
By all upon earth shall a still small voice to the uttermost islands
    be heard resound.
The seed he begot and the seed he reared hath been born as a child
    from its mother's womb.
But who then hath travailed and who brought forth, and a similar
    thing hath been told to whom?
The perfectly Pure hath achieved this marvel, what mortal hath
    seen such a wondrous way?
Salvation, Redemption in one united, the earth bringing forth in
    a single day!
Though He in the heights and the depths be potent, yet how can
    a nation at once be born?
The radiant One shall redeem His people, and then at the evening
    it shall be morn!
And up to Mount Zion shall march her saviors, for Zion hath
    travailed and bringeth forth,
A voice is proclaiming in all her borders, thy tent-place enlarge
    both to south and north,
Thy dwelling extend unto far Damascus, thy sons and thy daughters
    again to take,
Exult and be joyful, O rose of Sharon, beholding the sleepers of
    Hebron wake.
Return unto Me and be saved, O Israel, if only to-day ye would
    hear My voice!
A man hath sprung forth, and the Branch his name is — yea,
    David himself, 'tis King David, rejoice!
Up, up! in the dust lie no longer buried! ye dwellers in ashes awake
    and sing!
The desolate city shall rise imperial to hail as aforetime her ran-
    somed King.

שַׁם רְשָׁעִים לְהַאֲבִיד. עֹשֶׂה חֶסֶד לִמְשִׁיחוֹ לְדָוִד. מְבַשֵּׂר וְאוֹמֵר:
תְּנָה יְשׁוּעוֹת לְעַם עוֹלָם. לְדָוִד וּלְזַרְעוֹ עַד־עוֹלָם. מְבַשֵּׂר וְאוֹמֵר:

Reader and Congregation three times

קוֹל מְבַשֵּׂר מְבַשֵּׂר וְאוֹמֵר:

The willow twigs are struck three times

הוֹשִׁיעָה אֶת־עַמֶּךָ וּבָרֵךְ אֶת־נַחֲלָתֶךָ וּרְעֵם וְנַשְּׂאֵם עַד־הָעוֹלָם: וְיִהְיוּ דְבָרַי אֵלֶּה אֲשֶׁר הִתְחַנַּנְתִּי לִפְנֵי יְיָ קְרֹבִים אֶל־יְיָ אֱלֹהֵינוּ יוֹמָם וָלָיְלָה לַעֲשׂוֹת מִשְׁפַּט עַבְדּוֹ וּמִשְׁפַּט עַמּוֹ יִשְׂרָאֵל דְּבַר־יוֹם בְּיוֹמוֹ: לְמַעַן דַּעַת כָּל־עַמֵּי הָאָרֶץ כִּי יְיָ הוּא הָאֱלֹהִים אֵין עוֹד:

יְהִי רָצוֹן מִלְּפָנֶיךָ יְיָ אֱלֹהֵינוּ וֵאלֹהֵי אֲבוֹתֵינוּ הַבּוֹחֵר בִּנְבִיאִים טוֹבִים וּבְמִנְהֲגֵיהֶם הַטּוֹבִים שֶׁתְּקַבֵּל בְּרַחֲמִים וּבְרָצוֹן אֶת־תְּפִלָּתֵנוּ וְהַקָּפוֹתֵינוּ וּזְכָר־לָנוּ זְכוּת תְּמִימֶיךָ וְתָסִיר הָעֲוֹנוֹת הַמַּפְסִיקוֹת בֵּינֵינוּ וּבֵינֶיךָ וְתַאֲזִין שַׁוְעָתֵנוּ וְתֵטִיב לָנוּ בְּאַחֲרִיתֵנוּ לְמַעַן בְּרִיתְךָ אֲשֶׁר כָּרַתָּ אֶת־אֲבוֹתֵינוּ. וְחָתְמֵנוּ בְּסֵפֶר חַיִּים טוֹבִים: אָנָּא מֶלֶךְ מַלְכֵי הַמְּלָכִים הָאֵל הַגָּדוֹל הַגִּבּוֹר וְהַנּוֹרָא יְהִי נָא חַסְדְּךָ לְנַחֲמֵנוּ. וְטַהֲרֵנוּ מִכָּל פְּשָׁעֵינוּ וּמִכֹּל חַטֹּאתֵינוּ: הַבֵּט נָא עָלֵינוּ מִמְּכוֹן שִׁבְתְּךָ מִן הַשָּׁמַיִם וּמִשָּׁם תַּשְׁפִּיעַ לְעַבְדְּךָ הַמִּתְנַפֵּל לְפָנֶיךָ מְחִילָה שֶׁתַּאֲרִיךְ יָמָיו וְתִמְחוֹל חֲטָאָיו וַעֲוֹנוֹתָיו וּפְשָׁעָיו וְתִפְשׁוֹט יְמִינְךָ וְיָדְךָ לְקַבְּלוֹ בִּתְשׁוּבָה שְׁלֵמָה. וְאוֹצָרְךָ הַטּוֹב תִּפְתַּח לְהַשְׂבִּיעַ מַיִם נֶפֶשׁ שׁוֹקֵקָה כְּמוֹ שֶׁכָּתוּב. יִפְתַּח יְיָ לְךָ אֶת־אוֹצָרוֹ הַטּוֹב אֶת־הַשָּׁמַיִם לָתֵת מְטַר־אַרְצְךָ בְּעִתּוֹ וּלְבָרֵךְ אֵת כָּל־מַעֲשֵׂה יָדֶךָ. אָמֵן:

The Service is continued on page 156.

The name of the wicked shall God extinguish — He grants His anointed celestial grace.

Then make of our seed an eternal people, preserving forever King David's race.

Reader and Congregation three times.

A voice heralds, heralds and saith!

The willow twigs are struck three times, and though the leaves fall, nature will renew itself in the spring. So it is our confident hope that the stock of Israel will ever remain as the holy seed blessed by the Lord.

Save Thy people, and bless Thine inheritance; nourish and sustain them forever. And may my words of supplication before the Lord, be nigh unto the Lord our God, day and night, that He maintain the cause of His servant and the cause of His people Israel, as every day shall require; that all the people of the earth may know that the Lord is God; there is none else.

May it be Thy will, O Lord our God and God of our fathers, who choosest good prophets and their good teachings, to receive in mercy and favor our prayer and our processions. Remember unto us the merit of Thy sincere servants and remove the iniquities which separate us from Thee. Give ear to our cry and do well with us to the end of our days for the sake of Thy covenant which Thou didst make with our ancestors. Do Thou seal us in the book of happy life. We beseech Thee, supreme King of kings, great, mighty and revered God, that it be in Thy grace to comfort us and to purify us of all our transgressions and sins.

O look down upon us from Thy dwelling place on high and forgive Thy servant who now worships before Thee, so that Thou wilt prolong his days and pardon his sins, iniquities, and transgressions. Extend Thy right hand to receive him in perfect repentance, and open Thy good treasure to satisfy thirsting creatures, as it is written in Scripture: The Lord shall open unto thee His good treasure, the heaven, to give the rain unto your land in its season and to bless all the work of your hand. Amen.

The service is continued on page 156.

Reader

בָּרוּךְ אַתָּה יְיָ אֱלֹהֵינוּ וֵאלֹהֵי אֲבוֹתֵינוּ. אֱלֹהֵי אַבְרָהָם אֱלֹהֵי יִצְחָק וֵאלֹהֵי יַעֲקֹב. הָאֵל הַגָּדוֹל הַגִּבּוֹר וְהַנּוֹרָא אֵל עֶלְיוֹן. גּוֹמֵל חֲסָדִים טוֹבִים וְקוֹנֵה הַכֹּל. וְזוֹכֵר חַסְדֵי אָבוֹת וּמֵבִיא גוֹאֵל לִבְנֵי בְנֵיהֶם לְמַעַן שְׁמוֹ בְּאַהֲבָה. מֶלֶךְ עוֹזֵר וּמוֹשִׁיעַ וּמָגֵן. בָּרוּךְ אַתָּה יְיָ. מָגֵן אַבְרָהָם: אַתָּה גִּבּוֹר לְעוֹלָם אֲדֹנָי מְחַיֵּה מֵתִים אַתָּה רַב לְהוֹשִׁיעַ.

אֱלֹהֵינוּ וֵאלֹהֵי אֲבוֹתֵינוּ

זְכוֹר אָב נִמְשַׁךְ אַחֲרֶיךָ כַּמַּיִם.
בֵּרַכְתּוֹ כְּעֵץ שָׁתוּל עַל־פַּלְגֵי מָיִם.
גְּנַנְתּוֹ הִצַּלְתּוֹ מֵאֵשׁ וּמִמַּיִם.
דְּרַשְׁתּוֹ בְּזָרְעוֹ עַל־כָּל־מָיִם:

Cong. בַּעֲבוּרוֹ אַל תִּמְנַע מָיִם:

זְכוֹר הַנּוֹלָד בִּבְשׂוֹרַת יֻקַּח־נָא מְעַט־מַיִם.
וְשַׁחְתָּ לְהוֹרוֹ לְשָׁחֲטוֹ לִשְׁפֹּךְ דָּמוֹ כַּמַּיִם.
זְהֵר גַּם הוּא לִשְׁפֹּךְ לֵב כַּמַּיִם.
חָפַר וּמָצָא בְּאֵרוֹת מָיִם:

Cong. בְּצִדְקוֹ חֹן חַשְׁרַת מָיִם:

זְכוֹר טָעַן מַקְלוֹ וְעָבַר יַרְדֵּן מַיִם.
יִחַד לֵב וְגָל אֶבֶן מִפִּי בְּאֵר מַיִם.
כְּנֶאֱבַק לוֹ שַׂר בָּלוּל מֵאֵשׁ וּמִמַּיִם.
לָכֵן הִבְטַחְתּוֹ הֱיוֹת עִמּוֹ בָּאֵשׁ וּבַמָּיִם:

Cong. בַּעֲבוּרוֹ אַל תִּמְנַע מָיִם:

Reader

Praised art Thou, O Lord our God and God of our fathers, God of Abraham, God of Isaac, and God of Jacob, mighty, revered and exalted God. Thou bestowest lovingkindness and possessest all things. Mindful of the patriarchs' love for Thee, Thou wilt in Thy love bring a redeemer to their children's children for the sake of Thy name. O King, Thou Helper, Redeemer and Shield, be Thou praised, O Lord, Shield of Abraham. Thou, O Lord, art mighty forever. Thou callest the dead to immortal life for Thou art mighty in deliverance.

Our God and God of our fathers,

Remember one who followed Thee as to the sea
                    Flows water,
Thy blessed son, like tree well set where rivers met
                    Of water.
Where'er he moved, Thou wast his shield, in fire or field
                    Or water,
And heaven-proved, his seed he sowed, wherever flowed
                    A water.
    For Abram's sake send water!

Remember one whose heralds three beneath the tree
                    Had water.
Whose sire was won to do Thy will, his blood to spill
                    Like water.
Himself as high in faith could soar, his heart to pour
                    Like water.
Where earth lay dry, he dug and found deep underground
                    The water.
    For Isaac's sake send water!

Remember one, his staff who bore from Jordan's shore
                    O'er water,
And rolled the stone—his love to tell—from off the well
                    Of water,
And, wrestling hard, achieved to tire a prince of fire
                    And water.
Hence Thy regard him safe to bear through fire and air
                    And water.
    For Jacob's sake send water!

זְכוֹר מָשׁוּי בְּתֵבַת גֹּמֶא מִן הַמַּיִם.
נָמוּ דָּלֹה דָלָה וְהִשְׁקָה צֹאן מָיִם.
סְגוּלֶיךָ עֵת צָמְאוּ לַמַּיִם.
עַל הַסֶּלַע הָךְ וַיֵּצְאוּ מָיִם:

Cong. בְּצִדְקוֹ חֹן חַשְׁרַת מָיִם:

זְכוֹר פְּקִיד שָׁתוֹת טוֹבֵל חָמֵשׁ טְבִילוֹת בַּמַּיִם.
צוֹעֶה וּמַרְחִיץ כַּפָּיו בְּקִדּוּשׁ מַיִם.
קוֹרֵא וּמַזֶּה טָהֳרַת מַיִם.
רוּחַק מֵעַם פַּחַז כַּמָּיִם:

Cong. בַּעֲבוּרוֹ אַל תִּמְנַע מָיִם:

זְכוֹר שְׁנֵים עָשָׂר שְׁבָטִים שֶׁהֶעֱבַרְתָּ בְּגִזְרַת מַיִם.
שֶׁהִמְתַּקְתָּ לָמוֹ מְרִירוּת מַיִם.
תּוֹלְדוֹתָם נִשְׁפַּךְ דָּמָם עָלֶיךָ כַּמַּיִם.
תֵּפֶן כִּי נַפְשֵׁנוּ אָפְפוּ מָיִם:

Cong. בְּצִדְקָם חֹן חַשְׁרַת מָיִם:

שָׁאַתָּה הוּא יְיָ אֱלֹהֵינוּ
מַשִּׁיב הָרוּחַ וּמוֹרִיד הַגָּשֶׁם.

Reader	*Congregation*
לִבְרָכָה וְלֹא לִקְלָלָה.	אָמֵן:
לְחַיִּים וְלֹא לְמָוֶת.	אָמֵן:
לְשֹׂבַע וְלֹא לְרָזוֹן:	אָמֵן:

The Service is continued with מכלכל חיים *on page 147.*

Remember one whose ark 'mid sedge was drawn from edge
Of water,
Thy shepherd son who could not sleep before his sheep
Had water.
And when Thy flock did likewise burn with thirst and yearn
For water,
He struck the rock, there gushed a rill, to give their fill
Of water.
For Moses' sake send water!

Remember one, Thy Temple-priest, who hallowed feast
With water.
Atonement's sun declined to night with fivefold rite
Of water.
The Law was read, and then afresh he laved his flesh
With water.
Remote, in dread, he served his folk that swiftly broke
Like water.
For Aaron's sake send water!

Remember last the tribes who fled across the bed
Of water.
Thy chosen caste for whom turned sweet the bitter sheet
Of water.
For Thee their race have ever shed their hearts' best red
Like water.
Without Thy face their spirits whirl as in a swirl
Of water!
For Israel's sake send water!

For Thou art the Lord our God who causest the wind to
blow and the rain to descend:

Reader	Congregation
For a blessing and not for a curse.	Amen.
For life and not for death.	Amen.
For plenty and not for famine.	Amen.

The Service is continued on page 147.

סדר ספירת העמר

The Omer is counted for forty-nine days, from the second night of Pesaḥ until the night before Shavuot.

הִנְנִי מְקַיֵּם מִצְוַת עֲשֵׂה שֶׁל־סְפִירַת הָעֹמֶר כְּמוֹ שֶׁכָּתוּב בַּתּוֹרָה. וּסְפַרְתֶּם לָכֶם מִמָּחֳרַת הַשַּׁבָּת מִיּוֹם הֲבִיאֲכֶם אֶת־עֹמֶר הַתְּנוּפָה שֶׁבַע שַׁבָּתוֹת תְּמִימֹת תִּהְיֶינָה עַד מִמָּחֳרַת הַשַּׁבָּת הַשְּׁבִיעִת תִּסְפְּרוּ חֲמִשִּׁים יוֹם:

בָּרוּךְ אַתָּה יְיָ אֱלֹהֵינוּ מֶלֶךְ הָעוֹלָם. אֲשֶׁר קִדְּשָׁנוּ בְּמִצְוֹתָיו וְצִוָּנוּ עַל סְפִירַת הָעֹמֶר:

1. הַיּוֹם יוֹם אֶחָד לָעֹמֶר:
2. הַיּוֹם שְׁנֵי יָמִים לָעֹמֶר:
3. הַיּוֹם שְׁלֹשָׁה יָמִים לָעֹמֶר:
4. הַיּוֹם אַרְבָּעָה יָמִים לָעֹמֶר:
5. הַיּוֹם חֲמִשָּׁה יָמִים לָעֹמֶר:
6. הַיּוֹם שִׁשָּׁה יָמִים לָעֹמֶר:
7. הַיּוֹם שִׁבְעָה יָמִים שֶׁהֵם שָׁבוּעַ אֶחָד לָעֹמֶר:
8. הַיּוֹם שְׁמוֹנָה יָמִים שֶׁהֵם שָׁבוּעַ אֶחָד וְיוֹם אֶחָד לָעֹמֶר:
9. הַיּוֹם תִּשְׁעָה יָמִים שֶׁהֵם שָׁבוּעַ אֶחָד וּשְׁנֵי יָמִים לָעֹמֶר:
10. הַיּוֹם עֲשָׂרָה יָמִים שֶׁהֵם שָׁבוּעַ אֶחָד וּשְׁלֹשָׁה יָמִים לָעֹמֶר:
11. הַיּוֹם אַחַד עָשָׂר יוֹם שֶׁהֵם שָׁבוּעַ אֶחָד וְאַרְבָּעָה יָמִים לָעֹמֶר:
12. הַיּוֹם שְׁנֵים עָשָׂר יוֹם שֶׁהֵם שָׁבוּעַ אֶחָד וַחֲמִשָּׁה יָמִים לָעֹמֶר:
13. הַיּוֹם שְׁלשָׁה עָשָׂר יוֹם שֶׁהֵם שָׁבוּעַ אֶחָד וְשִׁשָּׁה יָמִים לָעֹמֶר:
14. הַיּוֹם אַרְבָּעָה עָשָׂר יוֹם שֶׁהֵם שְׁנֵי שָׁבוּעוֹת לָעֹמֶר:
15. הַיּוֹם חֲמִשָּׁה עָשָׂר יוֹם שֶׁהֵם שְׁנֵי שָׁבוּעוֹת וְיוֹם אֶחָד לָעֹמֶר:
16. הַיּוֹם שִׁשָּׁה עָשָׂר יוֹם שֶׁהֵם שְׁנֵי שָׁבוּעוֹת וּשְׁנֵי יָמִים לָעֹמֶר:

COUNTING THE OMER

The Omer is counted for forty-nine days, from the second night of Passover until the night before Shavuot.

MEDITATION

Sovereign of the universe, as we count the days of the Omer, we recall the time when our people were established in the land of Israel. May this observance serve as another reminder of the need to reclaim the soil of the Holy Land so that it may again flow with milk and honey and provide a homeland for our scattered folk. May our love for Israel's land quicken our love for the Torah, Israel's heritage. As in the past, may Eretz Yisrael become the center of our spiritual life from which again shall come Thy word, O Lord, revealing Thy will to all men.

Lo, I am about to fulfill the precept of the Counting of the Omer, as it is written in the Torah: Ye shall count unto you from the morrow after the day of rest, from the day that ye brought an omer of grain as a wave-offering, seven complete weeks they shall be; until the morrow of the seventh week shall ye number fifty days.

(Lev. 23:15)

Blessed art Thou, O Lord our God, Ruler of the universe who hast sanctified us by Thy precepts and hast enjoined upon us the Counting of the Omer.

This is the .... day of the Omer.

Specify the appropriate number of days.

17. הַיּוֹם שִׁבְעָה עָשָׂר יוֹם שֶׁהֵם שְׁנֵי שָׁבוּעוֹת וּשְׁלשָׁה יָמִים לָעֹמֶר:
18. הַיּוֹם שְׁמוֹנָה עָשָׂר יוֹם שֶׁהֵם שְׁנֵי שָׁבוּעוֹת וְאַרְבָּעָה יָמִים לָעֹמֶר:
19. הַיּוֹם תִּשְׁעָה עָשָׂר יוֹם שֶׁהֵם שְׁנֵי שָׁבוּעוֹת וַחֲמִשָּׁה יָמִים לָעֹמֶר:
20. הַיּוֹם עֶשְׂרִים יוֹם שֶׁהֵם שְׁנֵי שָׁבוּעוֹת וְשִׁשָּׁה יָמִים לָעֹמֶר:
21. הַיּוֹם אֶחָד וְעֶשְׂרִים יוֹם שֶׁהֵם שְׁלשָׁה שָׁבוּעוֹת לָעֹמֶר:
22. הַיּוֹם שְׁנַיִם וְעֶשְׂרִים יוֹם שֶׁהֵם שְׁלשָׁה שָׁבוּעוֹת וְיוֹם אֶחָד לָעֹמֶר:
23. הַיּוֹם שְׁלשָׁה וְעֶשְׂרִים יוֹם שֶׁהֵם שְׁלשָׁה שָׁבוּעוֹת וּשְׁנֵי יָמִים לָעֹמֶר:
24. הַיּוֹם אַרְבָּעָה וְעֶשְׂרִים יוֹם שֶׁהֵם שְׁלשָׁה שָׁבוּעוֹת וּשְׁלשָׁה יָמִים לָעֹמֶר:
25. הַיּוֹם חֲמִשָּׁה וְעֶשְׂרִים יוֹם שֶׁהֵם שְׁלשָׁה שָׁבוּעוֹת וְאַרְבָּעָה יָמִים לָעֹמֶר:
26. הַיּוֹם שִׁשָּׁה וְעֶשְׂרִים יוֹם שֶׁהֵם שְׁלשָׁה שָׁבוּעוֹת וַחֲמִשָּׁה יָמִים לָעֹמֶר:
27. הַיּוֹם שִׁבְעָה וְעֶשְׂרִים יוֹם שֶׁהֵם שְׁלשָׁה שָׁבוּעוֹת וְשִׁשָּׁה יָמִים לָעֹמֶר:
28. הַיּוֹם שְׁמוֹנָה וְעֶשְׂרִים יוֹם שֶׁהֵם אַרְבָּעָה שָׁבוּעוֹת לָעֹמֶר:
29. הַיּוֹם תִּשְׁעָה וְעֶשְׂרִים יוֹם שֶׁהֵם אַרְבָּעָה שָׁבוּעוֹת וְיוֹם אֶחָד לָעֹמֶר:
30. הַיּוֹם שְׁלשִׁים יוֹם שֶׁהֵם אַרְבָּעָה שָׁבוּעוֹת וּשְׁנֵי יָמִים לָעֹמֶר:
31. הַיּוֹם אֶחָד וּשְׁלשִׁים יוֹם שֶׁהֵם אַרְבָּעָה שָׁבוּעוֹת וּשְׁלשָׁה יָמִים לָעֹמֶר:
32. הַיּוֹם שְׁנַיִם וּשְׁלשִׁים יוֹם שֶׁהֵם אַרְבָּעָה שָׁבוּעוֹת וְאַרְבָּעָה יָמִים לָעֹמֶר:
33. הַיּוֹם שְׁלשָׁה וּשְׁלשִׁים יוֹם שֶׁהֵם אַרְבָּעָה שָׁבוּעוֹת וַחֲמִשָּׁה יָמִים לָעֹמֶר:
34. הַיּוֹם אַרְבָּעָה וּשְׁלשִׁים יוֹם שֶׁהֵם אַרְבָּעָה שָׁבוּעוֹת וְשִׁשָּׁה יָמִים לָעֹמֶר:

35. הַיּוֹם חֲמִשָּׁה וּשְׁלֹשִׁים יוֹם שֶׁהֵם חֲמִשָּׁה שָׁבוּעוֹת לָעֹמֶר:
36. הַיּוֹם שִׁשָּׁה וּשְׁלֹשִׁים יוֹם שֶׁהֵם חֲמִשָּׁה שָׁבוּעוֹת וְיוֹם אֶחָד לָעֹמֶר:
37. הַיּוֹם שִׁבְעָה וּשְׁלֹשִׁים יוֹם שֶׁהֵם חֲמִשָּׁה שָׁבוּעוֹת וּשְׁנֵי יָמִים לָעֹמֶר:
38. הַיּוֹם שְׁמוֹנָה וּשְׁלֹשִׁים יוֹם שֶׁהֵם חֲמִשָּׁה שָׁבוּעוֹת וּשְׁלֹשָׁה יָמִים לָעֹמֶר:
39. הַיּוֹם תִּשְׁעָה וּשְׁלֹשִׁים יוֹם שֶׁהֵם חֲמִשָּׁה שָׁבוּעוֹת וְאַרְבָּעָה יָמִים לָעֹמֶר:
40. הַיּוֹם אַרְבָּעִים יוֹם שֶׁהֵם חֲמִשָּׁה שָׁבוּעוֹת וַחֲמִשָּׁה יָמִים לָעֹמֶר:
41. הַיּוֹם אֶחָד וְאַרְבָּעִים יוֹם שֶׁהֵם חֲמִשָּׁה שָׁבוּעוֹת וְשִׁשָּׁה יָמִים לָעֹמֶר:
42. הַיּוֹם שְׁנַיִם וְאַרְבָּעִים יוֹם שֶׁהֵם שִׁשָּׁה שָׁבוּעוֹת לָעֹמֶר:
43. הַיּוֹם שְׁלֹשָׁה וְאַרְבָּעִים יוֹם שֶׁהֵם שִׁשָּׁה שָׁבוּעוֹת וְיוֹם אֶחָד לָעֹמֶר:
44. הַיּוֹם אַרְבָּעָה וְאַרְבָּעִים יוֹם שֶׁהֵם שִׁשָּׁה שָׁבוּעוֹת וּשְׁנֵי יָמִים לָעֹמֶר:
45. הַיּוֹם חֲמִשָּׁה וְאַרְבָּעִים יוֹם שֶׁהֵם שִׁשָּׁה שָׁבוּעוֹת וּשְׁלֹשָׁה יָמִים לָעֹמֶר:
46. הַיּוֹם שִׁשָּׁה וְאַרְבָּעִים יוֹם שֶׁהֵם שִׁשָּׁה שָׁבוּעוֹת וְאַרְבָּעָה יָמִים לָעֹמֶר:
47. הַיּוֹם שִׁבְעָה וְאַרְבָּעִים יוֹם שֶׁהֵם שִׁשָּׁה שָׁבוּעוֹת וַחֲמִשָּׁה יָמִים לָעֹמֶר:
48. הַיּוֹם שְׁמוֹנָה וְאַרְבָּעִים יוֹם שֶׁהֵם שִׁשָּׁה שָׁבוּעוֹת וְשִׁשָּׁה יָמִים לָעֹמֶר:
49. הַיּוֹם תִּשְׁעָה וְאַרְבָּעִים יוֹם שֶׁהֵם שִׁבְעָה שָׁבוּעוֹת לָעֹמֶר:

הָרַחֲמָן הוּא יַחֲזִיר עֲבוֹדַת בֵּית הַמִּקְדָּשׁ לִמְקוֹמָהּ: יְהִי רָצוֹן לְפָנֶיךָ יְיָ אֱלֹהֵינוּ וֵאלֹהֵי אֲבוֹתֵינוּ שֶׁיִּבָּנֶה בֵּית הַמִּקְדָּשׁ בִּמְהֵרָה בְיָמֵינוּ וְתֵן חֶלְקֵנוּ בְּתוֹרָתֶךָ: וְשָׁם נַעֲבָדְךָ בְּיִרְאָה כִּימֵי עוֹלָם וּכְשָׁנִים קַדְמוֹנִיּוֹת:

For אנא בכח *see page 369.*

סדר הקפות לשמחת תורה

HAKAFOT FOR SIMHAT TORAH

סדר הקפות לשמחת תורה

Prior to the reading of the Torah, the following verses are chanted, and repeated by the congregation.

אַתָּה הָרְאֵתָ לָדַעַת. כִּי יְיָ הוּא הָאֱלֹהִים. אֵין עוֹד
מִלְּבַדּוֹ:

לְעֹשֵׂה נִפְלָאוֹת גְּדֹלוֹת לְבַדּוֹ. כִּי לְעוֹלָם חַסְדּוֹ:

אֵין־כָּמוֹךָ בָאֱלֹהִים אֲדֹנָי. וְאֵין כְּמַעֲשֶׂיךָ:

יְהִי כְבוֹד יְיָ לְעוֹלָם. יִשְׂמַח יְיָ בְּמַעֲשָׂיו:

יְהִי שֵׁם יְיָ מְבֹרָךְ. מֵעַתָּה וְעַד־עוֹלָם:

יְהִי יְיָ אֱלֹהֵינוּ עִמָּנוּ. כַּאֲשֶׁר הָיָה עִם־אֲבֹתֵינוּ. אַל
יַעַזְבֵנוּ וְאַל יִטְּשֵׁנוּ:

וְאִמְרוּ הוֹשִׁיעֵנוּ אֱלֹהֵי יִשְׁעֵנוּ. וְקַבְּצֵנוּ וְהַצִּילֵנוּ
מִן־הַגּוֹיִם. לְהוֹדוֹת לְשֵׁם קָדְשֶׁךָ. לְהִשְׁתַּבֵּחַ
בִּתְהִלָּתֶךָ:

יְיָ מֶלֶךְ: יְיָ מָלָךְ. יְיָ יִמְלֹךְ לְעוֹלָם וָעֶד:

יְיָ עֹז לְעַמּוֹ יִתֵּן. יְיָ יְבָרֵךְ אֶת־עַמּוֹ בַשָּׁלוֹם:

וְיִהְיוּ נָא אֲמָרֵינוּ לְרָצוֹן. לִפְנֵי אֲדוֹן כֹּל:

The Ark is opened

וַיְהִי בִּנְסֹעַ הָאָרֹן. וַיֹּאמֶר מֹשֶׁה. קוּמָה יְיָ וְיָפֻצוּ
אֹיְבֶיךָ. וְיָנֻסוּ מְשַׂנְאֶיךָ מִפָּנֶיךָ:

קוּמָה יְיָ לִמְנוּחָתֶךָ. אַתָּה וַאֲרוֹן עֻזֶּךָ:

כֹּהֲנֶיךָ יִלְבְּשׁוּ־צֶדֶק. וַחֲסִידֶיךָ יְרַנֵּנוּ:

בַּעֲבוּר דָּוִד עַבְדֶּךָ. אַל־תָּשֵׁב פְּנֵי מְשִׁיחֶךָ:

215

HAKAFOT FOR SIMḤAT TORAH

Prior to the reading of the Torah, the following verses are chanted, and repeated by the congregation.

You have been taught, and you know:
The Lord is God; there is none else.

He alone performeth wondrous things,
For His lovingkindness endureth forever.

There is none like unto Thee among the mighty, O Lord,
And there are no works like unto Thine.

May the glory of the Lord endure forever;
May He rejoice in His works!

May the name of the Lord be blessed
From this time forth and forever.

May the Lord our God be with us as He was with our
    fathers;
May He not leave us nor forsake us.

Save us, O God of our salvation,
Gather us, and deliver us from among the nations
That we may give thanks unto Thy holy name,
And find honor in praising Thee.

The Lord is King, the Lord was King,
The Lord shall be King for ever and ever.

May the Lord give strength unto His people,
May the Lord bless His people with peace.

We pray that our words may find favor
Before the Lord of all mankind.

The Ark is opened

When the Ark moved forward, Moses said:
Rise up, O Lord, let Thine enemies be scattered;
And let them that hate Thee flee before Thee.

Arise, O Lord, unto Thy sanctuary,
Thou, and the Ark of Thy strength.

Let Thy priests be clothed with salvation;
Let Thy faithful ones exult.

For the sake of David, Thy servant,
Reject not Thine anointed.

215

וְאָמַר בַּיּוֹם הַהוּא. הִנֵּה אֱלֹהֵינוּ זֶה. קִוִּינוּ לוֹ וְיוֹשִׁיעֵנוּ. זֶה יְיָ קִוִּינוּ לוֹ. נָגִילָה וְנִשְׂמְחָה בִּישׁוּעָתוֹ:

מַלְכוּתְךָ מַלְכוּת כָּל־עֹלָמִים. וּמֶמְשַׁלְתְּךָ בְּכָל־דּוֹר וָדֹר:

כִּי מִצִּיּוֹן תֵּצֵא תוֹרָה. וּדְבַר־יְיָ מִירוּשָׁלָיִם:

אַב הָרַחֲמִים. הֵיטִיבָה בִרְצוֹנְךָ אֶת־צִיּוֹן. תִּבְנֶה חוֹמוֹת יְרוּשָׁלָיִם:

כִּי בְךָ לְבַד בָּטָחְנוּ. מֶלֶךְ אֵל רָם וְנִשָּׂא. אֲדוֹן עוֹלָמִים:

The Scrolls are carried in procession round the Synagogue

אָנָּא יְיָ הוֹשִׁיעָה נָּא. אָנָּא יְיָ הַצְלִיחָה נָא:
אָנָּא יְיָ עֲנֵנוּ בְיוֹם קָרְאֵנוּ:

אֱלֹהֵי הָרוּחוֹת הוֹשִׁיעָה נָּא: בּוֹחֵן לְבָבוֹת הַצְלִיחָה נָא:
גּוֹאֵל חָזָק עֲנֵנוּ בְיוֹם קָרְאֵנוּ:

דּוֹבֵר צְדָקוֹת הוֹשִׁיעָה נָּא: הָדוּר בִּלְבוּשׁוֹ הַצְלִיחָה נָא:
וָתִיק וְחָסִיד עֲנֵנוּ בְיוֹם קָרְאֵנוּ:

זַךְ וְיָשָׁר הוֹשִׁיעָה נָּא: חוֹמֵל דַּלִּים הַצְלִיחָה נָא:
טוֹב וּמֵטִיב עֲנֵנוּ בְיוֹם קָרְאֵנוּ:

יוֹדֵעַ מַחֲשָׁבוֹת הוֹשִׁיעָה נָּא: כַּבִּיר וְנָאוֹר הַצְלִיחָה נָא:
לוֹבֵשׁ צְדָקוֹת עֲנֵנוּ בְיוֹם קָרְאֵנוּ:

מֶלֶךְ עוֹלָמִים הוֹשִׁיעָה נָּא: נָאוֹר וְאַדִּיר הַצְלִיחָה נָא:
סוֹמֵךְ נוֹפְלִים עֲנֵנוּ בְיוֹם קָרְאֵנוּ:

And on that day it shall be said: This is our God;
We placed our hope in Him that He might save us;
This is the Lord in whom we put our trust;
We shall be glad and rejoice in His salvation.

Thy kingdom is a kingdom for all ages,
And Thy dominion endureth throughout all generations.

For out of Zion shall go forth the Torah,
And the word of the Lord from Jerusalem.

Compassionate Father, favor Zion with Thy goodness,
And rebuild the walls of Jerusalem.

In Thee alone do we put our trust,
O King, high and exalted God, Lord of the universe.

The Scrolls are carried in procession round the Synagogue

We beseech Thee, O Lord, save us.
We beseech Thee, O Lord, do Thou cause us to prosper.
O Lord, answer us in the day that we call.

God of all souls save us.
Thou who searchest hearts, do Thou cause us to prosper.
Thou mighty Redeemer, answer us in the day that we call.

Thou who utterest righteousness, save us.
Thou who art clad in glory, do Thou cause us to prosper.
Everlasting and gracious God, answer us in the day that
    we call.

Thou who art pure and upright, save us.
Thou who pitiest the needy, do Thou cause us to prosper.
O good and bountiful Lord, answer us in the day that
    we call.

Thou who knowest our thoughts, save us.
Mighty and resplendent God, do Thou cause us to prosper.
Thou who art clothed in righteousness, answer us in the
    day that we call.

King of the universe, save us.
Source of light and majesty, do Thou cause us to prosper.
Thou who supportest the falling, answer us in the day
    that we call.

עוֹזֵר דַּלִּים הוֹשִׁיעָה נָּא: פּוֹדֶה וּמַצִּיל הַצְלִיחָה נָא:
צוּר עוֹלָמִים עֲנֵנוּ בְּיוֹם קָרְאֵנוּ:
קָדוֹשׁ וְנוֹרָא הוֹשִׁיעָה נָּא: רַחוּם וְחַנּוּן הַצְלִיחָה נָא:
שׁוֹמֵר הַבְּרִית עֲנֵנוּ בְּיוֹם קָרְאֵנוּ:
תּוֹמֵךְ תְּמִימִים הוֹשִׁיעָה נָּא: תַּקִּיף לָעַד הַצְלִיחָה נָא:
תָּמִים בְּמַעֲשָׂיו עֲנֵנוּ בְּיוֹם קָרְאֵנוּ:

Reader and Congregation

שְׁמַע יִשְׂרָאֵל יְיָ אֱלֹהֵינוּ יְיָ אֶחָד:

Reader and Congregation

אֶחָד אֱלֹהֵינוּ גָּדוֹל אֲדוֹנֵינוּ קָדוֹשׁ וְנוֹרָא שְׁמוֹ:

Reader

גַּדְּלוּ לַייָ אִתִּי. וּנְרוֹמְמָה שְׁמוֹ יַחְדָּו:

Reader and Congregation

לְךָ יְיָ הַגְּדֻלָּה וְהַגְּבוּרָה וְהַתִּפְאֶרֶת וְהַנֵּצַח וְהַהוֹד כִּי־כֹל בַּשָּׁמַיִם וּבָאָרֶץ לְךָ יְיָ הַמַּמְלָכָה וְהַמִּתְנַשֵּׂא לְכֹל לְרֹאשׁ: רוֹמְמוּ יְיָ אֱלֹהֵינוּ וְהִשְׁתַּחֲווּ לַהֲדוֹם רַגְלָיו קָדוֹשׁ הוּא: רוֹמְמוּ יְיָ אֱלֹהֵינוּ וְהִשְׁתַּחֲווּ לְהַר קָדְשׁוֹ כִּי־קָדוֹשׁ יְיָ אֱלֹהֵינוּ:

Reader

אַב הָרַחֲמִים הוּא יְרַחֵם עַם עֲמוּסִים וְיִזְכּוֹר בְּרִית אֵיתָנִים וְיַצִּיל נַפְשׁוֹתֵינוּ מִן הַשָּׁעוֹת הָרָעוֹת וְיִגְעַר בְּיֵצֶר הָרָע מִן הַנְּשׂוּאִים וְיָחֹן אוֹתָנוּ לִפְלֵיטַת עוֹלָמִים וִימַלֵּא מִשְׁאֲלוֹתֵינוּ בְּמִדָּה טוֹבָה יְשׁוּעָה וְרַחֲמִים:

Thou who helpest the poor, save us.

O Redeemer and Deliverer, do Thou cause us to prosper.

Thou Rock of Ages, answer us in the day that we call.

Holy and revered God, save us.

Merciful and Compassionate One, do Thou cause us to prosper.

Thou who keepest the covenant, answer us in the day that we call.

Thou who upholdest the innocent, save us.

Sovereign of eternity, do Thou cause us to prosper,

Thou who art perfect in Thy ways, answer us in the day that we call.

Reader and Congregation

Hear, O Israel: the Lord our God, the Lord is One.

Reader and Congregation

One is our God; great is our Lord; holy is His name.

Reader

Extol the Lord with me, and together let us exalt His name.

Reader and Congregation

Thine, O Lord, is the greatness and the power, the glory, the victory and the majesty; for all that is in the heaven and on the earth is Thine. Thine is the kingdom, O Lord, and Thou art exalted supreme above all. Exalt the Lord our God, and worship at His footstool; holy is He. Exalt the Lord our God, and worship at his holy mountain for the Lord our God is holy.

Reader

May the Father of compassion have mercy upon a people whom He lovingly tended. May He remember the covenant with the patriarchs; may He deliver us from evil times, curb the evil inclination in the people whom He hath tenderly protected, and graciously grant us enduring deliverance. May He abundantly fulfill our desires and grant us salvation and mercy.

The following is chanted when the Ḥatan Torah is called to the Torah.

מֵרְשׁוּת הָאֵל הַגָּדוֹל הַגִּבּוֹר וְהַנּוֹרָא.
אֶפְתַּח פִּי בְּשִׁירָה וּבְזִמְרָה.
לְהוֹדוֹת לְהַלֵּל לְדָר בִּנְהוֹרָא.
שֶׁהֶחֱיָנוּ וְקִיְּמָנוּ בְּיִרְאָתוֹ הַטְּהוֹרָה.
וְהִגִּיעָנוּ לִשְׂמוֹחַ בְּשִׂמְחַת הַתּוֹרָה.
הַמְשַׂמַּחַת לֵב וְעֵינַיִם מְאִירָה.
הַמַּאֲרֶכֶת יָמִים וּמוֹסֶפֶת גְּבוּרָה.
לְאוֹהֲבֶיהָ וּלְשׁוֹמְרֶיהָ בְּצִוּוּי וְאַזְהָרָה:
וּבְכֵן יְהִי רָצוֹן מִלִּפְנֵי הַגְּבוּרָה.
לָתֵת חַיִּים וָחֶסֶד וָנֵזֶר וַעֲטָרָה . . .
הַנִּבְחַר לְהַשְׁלִים הַתּוֹרָה:
עֲמוֹד עֲמוֹד עֲמוֹד . . . חֲתַן הַתּוֹרָה.
וּבִשְׂכַר זֶה תִּזְכֶּה מֵאֵל נוֹרָא.
לִרְאוֹת בָּנִים וּבְנֵי בָנִים עוֹסְקִים בַּתּוֹרָה:

The following is chanted when the Ḥatan Bereshit is called to the Torah.

מֵרְשׁוּת מְרוֹמָם עַל כָּל־בְּרָכָה וְשִׁירָה.
נוֹרָא עַל כָּל־תְּהִלָּה וְזִמְרָה.
חֲכַם לֵבָב וְאַמִּיץ כֹּחַ וּגְבוּרָה.
מוֹשֵׁל עוֹלָם אֲדוֹן כָּל־יְצִירָה.
וּמֵרְשׁוּת חֲבוּרַת צֶדֶק עֵדָה הַמְאֻשָּׁרָה.
קְבוּצִים פֹּה הַיּוֹם לְשִׂמְחַת תּוֹרָה.
וְנֶעֱצָרִים לְסַיֵּם וּלְהָחֵל בְּגִיל וּבְמוֹרָא.
עֲמוֹד עֲמוֹד עֲמוֹד . . . חֲתַן בְּרֵאשִׁית בָּרָא.
יַעַן נַעֲשֵׂיתָ רִאשׁוֹן לְמִצְוָה גְמוּרָה.
מָה רַב טוּבְךָ וּמַשְׂכֻּרְתְּךָ יְתֵרָה:

*The following is chanted when the Ḥatan Torah is called
to the Torah.*

With permission of God, great, mighty and revered,

I will raise my voice in psalm and song

To thank Him and to praise Him who dwelleth high in light,

That He hath kept us in life and preserved us in His unfailing love,

And hath brought us near to be joyful in

The Rejoicing of the Torah,

The Torah that gladdens the heart and enlightens the eyes,

Prolonging the days and adding strength unto all those

Who love the Torah and heed its precepts and admonitions.

Thus may it be acceptable before the Almighty

To grant life and grace, and to crown with virtue . . . . ,

Who has been chosen to complete the reading of the Torah.

Stand forth, stand forth, stand forth . . . . , Ḥatan Hatorah.

By the merit of this deed, may you be deemed worthy by the God
we revere,

To behold children and children's children delighting in the Torah.

*The following is chanted when the Ḥatan Bereshit is called
to the Torah.*

With permission of Him who is exalted above all blessing and
adoration,

Revered above all hymns of praise,

Wise in heart and mighty in strength and power,

Sovereign of the world and Lord of all creation,

And with permisssion of all the righteous ones of this congregation,

Gathered here this day to rejoice in the Torah,

And assembled to complete, then reverently to begin again in joy
to read the Torah,

Stand forth, stand forth, stand forth. . . . . , Ḥatan Bereshit.

Inasmuch as you are chosen to be the first to perform so perfect
a command,

How great is your privilege, exceedingly great your reward!

שישו ושמחו

שִׂישׂוּ וְשִׂמְחוּ בְּשִׂמְחַת תּוֹרָה. וּתְנוּ כָבוֹד לַתּוֹרָה.
כִּי טוֹב סַחְרָהּ מִכָּל סְחוֹרָה. מִפָּז וּמִפְּנִינִים יְקָרָה:
נָגִיל וְנָשִׂישׂ בְּזֹאת הַתּוֹרָה. כִּי הִיא לָנוּ עֹז וְאוֹרָה:
אֲהַלְלָה אֱלֹהַי וְאֶשְׂמְחָה בוֹ. וְאָשִׂימָה תִקְוָתִי בּוֹ.
אֲהוֹדֶנּוּ בְּסוֹד עַם קְרוֹבוֹ. אֱלוֹהַּ צוּרִי אֶחֱסֶה־בּוֹ:
בְּכָל־לֵב אֲרַנֵּן צִדְקוֹתֶיךָ. וַאֲסַפְּרָה תְּהִלָּתֶךָ.
בְּעוֹדִי אַגִּיד נִפְלְאוֹתֶיךָ. עַל חַסְדְּךָ וְעַל־אֲמִתֶּךָ:
נָגִיל וְנָשִׂישׂ בְּזֹאת הַתּוֹרָה. כִּי הִיא לָנוּ עֹז וְאוֹרָה:

התקבצו מלאכים

הִתְקַבְּצוּ מַלְאָכִים זֶה אֶל זֶה. לְקָבֵל זֶה. וְאָמַר זֶה לָזֶה. מִי הוּא זֶה וְאֵי זֶה הוּא מְאַחֵז פְּנֵי כִסֵּא. פַּרְשֵׁז עָלָיו עֲנָנוֹ:

מִי עָלָה לַמָּרוֹם. מִי עָלָה לַמָּרוֹם.
מִי עָלָה לַמָּרוֹם. וְהוֹרִיד עֹז מִבְטָחָה:
משֶׁה עָלָה לַמָּרוֹם. משֶׁה עָלָה לַמָּרוֹם.
משֶׁה עָלָה לַמָּרוֹם. וְהוֹרִיד עֹז מִבְטָחָה:

אָגִיל וְאֶשְׂמַח בְּשִׂמְחַת תּוֹרָה.
בֹּא יָבֹא צֶמַח בְּשִׂמְחַת תּוֹרָה:

תּוֹרָה הִיא עֵץ חַיִּים. לְכֻלָּם חַיִּים. כִּי־עִמְּךָ מְקוֹר חַיִּים:

אַבְרָהָם שָׂמַח בְּשִׂמְחַת תּוֹרָה. יִצְחָק שָׂמַח בְּשִׂמְחַת תּוֹרָה. יַעֲקֹב שָׂמַח בְּשִׂמְחַת תּוֹרָה. משֶׁה שָׂמַח בְּשִׂמְחַת תּוֹרָה. אַהֲרֹן. יְהוֹשֻׁעַ. שְׁמוּאֵל. דָּוִד. שְׁלֹמֹה שָׂמַח בְּשִׂמְחַת תּוֹרָה:
תּוֹרָה הִיא עֵץ חַיִּים. לְכֻלָּם חַיִּים. כִּי־עִמְּךָ מְקוֹר חַיִּים:

EXULT IN THE LAW

This Feast of the Law all your gladness display,
  To-day all your homages render.
What profit can lead one so pleasant a way,
  What jewels can vie with its splendor?
Then exult in the Law on its festival day,
  The Law is our Light and Defender.

My God I will praise in a jubilant lay,
  My hope in Him never surrender.
His glory proclaim where His chosen sons pray,
  My Rock all my trust shall engender.
Then exult in the Law on its festival day,
  The Law is our Light and Defender.

My heart of Thy goodness shall carol alway,
  Thy praises I ever will render;
While breath is, my lips all Thy wonders shall say,
  Thy truth and Thy kindness so tender.
Then exult in the Law on its festival day,
  The Law is our Light and Defender.

THE ANGELS CAME A-MUSTERING

The Angels came a-mustering, a-mustering, a-mustering,
  The Angels came a-clustering around the sapphire throne.

A-questioning of one another, of one another, of one another,
  A-questioning each one his brother around the sapphire throne

Pray who is he, and where is he, and where is he, and where is he,
  Whose shining casts — so fair is he — a shadow on the throne?

Pray, who has up to heaven come, to heaven come, to heaven come,
  Through all the circles seven come, to fetch the Torah down?

'Tis Moses up to heaven come, to heaven come, to heaven come,
  Through all the circles seven come, to fetch the Torah down!

I will rejoice and exult on Simḥat Torah. The Branch of David
shall surely come on Simḥat Torah.

The Torah is a tree of life; it is life to all; for with Thee is
the fountain of life.

Abraham, Isaac and Jacob rejoiced on Simḥat Torah.

Moses rejoiced on Simḥat Torah.

Aaron, Joshua, Samuel, David and Solomon rejoiced on Simḥat
Torah.

The Torah is a tree of life: it is life to all; for with Thee is the
fountain of life.

הזכרת נשמות

MEMORIAL SERVICE

יְיָ מָה־אָדָם וַתֵּדָעֵהוּ   בֶּן־אֱנוֹש וַתְּחַשְּׁבֵהוּ:

אָדָם לַהֶבֶל דָּמָה   יָמָיו כְּצֵל עוֹבֵר:

בַּבְּקֶר יָצִיץ וְחָלָף   לָעֶרֶב יְמוֹלֵל וְיָבֵשׁ:

לִמְנוֹת יָמֵינוּ כֵּן הוֹדַע   וְנָבִיא לְבַב חָכְמָה:

שְׁמָר־תָּם וּרְאֵה יָשָׁר   כִּי־אַחֲרִית לְאִישׁ שָׁלוֹם:

Lord, what is man, that Thou hast regard for him?
Or the son of man, that Thou takest account of him?
  Man is like a breath,
  His days are as a fleeting shadow.
In the morning he flourishes and grows up like grass,
In the evening he is cut down and withers.
  So teach us to number our days,
  That we may get us a heart of wisdom.
Mark the man of integrity, and behold the upright,
For there is a future for the man of peace.

In this solemn hour consecrated to our beloved dead,
we ponder over the flight of time, the frailty and uncer-
tainty of human life. We ask ourselves: What are we?
What is our life? To what purpose our wisdom and knowl-
edge? Wherein is our strength, our power, our fame? Alas,
man seems born to trouble, and his years are few and full
of travail.

But our great teachers have taught us to penetrate be-
neath appearances and see the higher worth, the deeper
meaning, and the abiding glory of human life.

221

מָה אֱנוֹשׁ כִּי תִזְכְּרֶנּוּ וּבֶן אָדָם כִּי תִפְקְדֶנּוּ:
וַתְּחַסְּרֵהוּ מְּעַט מֵאֱלֹהִים וְכָבוֹד וְהָדָר תְּעַטְּרֵהוּ:

O Lord, what is man, that Thou art mindful of him?
And the son of man that Thou considerest him?

Yet Thou hast made him but little less than divine,
And hast crowned him with glory and honor.

Yea, Thou hast implanted in man the faith to overcome disillusionment and despair, the power to resist evil, the wisdom to use his gifts nobly, and the will to transform chaos and misery into harmony and happiness. When we loose the bands of wickedness, free the oppressed, feed the hungry, clothe the naked, bring cheer into the lives of those in distress, when we strive for justice and the coming of Thy kingdom, we invest our life with high significance. Physically we are like unto a breath but spiritually we can attain divine heights.

Our God and God of our fathers, in this hour sacred to memory, when the past and the future merge, we thank Thee for the blessings that have come to us through the love and devotion of our dear ones.

For many of us, this hour recalls the memory of beloved parents whom Thou hast removed from their earthly tasks and called unto Thyself. We are ever mindful of the devotion with which they tended and guided us, the sacrifices they made, the joys and comforts they brought us, the teachings and traditions they sought to impart unto us. They are forever bound to us by undying love.

There are those among us who call to mind a departed husband or wife. They recall the affectionate bonds formed in Thy presence, the faith and understanding, the struggles and hopes, the trials and griefs, the fears and joys they shared together.

There are parents in our midst who mourn a beloved child taken from them in the freshness and vigor of youth, for whom they planned and hoped, upon whom they lavished loving care and affection. There are those who recall a sister or brother, now no longer among the living, with whom they grew up in happy fellowship, loyal and devoted companions who shared with them the experiences of childhood and youth. With tender emotion we all recall friends and companions who were dear to us in life and whose friendship and understanding were a constant benediction to us.

In this solemn hour, we recall the members of our congregation who have answered Thy summons. They shall ever be remembered in this sanctuary which they loved and served.

We reverently recall the martyrs of Israel of all ages, whose ranks have been tragically augmented by untold numbers of our brothers in our generation. Never shall we forget those who sacrificed their lives for the sanctification of Thy name. We remember also the heroes and righteous men and women of all nations who lived and died for justice, truth and peace.

Though our departed are no longer with us, their memories are forever enshrined in our hearts and their influence abides with us, directing our thoughts and deeds toward the lofty purposes they cherished and for which they strived.

Congregation

O Lord, as we recall all our departed and the blessings they bequeathed unto us, we pray Thee to keep their souls united with ours in the bond of life. May our faith, like theirs, be strong, our devotion to the Torah unfaltering, our love for Zion constant, and our concern for Israel and humanity unceasing. For as we identify ourselves with the life, hopes and traditions of an eternal people, we, ourselves, take on the aspect of eternity. May we so live that when our years draw to a close we, too, shall be remembered for good and for blessing. Amen.

אַב הָרַחֲמִים אֲשֶׁר בְּיָדְךָ נַפְשׁוֹת הַחַיִּים וְהַמֵּתִים. תַּנְחוּמֶיךָ יְשַׁעַשְׁעוּ נַפְשֵׁנוּ בְּזָכְרֵנוּ אֶת־קְרוֹבֵינוּ הָאֲהוּבִים וְהַנִּכְבָּדִים אֲשֶׁר הָלְכוּ לִמְנוּחָתָם וְאֶת נִשְׁמוֹת הַקְּדוֹשִׁים שֶׁבְּכָל דּוֹר וָדוֹר מָסְרוּ נַפְשָׁם עַל קִדּוּשׁ הַשֵּׁם: אָנָּא יְיָ אַמְּצֵנוּ לִשְׁמוֹר אֶת־פְּקוּדָתָם כָּל־עוֹד נִשְׁמָתֵנוּ בְּקִרְבֵּנוּ. וְנַפְשָׁם תָּנוּחַ בְּאֶרֶץ הַחַיִּים לַחֲזוֹת נָעֳמְךָ וּלְהִתְעַנֵּג מִטּוּבֶךָ:

וְעַתָּה הָאֵל הַטּוֹב וְהַמֵּטִיב. אָנָּא פְּנֵה הַיּוֹם בְּחֶסֶד וּבְרַחֲמִים אֶל־תְּפִלַּת עֲבָדֶיךָ הַשּׁוֹפְכִים אֶת־נַפְשָׁם לְפָנֶיךָ: יָדַעְנוּ אַךְ יָדַעְנוּ כִּי חָדֵל כֹּחֵנוּ וּטְפָחוֹת נָתַתָּ יָמֵינוּ: עָזְרֵנוּ אֱלֹהֵי יִשְׁעֵנוּ לְהִתְנַהֵג בֶּאֱמֶת וּבְתָמִים כָּל יְמֵי שְׁנֵי מְגוּרֵנוּ: בְּיִרְאָתְךָ הַטְּהוֹרָה תְּחַזְּקֵנוּ וּבְתוֹרָתְךָ הַתְּמִימָה תְּאַמְּצֵנוּ: זַכֵּנוּ לְגַדֵּל אֶת־בָּנֵינוּ וּבְנוֹתֵינוּ לִשְׁמוֹר מִצְוֹתֶיךָ וְלַעֲשׂוֹת רְצוֹנְךָ כָּל־יְמֵי חַיֵּיהֶם:

הַטְרִיפֵנוּ לֶחֶם חֻקֵּנוּ וְאַל תַּצְרִיכֵנוּ לִידֵי מַתְּנַת בָּשָׂר וָדָם: הָסֵר מֵעָלֵינוּ כָּל־דְּאָגָה וְתוּגָה כָּל־צָרָה וָפַחַד כָּל־חֶרְפָּה וָבוּז: אַל נָא אַל תַּעֲלֵנוּ בַּחֲצִי יָמֵינוּ וּנְמַלֵּא בְשָׁלוֹם אֶת־מִסְפַּר יָמֵינוּ: וְכַאֲשֶׁר יַגִּיעַ קִצֵּנוּ לְהִפָּרֵד מִן הָעוֹלָם הֱיֵה אַתָּה עִמָּנוּ וְנִשְׁמָתֵינוּ תִּהְיֶינָה צְרוּרוֹת בִּצְרוֹר הַחַיִּים עִם נִשְׁמוֹת כָּל הַצַּדִּיקִים הָעוֹמְדִים לְפָנֶיךָ. אָמֵן וְאָמֵן:

Father of mercy, in whose hand are the souls of the living and the dead, may Thy consolation cheer us as we remember our beloved and honored kinsfolk who have gone to their eternal rest. May we be loyal to the memory of all our brethren, who in every generation sacrificed their lives to sanctify Thy name. We beseech Thee, O Lord, grant us strength to be faithful to their charge while the breath of life is within us. May their souls repose in the land of the living, beholding Thy glory and delighting in Thy goodness.

O good and beneficent God, turn this day in loving-kindness and tender mercy to the prayers of those who serve Thee and plead wholeheartedly before Thee. Verily we know that our strength is frail, and that Thou hast made our days as hand-breadths. Help us, O God of our salvation, to bear ourselves faithfully and blamelessly during the years of our pilgrimage. Strengthen us with steadfast faith in Thee and Thy Torah. Let Thy grace be with us, that we may rear our children to keep Thy commandments and to fulfill Thy will all the days of their life.

Give us sustenance and let us not be in need of the gifts of others. Remove from us care and sorrow, distress and fear, shame and contempt. O God, take us not hence in the midst of our days. Let us complete in peace the number of our years. And when our end draws nigh and we depart this world, be Thou with us, and may our souls be bound up in the bond of life with the souls of all the righteous who are ever with Thee. Amen and Amen.

Prayer in memory of a father

יִזְכֹּר אֱלֹהִים נִשְׁמַת אָבִי מוֹרִי שֶׁהָלַךְ לְעוֹלָמוֹ. אָנָּא תְּהִי נַפְשׁוֹ צְרוּרָה בִּצְרוֹר הַחַיִּים. וּתְהִי מְנוּחָתוֹ כָּבוֹד. שֹׂבַע שְׂמָחוֹת אֶת־פָּנֶיךָ. נְעִימוֹת בִּימִינְךָ נֶצַח. אָמֵן:

Prayer in memory of a mother

יִזְכֹּר אֱלֹהִים נִשְׁמַת אִמִּי מוֹרָתִי שֶׁהָלְכָה לְעוֹלָמָהּ. אָנָּא תְּהִי נַפְשָׁהּ צְרוּרָה בִּצְרוֹר הַחַיִּים. וּתְהִי מְנוּחָתָהּ כָּבוֹד. שֹׂבַע שְׂמָחוֹת אֶת־פָּנֶיךָ. נְעִימוֹת בִּימִינְךָ נֶצַח. אָמֵן:

Prayer in memory of a husband

יִזְכֹּר אֱלֹהִים נִשְׁמַת בַּעֲלִי שֶׁהָלַךְ לְעוֹלָמוֹ. אָנָּא תְּהִי נַפְשׁוֹ צְרוּרָה בִּצְרוֹר הַחַיִּים. וּתְהִי מְנוּחָתוֹ כָּבוֹד. שֹׂבַע שְׂמָחוֹת אֶת־פָּנֶיךָ. נְעִימוֹת בִּימִינְךָ נֶצַח. אָמֵן:

Prayer in memory of a wife

יִזְכֹּר אֱלֹהִים נִשְׁמַת אִשְׁתִּי שֶׁהָלְכָה לְעוֹלָמָהּ. אָנָּא תְּהִי נַפְשָׁהּ צְרוּרָה בִּצְרוֹר הַחַיִּים. וּתְהִי מְנוּחָתָהּ כָּבוֹד. שֹׂבַע שְׂמָחוֹת אֶת־פָּנֶיךָ. נְעִימוֹת בִּימִינְךָ נֶצַח. אָמֵן:

Prayer in memory of a son

יִזְכֹּר אֱלֹהִים נִשְׁמַת בְּנִי הָאָהוּב מַחְמַד עֵינַי שֶׁהָלַךְ לְעוֹלָמוֹ. אָנָּא תְּהִי נַפְשׁוֹ צְרוּרָה בִּצְרוֹר הַחַיִּים. וּתְהִי מְנוּחָתוֹ כָּבוֹד. שֹׂבַע שְׂמָחוֹת אֶת־פָּנֶיךָ. נְעִימוֹת בִּימִינְךָ נֶצַח. אָמֵן:

Prayer in memory of a father

O heavenly Father, remember the soul of my dear father whom I recall in this solemn hour. I remember with esteem the affection and kindness with which he counselled and guided me. May I ever uphold the noble heritage he transmitted unto me so that through me, his aspirations shall be fulfilled. May his soul be bound up in the bonds of eternal life and his memory ever be for a blessing. Amen.

Prayer in memory of a mother

O heavenly Father, remember the soul of my beloved mother whom I recall in this solemn hour. I remember with deep reverence and affection the solicitude with which she tended and watched over me, ever mindful of my welfare, ever anxious for my happiness. Many were the sacrifices she made in order to ennoble my heart and instruct my mind. May her soul be bound up in the bonds of eternal life and her memory ever be for a blessing. Amen.

Prayer in memory of a husband

O heavenly Father, remember the soul of my beloved husband whom I affectionately recall in this solemn hour. May his soul be bound up in the bonds of eternal life and his memory ever be for a blessing.

Prayer in memory of a wife

O heavenly Father, remember the soul of my beloved wife whom I affectionately recall in this solemn hour. May her soul be bound up in the bonds of eternal life and her memory ever be for a blessing.

Prayer in memory of a son

O heavenly Father, remember the soul of my beloved son whom I lovingly recall in this solemn hour. His memory is enshrined in my heart. May his soul be bound up in the bonds of eternal life. Amen.

Prayer in memory of a daughter

יִזְכֹּר אֱלֹהִים נִשְׁמַת בִּתִּי הָאֲהוּבָה מַחְמַד עֵינַי שֶׁהָלְכָה לְעוֹלָמָהּ. אָנָּא תְּהִי נַפְשָׁהּ צְרוּרָה בִּצְרוֹר הַחַיִּים. וּתְהִי מְנוּחָתָהּ כָּבוֹד. שֹׂבַע שְׂמָחוֹת אֶת פָּנֶיךָ. נְעִימוֹת בִּימִינְךָ נֶצַח. אָמֵן:

Prayer in memory of other relatives and friends

יִזְכֹּר אֱלֹהִים נִשְׁמוֹת קְרוֹבַי שֶׁהָלְכוּ לְעוֹלָמָם. אָנָּא תִּהְיֶינָה נַפְשׁוֹתֵיהֶם צְרוּרוֹת בִּצְרוֹר הַחַיִּים. וּתְהִי מְנוּחָתָם כָּבוֹד. שֹׂבַע שְׂמָחוֹת אֶת־פָּנֶיךָ. נְעִימוֹת בִּימִינְךָ נֶצַח. אָמֵן:

Prayer in memory of the Jewish Martyrs

יִזְכֹּר אֱלֹהִים נִשְׁמוֹת כָּל־אַחֵינוּ בְּנֵי יִשְׂרָאֵל שֶׁמָּסְרוּ נַפְשָׁם עַל־קִדּוּשׁ הַשֵּׁם. אָנָּא יִשָּׁמַע בְּחַיֵּינוּ הֵד גְּבוּרָתָם וּמְסִירוּתָם וְיֵרָאֶה בְּמַעֲשֵׂינוּ טֹהַר לִבָּם וְתִהְיֶינָה נַפְשׁוֹתֵיהֶם צְרוּרוֹת בִּצְרוֹר הַחַיִּים וּתְהִי מְנוּחָתָם כָּבוֹד. שֹׂבַע שְׂמָחוֹת אֶת־פָּנֶיךָ נְעִימוֹת בִּימִינְךָ נֶצַח. אָמֵן:

Memorial Prayer for all departed

אֵל מָלֵא רַחֲמִים שׁוֹכֵן בַּמְּרוֹמִים הַמְצֵא מְנוּחָה נְכוֹנָה עַל כַּנְפֵי הַשְּׁכִינָה בְּמַעֲלוֹת קְדוֹשִׁים וּטְהוֹרִים כְּזוֹהַר הָרָקִיעַ מַזְהִירִים אֶת נִשְׁמוֹת הַיְשָׁרִים וְהַיְשָׁרוֹת שֶׁהָלְכוּ לְעוֹלָמָם. בַּעֲבוּר שֶׁאָנוּ נוֹדְרִים לִצְדָקָה בְּעַד הַזְכָּרַת נִשְׁמוֹתֵיהֶם. בְּגַן עֵדֶן תְּהֵא מְנוּחָתָם. לָכֵן בַּעַל הָרַחֲמִים יַסְתִּירֵם בְּסֵתֶר כְּנָפָיו לְעוֹלָמִים וְיִצְרוֹר בִּצְרוֹר הַחַיִּים אֶת נִשְׁמוֹתֵיהֶם. יְיָ הוּא נַחֲלָתָם. וְיָנוּחוּ בְּשָׁלוֹם עַל מִשְׁכְּבוֹתָם. וְנֹאמַר אָמֵן:

Prayer in memory of a daughter

O heavenly Father, remember the soul of my beloved daughter whom I lovingly recall in this solemn hour. Her memory is enshrined in my heart. May her soul be bound up in the bonds of eternal life. Amen.

Prayer in memory of other relatives and friends

O heavenly Father, remember the soul of . . . . whom I affectionately recall in this solemn hour. As I remember the hours we spent together in happy fellowship, may I ever keep sacred the memory of . . . .'s loyalty and love. May . . . .'s soul be bound up in the bonds of eternal life. Amen.

Prayer in memory of the Jewish Martyrs

May God be mindful of the souls of all our brothers, departed members of the house of Israel who sacrificed their lives for the sanctification of the Holy Name and the honor of Israel. Grant that their heroism and self-sacrificing devotion find response in our hearts and the purity of their souls be reflected in our lives. May their souls be bound up in the bonds of eternal life, an everlasting blessing among us. Amen.

Memorial Prayer for all departed

O merciful God who dwellest on high and art full of compassion, grant perfect rest beneath the shelter of Thy divine presence among the holy and pure who shine as the brightness of the firmament, to our dear departed who have gone to their eternal home. May their souls be bound up in the bonds of eternal life. Grant that their memories ever inspire us to noble and consecrated living. Amen.

תהלים כ״ג

מִזְמוֹר לְדָוִד

יְהוָה רֹעִי לֹא אֶחְסָר:

בִּנְאוֹת דֶּשֶׁא יַרְבִּיצֵנִי עַל־מֵי מְנֻחוֹת יְנַהֲלֵנִי:

נַפְשִׁי יְשׁוֹבֵב יַנְחֵנִי בְמַעְגְּלֵי־צֶדֶק לְמַעַן שְׁמוֹ:

גַּם כִּי אֵלֵךְ בְּגֵיא צַלְמָוֶת לֹא אִירָא רָע כִּי אַתָּה עִמָּדִי

שִׁבְטְךָ וּמִשְׁעַנְתֶּךָ הֵמָּה יְנַחֲמֻנִי:

תַּעֲרֹךְ לְפָנַי שֻׁלְחָן נֶגֶד צֹרְרָי

דִּשַּׁנְתָּ בַשֶּׁמֶן רֹאשִׁי כּוֹסִי רְוָיָה:

אַךְ טוֹב וָחֶסֶד יִרְדְּפוּנִי כָּל־יְמֵי חַיָּי

וְשַׁבְתִּי בְּבֵית־יְהוָה לְאֹרֶךְ יָמִים:

Mourners' Kaddish

יִתְגַּדַּל וְיִתְקַדַּשׁ שְׁמֵהּ רַבָּא בְּעָלְמָא דִּי בְרָא כִרְעוּתֵהּ וְיַמְלִיךְ מַלְכוּתֵהּ בְּחַיֵּיכוֹן וּבְיוֹמֵיכוֹן וּבְחַיֵּי דְכָל־בֵּית יִשְׂרָאֵל בַּעֲגָלָא וּבִזְמַן קָרִיב וְאִמְרוּ אָמֵן:

Congregation and Mourners

יְהֵא שְׁמֵהּ רַבָּא מְבָרַךְ לְעָלַם וּלְעָלְמֵי עָלְמַיָּא:

Mourners

יִתְבָּרַךְ וְיִשְׁתַּבַּח וְיִתְפָּאַר וְיִתְרוֹמַם וְיִתְנַשֵּׂא וְיִתְהַדָּר וְיִתְעַלֶּה וְיִתְהַלָּל שְׁמֵהּ דְּקוּדְשָׁא בְּרִיךְ הוּא לְעֵלָּא מִן כָּל בִּרְכָתָא וְשִׁירָתָא תֻּשְׁבְּחָתָא וְנֶחֱמָתָא דַּאֲמִירָן בְּעָלְמָא וְאִמְרוּ אָמֵן:

יְהֵא שְׁלָמָא רַבָּא מִן שְׁמַיָּא וְחַיִּים עָלֵינוּ וְעַל כָּל־יִשְׂרָאֵל וְאִמְרוּ אָמֵן:

עֹשֶׂה שָׁלוֹם בִּמְרוֹמָיו הוּא יַעֲשֶׂה שָׁלוֹם עָלֵינוּ וְעַל כָּל־יִשְׂרָאֵל וְאִמְרוּ אָמֵן.

PSALM 23

A Psalm of David.

The Lord is my shepherd; I shall not want.
  He maketh me to lie down in green pastures;
  He leadeth me beside the still waters.
He restoreth my soul;
He guideth me in straight paths for His name's sake.
    Yea, though I walk through the valley of the shadow of
        death,
    I will fear no evil, for Thou art with me;
    Thy rod and Thy staff, they comfort me.
Thou preparest a table before me in the presence of
    mine enemies;
Thou hast anointed my head with oil; my cup runneth
    over.
    Surely goodness and mercy shall follow me all the days
        of my life;
    And I shall dwell in the house of the Lord forever.

Mourners' Kaddish

Magnified and sanctified be the name of God throughout the world which He hath created according to His will. May He establish His kingdom during the days of your life and during the life of all the house of Israel, speedily, yea, soon; and say ye, Amen.

Congregation and Mourners

May His great name be blessed for ever and ever.

Mourners

Exalted and honored be the name of the Holy One, blessed be He, whose glory transcends, yea, is beyond all praises, hymns and blessings that man can render unto Him; and say ye, Amen.

May there be abundant peace from heaven, and life for us and for all Israel; and say ye, Amen.

May He who establisheth peace in the heavens, grant peace unto us and unto all Israel; and say ye, Amen.

מנחה לחול

AFTERNOON SERVICE—WEEK DAY

מנחה לחול

אַשְׁרֵי יוֹשְׁבֵי בֵיתֶךָ   עוֹד יְהַלְלוּךָ סֶּלָה:

אַשְׁרֵי הָעָם שֶׁכָּכָה לּוֹ   אַשְׁרֵי הָעָם שֶׁיְיָ אֱלֹהָיו:

תהלים קמ"ה

תְּהִלָּה לְדָוִד

אֲרוֹמִמְךָ אֱלוֹהַי הַמֶּלֶךְ   וַאֲבָרְכָה שִׁמְךָ לְעוֹלָם וָעֶד:

בְּכָל־יוֹם אֲבָרְכֶךָּ   וַאֲהַלְלָה שִׁמְךָ לְעוֹלָם וָעֶד:

גָּדוֹל יְיָ וּמְהֻלָּל מְאֹד   וְלִגְדֻלָּתוֹ אֵין חֵקֶר:

דּוֹר לְדוֹר יְשַׁבַּח מַעֲשֶׂיךָ   וּגְבוּרֹתֶיךָ יַגִּידוּ:

הֲדַר כְּבוֹד הוֹדֶךָ   וְדִבְרֵי נִפְלְאֹתֶיךָ אָשִׂיחָה:

וֶעֱזוּז נוֹרְאֹתֶיךָ יֹאמֵרוּ   וּגְדֻלָּתְךָ אֲסַפְּרֶנָּה:

זֵכֶר רַב־טוּבְךָ יַבִּיעוּ   וְצִדְקָתְךָ יְרַנֵּנוּ:

חַנּוּן וְרַחוּם יְהֹוָה   אֶרֶךְ אַפַּיִם וּגְדָל־חָסֶד:

טוֹב־יְהֹוָה לַכֹּל   וְרַחֲמָיו עַל־כָּל־מַעֲשָׂיו:

יוֹדוּךָ יְהֹוָה כָּל־מַעֲשֶׂיךָ   וַחֲסִידֶיךָ יְבָרְכוּכָה:

כְּבוֹד מַלְכוּתְךָ יֹאמֵרוּ   וּגְבוּרָתְךָ יְדַבֵּרוּ:

לְהוֹדִיעַ לִבְנֵי הָאָדָם גְּבוּרֹתָיו וּכְבוֹד הֲדַר מַלְכוּתוֹ:

AFTERNOON SERVICE — WEEK DAY

Happy are they that dwell in Thy house;
They will ever praise Thee.

Happy is the people who thus fare;
Yea, happy is the people whose God is the Lord.

PSALM 145

A Psalm of praise; of David.

I will extol Thee, my God, O King,
And I will bless Thy name for ever and ever.

Every day will I bless Thee,
And I will praise Thy name for ever and ever.

Great is the Lord, and highly to be praised;
His greatness is unsearchable.

One generation shall laud Thy works to another,
And shall declare Thy mighty acts.

On the majestic glory of Thy splendor,
And on Thy wondrous deeds will I meditate.

And men shall proclaim the might of Thy tremendous acts,
And I will recount Thy greatness.

They shall make known the fame of Thy great goodness,
And shall exult in Thy righteousness.

The Lord is gracious and full of compassion,
Long forbearing, and abundant in kindness.

The Lord is good to all,
And His tender mercies are over all His works.

All Thy works shall praise Thee, O Lord,
And Thy faithful ones shall bless Thee.

They shall declare the glory of Thy kingdom,
And talk of Thy might;

To make known to the sons of men His mighty acts,
And the glorious majesty of His kingdom.

מַלְכוּתְךָ מַלְכוּת כָּל־עֹלָמִים וּמֶמְשַׁלְתְּךָ בְּכָל־דּוֹר וָדוֹר:
סוֹמֵךְ יְהוָה לְכָל־הַנֹּפְלִים וְזוֹקֵף לְכָל־הַכְּפוּפִים:
עֵינֵי כֹל אֵלֶיךָ יְשַׂבֵּרוּ. וְאַתָּה נוֹתֵן לָהֶם אֶת־אָכְלָם בְּעִתּוֹ:
פּוֹתֵחַ אֶת־יָדֶךָ וּמַשְׂבִּיעַ לְכָל־חַי רָצוֹן:
צַדִּיק יְהוָה בְּכָל־דְּרָכָיו וְחָסִיד בְּכָל־מַעֲשָׂיו:
קָרוֹב יְהוָה לְכָל־קֹרְאָיו לְכֹל אֲשֶׁר יִקְרָאֻהוּ בֶאֱמֶת:
רְצוֹן־יְרֵאָיו יַעֲשֶׂה וְאֶת־שַׁוְעָתָם יִשְׁמַע וְיוֹשִׁיעֵם:
שׁוֹמֵר יְהוָה אֶת־כָּל־אֹהֲבָיו וְאֵת כָּל־הָרְשָׁעִים יַשְׁמִיד:
תְּהִלַּת יְהוָה יְדַבֶּר־פִּי וִיבָרֵךְ כָּל־בָּשָׂר שֵׁם קָדְשׁוֹ
לְעוֹלָם וָעֶד:
וַאֲנַחְנוּ נְבָרֵךְ יָהּ מֵעַתָּה וְעַד־עוֹלָם הַלְלוּיָהּ:

Reader

יִתְגַּדַּל וְיִתְקַדַּשׁ שְׁמֵהּ רַבָּא. בְּעָלְמָא דִּי בְרָא כִרְעוּתֵהּ. וְיַמְלִיךְ מַלְכוּתֵהּ בְּחַיֵּיכוֹן וּבְיוֹמֵיכוֹן וּבְחַיֵּי דְכָל בֵּית יִשְׂרָאֵל בַּעֲגָלָא וּבִזְמַן קָרִיב. וְאִמְרוּ אָמֵן:

Congregation and Reader

יְהֵא שְׁמֵהּ רַבָּא מְבָרַךְ לְעָלַם וּלְעָלְמֵי עָלְמַיָּא.

Reader

יִתְבָּרַךְ וְיִשְׁתַּבַּח וְיִתְפָּאַר וְיִתְרוֹמַם וְיִתְנַשֵּׂא וְיִתְהַדַּר וְיִתְעַלֶּה וְיִתְהַלַּל שְׁמֵהּ דְּקֻדְשָׁא בְּרִיךְ הוּא. לְעֵלָּא (וּלְעֵלָּא) מִן כָּל בִּרְכָתָא וְשִׁירָתָא תֻּשְׁבְּחָתָא וְנֶחֱמָתָא דַּאֲמִירָן בְּעָלְמָא. וְאִמְרוּ אָמֵן:

Thy kingdom is an everlasting kingdom,
And Thy dominion endureth throughout all generations.

> The Lord upholdeth all who fall,
> And raiseth up all who are bowed down.

The eyes of all look hopefully to Thee.
And Thou givest them their food in due season.

> Thou openest Thy hand,
> And satisfiest every living thing with favor.

The Lord is righteous in all His ways,
And gracious in all His works.

> The Lord is near unto all who call upon Him,
> To all who call upon Him in truth.

He will fulfill the desire of them that revere Him;
He will also hear their cry, and will save them.

> The Lord preserveth all them that love Him;
> But all the wicked will He bring low.

My mouth shall speak the praise of the Lord;
Let all men bless His holy name for ever and ever.

> We will bless the Lord from this time forth,
> And forevermore. Hallelujah.

Reader

Magnified and sanctified be the name of God throughout the world which He hath created according to His will. May He establish His kingdom during the days of your life and during the life of all the house of Israel, speedily, yea, soon; and say ye, Amen.

Congregation and Reader

May His great name be blessed for ever and ever.

Reader

Exalted and honored be the name of the Holy One, blessed be He, whose glory transcends, yea, is beyond all praises, hymns, and blessings that man can render unto Him; and say ye, Amen.

עמידה

כִּי שֵׁם יְיָ אֶקְרָא הָבוּ גֹדֶל לֵאלֹהֵינוּ:

אֲדֹנָי שְׂפָתַי תִּפְתָּח וּפִי יַגִּיד תְּהִלָּתֶךָ:

בָּרוּךְ אַתָּה יְיָ אֱלֹהֵינוּ וֵאלֹהֵי אֲבוֹתֵינוּ. אֱלֹהֵי אַבְרָהָם אֱלֹהֵי יִצְחָק וֵאלֹהֵי יַעֲקֹב. הָאֵל הַגָּדוֹל הַגִּבּוֹר וְהַנּוֹרָא. אֵל עֶלְיוֹן. גּוֹמֵל חֲסָדִים טוֹבִים וְקוֹנֵה הַכֹּל. וְזוֹכֵר חַסְדֵי אָבוֹת וּמֵבִיא גוֹאֵל לִבְנֵי בְנֵיהֶם לְמַעַן שְׁמוֹ בְּאַהֲבָה.

During the Ten Days of Repentance add:

זָכְרֵנוּ לַחַיִּים. מֶלֶךְ חָפֵץ בַּחַיִּים. וְכָתְבֵנוּ בְּסֵפֶר הַחַיִּים. לְמַעַנְךָ אֱלֹהִים חַיִּים.

מֶלֶךְ עוֹזֵר וּמוֹשִׁיעַ וּמָגֵן. בָּרוּךְ אַתָּה יְיָ מָגֵן אַבְרָהָם:

אַתָּה גִּבּוֹר לְעוֹלָם אֲדֹנָי. מְחַיֵּה מֵתִים אַתָּה. רַב לְהוֹשִׁיעַ.

From Shemini Aẓeret until Pesaḥ add:

מַשִּׁיב הָרוּחַ וּמוֹרִיד הַגָּשֶׁם:

מְכַלְכֵּל חַיִּים בְּחֶסֶד. מְחַיֵּה מֵתִים בְּרַחֲמִים רַבִּים. סוֹמֵךְ נוֹפְלִים וְרוֹפֵא חוֹלִים וּמַתִּיר אֲסוּרִים. וּמְקַיֵּם אֱמוּנָתוֹ לִישֵׁנֵי עָפָר. מִי כָמוֹךָ בַּעַל גְּבוּרוֹת וּמִי דּוֹמֶה לָּךְ. מֶלֶךְ מֵמִית וּמְחַיֶּה וּמַצְמִיחַ יְשׁוּעָה.

During the Ten Days of Repentance add:

מִי כָמוֹךָ אַב הָרַחֲמִים. זוֹכֵר יְצוּרָיו לַחַיִּים בְּרַחֲמִים.

The Amidah is said standing, in silent devotion.

When I call upon the Lord, ascribe greatness unto our God.

O Lord, open Thou my lips and my mouth shall declare Thy praise.

Praised art Thou, O Lord our God and God of our fathers, God of Abraham, God of Isaac, and God of Jacob, mighty, revered and exalted God. Thou bestowest lovingkindness and possessest all things. Mindful of the patriarchs' love for Thee, Thou wilt in Thy love bring a redeemer to their children's children for the sake of Thy name.

During the Ten Days of Repentance add:

Remember us unto life, O King who delightest in life, and inscribe us in the Book of Life so that we may live worthily for Thy sake, O Lord of life.

O King, Thou Helper, Redeemer and Shield, be Thou praised, O Lord, Shield of Abraham.

Thou, O Lord, art mighty forever. Thou callest the dead to immortal life for Thou art mighty in deliverance.

From Shemini Aẓeret until Pesaḥ add:

Thou causest the wind to blow and the rain to fall.

Thou sustainest the living with lovingkindness, and in great mercy callest the departed to everlasting life. Thou upholdest the falling, healest the sick, settest free those in bondage, and keepest faith with those that sleep in the dust. Who is like unto Thee, Almighty King, who decreest death and life and bringest forth salvation?

During the Ten Days of Repentance add:

Who may be compared to Thee, Father of mercy, who in love rememberest thy creatures unto life?

וְנֶאֱמָן אַתָּה לְהַחֲיוֹת מֵתִים. בָּרוּךְ אַתָּה יְיָ מְחַיֵּה הַמֵּתִים:*

אַתָּה קָדוֹשׁ וְשִׁמְךָ קָדוֹשׁ. וּקְדוֹשִׁים בְּכָל־יוֹם יְהַלְלוּךָ סֶּלָה. בָּרוּךְ אַתָּה יְיָ הָאֵל הַקָּדוֹשׁ:

During the Ten Days of Repentance, conclude thus:

בָּרוּךְ אַתָּה יְיָ הַמֶּלֶךְ הַקָּדוֹשׁ:

When the Reader chants the Amidah, the Kedushah is added.

נְקַדֵּשׁ אֶת־שִׁמְךָ בָּעוֹלָם כְּשֵׁם שֶׁמַּקְדִּישִׁים אוֹתוֹ בִּשְׁמֵי מָרוֹם. כַּכָּתוּב עַל־יַד נְבִיאֶךָ וְקָרָא זֶה אֶל־זֶה וְאָמַר.

קָדוֹשׁ קָדוֹשׁ קָדוֹשׁ יְיָ צְבָאוֹת. מְלֹא כָל־הָאָרֶץ כְּבוֹדוֹ:

Reader   לְעֻמָּתָם בָּרוּךְ יֹאמֵרוּ.

בָּרוּךְ כְּבוֹד יְיָ מִמְּקוֹמוֹ:

Reader   וּבְדִבְרֵי קָדְשְׁךָ כָּתוּב לֵאמֹר.

יִמְלֹךְ יְיָ לְעוֹלָם. אֱלֹהַיִךְ צִיּוֹן לְדֹר וָדֹר. הַלְלוּיָהּ:

Reader

לְדוֹר וָדוֹר נַגִּיד גָּדְלֶךָ. וּלְנֵצַח נְצָחִים קְדֻשָּׁתְךָ נַקְדִּישׁ. וְשִׁבְחֲךָ אֱלֹהֵינוּ מִפִּינוּ לֹא יָמוּשׁ לְעוֹלָם וָעֶד. כִּי אֵל מֶלֶךְ גָּדוֹל וְקָדוֹשׁ אָתָּה. בָּרוּךְ אַתָּה יְיָ. הָאֵל הַקָּדוֹשׁ:

During the Ten Days of Repentance conclude thus:

בָּרוּךְ אַתָּה יְיָ. הַמֶּלֶךְ הַקָּדוֹשׁ:

Faithful art Thou to grant eternal life to the departed. Blessed art Thou, O Lord, who callest the dead to life everlasting.*

Holy art Thou, and holy is Thy name and unto Thee holy beings render praise daily. Blessed art Thou, O Lord, the holy God.

During the Ten Days of Repentance, conclude thus:

Blessed art Thou, O Lord, the holy King.

---

*When the Reader chants the Amidah, the Kedushah is added.

We sanctify Thy name on earth even as it is sanctified in the heavens above, as described in the vision of Thy Prophet:

And the seraphim called one unto another saying:

Holy, holy, holy is the Lord of hosts,

The whole earth is full of His glory.

Reader   Whereupon the angels declare:

Blessed be the glory of God from His heavenly abode.

Reader   And as it is written in holy Scripture:

The Lord shall reign forever; Thy God, O Zion, shall be Sovereign unto all generations. Hallelujah!

Reader

Unto all generations we will declare Thy greatness and to all eternity we will proclaim Thy holiness. Our mouth shall ever speak Thy praise, O our God, for Thou art a great and holy God and King. Blessed art Thou, O Lord, the holy God.

During the Ten Days of Repentance, conclude thus:

Blessed art Thou, O Lord, the holy King.

אַתָּה חוֹנֵן לְאָדָם דַּעַת וּמְלַמֵּד לֶאֱנוֹשׁ בִּינָה. חָנֵּנוּ מֵאִתְּךָ דֵּעָה בִּינָה וְהַשְׂכֵּל. בָּרוּךְ אַתָּה יְיָ חוֹנֵן הַדָּעַת:

הֲשִׁיבֵנוּ אָבִינוּ לְתוֹרָתֶךָ. וְקָרְבֵנוּ מַלְכֵּנוּ לַעֲבוֹדָתֶךָ. וְהַחֲזִירֵנוּ בִּתְשׁוּבָה שְׁלֵמָה לְפָנֶיךָ. בָּרוּךְ אַתָּה יְיָ הָרוֹצֶה בִּתְשׁוּבָה.

סְלַח לָנוּ אָבִינוּ כִּי חָטָאנוּ. מְחַל לָנוּ מַלְכֵּנוּ כִּי פָשָׁעְנוּ. כִּי מוֹחֵל וְסוֹלֵחַ אָתָּה. בָּרוּךְ אַתָּה יְיָ חַנּוּן הַמַּרְבֶּה לִסְלוֹחַ:

רְאֵה־נָא בְעָנְיֵנוּ וְרִיבָה רִיבֵנוּ. וּגְאָלֵנוּ מְהֵרָה לְמַעַן שְׁמֶךָ. כִּי גוֹאֵל חָזָק אָתָּה. בָּרוּךְ אַתָּה יְיָ גּוֹאֵל יִשְׂרָאֵל:

רְפָאֵנוּ יְיָ וְנֵרָפֵא. הוֹשִׁיעֵנוּ וְנִוָּשֵׁעָה. כִּי תְהִלָּתֵנוּ אָתָּה. וְהַעֲלֵה רְפוּאָה שְׁלֵמָה לְכָל מַכּוֹתֵינוּ. כִּי אֵל מֶלֶךְ רוֹפֵא נֶאֱמָן וְרַחֲמָן אָתָּה. בָּרוּךְ אַתָּה יְיָ רוֹפֵא חוֹלֵי עַמּוֹ יִשְׂרָאֵל:

בָּרֵךְ עָלֵינוּ יְיָ אֱלֹהֵינוּ אֶת־הַשָּׁנָה הַזֹּאת וְאֶת כָּל מִינֵי תְבוּאָתָהּ לְטוֹבָה.

**During Spring and Summer add:*

וְתֵן בְּרָכָה עַל פְּנֵי הָאֲדָמָה.

During Winter add:

וְתֵן טַל וּמָטָר לִבְרָכָה עַל פְּנֵי הָאֲדָמָה.

וְשַׂבְּעֵנוּ מִטּוּבֶךָ. וּבָרֵךְ שְׁנָתֵנוּ כַּשָּׁנִים הַטּוֹבוֹת. בָּרוּךְ אַתָּה יְיָ מְבָרֵךְ הַשָּׁנִים:

**From Pesaḥ until Dec. 4th.*

Thou endowest man with knowledge and teachest mortal man understanding. O grant us knowledge, understanding and discernment. Blessed art Thou, O Lord, who bestowest knowledge upon man.

Bring us back, O our Father to Thy Torah; draw us near, O our King to Thy service, and restore us unto Thy presence in wholehearted repentance. Blessed art Thou, O Lord, who desirest repentance.

Forgive us, O our Father, for we have sinned; pardon us, O our King, for we have transgressed. Verily Thou art merciful and forgiving. Blessed art Thou, O gracious Lord, who art abundant in forgiveness.

Behold our affliction and plead our cause. Hasten to redeem us for the sake of Thy name, for Thou art a mighty Redeemer. Blessed art Thou, O Lord, Redeemer of Israel.

Heal us, O Lord, and we shall be healed; save us and we shall be saved, for to Thee we offer praise. Grant complete healing for all our ailments for Thou, O God, art our King, our faithful and merciful Healer. Praised art Thou, O Lord, who healest the sick among Thy people Israel.

Bless this year unto us, O Lord our God, and bless its yield that it may be for our welfare.

During Spring and Summer add:
Send Thy blessing upon the earth.

During Winter add:
Send dew and rain for a blessing upon the earth.

Satisfy us out of Thy bounty, O Lord. Do Thou bless this year that it be for us a year of abundance. Praised be Thou, O Lord, who dost bless the years.

*From Pesaḥ until Dec. 4th.

תְּקַע בְּשׁוֹפָר גָּדוֹל לְחֵרוּתֵֽנוּ. וְשָׂא נֵס לְקַבֵּץ גָּלֻיּוֹתֵֽינוּ. וְקַבְּצֵֽנוּ יַֽחַד מֵאַרְבַּע כַּנְפוֹת הָאָֽרֶץ. בָּרוּךְ אַתָּה יְיָ מְקַבֵּץ נִדְחֵי עַמּוֹ יִשְׂרָאֵל:

הָשִֽׁיבָה שׁוֹפְטֵֽינוּ כְּבָרִאשׁוֹנָה. וְיוֹעֲצֵֽינוּ כְּבַתְּחִלָּה. וְהָסֵר מִמֶּֽנּוּ יָגוֹן וַאֲנָחָה. וּמְלוֹךְ עָלֵֽינוּ אַתָּה יְיָ לְבַדְּךָ. בְּחֶֽסֶד וּבְרַחֲמִים וְצַדְּקֵֽנוּ בַּמִּשְׁפָּט. *בָּרוּךְ אַתָּה יְיָ מֶֽלֶךְ אוֹהֵב צְדָקָה וּמִשְׁפָּט:

**During the Ten Days of Repentance conclude thus:*

בָּרוּךְ אַתָּה יְיָ. הַמֶּֽלֶךְ הַמִּשְׁפָּט:

וְלַמַּלְשִׁינִים אַל תְּהִי תִקְוָה. וְכָל הָרִשְׁעָה כְּרֶֽגַע תֹּאבֵד. וְכָל אוֹיְבֶֽיךָ מְהֵרָה יִכָּרֵֽתוּ. וּמַלְכוּת זָדוֹן מְהֵרָה תְעַקֵּר וּתְשַׁבֵּר וּתְמַגֵּר וְתַכְנִֽיעַ בִּמְהֵרָה בְיָמֵֽינוּ. בָּרוּךְ אַתָּה יְיָ שׁוֹבֵר אוֹיְבִים וּמַכְנִֽיעַ זֵדִים:

עַל הַצַּדִּיקִים וְעַל הַחֲסִידִים. וְעַל זִקְנֵי עַמְּךָ בֵּית יִשְׂרָאֵל. וְעַל פְּלֵיטַת סוֹפְרֵיהֶם וְעַל גֵּרֵי הַצֶּֽדֶק וְעָלֵֽינוּ יֶהֱמוּ רַחֲמֶֽיךָ יְיָ אֱלֹהֵֽינוּ. וְתֵן שָׂכָר טוֹב לְכָל הַבּוֹטְחִים בְּשִׁמְךָ בֶּאֱמֶת. וְשִׂים חֶלְקֵֽנוּ עִמָּהֶם לְעוֹלָם וְלֹא נֵבוֹשׁ כִּי בְךָ בָּטָֽחְנוּ. בָּרוּךְ אַתָּה יְיָ מִשְׁעָן וּמִבְטָח לַצַּדִּיקִים:

וְלִירוּשָׁלַֽיִם עִירְךָ בְּרַחֲמִים תָּשׁוּב. וְתִשְׁכּוֹן בְּתוֹכָהּ כַּאֲשֶׁר דִּבַּֽרְתָּ. וּבְנֵה אוֹתָהּ בְּקָרוֹב בְּיָמֵֽינוּ בִּנְיַן עוֹלָם. וְכִסֵּא דָוִד מְהֵרָה לְתוֹכָהּ תָּכִין. בָּרוּךְ אַתָּה יְיָ בּוֹנֵה יְרוּשָׁלָֽיִם:

Sound the great Shofar proclaiming our freedom. **Raise** the banner to assemble our exiles, and gather us together from the four corners of the earth. Blessed art Thou, O God, who wilt gather the dispersed of Thy people Israel.

Restore our judges as of yore, and our counsellors as aforetime, and thus remove from us grief and suffering. Reign Thou over us, O Lord, Thou alone in lovingkindness and mercy and vindicate us in judgment. *Blessed art Thou, O Lord, Thou King, who lovest righteousness and judgment.

During the Ten Days of Repentance conclude thus:

Blessed art Thou, O Lord, the King of judgment.

As for slanderers, may their hopes come to naught, and may all wickedness perish. May all Thine enemies be destroyed. Do Thou uproot the dominion of arrogance; crush it and subdue it in our day. Blessed art Thou, O Lord, who breakest the power of the enemy and bringest low the arrogant.

May Thy tender mercies, O Lord our God, be stirred towards the righteous and the pious, towards the leaders of Thy people Israel, towards all the scholars that have survived, towards the righteous proselytes and towards us. Grant Thy favor unto all who faithfully trust in Thee, and may our portion ever be with them. May we never suffer humiliation for in Thee do we put our trust. Blessed art Thou, O Lord, who art the staff and trust of the righteous.

The throne and dynasty of David are historic symbols of righteous government and the restoration of Israel's homeland.

Return in mercy to Jerusalem, Thy city, and dwell therein as Thou hast promised. Rebuild it in our own day as an enduring habitation, and speedily set up therein the throne of David. Blessed art Thou, O Lord, who rebuildest Jerusalem.

אֶת צֶמַח דָּוִד עַבְדְּךָ מְהֵרָה תַצְמִיחַ. וְקַרְנוֹ תָּרוּם בִּישׁוּעָתֶךָ. כִּי לִישׁוּעָתְךָ קִוִּינוּ כָּל הַיּוֹם. בָּרוּךְ אַתָּה יְיָ מַצְמִיחַ קֶרֶן יְשׁוּעָה:

שְׁמַע קוֹלֵנוּ יְיָ אֱלֹהֵינוּ. חוּס וְרַחֵם עָלֵינוּ. וְקַבֵּל בְּרַחֲמִים וּבְרָצוֹן אֶת תְּפִלָּתֵנוּ. כִּי אֵל שׁוֹמֵעַ תְּפִלּוֹת וְתַחֲנוּנִים אָתָּה. וּמִלְּפָנֶיךָ מַלְכֵּנוּ רֵיקָם אַל תְּשִׁיבֵנוּ. כִּי אַתָּה שׁוֹמֵעַ תְּפִלַּת עַמְּךָ יִשְׂרָאֵל בְּרַחֲמִים. בָּרוּךְ אַתָּה יְיָ שׁוֹמֵעַ תְּפִלָּה:

רְצֵה יְיָ אֱלֹהֵינוּ בְּעַמְּךָ יִשְׂרָאֵל וּבִתְפִלָּתָם. וְהָשֵׁב אֶת־הָעֲבוֹדָה לִדְבִיר בֵּיתֶךָ. וּתְפִלָּתָם בְּאַהֲבָה תְקַבֵּל בְּרָצוֹן. וּתְהִי לְרָצוֹן תָּמִיד עֲבוֹדַת יִשְׂרָאֵל עַמֶּךָ.

On Rosh Ḥodesh and Ḥol Hamoed add:

אֱלֹהֵינוּ וֵאלֹהֵי אֲבוֹתֵינוּ. יַעֲלֶה וְיָבֹא וְיַגִּיעַ. וְיֵרָאֶה וְיֵרָצֶה וְיִשָּׁמַע. וְיִפָּקֵד וְיִזָּכֵר. זִכְרוֹנֵנוּ וּפִקְדוֹנֵנוּ וְזִכְרוֹן אֲבוֹתֵינוּ. וְזִכְרוֹן מָשִׁיחַ בֶּן־דָּוִד עַבְדֶּךָ. וְזִכְרוֹן יְרוּשָׁלַיִם עִיר קָדְשֶׁךָ. וְזִכְרוֹן כָּל־עַמְּךָ בֵּית יִשְׂרָאֵל לְפָנֶיךָ. לִפְלֵיטָה לְטוֹבָה לְחֵן וּלְחֶסֶד וּלְרַחֲמִים לְחַיִּים וּלְשָׁלוֹם בְּיוֹם

On Sukkot say:	*On Pesaḥ say:*	*On Rosh Ḥodesh say:*
חַג הַסֻּכּוֹת	חַג הַמַּצּוֹת	רֹאשׁ הַחֹדֶשׁ

הַזֶּה. זָכְרֵנוּ יְיָ אֱלֹהֵינוּ בּוֹ לְטוֹבָה. וּפָקְדֵנוּ בוֹ לִבְרָכָה. וְהוֹשִׁיעֵנוּ בוֹ לְחַיִּים. וּבִדְבַר יְשׁוּעָה וְרַחֲמִים חוּס וְחָנֵּנוּ וְרַחֵם עָלֵינוּ וְהוֹשִׁיעֵנוּ. כִּי אֵלֶיךָ עֵינֵינוּ. כִּי אֵל מֶלֶךְ חַנּוּן וְרַחוּם אָתָּה:

Cause the dynasty of David soon to flourish and may it be exalted through Thy saving power, for we daily await Thy deliverance. Blessed art Thou, O Lord, who causest salvation to come forth.

Hear our voice, O Lord our God, have compassion upon us and receive our prayers in loving favor for Thou, O God, hearkenest unto prayers and supplications. Turn us not from Thy presence without Thy blessing, O our King, for Thou hearest the prayers of Thy people Israel with compassion. Blessed art Thou, O Lord, who hearkenest unto prayer.

O Lord our God, be gracious unto Thy people Israel and accept their prayer. Restore the worship to Thy sanctuary and receive in loving favor the supplication of Israel. May the worship of Thy people be ever acceptable unto Thee.

On New Moon and the Intermediate Days of Festivals add:

Our God and God of our fathers, may our remembrance and the remembrance of our forefathers come before Thee. Remember the Messiah of the house of David, Thy servant, and Jerusalem, Thy holy city, and all Thy people, the house of Israel. Grant us deliverance and wellbeing, lovingkindness, life and peace on this day of

On Rosh Ḥodesh say:	*On Pesaḥ say:*	*On Sukkot say:*
the New Moon.	the Feast of Unleavened Bread.	the Feast of Tabernacles.

Remember us this day, O Lord our God, for our good. and be mindful of us for a life of blessing. With Thy promise of salvation and mercy, deliver us and be gracious unto us, have compassion upon us and save us. Unto Thee do we lift our eyes for Thou art a gracious and merciful God and King.

וְתֶחֱזֶינָה עֵינֵינוּ בְּשׁוּבְךָ לְצִיּוֹן בְּרַחֲמִים. בָּרוּךְ אַתָּה יְיָ הַמַּחֲזִיר שְׁכִינָתוֹ לְצִיּוֹן:

*מוֹדִים אֲנַחְנוּ לָךְ שָׁאַתָּה הוּא יְיָ אֱלֹהֵינוּ וֵאלֹהֵי אֲבוֹתֵינוּ לְעוֹלָם וָעֶד. צוּר חַיֵּינוּ מָגֵן יִשְׁעֵנוּ אַתָּה הוּא לְדוֹר וָדוֹר. נוֹדֶה לְּךָ וּנְסַפֵּר תְּהִלָּתֶךָ עַל חַיֵּינוּ הַמְּסוּרִים בְּיָדֶךָ וְעַל נִשְׁמוֹתֵינוּ הַפְּקוּדוֹת לָךְ. וְעַל נִסֶּיךָ שֶׁבְּכָל־יוֹם עִמָּנוּ וְעַל נִפְלְאוֹתֶיךָ וְטוֹבוֹתֶיךָ שֶׁבְּכָל־עֵת עֶרֶב וָבֹקֶר וְצָהֳרָיִם. הַטּוֹב כִּי לֹא־כָלוּ רַחֲמֶיךָ. וְהַמְרַחֵם כִּי לֹא־תַמּוּ חֲסָדֶיךָ מֵעוֹלָם קִוִּינוּ לָךְ:

**When the Reader chants the Amidah, the Congregation says:*

מוֹדִים אֲנַחְנוּ לָךְ שָׁאַתָּה הוּא יְיָ אֱלֹהֵינוּ וֵאלֹהֵי אֲבוֹתֵינוּ. אֱלֹהֵי כָל בָּשָׂר יוֹצְרֵנוּ יוֹצֵר בְּרֵאשִׁית. בְּרָכוֹת וְהוֹדָאוֹת לְשִׁמְךָ הַגָּדוֹל וְהַקָּדוֹשׁ. עַל שֶׁהֶחֱיִיתָנוּ וְקִיַּמְתָּנוּ. כֵּן תְּחַיֵּנוּ וּתְקַיְּמֵנוּ. וְתֶאֱסוֹף גָּלֻיּוֹתֵינוּ לְחַצְרוֹת קָדְשֶׁךָ. לִשְׁמוֹר חֻקֶּיךָ וְלַעֲשׂוֹת רְצוֹנֶךָ וּלְעָבְדְּךָ בְּלֵבָב שָׁלֵם עַל שֶׁאֲנַחְנוּ מוֹדִים לָךְ. בָּרוּךְ אֵל הַהוֹדָאוֹת:

O may our eyes witness Thy return to Zion. Blessed art Thou, O Lord, who restorest Thy divine presence unto Zion.

*We thankfully acknowledge Thee, O Lord our God, our fathers' God to all eternity. Our Rock art Thou, our Shield that saves through every generation. We give Thee thanks and we declare Thy praise for all Thy tender care. Our lives we trust into Thy loving hand. Our souls are ever in Thy charge; Thy wonders and Thy miracles are daily with us, evening, morn and noon. O Thou who art all-good, whose mercies never fail us, Compassionate One, whose lovingkindnesses never cease, we ever hope in Thee.

*When the Reader chants the Amidah, the Congregation says:

We thankfully acknowledge that Thou art the Lord our God and God of our fathers, the God of all that lives, our Creator and Creator of the universe. We offer blessings and thanksgiving to Thy great and holy name because Thou hast kept us in life and sustained us; so mayest Thou continue to keep us in life and sustain us. O gather our exiles into the courts of Thy holy sanctuary to observe Thy statutes, to do Thy will, and to serve Thee with a perfect heart. We give thanks unto Thee. Blessed be God to whom we are ever grateful.

On Ḥanukkah add:

עַל הַנִּסִּים וְעַל הַפֻּרְקָן וְעַל הַגְּבוּרוֹת וְעַל הַתְּשׁוּעוֹת וְעַל הַמִּלְחָמוֹת שֶׁעָשִׂיתָ לַאֲבוֹתֵינוּ בַּיָּמִים הָהֵם בַּזְּמַן הַזֶּה:

בִּימֵי מַתִּתְיָהוּ בֶּן־יוֹחָנָן כֹּהֵן גָּדוֹל חַשְׁמוֹנַאי וּבָנָיו. כְּשֶׁעָמְדָה מַלְכוּת יָוָן הָרְשָׁעָה עַל־עַמְּךָ יִשְׂרָאֵל. לְהַשְׁכִּיחָם תּוֹרָתֶךָ וּלְהַעֲבִירָם מֵחֻקֵּי רְצוֹנֶךָ: וְאַתָּה בְּרַחֲמֶיךָ הָרַבִּים. עָמַדְתָּ לָהֶם בְּעֵת צָרָתָם. רַבְתָּ אֶת־רִיבָם דַּנְתָּ אֶת־דִּינָם נָקַמְתָּ אֶת נִקְמָתָם. מָסַרְתָּ גִבּוֹרִים בְּיַד חַלָּשִׁים. וְרַבִּים בְּיַד מְעַטִּים. וּטְמֵאִים בְּיַד טְהוֹרִים. וּרְשָׁעִים בְּיַד צַדִּיקִים. וְזֵדִים בְּיַד עוֹסְקֵי תוֹרָתֶךָ. וּלְךָ עָשִׂיתָ שֵׁם גָּדוֹל וְקָדוֹשׁ בְּעוֹלָמֶךָ. וּלְעַמְּךָ יִשְׂרָאֵל עָשִׂיתָ תְּשׁוּעָה גְדוֹלָה וּפֻרְקָן כְּהַיּוֹם הַזֶּה: וְאַחַר כֵּן בָּאוּ בָנֶיךָ לִדְבִיר בֵּיתֶךָ. וּפִנּוּ אֶת־הֵיכָלֶךָ וְטִהֲרוּ אֶת־מִקְדָּשֶׁךָ. וְהִדְלִיקוּ נֵרוֹת בְּחַצְרוֹת קָדְשֶׁךָ. וְקָבְעוּ שְׁמוֹנַת יְמֵי חֲנֻכָּה אֵלּוּ. לְהוֹדוֹת וּלְהַלֵּל לְשִׁמְךָ הַגָּדוֹל:

On Purim add the prayer on page 251.

וְעַל כֻּלָּם יִתְבָּרַךְ וְיִתְרוֹמַם שִׁמְךָ מַלְכֵּנוּ תָּמִיד לְעוֹלָם וָעֶד:

During the Ten Days of Repentance add:

וּכְתוֹב לְחַיִּים טוֹבִים כָּל בְּנֵי־בְרִיתֶךָ:

וְכֹל הַחַיִּים יוֹדוּךָ סֶּלָה וִיהַלְלוּ אֶת שִׁמְךָ בֶּאֱמֶת הָאֵל יְשׁוּעָתֵנוּ וְעֶזְרָתֵנוּ סֶלָה. בָּרוּךְ אַתָּה יְיָ הַטּוֹב שִׁמְךָ וּלְךָ נָאֶה לְהוֹדוֹת:

On Ḥanukkah add:

We thank Thee also for the miraculous and mighty deeds of liberation wrought by Thee, and for Thy victories in the battles our forefathers fought in days of old, at this season of the year.

In the days of the High Priest Mattathias, son of Johanan, of the Hasmonean family, a tyrannical power rose up against Thy people Israel to compel them to forsake Thy Torah, and to force them to transgress Thy commandments. In Thine abundant mercy Thou didst stand by them in time of distress. Thou didst rise to their defense and didst vindicate their cause. Thou didst bring retribution upon the evil doers, delivering the strong into the hands of the weak, the many into the hands of the few, the wicked into the hands of the just, and the arrogant into the hands of those devoted to Thy Torah. Thou didst thus make Thy greatness and holiness known in Thy world, and didst bring great deliverance to Israel. Then Thy children came into Thy dwelling place, cleansed the Temple purified the Sanctuary, kindled lights in Thy sacred courts, and they designated these eight days of Hanukkah for giving thanks and praise unto Thy great name.

On Purim add the prayer on page 251.

For all this, Thy name, O our King, shall be blessed and exalted for ever and ever.

During the Ten Days of Repentance add:

O inscribe all the children of Thy covenant for a happy life.

May all the living do homage unto Thee forever and praise Thy name in truth, O God, who art our salvation and our help. Blessed be Thou, O Lord, Beneficent One, unto whom our thanks are due.

שָׁלוֹם רָב עַל יִשְׂרָאֵל עַמְּךָ תָּשִׂים לְעוֹלָם. כִּי אַתָּה הוּא מֶלֶךְ אָדוֹן לְכָל הַשָּׁלוֹם. וְטוֹב בְּעֵינֶיךָ לְבָרֵךְ אֶת־עַמְּךָ יִשְׂרָאֵל בְּכָל־עֵת וּבְכָל־שָׁעָה בִּשְׁלוֹמֶךָ.*

בָּרוּךְ אַתָּה יְיָ הַמְבָרֵךְ אֶת־עַמּוֹ יִשְׂרָאֵל בַּשָּׁלוֹם:

**During the Ten Days of Repentance conclude thus:*

בְּסֵפֶר חַיִּים בְּרָכָה וְשָׁלוֹם וּפַרְנָסָה טוֹבָה. נִזָּכֵר וְנִכָּתֵב לְפָנֶיךָ. אֲנַחְנוּ וְכָל עַמְּךָ בֵּית יִשְׂרָאֵל. לְחַיִּים טוֹבִים וּלְשָׁלוֹם. בָּרוּךְ אַתָּה יְיָ עוֹשֵׂה הַשָּׁלוֹם:

אֱלֹהַי נְצוֹר לְשׁוֹנִי מֵרָע וּשְׂפָתַי מִדַּבֵּר מִרְמָה וְלִמְקַלְלַי נַפְשִׁי תִדּוֹם וְנַפְשִׁי כֶּעָפָר לַכֹּל תִּהְיֶה: פְּתַח לִבִּי בְּתוֹרָתֶךָ וּבְמִצְוֹתֶיךָ תִּרְדּוֹף נַפְשִׁי. וְכֹל הַחוֹשְׁבִים עָלַי רָעָה. מְהֵרָה הָפֵר עֲצָתָם וְקַלְקֵל מַחֲשַׁבְתָּם: עֲשֵׂה לְמַעַן שְׁמֶךָ עֲשֵׂה לְמַעַן יְמִינֶךָ עֲשֵׂה לְמַעַן קְדֻשָּׁתֶךָ עֲשֵׂה לְמַעַן תּוֹרָתֶךָ: לְמַעַן יֵחָלְצוּן יְדִידֶיךָ הוֹשִׁיעָה יְמִינְךָ וַעֲנֵנִי: יִהְיוּ לְרָצוֹן אִמְרֵי־פִי וְהֶגְיוֹן לִבִּי לְפָנֶיךָ יְיָ צוּרִי וְגוֹאֲלִי: עֹשֶׂה שָׁלוֹם בִּמְרוֹמָיו הוּא יַעֲשֶׂה שָׁלוֹם עָלֵינוּ וְעַל כָּל־יִשְׂרָאֵל וְאִמְרוּ אָמֵן:

יְהִי רָצוֹן מִלְּפָנֶיךָ יְיָ אֱלֹהֵינוּ וֵאלֹהֵי אֲבוֹתֵינוּ שֶׁיִּבָּנֶה בֵּית הַמִּקְדָּשׁ בִּמְהֵרָה בְיָמֵינוּ וְתֵן חֶלְקֵנוּ בְּתוֹרָתֶךָ: וְשָׁם נַעֲבָדְךָ בְּיִרְאָה כִּימֵי עוֹלָם וּכְשָׁנִים קַדְמֹנִיּוֹת:

קדיש תתקבל, *page 34.*

עלינו, *page 37.*

Grant lasting peace unto Israel Thy people, for Thou art the Sovereign Lord of peace; and may it be good in Thy sight to bless Thy people Israel at all times with Thy peace.*

Blessed art Thou, O Lord, who blessest Thy people Israel with peace.

During the Ten Days of Repentance conclude thus:

In the book of life, blessing, peace and ample sustenance, may we, together with all Thy people, the house of Israel, be remembered and inscribed before Thee for a happy life and for peace. Blessed art Thou, O Lord, who establishest peace.

O Lord,
Guard my tongue from evil and my lips from speaking guile,
And to those who slander me, let me give no heed.
May my soul be humble and forgiving unto all.
Open Thou my heart, O Lord, unto Thy sacred Law,
That Thy statutes I may know and all Thy truths pursue.
Bring to naught designs of those who seek to do me ill;
Speedily defeat their aims and thwart their purposes
For Thine own sake, for Thine own power,
For Thy holiness and Law.
That Thy loved ones be delivered,
Answer us, O Lord, and save with Thy redeeming power.

May the words of my mouth and the meditation of my heart be acceptable unto Thee, O Lord, my Rock and my Redeemer. Thou who establishest peace in the heavens, grant peace unto us and unto all Israel. Amen.

May it be Thy will, O Lord our God and God of our fathers, to grant our portion in Thy Torah, and may the Temple be rebuilt in our day. There we will serve Thee with awe as in the days of old.

Reader's Kaddish, page 34.

Alenu, page 37.

ערבית למוצאי שבת

תהלים קמ"ד

לְדָוִד

בָּרוּךְ יְיָ צוּרִי הַמְלַמֵּד יָדַי לַקְרָב

אֶצְבְּעוֹתַי לַמִּלְחָמָה:

חַסְדִּי וּמְצוּדָתִי מִשְׂגַּבִּי וּמְפַלְטִי־לִי

מָגִנִּי וּבוֹ חָסִיתִי הָרֹדֵד עַמִּי תַחְתָּי:

יְיָ מָה־אָדָם וַתֵּדָעֵהוּ בֶּן־אֱנוֹשׁ וַתְּחַשְּׁבֵהוּ:

אָדָם לַהֶבֶל דָּמָה יָמָיו כְּצֵל עוֹבֵר:

יְיָ הַט־שָׁמֶיךָ וְתֵרֵד גַּע בֶּהָרִים וְיֶעֱשָׁנוּ:

בְּרוֹק בָּרָק וּתְפִיצֵם שְׁלַח חִצֶּיךָ וּתְהֻמֵּם:

שְׁלַח יָדֶיךָ מִמָּרוֹם פְּצֵנִי וְהַצִּילֵנִי מִמַּיִם רַבִּים

מִיַּד בְּנֵי נֵכָר:

אֲשֶׁר פִּיהֶם דִּבֶּר־שָׁוְא וִימִינָם יְמִין שָׁקֶר:

אֱלֹהִים שִׁיר חָדָשׁ אָשִׁירָה לָּךְ בְּנֵבֶל עָשׂוֹר אֲזַמְּרָה־לָּךְ:

הַנּוֹתֵן תְּשׁוּעָה לַמְּלָכִים הַפּוֹצֶה אֶת־דָּוִד עַבְדּוֹ

מֵחֶרֶב רָעָה:

EVENING SERVICE — CONCLUSION OF SABBATH

The following two Psalms were selected because both conclude with the theme of peace and plenty.

PSALM 144   A Psalm of David.

Blessed be the Lord, my Rock,
Who traineth my hands for combat,
And my fingers for battle.

   Thou art my lovingkindness and my fortress,
   My high tower and my deliverer;

My shield art Thou, in Thee I take refuge;
Thou subduest the enemy under me.

   Lord, what is man that Thou takes knowledge of him?
   Or the son of man that Thou dost regard him?

Man is like a breath;
His days are as a passing shadow.

   O Lord, bow Thy heavens and descend,
   Touch the mountains that they may smoke.

Flash forth lightning and scatter the evil-doer,
Send out Thine arrows and rout the foe.

   Stretch forth Thy hands from on high;
   Rescue me, and deliver me from mighty waters,
   Redeem me from the hand of hostile strangers,

Whose mouth speaks falsehood,
And whose right hand contrives deceit.

   O God, I will sing a new song unto Thee,
   Upon a harp of ten strings will I sing praises unto Thee,
   Who givest victory unto kings,
   Who rescuest David, Thy servant, from the evil sword.

פְּצֵנִי וְהַצִּילֵנִי מִיַּד בְּנֵי־נֵכָר אֲשֶׁר פִּיהֶם דִּבֶּר־שָׁוְא
וִימִינָם יְמִין שָׁקֶר:
אֲשֶׁר בָּנֵינוּ כִּנְטִעִים מְגֻדָּלִים בִּנְעוּרֵיהֶם
בְּנוֹתֵינוּ כְזָוִיֹּת מְחֻטָּבוֹת תַּבְנִית הֵיכָל:
מְזָוֵינוּ מְלֵאִים מְפִיקִים מִזַּן אֶל־זַן
צֹאונֵנוּ מַאֲלִיפוֹת מְרֻבָּבוֹת בְּחוּצוֹתֵינוּ:
אַלּוּפֵינוּ מְסֻבָּלִים אֵין פֶּרֶץ וְאֵין יוֹצֵאת
וְאֵין צְוָחָה בִּרְחֹבֹתֵינוּ
אַשְׁרֵי הָעָם שֶׁכָּכָה לּוֹ אַשְׁרֵי הָעָם שֶׁיְיָ אֱלֹהָיו:

תהלים ס״ז

לַמְנַצֵּחַ בִּנְגִינֹת מִזְמוֹר שִׁיר:

אֱלֹהִים יְחָנֵּנוּ וִיבָרְכֵנוּ יָאֵר פָּנָיו אִתָּנוּ סֶלָה:
לָדַעַת בָּאָרֶץ דַּרְכֶּךָ בְּכָל־גּוֹיִם יְשׁוּעָתֶךָ:
יוֹדוּךָ עַמִּים אֱלֹהִים יוֹדוּךָ עַמִּים כֻּלָּם:
יִשְׂמְחוּ וִירַנְּנוּ לְאֻמִּים כִּי־תִשְׁפֹּט עַמִּים מִישֹׁר
וּלְאֻמִּים בָּאָרֶץ תַּנְחֵם סֶלָה:
יוֹדוּךָ עַמִּים אֱלֹהִים יוֹדוּךָ עַמִּים כֻּלָּם:
אֶרֶץ נָתְנָה יְבוּלָהּ יְבָרְכֵנוּ אֱלֹהִים אֱלֹהֵינוּ:
יְבָרְכֵנוּ אֱלֹהִים וְיִירְאוּ אוֹתוֹ
כָּל־אַפְסֵי־אָרֶץ:

Rescue me, and deliver me out of the hand of those
Whose mouth speaks falsehood,
And whose right hand contrives deceit.

> May our sons be as saplings growing strong in their
>   youth;
> Our daughters like carved cornices of a palace;

May our garners be full, abundant with all manner of
    produce,
Our sheep increasing by thousands and ten thousands in
    our fields;

> May our oxen be well laden;
> May we neither be attacked nor enslaved,
> And no cry of distress be heard in our broad places.

Happy is the people that enjoys such security;
Happy the people whose God is the Lord.

Psalm 67

For the Leader; with string-music. A Psalm, a Song.

God, be gracious unto us and bless us;
Cause Thy spirit to shine upon us,

> That Thy way may be known upon earth,
> Thy saving power among all nations.

Let the peoples give thanks unto Thee, O Lord;
Let the peoples give thanks unto Thee, all of them.

> O let the nations be glad and sing for joy;
> For Thou judgest the peoples with equity,
> And guidest the nations upon earth.

Let the peoples give thanks unto Thee, O God;
Let the peoples give thanks unto Thee, all of them.

> The earth has yielded her produce,
> May God, our God, bless us.

May God bless us;
And let all the ends of the earth revere Him.

ערבית למוצאי שבת ויום טוב

וְהוּא רַחוּם יְכַפֵּר עָוֹן וְלֹא יַשְׁחִית. וְהִרְבָּה לְהָשִׁיב אַפּוֹ וְלֹא יָעִיר כָּל חֲמָתוֹ: יְיָ הוֹשִׁיעָה. הַמֶּלֶךְ יַעֲנֵנוּ בְיוֹם קָרְאֵנוּ:

Reader

בָּרְכוּ אֶת יְיָ הַמְבֹרָךְ:

Congregation and Reader

בָּרוּךְ יְיָ הַמְבֹרָךְ לְעוֹלָם וָעֶד:

בָּרוּךְ אַתָּה יְיָ אֱלֹהֵינוּ מֶלֶךְ הָעוֹלָם. אֲשֶׁר בִּדְבָרוֹ מַעֲרִיב עֲרָבִים בְּחָכְמָה פּוֹתֵחַ שְׁעָרִים וּבִתְבוּנָה מְשַׁנֶּה עִתִּים וּמַחֲלִיף אֶת הַזְּמַנִּים. וּמְסַדֵּר אֶת הַכֹּכָבִים בְּמִשְׁמְרוֹתֵיהֶם בָּרָקִיעַ כִּרְצוֹנוֹ. בּוֹרֵא יוֹם וָלָיְלָה גּוֹלֵל אוֹר מִפְּנֵי חֹשֶׁךְ וְחֹשֶׁךְ מִפְּנֵי אוֹר. וּמַעֲבִיר יוֹם וּמֵבִיא לָיְלָה וּמַבְדִּיל בֵּין יוֹם וּבֵין לָיְלָה. יְיָ צְבָאוֹת שְׁמוֹ: אֵל חַי וְקַיָּם תָּמִיד יִמְלוֹךְ עָלֵינוּ לְעוֹלָם וָעֶד. בָּרוּךְ אַתָּה יְיָ הַמַּעֲרִיב עֲרָבִים:

אַהֲבַת עוֹלָם בֵּית יִשְׂרָאֵל עַמְּךָ אָהָבְתָּ. תּוֹרָה וּמִצְוֹת חֻקִּים וּמִשְׁפָּטִים אוֹתָנוּ לִמַּדְתָּ. עַל־כֵּן יְיָ אֱלֹהֵינוּ בְּשָׁכְבֵנוּ וּבְקוּמֵנוּ נָשִׂיחַ בְּחֻקֶּיךָ. וְנִשְׂמַח בְּדִבְרֵי תוֹרָתֶךָ וּבְמִצְוֹתֶיךָ לְעוֹלָם וָעֶד. כִּי הֵם חַיֵּינוּ וְאֹרֶךְ יָמֵינוּ וּבָהֶם נֶהְגֶּה יוֹמָם וָלָיְלָה. וְאַהֲבָתְךָ אַל תָּסִיר מִמֶּנּוּ לְעוֹלָמִים. בָּרוּךְ אַתָּה יְיָ אוֹהֵב עַמּוֹ יִשְׂרָאֵל:

EVENING SERVICE — CONCLUSION OF
SABBATH AND FESTIVALS

And God being merciful, forgiveth iniquity and destroyeth not; yea, often He turneth His anger away, and doth not stir up all His indignation. O Lord, save us. O King, answer us on the day when we call.

Reader

Bless the Lord who is to be praised.

Congregation and Reader

Praised be the Lord who is blessed for all eternity.

Praised be Thou, O Lord our God, Ruler of the universe, who with Thy word bringest on the evening twilight, and with Thy wisdom openest the gates of the heavens. With understanding Thou dost order the cycles of time and variest the seasons, setting the stars in their courses in the sky, according to Thy will. Thou createst day and night, rolling away the light before the darkness and the darkness before the light. By Thy will the day passes into night; The Lord of heavenly hosts is Thy name. O ever living God, mayest Thou rule over us forever. Blessed be Thou, O Lord, who bringest on the evening twilight.

With everlasting love hast Thou loved the house of Israel, teaching us Thy Torah and commandments, Thy statutes and judgments. Therefore, O Lord our God, when we lie down and when we rise up, we will meditate on Thy teachings and rejoice forever in the words of Thy Torah and in its commandments, for they are our life and the length of our days. Day and night will we meditate upon them. O may Thy love never depart from us. Blessed be Thou, O Lord, who lovest Thy people Israel.

240

דברים ו׳ ד׳–ט׳

שְׁמַע יִשְׂרָאֵל יְהֹוָה אֱלֹהֵינוּ יְהֹוָה אֶחָד:

בָּרוּךְ שֵׁם כְּבוֹד מַלְכוּתוֹ לְעוֹלָם וָעֶד:

וְאָהַבְתָּ אֵת יְהֹוָה אֱלֹהֶיךָ בְּכָל־לְבָבְךָ וּבְכָל־נַפְשְׁךָ וּבְכָל־מְאֹדֶךָ: וְהָיוּ הַדְּבָרִים הָאֵלֶּה אֲשֶׁר אָנֹכִי מְצַוְּךָ הַיּוֹם עַל־לְבָבֶךָ: וְשִׁנַּנְתָּם לְבָנֶיךָ וְדִבַּרְתָּ בָּם בְּשִׁבְתְּךָ בְּבֵיתֶךָ וּבְלֶכְתְּךָ בַדֶּרֶךְ וּבְשָׁכְבְּךָ וּבְקוּמֶךָ: וּקְשַׁרְתָּם לְאוֹת עַל־יָדֶךָ וְהָיוּ לְטֹטָפֹת בֵּין עֵינֶיךָ: וּכְתַבְתָּם עַל־מְזֻזוֹת בֵּיתֶךָ וּבִשְׁעָרֶיךָ:

דברים י״א י״ג–כ״א

וְהָיָה אִם־שָׁמֹעַ תִּשְׁמְעוּ אֶל־מִצְוֹתַי אֲשֶׁר אָנֹכִי מְצַוֶּה אֶתְכֶם הַיּוֹם לְאַהֲבָה אֶת־יְהֹוָה אֱלֹהֵיכֶם וּלְעָבְדוֹ בְּכָל־לְבַבְכֶם וּבְכָל־נַפְשְׁכֶם: וְנָתַתִּי מְטַר־אַרְצְכֶם בְּעִתּוֹ יוֹרֶה וּמַלְקוֹשׁ וְאָסַפְתָּ דְגָנֶךָ וְתִירֹשְׁךָ וְיִצְהָרֶךָ: וְנָתַתִּי עֵשֶׂב בְּשָׂדְךָ לִבְהֶמְתֶּךָ וְאָכַלְתָּ וְשָׂבָעְתָּ: הִשָּׁמְרוּ לָכֶם פֶּן יִפְתֶּה לְבַבְכֶם וְסַרְתֶּם וַעֲבַדְתֶּם אֱלֹהִים אֲחֵרִים וְהִשְׁתַּחֲוִיתֶם לָהֶם: וְחָרָה אַף־יְהֹוָה בָּכֶם וְעָצַר אֶת־

Deuteronomy 6:4–9

Hear, O Israel: the Lord our God, the Lord is One.

Blessed be His glorious kingdom for ever and ever.

Thou shalt love the Lord thy God with all thy heart, with all thy soul, and with all thy might. And these words which I command thee this day shall be in thy heart. Thou shalt teach them diligently unto thy children, speaking of them when thou sittest in thy house, when thou walkest by the way, when thou liest down and when thou risest up. And thou shalt bind them for a sign upon thine hand, and they shall be for frontlets between thine eyes. And thou shalt write them upon the door posts of thy house and upon thy gates.

Deuteronomy 11:13–21

It shall come to pass, if ye shall hearken diligently unto My commandments which I command you this day, to love the Lord your God, and to serve Him with all your heart, and with all your soul, that I will give the rain of your land in its season, the former rain and the latter rain, that thou mayest gather in thy corn, and thy wine, and thine oil. And I will give grass in thy fields for thy cattle, and thou shalt eat and be satisfied. Take heed to yourselves, lest your heart be deceived, and ye turn aside, and serve other gods, and worship them; and the displeasure of the Lord will be aroused against you, and He shut up

הַשָּׁמַיִם וְלֹא־יִהְיֶה מָטָר וְהָאֲדָמָה לֹא תִתֵּן אֶת־יְבוּלָהּ וַאֲבַדְתֶּם מְהֵרָה מֵעַל הָאָרֶץ הַטֹּבָה אֲשֶׁר יְהוָה נֹתֵן לָכֶם: וְשַׂמְתֶּם אֶת־דְּבָרַי אֵלֶּה עַל־לְבַבְכֶם וְעַל־נַפְשְׁכֶם וּקְשַׁרְתֶּם אֹתָם לְאוֹת עַל־יֶדְכֶם וְהָיוּ לְטוֹטָפֹת בֵּין עֵינֵיכֶם: וְלִמַּדְתֶּם אֹתָם אֶת־בְּנֵיכֶם לְדַבֵּר בָּם בְּשִׁבְתְּךָ בְּבֵיתֶךָ וּבְלֶכְתְּךָ בַדֶּרֶךְ וּבְשָׁכְבְּךָ וּבְקוּמֶךָ: וּכְתַבְתָּם עַל־מְזוּזוֹת בֵּיתֶךָ וּבִשְׁעָרֶיךָ: לְמַעַן יִרְבּוּ יְמֵיכֶם וִימֵי בְנֵיכֶם עַל הָאֲדָמָה אֲשֶׁר נִשְׁבַּע יְהוָה לַאֲבֹתֵיכֶם לָתֵת לָהֶם כִּימֵי הַשָּׁמַיִם עַל־הָאָרֶץ:

במדבר ט״ו ל״ז–מ״א

וַיֹּאמֶר יְהוָה אֶל־מֹשֶׁה לֵּאמֹר: דַּבֵּר אֶל־בְּנֵי יִשְׂרָאֵל וְאָמַרְתָּ אֲלֵהֶם וְעָשׂוּ לָהֶם צִיצִת עַל־כַּנְפֵי בִגְדֵיהֶם לְדֹרֹתָם וְנָתְנוּ עַל־צִיצִת הַכָּנָף פְּתִיל תְּכֵלֶת: וְהָיָה לָכֶם לְצִיצִת וּרְאִיתֶם אֹתוֹ וּזְכַרְתֶּם אֶת־כָּל־מִצְוֹת יְהוָה וַעֲשִׂיתֶם אֹתָם וְלֹא תָתוּרוּ אַחֲרֵי לְבַבְכֶם וְאַחֲרֵי עֵינֵיכֶם אֲשֶׁר־אַתֶּם זֹנִים אַחֲרֵיהֶם: לְמַעַן תִּזְכְּרוּ וַעֲשִׂיתֶם אֶת־כָּל־מִצְוֹתָי וִהְיִיתֶם קְדֹשִׁים לֵאלֹהֵיכֶם: אֲנִי יְהוָה אֱלֹהֵיכֶם אֲשֶׁר הוֹצֵאתִי אֶתְכֶם מֵאֶרֶץ מִצְרַיִם לִהְיוֹת לָכֶם לֵאלֹהִים אֲנִי יְהוָה אֱלֹהֵיכֶם:

יְהוָה אֱלֹהֵיכֶם אֱמֶת:

the heaven, so that there shall be no rain, and the **ground** shall not yield her fruit; and ye perish quickly from off the good land which the Lord giveth you. Therefore shall ye lay up these My words in your heart and in your soul; and ye shall bind them for a sign upon your hand, and they shall be for frontlets between your eyes. And ye shall teach them to your children, talking of them, when **thou** sittest in thy house, and when thou walkest by the way, and when thou liest down, and when thou risest up. And thou shalt write them upon the doorposts of thy house, and upon thy gates; that your days may be multiplied, and the days of your children, upon the land which the Lord promised unto your fathers to give them, as the days **of the heavens above** the earth.

Numbers 15:37-41

The Lord spoke unto Moses, saying: Speak unto the children of Israel, and bid them make fringes in the corners of their garments throughout their generations, putting upon the fringe of each corner a thread of blue. And it shall be unto you for a fringe, that ye may look upon it and remember all the commandments of the Lord, and do them; and that ye go not about after your own heart and your own eyes, after which ye use to go astray:-

That ye may remember to do all My commandments, and be holy unto your God. I am the Lord your God, who brought you out of the land of Egypt to be your God; I **am** the Lord your God.

אֱמֶת וֶאֱמוּנָה כָּל־זֹאת וְקַיָּם עָלֵינוּ כִּי הוּא יְיָ אֱלֹהֵינוּ וְאֵין זוּלָתוֹ. וַאֲנַחְנוּ יִשְׂרָאֵל עַמּוֹ: הַפּוֹדֵנוּ מִיַּד מְלָכִים מַלְכֵּנוּ הַגּוֹאֲלֵנוּ מִכַּף כָּל־הֶעָרִיצִים: הָאֵל הַנִּפְרָע לָנוּ מִצָּרֵינוּ וְהַמְשַׁלֵּם גְּמוּל לְכָל־אוֹיְבֵי נַפְשֵׁנוּ: הָעֹשֶׂה גְדֹלוֹת עַד אֵין חֵקֶר וְנִפְלָאוֹת עַד אֵין מִסְפָּר: הַשָּׂם נַפְשֵׁנוּ בַּחַיִּים וְלֹא נָתַן לַמּוֹט רַגְלֵנוּ. הַמַּדְרִיכֵנוּ עַל בָּמוֹת אוֹיְבֵינוּ וַיָּרֶם קַרְנֵנוּ עַל כָּל־שׂנְאֵינוּ: הָעֹשֶׂה לָנוּ נִסִּים וּנְקָמָה בְּפַרְעֹה. אוֹתוֹת וּמוֹפְתִים בְּאַדְמַת בְּנֵי חָם: הַמַּכֶּה בְעֶבְרָתוֹ כָּל־בְּכוֹרֵי מִצְרָיִם. וַיּוֹצֵא אֶת עַמּוֹ יִשְׂרָאֵל מִתּוֹכָם לְחֵרוּת עוֹלָם: הַמַּעֲבִיר בָּנָיו בֵּין גִּזְרֵי יַם־סוּף. אֶת רוֹדְפֵיהֶם וְאֶת שׂוֹנְאֵיהֶם בִּתְהוֹמוֹת טִבַּע: וְרָאוּ בָנָיו גְּבוּרָתוֹ שִׁבְּחוּ וְהוֹדוּ לִשְׁמוֹ. וּמַלְכוּתוֹ בְּרָצוֹן קִבְּלוּ עֲלֵיהֶם. מֹשֶׁה וּבְנֵי יִשְׂרָאֵל לְךָ עָנוּ שִׁירָה. בְּשִׂמְחָה רַבָּה וְאָמְרוּ כֻלָּם.

מִי־כָמֹכָה בָּאֵלִם יְיָ מִי כָּמֹכָה נֶאְדָּר בַּקֹּדֶשׁ נוֹרָא תְהִלֹּת עֹשֵׂה פֶלֶא:

מַלְכוּתְךָ רָאוּ בָנֶיךָ בּוֹקֵעַ יָם לִפְנֵי מֹשֶׁה. זֶה אֵלִי עָנוּ וְאָמְרוּ. יְיָ יִמְלֹךְ לְעֹלָם וָעֶד:

וְנֶאֱמַר כִּי־פָדָה יְיָ אֶת־יַעֲקֹב וּגְאָלוֹ מִיַּד חָזָק מִמֶּנּוּ. בָּרוּךְ אַתָּה יְיָ גָּאַל יִשְׂרָאֵל:

Adapted from the Hebrew

True and certain it is that there is one God,
And there is none like unto Him.

It is He who redeemed us from the might of tyrants,
And executed judgment upon all our oppressors.

Great are the things that God hath done;
His wonders are without number.

He causes us to triumph over our enemies,
And raises up our glory above our foes.

Wondrously He visited judgment upon Pharoah,
Performing signs and wonders in the land of Egypt.

He brought forth the children of Israel from bondage,
And delivered them from slavery unto freedom.

In every age the Lord hath been our hope;
He rescued us from enemies who sought to destroy us.

May He continue His protecting care over Israel,
And guard all His children from disaster.

When the children of Israel beheld the might of the Lord.
They gave thanks unto Him and praised His name.

They accepted His Sovereignty willingly,
And sang a song unto Him.

Moses and the Children of Israel exultingly proclaimed:
Who is like unto Thee, O Lord, among the mighty?
Who is like unto Thee, glorious in holiness,
Revered in praises, doing wonders?

When Thou didst rescue Israel at the Red Sea,
Thy children beheld Thy supreme power.

This is my God! they exclaimed, and said:
The Lord shall reign for ever and ever.

As Thou didst deliver Israel from a power mightier
than he,
So mayest Thou redeem all Thy children from oppression.

Blessed art Thou, O Lord,
Redeemer of Israel.

הַשְׁכִּיבֵנוּ יְיָ אֱלֹהֵינוּ לְשָׁלוֹם וְהַעֲמִידֵנוּ מַלְכֵּנוּ לְחַיִּים. וּפְרוֹשׂ עָלֵינוּ סֻכַּת שְׁלוֹמֶךָ וְתַקְּנֵנוּ בְּעֵצָה טוֹבָה מִלְּפָנֶיךָ וְהוֹשִׁיעֵנוּ לְמַעַן שְׁמֶךָ. וְהָגֵן בַּעֲדֵנוּ וְהָסֵר מֵעָלֵינוּ אוֹיֵב דֶּבֶר וְחֶרֶב וְרָעָב וְיָגוֹן וְהָסֵר שָׂטָן מִלְּפָנֵינוּ וּמֵאַחֲרֵינוּ. וּבְצֵל כְּנָפֶיךָ תַּסְתִּירֵנוּ כִּי אֵל שׁוֹמְרֵנוּ וּמַצִּילֵנוּ אָתָּה כִּי אֵל מֶלֶךְ חַנּוּן וְרַחוּם אָתָּה. וּשְׁמוֹר צֵאתֵנוּ וּבוֹאֵנוּ לְחַיִּים וּלְשָׁלוֹם מֵעַתָּה וְעַד עוֹלָם. בָּרוּךְ אַתָּה יְיָ שׁוֹמֵר עַמּוֹ יִשְׂרָאֵל לָעַד:

בָּרוּךְ יְיָ לְעוֹלָם. אָמֵן וְאָמֵן: בָּרוּךְ יְיָ מִצִּיּוֹן שֹׁכֵן יְרוּשָׁלָיִם. הַלְלוּיָהּ: בָּרוּךְ יְיָ אֱלֹהִים אֱלֹהֵי יִשְׂרָאֵל עֹשֵׂה נִפְלָאוֹת לְבַדּוֹ: וּבָרוּךְ שֵׁם כְּבוֹדוֹ לְעוֹלָם. וְיִמָּלֵא כְבוֹדוֹ אֶת־כָּל־הָאָרֶץ. אָמֵן וְאָמֵן: יְהִי כְבוֹד יְיָ לְעוֹלָם יִשְׂמַח יְיָ בְּמַעֲשָׂיו: יְהִי שֵׁם יְיָ מְבֹרָךְ מֵעַתָּה וְעַד־עוֹלָם: כִּי לֹא־יִטֹּשׁ יְיָ אֶת־עַמּוֹ בַּעֲבוּר שְׁמוֹ הַגָּדוֹל. כִּי הוֹאִיל יְיָ לַעֲשׂוֹת אֶתְכֶם לוֹ לְעָם: וַיַּרְא כָּל־הָעָם וַיִּפְּלוּ עַל־פְּנֵיהֶם וַיֹּאמְרוּ. יְיָ הוּא הָאֱלֹהִים. יְיָ הוּא הָאֱלֹהִים: וְהָיָה יְיָ לְמֶלֶךְ עַל־כָּל־הָאָרֶץ. בַּיּוֹם הַהוּא יִהְיֶה יְיָ אֶחָד וּשְׁמוֹ אֶחָד: יְהִי חַסְדְּךָ יְיָ עָלֵינוּ כַּאֲשֶׁר יִחַלְנוּ לָךְ: הוֹשִׁיעֵנוּ אֱלֹהֵי יִשְׁעֵנוּ. וְקַבְּצֵנוּ וְהַצִּילֵנוּ מִן־הַגּוֹיִם. לְהוֹדוֹת לְשֵׁם קָדְשֶׁךָ לְהִשְׁתַּבֵּחַ בִּתְהִלָּתֶךָ: כָּל־גּוֹיִם אֲשֶׁר עָשִׂיתָ יָבוֹאוּ וְיִשְׁתַּחֲווּ לְפָנֶיךָ אֲדֹנָי וִיכַבְּדוּ לִשְׁמֶךָ: כִּי־גָדוֹל אַתָּה וְעֹשֵׂה נִפְלָאוֹת אַתָּה אֱלֹהִים לְבַדֶּךָ: וַאֲנַחְנוּ עַמְּךָ וְצֹאן מַרְעִיתֶךָ. נוֹדֶה לְּךָ לְעוֹלָם לְדוֹר וָדֹר נְסַפֵּר תְּהִלָּתֶךָ:

Cause us, O Lord our God, to lie down in peace, and raise us up again, O our King, unto life. Spread over us Thy tabernacle of peace. Direct us aright through Thine own good counsel. Save us for Thy name's sake. Be Thou a shield about us. Remove from us every enemy, pestilence, sword, famine, and sorrow. Help us, O Lord, to resist temptation. Shelter us with Thy protecting love, for Thou art our guardian and deliverer. Yea, Thou God and King art gracious and compassionate. Guard Thou our going out and our coming in unto life and peace, henceforth and forevermore. Blessed be Thou, O Lord, who guardest Thy people Israel forever.

Blessed be the Lord forevermore. Amen and Amen. Blessed from Zion be the Lord who dwelleth in Jerusalem. Praise the Lord. Blessed be the Lord God, the God of Israel, who alone doeth wondrous things. Blessed be His glorious name forever. Let the whole earth be filled with His glory. Amen and Amen. May the glory of the Lord endure forever; let the Lord rejoice in His works. Blessed be the name of the Lord from this time forth and forever. For the Lord will not forsake His people for His great name's sake; for the Lord taketh delight in making you a people for Himself. And when all the people beheld the glory of the Lord, they fell on their faces and exclaimed: The Lord, He is God; the Lord, He is God. And the Lord shall be King over all the earth; on that day shall the Lord be One, and His name one. May Thy lovingkindness, O Lord, be upon us, for we have placed our hope in Thee. Save us, O God of our salvation; gather us together and save us from the nations that oppress us that we may give thanks unto Thy holy name, and find glory in praising Thee. All nations whom Thou hast made shall come and bow down before Thee, O Lord, and they shall glorify Thy name, for Thou art great; Thou doest wondrous things and Thou alone art God. We are Thy people and the sheep of Thy pasture; we will give thanks unto Thee forever. To all generations will we recount Thy praise.

בָּרוּךְ יְיָ בַּיּוֹם. בָּרוּךְ יְיָ בַּלָּיְלָה. בָּרוּךְ יְיָ בְּשָׁכְבֵנוּ. בָּרוּךְ יְיָ בְּקוּמֵנוּ: כִּי בְיָדְךָ נַפְשׁוֹת הַחַיִּים וְהַמֵּתִים. אֲשֶׁר בְּיָדוֹ נֶפֶשׁ כָּל־חָי וְרוּחַ כָּל־בְּשַׂר־אִישׁ: בְּיָדְךָ אַפְקִיד רוּחִי פָּדִיתָה אוֹתִי יְיָ אֵל אֱמֶת: אֱלֹהֵינוּ שֶׁבַּשָּׁמַיִם יַחֵד שִׁמְךָ. וְקַיֵּם מַלְכוּתְךָ תָּמִיד וּמְלוֹךְ עָלֵינוּ לְעוֹלָם וָעֶד:

יִרְאוּ עֵינֵינוּ וְיִשְׂמַח לִבֵּנוּ. וְתָגֵל נַפְשֵׁנוּ בִּישׁוּעָתְךָ בֶּאֱמֶת בֶּאֱמֹר לְצִיּוֹן מָלַךְ אֱלֹהָיִךְ: יְיָ מֶלֶךְ. יְיָ מָלָךְ. יְיָ יִמְלֹךְ לְעוֹלָם וָעֶד: כִּי הַמַּלְכוּת שֶׁלְּךָ הִיא. וּלְעוֹלְמֵי עַד תִּמְלֹךְ בְּכָבוֹד. כִּי אֵין לָנוּ מֶלֶךְ אֶלָּא אָתָּה. בָּרוּךְ אַתָּה יְיָ הַמֶּלֶךְ בִּכְבוֹדוֹ. תָּמִיד יִמְלוֹךְ עָלֵינוּ לְעוֹלָם וָעֶד. וְעַל כָּל מַעֲשָׂיו:

Reader

יִתְגַּדַּל וְיִתְקַדַּשׁ שְׁמֵהּ רַבָּא. בְּעָלְמָא דִּי בְרָא כִרְעוּתֵהּ. וְיַמְלִיךְ מַלְכוּתֵהּ בְּחַיֵּיכוֹן וּבְיוֹמֵיכוֹן וּבְחַיֵּי דְכָל בֵּית יִשְׂרָאֵל בַּעֲגָלָא וּבִזְמַן קָרִיב. וְאִמְרוּ אָמֵן.

Congregation and Reader

יְהֵא שְׁמֵהּ רַבָּא מְבָרַךְ לְעָלַם וּלְעָלְמֵי עָלְמַיָּא.

Reader

יִתְבָּרַךְ וְיִשְׁתַּבַּח וְיִתְפָּאַר וְיִתְרוֹמַם וְיִתְנַשֵּׂא וְיִתְהַדַּר וְיִתְעַלֶּה וְיִתְהַלָּל שְׁמֵהּ דְּקֻדְשָׁא בְּרִיךְ הוּא. לְעֵלָּא (וּלְעֵלָּא) מִן כָּל בִּרְכָתָא וְשִׁירָתָא תֻּשְׁבְּחָתָא וְנֶחֱמָתָא דַּאֲמִירָן בְּעָלְמָא. וְאִמְרוּ אָמֵן:

Blessed be the Lord by day; blessed be the Lord by night; blessed be the Lord when we lie down; blessed be the Lord when we rise up. For in Thy hand are the souls of the living and the dead, as it is said: In His hand is the soul of every living thing, and the breath of all mankind. Into Thy hand I commit my spirit. Thou dost redeem me, O Lord, Thou God of truth. Our God who art in heaven, make manifest the unity of Thy name, establish Thy kingdom for all time, and reign over us for ever and ever.

May our eyes behold, our hearts rejoice, and our souls be glad in Thy true salvation, when it shall be said unto Zion: Thy God reigneth. The Lord reigneth; the Lord hath reigned; the Lord shall reign for ever and ever; for the kingdom is Thine, and to everlasting Thou wilt reign in glory; for we have no King but Thee. Blessed art Thou, O Lord, the King, who continually in Thy glory wilt reign over us and over Thy creation for ever and ever.

Reader

Magnified and sanctified be the name of God throughout the world which He hath created according to His will. May He establish His kingdom during the days of your life and during the life of all the house of Israel, speedily, yea, soon; and say ye, Amen.

Congregation and Reader

May His great name be blessed for ever and ever.

Reader

Exalted and honored be the name of the Holy One, blessed be He, whose glory transcends, yea, is beyond all praises, hymns and blessings that man can render unto Him; and say ye, Amen.

עמידה

אֲדֹנָי שְׂפָתַי תִּפְתָּח וּפִי יַגִּיד תְּהִלָּתֶךָ:

בָּרוּךְ אַתָּה יְיָ אֱלֹהֵינוּ וֵאלֹהֵי אֲבוֹתֵינוּ. אֱלֹהֵי אַבְרָהָם אֱלֹהֵי יִצְחָק וֵאלֹהֵי יַעֲקֹב. הָאֵל הַגָּדוֹל הַגִּבּוֹר וְהַנּוֹרָא. אֵל עֶלְיוֹן. גּוֹמֵל חֲסָדִים טוֹבִים וְקוֹנֵה הַכֹּל. וְזוֹכֵר חַסְדֵי אָבוֹת וּמֵבִיא גוֹאֵל לִבְנֵי בְנֵיהֶם לְמַעַן שְׁמוֹ בְּאַהֲבָה:

During the Ten Days of Repentance add:

זָכְרֵנוּ לַחַיִּים. מֶלֶךְ חָפֵץ בַּחַיִּים. וְכָתְבֵנוּ בְּסֵפֶר הַחַיִּים. לְמַעַנְךָ אֱלֹהִים חַיִּים.

מֶלֶךְ עוֹזֵר וּמוֹשִׁיעַ וּמָגֵן. בָּרוּךְ אַתָּה יְיָ מָגֵן אַבְרָהָם:

אַתָּה גִּבּוֹר לְעוֹלָם אֲדֹנָי. מְחַיֵּה מֵתִים אַתָּה. רַב לְהוֹשִׁיעַ.

From Shemini Aẓeret until Pesaḥ add:

מַשִּׁיב הָרוּחַ וּמוֹרִיד הַגֶּשֶׁם:

מְכַלְכֵּל חַיִּים בְּחֶסֶד. מְחַיֵּה מֵתִים בְּרַחֲמִים רַבִּים. סוֹמֵךְ נוֹפְלִים וְרוֹפֵא חוֹלִים וּמַתִּיר אֲסוּרִים. וּמְקַיֵּם אֱמוּנָתוֹ לִישֵׁנֵי עָפָר. מִי כָמוֹךָ בַּעַל גְּבוּרוֹת וּמִי דּוֹמֶה לָּךְ. מֶלֶךְ מֵמִית וּמְחַיֶּה וּמַצְמִיחַ יְשׁוּעָה.

During the Ten Days of Repentance add:

מִי כָמוֹךָ אַב הָרַחֲמִים. זוֹכֵר יְצוּרָיו לְחַיִּים בְּרַחֲמִים.

וְנֶאֱמָן אַתָּה לְהַחֲיוֹת מֵתִים. בָּרוּךְ אַתָּה יְיָ מְחַיֵּה הַמֵּתִים:

The Amidah is said standing, in silent devotion.

O Lord, open Thou my lips and my mouth shall declare **Thy** praise.

Praised art Thou, O Lord our God and God of our fathers, God of Abraham, God of Isaac, and God of Jacob, mighty, revered and exalted God. Thou bestowest lovingkindness and possessest all things. Mindful of the patriarchs' love for Thee, Thou wilt in Thy love bring a redeemer to their children's children for the sake of Thy name.

During the Ten Days of Repentance add:

Remember us unto life, O King who delightest in life, and inscribe us in the Book of Life so that we may live worthily for Thy sake, O Lord of life.

O King, Thou Helper, Redeemer and Shield, be Thou praised, O Lord, Shield of Abraham.

Thou, O Lord, art mighty forever. Thou callest the dead to immortal life for Thou art mighty in deliverance.

From Shemini Aẓeret until Pesaḥ add:

Thou causest the wind to blow and the rain to fall.

Thou sustainest the living with lovingkindness, and in great mercy callest the departed to everlasting life. Thou upholdest the falling, healest the sick, settest free those who are in bondage, and keepest faith with those that sleep in the dust. Who is like unto Thee, Almighty King, who decreest death and life and bringest forth salvation?

During the Ten Days of Repentance add:

Who may be compared to Thee, Father of mercy, who in love rememberest Thy creatures unto life?

Faithful art Thou to grant eternal life to the departed. Blessed art Thou, O Lord, who callest the dead to life everlasting.

אַתָּה קָדוֹשׁ וְשִׁמְךָ קָדוֹשׁ. וּקְדוֹשִׁים בְּכָל־יוֹם יְהַלְלוּךָ סֶּלָה. *בָּרוּךְ אַתָּה יְיָ הָאֵל הַקָּדוֹשׁ:

**During the Ten Days of Repentance conclude thus:*

בָּרוּךְ אַתָּה יְיָ. הַמֶּלֶךְ הַקָּדוֹשׁ:

אַתָּה חוֹנֵן לְאָדָם דַּעַת. וּמְלַמֵּד לֶאֱנוֹשׁ בִּינָה.

At the Conclusion of Sabbath and Festivals add:

אַתָּה חוֹנַנְתָּנוּ לְמַדַּע תּוֹרָתֶךָ. וַתְּלַמְּדֵנוּ לַעֲשׂוֹת חֻקֵּי רְצוֹנֶךָ. וַתַּבְדֵּל יְיָ אֱלֹהֵינוּ בֵּין קֹדֶשׁ לְחוֹל. בֵּין אוֹר לַחֹשֶׁךְ. בֵּין יִשְׂרָאֵל לָעַמִּים. בֵּין יוֹם הַשְּׁבִיעִי לְשֵׁשֶׁת יְמֵי הַמַּעֲשֶׂה. אָבִינוּ מַלְכֵּנוּ. הָחֵל עָלֵינוּ הַיָּמִים הַבָּאִים לִקְרָאתֵנוּ לְשָׁלוֹם חֲשׂוּכִים מִכָּל־חֵטְא. וּמְנֻקִּים מִכָּל־עָוֹן. וּמְדֻבָּקִים בְּיִרְאָתֶךָ.

וְחָנֵּנוּ מֵאִתְּךָ דֵּעָה בִּינָה וְהַשְׂכֵּל. בָּרוּךְ אַתָּה יְיָ. חוֹנֵן הַדָּעַת:

הֲשִׁיבֵנוּ אָבִינוּ לְתוֹרָתֶךָ. וְקָרְבֵנוּ מַלְכֵּנוּ לַעֲבוֹדָתֶךָ. וְהַחֲזִירֵנוּ בִּתְשׁוּבָה שְׁלֵמָה לְפָנֶיךָ. בָּרוּךְ אַתָּה יְיָ. הָרוֹצֶה בִּתְשׁוּבָה:

סְלַח־לָנוּ אָבִינוּ כִּי חָטָאנוּ. מְחַל־לָנוּ מַלְכֵּנוּ כִּי פָשָׁעְנוּ. כִּי מוֹחֵל וְסוֹלֵחַ אָתָּה. בָּרוּךְ אַתָּה יְיָ חַנּוּן הַמַּרְבֶּה לִסְלוֹחַ:

רְאֵה נָא בְעָנְיֵנוּ. וְרִיבָה רִיבֵנוּ. וּגְאָלֵנוּ מְהֵרָה לְמַעַן שְׁמֶךָ. כִּי גוֹאֵל חָזָק אָתָּה. בָּרוּךְ אַתָּה יְיָ גוֹאֵל יִשְׂרָאֵל:

Holy art Thou and holy is Thy name and unto Thee holy beings render praise daily.* Blessed art Thou, O Lord, the holy God.

During the Ten Days of Repentance conclude thus:

Blessed art Thou, O Lord, the holy King.

Thou endowest man with knowledge and teachest man understanding.

At the Conclusion of Sabbath and Festivals add:

Thou hast endowed us with a knowledge of Thy Torah and hast taught us to perform the statutes of Thy will. Thou hast made distinction, O Lord our God, between the sacred and the secular, between light and darkness, between Israel and the heathens, between the seventh day of rest and the six days of work. O our Father, our King, grant that the days which are approaching may begin for us in peace. May we be withheld from all sin, cleansed from all iniquity, and may we cleave in reverence to Thee.

O grant us knowledge, understanding and discernment. Blessed art Thou, O Lord, who bestowest knowledge upon man.

Bring us back, O our Father, to Thy Torah; draw us near, O our King, to Thy service, and restore us unto Thy presence in wholehearted repentance. Blessed art Thou, O Lord, who desirest repentance.

Forgive us, O our Father, for we have sinned; pardon us, O our King, for we have transgressed. Verily Thou art merciful and forgiving. Blessed art Thou, O gracious Lord, who art abundant in forgiveness.

Behold our affliction and plead our cause. Hasten to redeem us for the sake of Thy name, for Thou art a mighty Redeemer. Blessed art Thou, O Lord, Redeemer of Israel.

רְפָאֵנוּ יְיָ וְנֵרָפֵא. הוֹשִׁיעֵנוּ וְנִוָּשֵׁעָה. כִּי תְהִלָּתֵנוּ אָתָּה. וְהַעֲלֵה רְפוּאָה שְׁלֵמָה לְכָל־מַכּוֹתֵינוּ. כִּי אֵל מֶלֶךְ רוֹפֵא נֶאֱמָן וְרַחֲמָן אָתָּה. בָּרוּךְ אַתָּה יְיָ. רוֹפֵא חוֹלֵי עַמּוֹ יִשְׂרָאֵל:

בָּרֵךְ עָלֵינוּ יְיָ אֱלֹהֵינוּ אֶת הַשָּׁנָה הַזֹּאת וְאֶת כָּל מִינֵי תְבוּאָתָהּ לְטוֹבָה.

**During Spring and Summer add:*

וְתֵן בְּרָכָה עַל פְּנֵי הָאֲדָמָה.

During Winter add:

וְתֵן טַל וּמָטָר לִבְרָכָה עַל פְּנֵי הָאֲדָמָה.

וְשַׂבְּעֵנוּ מִטּוּבֶךָ. וּבָרֵךְ שְׁנָתֵנוּ כַּשָּׁנִים הַטּוֹבוֹת. בָּרוּךְ אַתָּה יְיָ מְבָרֵךְ הַשָּׁנִים:

תְּקַע בְּשׁוֹפָר גָּדוֹל לְחֵרוּתֵנוּ. וְשָׂא נֵס לְקַבֵּץ גָּלֻיּוֹתֵינוּ. וְקַבְּצֵנוּ יַחַד מֵאַרְבַּע כַּנְפוֹת הָאָרֶץ. בָּרוּךְ אַתָּה יְיָ מְקַבֵּץ נִדְחֵי עַמּוֹ יִשְׂרָאֵל:

הָשִׁיבָה שׁוֹפְטֵינוּ כְּבָרִאשׁוֹנָה. וְיוֹעֲצֵינוּ כְּבַתְּחִלָּה. וְהָסֵר מִמֶּנּוּ יָגוֹן וַאֲנָחָה. וּמְלוֹךְ עָלֵינוּ אַתָּה יְיָ לְבַדְּךָ בְּחֶסֶד וּבְרַחֲמִים וְצַדְּקֵנוּ בַּמִּשְׁפָּט. בָּרוּךְ אַתָּה יְיָ מֶלֶךְ אוֹהֵב צְדָקָה וּמִשְׁפָּט:

During the Ten Days of Repentance conclude thus:

בָּרוּךְ אַתָּה יְיָ. הַמֶּלֶךְ הַמִּשְׁפָּט:

**From Hol Hamoed Pesaḥ until Dec. 4th*

Heal us, O Lord, and we shall be healed; save us and we shall be saved, for to Thee we offer praise. Grant complete healing for all our ailments for Thou, O God, art our King, our faithful and merciful Healer. Praised art Thou, O Lord, who healest the sick among Thy people Israel.

Bless this year unto us, O Lord our God, and bless its yield that it may be for our welfare.

During Spring and Summer add:

Send Thy blessing upon the earth.

During Winter add:

Send dew and rain for a blessing upon the earth.

Satisfy us out of Thy bounty, O Lord. Do Thou bless this year, that it be for us a year of abundance. Praised be Thou, O Lord, who dost bless the years.

Sound the great Shofar proclaiming our freedom. Raise the banner to assemble our exiles, and gather us together from the four corners of the earth. Blessed art Thou, O God, who wilt gather the dispersed of Thy people Israel.

Restore our judges as of yore, and our counsellors as aforetime, and thus remove from us grief and suffering. Reign Thou over us, O Lord, Thou alone in lovingkindness and mercy and vindicate us in judgment. Blessed art Thou, O Lord, Thou King, who lovest righteousness and judgment.

During the Ten Days of Repentance conclude thus:

Blessed art Thou, O Lord, the King of judgment.

From the Intermediate Days of Pesaḥ until Dec. 4th.

וְלַמַּלְשִׁינִים אַל תְּהִי תִקְוָה. וְכָל הָרִשְׁעָה כְּרֶגַע תֹּאבֵד. וְכָל אוֹיְבֶיךָ מְהֵרָה יִכָּרֵתוּ. וּמַלְכוּת זָדוֹן מְהֵרָה תְעַקֵּר וּתְשַׁבֵּר וּתְמַגֵּר וְתַכְנִיעַ בִּמְהֵרָה בְיָמֵינוּ. בָּרוּךְ אַתָּה יְיָ שׁוֹבֵר אוֹיְבִים וּמַכְנִיעַ זֵדִים:

עַל הַצַּדִּיקִים וְעַל הַחֲסִידִים וְעַל זִקְנֵי עַמְּךָ בֵּית יִשְׂרָאֵל. וְעַל פְּלֵיטַת סוֹפְרֵיהֶם וְעַל גֵּרֵי הַצֶּדֶק וְעָלֵינוּ יֶהֱמוּ רַחֲמֶיךָ יְיָ אֱלֹהֵינוּ. וְתֵן שָׂכָר טוֹב לְכָל הַבּוֹטְחִים בְּשִׁמְךָ בֶּאֱמֶת. וְשִׂים חֶלְקֵנוּ עִמָּהֶם לְעוֹלָם וְלֹא נֵבוֹשׁ כִּי בְךָ בָּטָחְנוּ. בָּרוּךְ אַתָּה יְיָ מִשְׁעָן וּמִבְטָח לַצַּדִּיקִים:

וְלִירוּשָׁלַיִם עִירְךָ בְּרַחֲמִים תָּשׁוּב. וְתִשְׁכּוֹן בְּתוֹכָהּ כַּאֲשֶׁר דִּבַּרְתָּ. וּבְנֵה אוֹתָהּ בְּקָרוֹב בְּיָמֵינוּ בִּנְיַן עוֹלָם. וְכִסֵּא דָוִד מְהֵרָה לְתוֹכָהּ תָּכִין. בָּרוּךְ אַתָּה יְיָ בּוֹנֵה יְרוּשָׁלָיִם:

אֶת צֶמַח דָּוִד עַבְדְּךָ מְהֵרָה תַצְמִיחַ. וְקַרְנוֹ תָּרוּם בִּישׁוּעָתֶךָ. כִּי לִישׁוּעָתְךָ קִוִּינוּ כָּל הַיּוֹם. בָּרוּךְ אַתָּה יְיָ מַצְמִיחַ קֶרֶן יְשׁוּעָה:

שְׁמַע קוֹלֵנוּ יְיָ אֱלֹהֵינוּ חוּס וְרַחֵם עָלֵינוּ. וְקַבֵּל בְּרַחֲמִים וּבְרָצוֹן אֶת תְּפִלָּתֵנוּ. כִּי אֵל שׁוֹמֵעַ תְּפִלּוֹת וְתַחֲנוּנִים אָתָּה. וּמִלְּפָנֶיךָ מַלְכֵּנוּ רֵיקָם אַל תְּשִׁיבֵנוּ. כִּי אַתָּה שׁוֹמֵעַ תְּפִלַּת עַמְּךָ יִשְׂרָאֵל בְּרַחֲמִים. בָּרוּךְ אַתָּה יְיָ שׁוֹמֵעַ תְּפִלָּה:

As for slanderers, may their hopes come to naught, and may all wickedness perish. May all Thine enemies be destroyed. Do Thou uproot the dominion of arrogance; crush it and subdue it in our day. Blessed art Thou, O Lord, who breakest the power of the enemy and bringest low the arrogant.

May Thy tender mercies, O Lord our God, be stirred towards the righteous and the pious, towards the leaders of Thy people Israel, towards all the scholars that have survived, towards the righteous proselytes and towards us. Grant Thy favor unto all who faithfully trust in Thee, and may our portion ever be with them. May we never suffer humiliation for in Thee do we put our trust. Blessed art Thou, O Lord, who art the staff and trust of the righteous.

The throne and dynasty of David are historic symbols of righteous government and the restoration of Israel's homeland.

Return in mercy to Jerusalem, Thy city, and dwell Thou therein as Thou hast promised. Rebuild it in our own day as an enduring habitation, and speedily set up therein the throne of David. Blessed art Thou, O Lord, who rebuildest Jerusalem.

Cause the dynasty of David soon to flourish and may it be exalted through Thy saving power, for we daily await Thy deliverance. Blessed art Thou, O Lord, who causest salvation to come forth.

Hear our voice, O Lord our God, have compassion upon us and receive our prayers in loving favor for Thou, O God, hearkenest unto prayers and supplications. Turn us not from Thy presence without Thy blessing, O our King, for Thou hearest the prayers of Thy people Israel with compassion. Blessed art Thou, O Lord, who hearkenest unto prayer.

רְצֵה יְיָ אֱלֹהֵינוּ בְּעַמְּךָ יִשְׂרָאֵל וּבִתְפִלָּתָם. וְהָשֵׁב אֶת־הָעֲבוֹדָה לִדְבִיר בֵּיתֶךָ. וּתְפִלָּתָם בְּאַהֲבָה תְקַבֵּל בְּרָצוֹן. וּתְהִי לְרָצוֹן תָּמִיד עֲבוֹדַת יִשְׂרָאֵל עַמֶּךָ.

On Rosh Ḥodesh and Ḥol Hamoed add:

אֱלֹהֵינוּ וֵאלֹהֵי אֲבוֹתֵינוּ. יַעֲלֶה וְיָבֹא וְיַגִּיעַ. וְיֵרָאֶה וְיֵרָצֶה וְיִשָּׁמַע. וְיִפָּקֵד וְיִזָּכֵר. זִכְרוֹנֵנוּ וּפִקְדוֹנֵנוּ וְזִכְרוֹן אֲבוֹתֵינוּ. וְזִכְרוֹן מָשִׁיחַ בֶּן־דָּוִד עַבְדֶּךָ. וְזִכְרוֹן יְרוּשָׁלַיִם עִיר קָדְשֶׁךָ. וְזִכְרוֹן כָּל־עַמְּךָ בֵּית יִשְׂרָאֵל לְפָנֶיךָ. לִפְלֵיטָה לְטוֹבָה לְחֵן וּלְחֶסֶד וּלְרַחֲמִים לְחַיִּים וּלְשָׁלוֹם בְּיוֹם

On Rosh Ḥodesh say: רֹאשׁ הַחֹדֶשׁ

On Pesaḥ say: חַג הַמַּצּוֹת

On Sukkot say: חַג הַסֻּכּוֹת

הַזֶּה. זָכְרֵנוּ יְיָ אֱלֹהֵינוּ בּוֹ לְטוֹבָה. וּפָקְדֵנוּ בוֹ לִבְרָכָה. וְהוֹשִׁיעֵנוּ בוֹ לְחַיִּים. וּבִדְבַר יְשׁוּעָה וְרַחֲמִים חוּס וְחָנֵּנוּ וְרַחֵם עָלֵינוּ וְהוֹשִׁיעֵנוּ. כִּי אֵלֶיךָ עֵינֵינוּ. כִּי אֵל מֶלֶךְ חַנּוּן וְרַחוּם אָתָּה:

וְתֶחֱזֶינָה עֵינֵינוּ בְּשׁוּבְךָ לְצִיּוֹן בְּרַחֲמִים. בָּרוּךְ אַתָּה יְיָ הַמַּחֲזִיר שְׁכִינָתוֹ לְצִיּוֹן:

מוֹדִים אֲנַחְנוּ לָךְ שָׁאַתָּה הוּא יְיָ אֱלֹהֵינוּ וֵאלֹהֵי אֲבוֹתֵינוּ לְעוֹלָם וָעֶד צוּר חַיֵּינוּ מָגֵן יִשְׁעֵנוּ אַתָּה הוּא לְדוֹר וָדוֹר. נוֹדֶה לְּךָ וּנְסַפֵּר תְּהִלָּתֶךָ עַל חַיֵּינוּ הַמְּסוּרִים בְּיָדֶךָ וְעַל נִשְׁמוֹתֵינוּ הַפְּקוּדוֹת לָךְ. וְעַל נִסֶּיךָ שֶׁבְּכָל יוֹם עִמָּנוּ וְעַל נִפְלְאוֹתֶיךָ וְטוֹבוֹתֶיךָ שֶׁבְּכָל־עֵת עֶרֶב וָבֹקֶר וְצָהֳרָיִם. הַטּוֹב כִּי לֹא־כָלוּ רַחֲמֶיךָ. וְהַמְרַחֵם כִּי לֹא־תַמּוּ חֲסָדֶיךָ מֵעוֹלָם קִוִּינוּ לָךְ:

O Lord our God, be gracious unto Thy people Israel and accept their prayer. Restore the worship to Thy sanctuary and receive in love and favor the supplication of Israel. May the worship of Thy people be ever acceptable unto Thee.

On New Moon and the Intermediate Days of Festivals add:

Our God and God of our fathers, may our remembrance and the remembrance of our forefathers come before Thee. Remember the Messiah of the house of David, Thy servant, and Jerusalem, Thy holy city, and all Thy people, the house of Israel. Grant us deliverance and well being, lovingkindness, life and peace on this day of

On Rosh Ḥodesh say:	*On Pesaḥ say:*	*On Sukkot say:*
the New Moon.	the Feast of Unleavened Bread.	the Feast of Tabernacles.

Remember us this day, O Lord our God, for our good, and be mindful of us for a life of blessing. With Thy promise of salvation and mercy, deliver us and be gracious unto us, have compassion upon us and save us. Unto Thee do we lift our eyes for Thou art a gracious and merciful God and King.

O may our eyes witness Thy return to Zion. Blessed art Thou, O Lord, who restorest Thy divine presence unto Zion.

We thankfully acknowledge Thee, O Lord our God, our fathers' God to all eternity. Our Rock art Thou, our Shield that saves through every generation. We give Thee thanks and we declare Thy praise for all Thy tender care. Our lives we trust into Thy loving hand. Our souls are ever in Thy charge; Thy wonders and Thy miracles are daily with us, evening, morn and noon. O Thou who art all-good, whose mercies never fail us, Compassionate One, whose lovingkindnesses never cease, we ever hope in Thee.

On Ḥanukkah and Purim add:

עַל הַנִּסִּים וְעַל הַפֻּרְקָן וְעַל הַגְּבוּרוֹת וְעַל הַתְּשׁוּעוֹת וְעַל הַמִּלְחָמוֹת שֶׁעָשִׂיתָ לַאֲבוֹתֵינוּ בַּיָּמִים הָהֵם בַּזְּמַן הַזֶּה:

On Ḥanukkah

בִּימֵי מַתִּתְיָהוּ בֶּן־יוֹחָנָן כֹּהֵן גָּדוֹל חַשְׁמוֹנַאי וּבָנָיו. כְּשֶׁעָמְדָה מַלְכוּת יָוָן הָרְשָׁעָה עַל־עַמְּךָ יִשְׂרָאֵל. לְהַשְׁכִּיחָם תּוֹרָתֶךָ וּלְהַעֲבִירָם מֵחֻקֵּי רְצוֹנֶךָ: וְאַתָּה בְּרַחֲמֶיךָ הָרַבִּים. עָמַדְתָּ לָהֶם בְּעֵת צָרָתָם. רַבְתָּ אֶת־רִיבָם דַּנְתָּ אֶת־דִּינָם נָקַמְתָּ אֶת נִקְמָתָם. מָסַרְתָּ גִבּוֹרִים בְּיַד חַלָּשִׁים. וְרַבִּים בְּיַד מְעַטִּים. וּטְמֵאִים בְּיַד טְהוֹרִים. וּרְשָׁעִים בְּיַד צַדִּיקִים. וְזֵדִים בְּיַד עוֹסְקֵי תוֹרָתֶךָ. וּלְךָ עָשִׂיתָ שֵׁם גָּדוֹל וְקָדוֹשׁ בְּעוֹלָמֶךָ. וּלְעַמְּךָ יִשְׂרָאֵל עָשִׂיתָ תְּשׁוּעָה גְדוֹלָה וּפֻרְקָן כְּהַיּוֹם הַזֶּה: וְאַחַר כֵּן בָּאוּ בָנֶיךָ לִדְבִיר בֵּיתֶךָ. וּפִנּוּ אֶת־הֵיכָלֶךָ וְטִהֲרוּ אֶת־מִקְדָּשֶׁךָ. וְהִדְלִיקוּ נֵרוֹת בְּחַצְרוֹת קָדְשֶׁךָ. וְקָבְעוּ שְׁמוֹנַת יְמֵי חֲנֻכָּה אֵלּוּ. לְהוֹדוֹת וּלְהַלֵּל לְשִׁמְךָ הַגָּדוֹל:

On Purim

בִּימֵי מָרְדְּכַי וְאֶסְתֵּר. בְּשׁוּשַׁן הַבִּירָה. כְּשֶׁעָמַד עֲלֵיהֶם הָמָן הָרָשָׁע. בִּקֵּשׁ לְהַשְׁמִיד לַהֲרוֹג וּלְאַבֵּד אֶת־כָּל־הַיְּהוּדִים מִנַּעַר וְעַד זָקֵן. טַף וְנָשִׁים. בְּיוֹם אֶחָד. בִּשְׁלוֹשָׁה־עָשָׂר לְחֹדֶשׁ שְׁנֵים־עָשָׂר. הוּא־חֹדֶשׁ אֲדָר. וּשְׁלָלָם לָבוֹז: וְאַתָּה בְּרַחֲמֶיךָ הָרַבִּים הֵפַרְתָּ אֶת־עֲצָתוֹ וְקִלְקַלְתָּ אֶת־מַחֲשַׁבְתּוֹ. וַהֲשֵׁבוֹתָ גְּמוּלוֹ בְּרֹאשׁוֹ וְתָלוּ אוֹתוֹ וְאֶת־בָּנָיו עַל־הָעֵץ:

On Ḥanukkah and Purim add:

We thank Thee also for the miraculous and mighty deeds of liberation wrought by Thee, and for Thy victories in the battles our forefathers fought in days of old, at this season of the year.

On Ḥanukkah

In the days of the High Priest Mattathias, son of Johanan, of the Hasmonean family, a tyrannical power rose up against Thy people Israel to compel them to forsake Thy Torah, and to force them to transgress Thy commandments. In Thine abundant mercy Thou didst stand by them in time of distress. Thou didst rise to their defense and didst vindicate their cause. Thou didst bring retribution upon the evil doers, delivering the strong into the hands of the weak, the many into the hands of the few, the wicked into the hands of the just, and the arrogant into the hands of those devoted to Thy Torah. Thou didst thus make Thy greatness and holiness known in Thy world, and didst bring great deliverance to Israel. Then Thy children came into Thy dwelling place, cleansed the Temple, purified the Sanctuary, kindled lights in Thy sacred courts, and they designated these eight days of Hanukkah for giving thanks and praise unto Thy great name.

On Purim

In the days of Mordecai and Esther, in Shushan the capital, when the wicked Haman rose up against them and sought to destroy, to slay and to annihilate all Jews, both young and old, little children and women, on one day, the thirteenth day of the twelfth month, which is the month Adar, and to take the spoil of them for a prey, — then didst Thou in Thine abundant mercy bring his counsel to naught, didst frustrate his design, and return his recompense upon his own head; and they hanged him and his sons upon the gallows.

וְעַל־כֻּלָּם יִתְבָּרַךְ וְיִתְרוֹמַם שִׁמְךָ מַלְכֵּנוּ תָּמִיד לְעוֹלָם וָעֶד:

During the Ten Days of Repentance add:

וּכְתוֹב לְחַיִּים טוֹבִים כָּל־בְּנֵי בְרִיתֶךָ:

וְכֹל הַחַיִּים יוֹדוּךָ סֶּלָה. וִיהַלְלוּ אֶת־שִׁמְךָ בֶּאֱמֶת. הָאֵל יְשׁוּעָתֵנוּ וְעֶזְרָתֵנוּ סֶלָה. בָּרוּךְ אַתָּה יְיָ. הַטּוֹב שִׁמְךָ וּלְךָ נָאֶה לְהוֹדוֹת:

שָׁלוֹם רָב עַל יִשְׂרָאֵל עַמְּךָ תָּשִׂים לְעוֹלָם. כִּי אַתָּה הוּא מֶלֶךְ אָדוֹן לְכָל הַשָּׁלוֹם. וְטוֹב בְּעֵינֶיךָ לְבָרֵךְ אֶת־עַמְּךָ יִשְׂרָאֵל בְּכָל־עֵת וּבְכָל־שָׁעָה בִּשְׁלוֹמֶךָ.*

בָּרוּךְ אַתָּה יְיָ הַמְבָרֵךְ אֶת־עַמּוֹ יִשְׂרָאֵל בַּשָּׁלוֹם:

**During the Ten Days of Repentance conclude thus:*

בְּסֵפֶר חַיִּים בְּרָכָה וְשָׁלוֹם וּפַרְנָסָה טוֹבָה. נִזָּכֵר וְנִכָּתֵב לְפָנֶיךָ. אֲנַחְנוּ וְכָל־עַמְּךָ בֵּית יִשְׂרָאֵל. לְחַיִּים טוֹבִים וּלְשָׁלוֹם. בָּרוּךְ אַתָּה יְיָ. עוֹשֵׂה הַשָּׁלוֹם:

אֱלֹהַי נְצוֹר לְשׁוֹנִי מֵרָע וּשְׂפָתַי מִדַּבֵּר מִרְמָה וְלִמְקַלְלַי נַפְשִׁי תִדּוֹם וְנַפְשִׁי כֶּעָפָר לַכֹּל תִּהְיֶה: פְּתַח לִבִּי בְּתוֹרָתֶךָ וּבְמִצְוֹתֶיךָ תִּרְדּוֹף נַפְשִׁי. וְכֹל הַחוֹשְׁבִים עָלַי רָעָה. מְהֵרָה הָפֵר עֲצָתָם וְקַלְקֵל מַחֲשַׁבְתָּם: עֲשֵׂה לְמַעַן שְׁמֶךָ עֲשֵׂה לְמַעַן יְמִינֶךָ עֲשֵׂה לְמַעַן קְדֻשָּׁתֶךָ עֲשֵׂה לְמַעַן תּוֹרָתֶךָ: לְמַעַן יֵחָלְצוּן יְדִידֶיךָ הוֹשִׁיעָה יְמִינְךָ

For all this, Thy name, O our King, shall be blessed **and** exalted for ever and ever.

During the Ten Days of Repentance add:

O inscribe all the children of Thy covenant for a happy life.

May all the living do homage unto Thee forever and praise Thy name in truth, O God, who art our salvation and our help. Blessed be Thou, O Lord, Beneficent One, unto whom our thanks are due.

Grant lasting peace unto Israel Thy people, for Thou art the Sovereign Lord of peace; and may it be good in Thy sight to bless Thy people Israel at all times with Thy peace.*

Blessed art Thou, O Lord, who blessest Thy people Israel with peace.

*During the Ten Days of Repentance conclude thus:

In the book of life, blessing, peace and ample sustenance, may we, together with all Thy people, the house of Israel, be remembered and inscribed before Thee for a happy life and for peace. Blessed art Thou, O Lord, who establishest peace.

O Lord,

Guard my tongue from evil and my lips from speaking guile,

And to those who slander me, let me give no heed.

May my soul be humble and forgiving unto all.

Open Thou my heart, O Lord, unto Thy sacred Law,

That Thy statutes I may know and all Thy truths pursue.

Bring to naught designs of those who seek to do me ill;

Speedily defeat their aims and thwart their purposes

For Thine own sake, for Thine own power,

For Thy holiness and Law.

That Thy loved ones be delivered,

Answer us, O Lord, and save with Thy redeeming **power.**

וַעֲנֵנִי: יִהְיוּ לְרָצוֹן אִמְרֵי־פִי וְהֶגְיוֹן לִבִּי לְפָנֶיךָ יְיָ צוּרִי וְגוֹאֲלִי: עֹשֶׂה שָׁלוֹם בִּמְרוֹמָיו הוּא יַעֲשֶׂה שָׁלוֹם עָלֵינוּ וְעַל כָּל־יִשְׂרָאֵל וְאִמְרוּ אָמֵן:

יְהִי רָצוֹן מִלְּפָנֶיךָ יְיָ אֱלֹהֵינוּ וֵאלֹהֵי אֲבוֹתֵינוּ שֶׁיִּבָּנֶה בֵּית הַמִּקְדָּשׁ בִּמְהֵרָה בְיָמֵינוּ וְתֵן חֶלְקֵנוּ בְּתוֹרָתֶךָ: וְשָׁם נַעֲבָדְךָ בְּיִרְאָה כִּימֵי עוֹלָם וּכְשָׁנִים קַדְמֹנִיּוֹת:

When a Festival concludes on a weekday, continue with Reader's Kaddish, page 256.

Reader

יִתְגַּדַּל וְיִתְקַדַּשׁ שְׁמֵהּ רַבָּא. בְּעָלְמָא דִּי בְרָא כִרְעוּתֵהּ. וְיַמְלִיךְ מַלְכוּתֵהּ בְּחַיֵּיכוֹן וּבְיוֹמֵיכוֹן וּבְחַיֵּי דְכָל בֵּית יִשְׂרָאֵל. בַּעֲגָלָא וּבִזְמַן קָרִיב. וְאִמְרוּ אָמֵן:

Congregation and Reader

יְהֵא שְׁמֵהּ רַבָּא מְבָרַךְ לְעָלַם וּלְעָלְמֵי עָלְמַיָּא:

Reader

יִתְבָּרַךְ וְיִשְׁתַּבַּח וְיִתְפָּאַר וְיִתְרוֹמַם וְיִתְנַשֵּׂא וְיִתְהַדַּר וְיִתְעַלֶּה וְיִתְהַלָּל שְׁמֵהּ דְּקֻדְשָׁא בְּרִיךְ הוּא. לְעֵלָּא (וּלְעֵלָּא). מִן כָּל בִּרְכָתָא וְשִׁירָתָא. תֻּשְׁבְּחָתָא וְנֶחֱמָתָא דַּאֲמִירָן בְּעָלְמָא. וְאִמְרוּ אָמֵן:

May the words of my mouth and the meditation of my heart be acceptable unto Thee, O Lord, my Rock and my Redeemer. Thou who establishest peace in the heavens, grant peace unto us and unto all Israel. Amen.

May it be Thy will, O Lord our God and God of our fathers, to grant our portion in Thy Torah and may the Temple be rebuilt in our day. There we will serve Thee with awe as in the days of old.

When a Festival concludes on a weekday, continue with Reader's Kaddish, page 256.

Reader

Magnified and sanctified be the name of God throughout the world which He hath created according to His will. May He establish His kingdom during the days of your life and during the life of all the house of Israel, speedily, yea, soon; and say ye, Amen.

Congregation and Reader

May His great name be blessed for ever and ever.

Reader

Exalted and honored be the name of the Holy One, blessed be He, whose glory transcends, yea, is beyond all praises, hymns and blessings that man can render unto Him: and say ye, Amen.

וִיהִי נֹעַם אֲדֹנָי אֱלֹהֵינוּ עָלֵינוּ. וּמַעֲשֵׂה יָדֵינוּ כּוֹנְנָה עָלֵינוּ
וּמַעֲשֵׂה יָדֵינוּ כּוֹנְנֵהוּ:

תהלים צ״א

יֹשֵׁב בְּסֵתֶר עֶלְיוֹן בְּצֵל שַׁדַּי יִתְלוֹנָן:
אֹמַר לַיהֹוָה מַחְסִי וּמְצוּדָתִי אֱלֹהַי אֶבְטַח־בּוֹ:
כִּי הוּא יַצִּילְךָ מִפַּח יָקוּשׁ מִדֶּבֶר הַוּוֹת:
בְּאֶבְרָתוֹ יָסֶךְ לָךְ וְתַחַת־כְּנָפָיו תֶּחְסֶה
צִנָּה וְסֹחֵרָה אֲמִתּוֹ:
לֹא־תִירָא מִפַּחַד לָיְלָה מֵחֵץ יָעוּף יוֹמָם:
מִדֶּבֶר בָּאֹפֶל יַהֲלֹךְ מִקֶּטֶב יָשׁוּד צָהֳרָיִם:
יִפֹּל מִצִּדְּךָ אֶלֶף וּרְבָבָה מִימִינֶךָ
אֵלֶיךָ לֹא יִגָּשׁ:
רַק בְּעֵינֶיךָ תַבִּיט וְשִׁלֻּמַת רְשָׁעִים תִּרְאֶה:
כִּי־אַתָּה יְהֹוָה מַחְסִי עֶלְיוֹן שַׂמְתָּ מְעוֹנֶךָ:
לֹא־תְאֻנֶּה אֵלֶיךָ רָעָה וְנֶגַע לֹא־יִקְרַב בְּאָהֳלֶךָ:
כִּי מַלְאָכָיו יְצַוֶּה־לָּךְ לִשְׁמָרְךָ בְּכָל־דְּרָכֶיךָ:
עַל־כַּפַּיִם יִשָּׂאוּנְךָ פֶּן־תִּגֹּף בָּאֶבֶן רַגְלֶךָ:
עַל שַׁחַל וָפֶתֶן תִּדְרֹךְ תִּרְמֹס כְּפִיר וְתַנִּין:
כִּי בִי חָשַׁק וַאֲפַלְּטֵהוּ אֲשַׂגְּבֵהוּ כִּי־יָדַע שְׁמִי:
יִקְרָאֵנִי וְאֶעֱנֵהוּ עִמּוֹ אָנֹכִי בְצָרָה
אֲחַלְּצֵהוּ וַאֲכַבְּדֵהוּ:
אֹרֶךְ יָמִים אַשְׂבִּיעֵהוּ וְאַרְאֵהוּ בִּישׁוּעָתִי:
אֹרֶךְ יָמִים אַשְׂבִּיעֵהוּ וְאַרְאֵהוּ בִּישׁוּעָתִי:

And let Thy graciousness, O Lord our God, be upon us;
Establish Thou also the work of our hands for us;
Yea, the work of our hands establish Thou it.

PSALM 91

Dwelling in the shelter of the Most High,
Abiding under the protection of the Almighty,
 I say of the Lord: He is my refuge and my fortress,
 My God, in whom I trust.
He will deliver you from the snare of the fowler,
And from the destructive pestilence.
 He will cover you with His pinions,
 And under His wings shall you take refuge;
 His truth is a shield and armor.
You shall not be afraid of the terror by night,
Nor of the arrow that flies by day;
 Of the pestilence that stalks in darkness,
 Nor of the destruction that ravages at noonday.
A thousand may fall at your side,
And ten thousand at your right hand,
But it shall not come near you.
 You shall behold only with your eyes,
 And see the recompense of the wicked.
Because you have made the Lord your fortress,
And the Most High your refuge,
 No evil shall befall you,
 Neither shall any plague come near your tent.
For He will give His angels charge over you,
To guard you in all your ways.
 They shall bear you upon their hands,
 Lest you strike your foot against a stone.
You shall tread upon the lion and asp,
You shall trample on the young lion and serpent.
 'Because he has set his love upon Me, I will deliver him,
 I will protect him because he has known My name.
He shall call upon Me, and I will answer him;
I will be with him in trouble;
I will rescue him and bring him to honor.
 I will give him abundance of long life,
 And he shall witness My salvation.'

וְאַתָּה קָדוֹשׁ יוֹשֵׁב תְּהִלּוֹת יִשְׂרָאֵל: וְקָרָא זֶה אֶל־זֶה
וְאָמַר. קָדוֹשׁ קָדוֹשׁ קָדוֹשׁ יְיָ צְבָאוֹת. מְלֹא כָל־הָאָרֶץ
כְּבוֹדוֹ: וּמְקַבְּלִין דֵּין מִן־דֵּין וְאָמְרִין קַדִּישׁ בִּשְׁמֵי מְרוֹמָא
עִלָּאָה. בֵּית־שְׁכִינְתֵּהּ. קַדִּישׁ עַל אַרְעָא עוֹבַד גְּבוּרְתֵּהּ.
קַדִּישׁ לְעָלַם וּלְעָלְמֵי עָלְמַיָּא. יְיָ צְבָאוֹת מַלְיָא כָל־
אַרְעָא זִיו יְקָרֵהּ: וַתִּשָּׂאֵנִי רוּחַ וָאֶשְׁמַע אַחֲרַי קוֹל רַעַשׁ
גָּדוֹל. בָּרוּךְ כְּבוֹד־יְיָ מִמְּקוֹמוֹ: וּנְטָלַתְנִי רוּחָא. וְשִׁמְעֵת
בַּתְרַי קָל זִיעַ סַגִּיא. דִּי־מְשַׁבְּחִין וְאָמְרִין. בְּרִיךְ יְקָרָא
דַיְיָ מֵאֲתַר בֵּית שְׁכִינְתֵּהּ: יְיָ יִמְלֹךְ לְעֹלָם וָעֶד: יְיָ
מַלְכוּתֵהּ קָאֵם לְעָלַם וּלְעָלְמֵי עָלְמַיָּא:

יְיָ אֱלֹהֵי אַבְרָהָם יִצְחָק וְיִשְׂרָאֵל אֲבוֹתֵינוּ. שָׁמְרָה
זֹּאת לְעוֹלָם לְיֵצֶר מַחְשְׁבוֹת לְבַב עַמֶּךָ וְהָכֵן לְבָבָם
אֵלֶיךָ: וְהוּא רַחוּם יְכַפֵּר עָוֹן וְלֹא־יַשְׁחִית. וְהִרְבָּה לְהָשִׁיב
אַפּוֹ וְלֹא־יָעִיר כָּל־חֲמָתוֹ: כִּי־אַתָּה אֲדֹנָי טוֹב וְסַלָּח וְרַב־
חֶסֶד לְכָל־קֹרְאֶיךָ: צִדְקָתְךָ צֶדֶק לְעוֹלָם וְתוֹרָתְךָ אֱמֶת:
תִּתֵּן אֱמֶת לְיַעֲקֹב חֶסֶד לְאַבְרָהָם אֲשֶׁר־נִשְׁבַּעְתָּ לַאֲבֹתֵינוּ
מִימֵי קֶדֶם: בָּרוּךְ אֲדֹנָי יוֹם יוֹם יַעֲמָס־לָנוּ הָאֵל יְשׁוּעָתֵנוּ
סֶלָה: יְיָ צְבָאוֹת עִמָּנוּ מִשְׂגָּב־לָנוּ אֱלֹהֵי יַעֲקֹב סֶלָה: יְיָ
צְבָאוֹת אַשְׁרֵי אָדָם בֹּטֵחַ בָּךְ: יְיָ הוֹשִׁיעָה הַמֶּלֶךְ יַעֲנֵנוּ
בְיוֹם־קָרְאֵנוּ:

בָּרוּךְ הוּא אֱלֹהֵינוּ שֶׁבְּרָאָנוּ לִכְבוֹדוֹ. וְהִבְדִּילָנוּ
מִן הַתּוֹעִים. וְנָתַן לָנוּ תּוֹרַת אֱמֶת וְחַיֵּי עוֹלָם נָטַע
בְּתוֹכֵנוּ. הוּא יִפְתַּח לִבֵּנוּ בְּתוֹרָתוֹ. וְיָשֵׂם בְּלִבֵּנוּ אַהֲבָתוֹ

Thou art holy, O Thou that art enthroned upon the praises of Israel. And one called to another and said: Holy, holy, holy is the Lord of hosts; the whole earth is full of His glory. [And they receive sanction one from the other, and say: Holy in the highest heavens, the place of His abode; Holy upon earth, the work of His mighty power, Holy forever and to all eternity is the Lord of hosts; the whole earth is full of the radiance of His glory.]* And a wind lifted me up, and I heard behind me a mighty chorus proclaiming: Blessed be the glory of the Lord everywhere. [Then a wind lifted me up, and I heard behind me the mighty moving sound of those who uttered praises and said: Blessed be the glory of the Lord from the place of His abode.] The Lord shall reign for ever and ever. [The kingdom of the Lord is established forever and to all eternity.]

O Lord, God of our fathers, Abraham, Isaac and Israel, keep this forever in the inward thoughts of the heart of Thy people, and direct their heart unto Thee, for Thou, being merciful, full of compassion, forgivest iniquity and destroyest not; yea, many a time Thou turnest anger away. For Thou, O Lord, art good, and ready to forgive, and abounding in mercy unto all who call upon Thee. Thy righteousness is everlasting and Thy Law is truth. Thou wilt show faithfulness to Jacob and mercy to Abraham, as Thou hast promised unto our fathers from the days of old. Blessed be the Lord who day by day bears our burden. He is the God of our salvation; the Lord of hosts be with us; the God of Jacob be a stronghold unto us. O Lord of hosts, happy is the man that trusteth in Thee. Save, O Lord; O King, answer us on the day when we call.

Blessed be our God who hath created us for His glory, and hath separated us from them that go astray by giving us the Torah of truth, thus planting everlasting life in our midst. May He open our hearts unto His Law, and with

* The verses enclosed in brackets are the Targum or Aramaic paraphrases of the preceding Biblical texts.

וְיִרְאָתוֹ וְלַעֲשׂוֹת רְצוֹנוֹ וּלְעָבְדוֹ בְּלֵבָב שָׁלֵם. לְמַעַן לֹא נִיגַע לָרִיק וְלֹא נֵלֵד לַבֶּהָלָה: יְהִי רָצוֹן מִלְּפָנֶיךָ יְיָ אֱלֹהֵינוּ וֵאלֹהֵי אֲבוֹתֵינוּ. שֶׁנִּשְׁמוֹר חֻקֶּיךָ בָּעוֹלָם הַזֶּה. וְנִזְכֶּה וְנִחְיֶה וְנִרְאֶה וְנִירַשׁ טוֹבָה וּבְרָכָה לִשְׁנֵי יְמוֹת הַמָּשִׁיחַ וּלְחַיֵּי הָעוֹלָם הַבָּא: לְמַעַן יְזַמֶּרְךָ כָבוֹד וְלֹא יִדֹּם יְיָ אֱלֹהַי לְעוֹלָם אוֹדֶךָּ: בָּרוּךְ הַגֶּבֶר אֲשֶׁר יִבְטַח בַּיְיָ וְהָיָה יְיָ מִבְטַחוֹ: בִּטְחוּ בַיְיָ עֲדֵי־עַד. כִּי בְּיָהּ יְיָ צוּר עוֹלָמִים: וְיִבְטְחוּ בְךָ יוֹדְעֵי שְׁמֶךָ. כִּי לֹא־עָזַבְתָּ דֹרְשֶׁיךָ יְיָ: יְיָ חָפֵץ לְמַעַן צִדְקוֹ יַגְדִּיל תּוֹרָה וְיַאְדִּיר:

יִתְגַּדַּל וְיִתְקַדַּשׁ שְׁמֵהּ רַבָּא. בְּעָלְמָא דִּי בְרָא כִרְעוּתֵהּ. וְיַמְלִיךְ מַלְכוּתֵהּ בְּחַיֵּיכוֹן וּבְיוֹמֵיכוֹן וּבְחַיֵּי דְכָל בֵּית יִשְׂרָאֵל. בַּעֲגָלָא וּבִזְמַן קָרִיב וְאִמְרוּ. אָמֵן:

יְהֵא שְׁמֵהּ רַבָּא מְבָרַךְ לְעָלַם וּלְעָלְמֵי עָלְמַיָּא:

יִתְבָּרַךְ וְיִשְׁתַּבַּח וְיִתְפָּאַר וְיִתְרוֹמַם וְיִתְנַשֵּׂא וְיִתְהַדָּר וְיִתְעַלֶּה וְיִתְהַלָּל שְׁמֵהּ דְּקֻדְשָׁא. בְּרִיךְ הוּא. לְעֵלָּא (וּלְעֵלָּא) מִן כָּל בִּרְכָתָא וְשִׁירָתָא. תֻּשְׁבְּחָתָא וְנֶחֱמָתָא דַּאֲמִירָן בְּעָלְמָא. וְאִמְרוּ אָמֵן:

תִּתְקַבַּל צְלוֹתְהוֹן וּבָעוּתְהוֹן דְּכָל יִשְׂרָאֵל קֳדָם אֲבוּהוֹן דִּי בִשְׁמַיָּא. וְאִמְרוּ אָמֵן:

יְהֵא שְׁלָמָא רַבָּא מִן שְׁמַיָּא וְחַיִּים עָלֵינוּ וְעַל כָּל־יִשְׂרָאֵל וְאִמְרוּ אָמֵן:

עֹשֶׂה שָׁלוֹם בִּמְרוֹמָיו. הוּא יַעֲשֶׂה שָׁלוֹם. עָלֵינוּ וְעַל כָּל־יִשְׂרָאֵל וְאִמְרוּ אָמֵן:

During ספירה, the Omer is counted. See page 212.

On Ḥanukkah, the lights are now kindled. See page 262.

love and reverence may we do His will and serve Him with a perfect heart that we may not labor in vain, nor bring forth confusion. May it be Thy will, O Lord, our God and God of our fathers, that we keep Thy statutes in the world, and be worthy to live and inherit happiness and blessings in the days of the Messiah and in the life of the world to come. May my soul sing Thy praise and not be silent; O Lord my God, I will give thanks unto Thee forever. Blessed is the man that trusteth in Thee, O Lord, and whose trust Thou art. Trust in the Lord forever, for the Lord is an everlasting Rock. And they that know Thy name will put their trust in Thee; Thou hast not forsaken them that seek Thee. Thou, O Lord, desirest for the sake of Thy righteousness to make the Torah great and glorious.

Magnified and sanctified be the name of God throughout the world which He hath created according to His will. May He establish His kingdom during the days of your life and during the life of all the house of Israel, speedily, yea, soon; and say ye, Amen.

May His great name be blessed for ever and ever.

Exalted and honored be the name of the Holy One, blessed be He, whose glory transcends, yea, is beyond all praises, hymns and blessings that man can render unto Him; and say ye, Amen.

May the prayers and supplications of the whole house of Israel be acceptable unto their Father in heaven; and say ye, Amen.

May there be abundant peace from heaven, and life for us and for all Israel; and say ye, Amen.

May He who establisheth peace in the heavens, grant peace unto us and unto all Israel; and say ye, Amen.

During Sefirah, the Omer is counted. See page 212.

On Ḥanukkah, the lights are now kindled. See page 262.

ויתן לך

וְיִתֶּן לְךָ הָאֱלֹהִים מִטַּל הַשָּׁמַיִם וּמִשְׁמַנֵּי הָאָרֶץ וְרֹב דָּגָן וְתִירשׁ: יַעַבְדוּךָ עַמִּים וְיִשְׁתַּחֲווּ לְךָ לְאֻמִּים. הֱוֵה גְבִיר לְאַחֶיךָ וְיִשְׁתַּחֲווּ לְךָ בְּנֵי אִמֶּךָ. אֹרְרֶיךָ אָרוּר וּמְבָרְכֶיךָ בָּרוּךְ: וְאֵל שַׁדַּי יְבָרֵךְ אֹתְךָ וְיַפְרְךָ וְיַרְבֶּךָ וְהָיִיתָ לִקְהַל עַמִּים: וְיִתֶּן לְךָ אֶת בִּרְכַּת אַבְרָהָם. לְךָ וּלְזַרְעֲךָ אִתָּךְ לְרִשְׁתְּךָ אֶת אֶרֶץ מְגֻרֶיךָ. אֲשֶׁר נָתַן אֱלֹהִים לְאַבְרָהָם:

מֵאֵל אָבִיךָ וְיַעְזְרֶךָּ וְאֵת שַׁדַּי וִיבָרְכֶךָּ. בִּרְכֹת שָׁמַיִם מֵעָל. בִּרְכֹת תְּהוֹם רֹבֶצֶת תָּחַת. בִּרְכֹת שָׁדַיִם וָרָחַם: בִּרְכֹת אָבִיךָ גָּבְרוּ עַל בִּרְכֹת הוֹרַי עַד תַּאֲוַת גִּבְעֹת עוֹלָם. תִּהְיֶיןָ לְרֹאשׁ יוֹסֵף וּלְקָדְקֹד נְזִיר אֶחָיו:

וַאֲהֵבְךָ וּבֵרַכְךָ וְהִרְבֶּךָ. וּבֵרַךְ פְּרִי בִטְנְךָ וּפְרִי אַדְמָתֶךָ. דְּגָנְךָ וְתִירשְׁךָ וְיִצְהָרֶךָ שְׁגַר אֲלָפֶיךָ וְעַשְׁתְּרֹת צֹאנֶךָ עַל הָאֲדָמָה אֲשֶׁר נִשְׁבַּע לַאֲבֹתֶיךָ לָתֶת לָךְ: בָּרוּךְ תִּהְיֶה מִכָּל־הָעַמִּים. לֹא יִהְיֶה בְךָ עָקָר וַעֲקָרָה וּבִבְהֶמְתֶּךָ: וְהֵסִיר יְיָ מִמְּךָ כָּל־חֹלִי וְכָל מַדְוֵי מִצְרַיִם הָרָעִים אֲשֶׁר יָדַעְתָּ. לֹא יְשִׂימָם בָּךְ וּנְתָנָם בְּכָל שֹׂנְאֶיךָ:

The following verses consist of a number of blessings from Scripture giving assurance to our ancestors of sustenance, deliverance, consolation, and peace. As we face the tasks of a new week, we recall these blessings and the hope they brought them in time of trial.

ISAAC'S BLESSINGS TO JACOB

May God give thee of the dew of heaven, of the fatness of the earth, and abundance of corn and wine. May peoples serve thee and nations bow down to thee. Be lord over thy brethren, and let thy mother's sons bow down to thee. Cursed be every one that curseth thee, and blessed be every one that blesseth thee. And may Almighty God bless thee and make thee fruitful, and multiply thee, that thou mayest become a multitude of peoples. May He give thee the blessing of Abraham, to thee and thy seed with thee, that thou mayest inherit the land of thy sojournings which God gave unto Abraham.

JACOB'S BLESSING TO JOSEPH

Mayest thou be blessed by the God of thy father, who shall help thee, and by the Almighty, who shall bless thee with blessings of heaven above, blessings of the deep that coucheth beneath and blessings of fecundity. The blessings of thy father are mighty beyond the blessings of my forefathers unto the utmost bound of the everlasting hills; such blessings shall be on the head of Joseph and on the crown of the head of the prince among his brethren.

MOSES' BLESSING TO THE CHILDREN OF ISRAEL

And He will love thee and bless thee and multiply thee; He will also bless the fruit of thy body and the fruit of thy land, thy corn and thy wine and thine oil, the increase of thy cattle and the young of thy flock, in the land which He promised unto thy fathers to give thee. Thou shalt be blessed above all peoples; there shall be no more barren or sterile ones among you or among your cattle. And the Lord will take away from thee all sickness; and He will put none of the evil diseases of Egypt, which thou knowest, upon thee; but will inflict them upon all them that hate thee.

הַמַּלְאָךְ הַגֹּאֵל אֹתִי מִכָּל רָע. יְבָרֵךְ אֶת הַנְּעָרִים וְיִקָּרֵא בָהֶם שְׁמִי וְשֵׁם אֲבֹתַי. אַבְרָהָם וְיִצְחָק. וְיִדְגּוּ לָרֹב בְּקֶרֶב הָאָרֶץ: יְיָ אֱלֹהֵיכֶם הִרְבָּה אֶתְכֶם וְהִנְּכֶם הַיּוֹם כְּכוֹכְבֵי הַשָּׁמַיִם לָרֹב: יְיָ אֱלֹהֵי אֲבוֹתֵיכֶם יֹסֵף עֲלֵיכֶם כָּכֶם אֶלֶף פְּעָמִים וִיבָרֵךְ אֶתְכֶם כַּאֲשֶׁר דִּבֶּר לָכֶם:

בָּרוּךְ אַתָּה בָּעִיר וּבָרוּךְ אַתָּה בַּשָּׂדֶה: בָּרוּךְ אַתָּה בְּבֹאֶךָ וּבָרוּךְ אַתָּה בְּצֵאתֶךָ: בָּרוּךְ טַנְאֲךָ וּמִשְׁאַרְתֶּךָ: בָּרוּךְ פְּרִי בִטְנְךָ וּפְרִי אַדְמָתְךָ וּפְרִי בְהֶמְתֶּךָ. שְׁגַר אֲלָפֶיךָ וְעַשְׁתְּרוֹת צֹאנֶךָ: יְצַו יְיָ אִתְּךָ אֶת הַבְּרָכָה בַּאֲסָמֶיךָ. וּבְכֹל מִשְׁלַח יָדֶךָ וּבֵרַכְךָ בָּאָרֶץ אֲשֶׁר יְיָ אֱלֹהֶיךָ נֹתֵן לָךְ: יִפְתַּח יְיָ לְךָ אֶת אוֹצָרוֹ הַטּוֹב. אֶת הַשָּׁמַיִם לָתֵת מְטַר אַרְצְךָ בְּעִתּוֹ וּלְבָרֵךְ אֵת כָּל מַעֲשֵׂה יָדֶךָ. וְהִלְוִיתָ גּוֹיִם רַבִּים וְאַתָּה לֹא תִלְוֶה: כִּי יְיָ אֱלֹהֶיךָ בֵּרַכְךָ כַּאֲשֶׁר דִּבֶּר לָךְ. וְהַעֲבַטְתָּ גּוֹיִם רַבִּים וְאַתָּה לֹא תַעֲבֹט. וּמָשַׁלְתָּ בְּגוֹיִם רַבִּים וּבְךָ לֹא יִמְשֹׁלוּ: אַשְׁרֶיךָ יִשְׂרָאֵל מִי כָמוֹךָ עַם נוֹשַׁע בַּיְיָ. מָגֵן עֶזְרֶךָ וַאֲשֶׁר חֶרֶב גַּאֲוָתֶךָ. וְיִכָּחֲשׁוּ אֹיְבֶיךָ לָךְ וְאַתָּה עַל בָּמוֹתֵימוֹ תִדְרֹךְ:

מָחִיתִי כָעָב פְּשָׁעֶיךָ וְכֶעָנָן חַטֹּאתֶיךָ. שׁוּבָה אֵלַי כִּי גְאַלְתִּיךָ: רָנּוּ שָׁמַיִם כִּי עָשָׂה יְיָ. הָרִיעוּ תַּחְתִּיּוֹת אָרֶץ. פִּצְחוּ הָרִים רִנָּה יַעַר וְכָל עֵץ בּוֹ. כִּי גָאַל יְיָ יַעֲקֹב וּבְיִשְׂרָאֵל יִתְפָּאָר: גֹּאֲלֵנוּ יְיָ צְבָאוֹת שְׁמוֹ קְדוֹשׁ יִשְׂרָאֵל:

יִשְׂרָאֵל נוֹשַׁע בַּייָ תְּשׁוּעַת עוֹלָמִים. לֹא תֵבֹשׁוּ וְלֹא תִכָּלְמוּ עַד עוֹלְמֵי עַד: וַאֲכַלְתֶּם אָכוֹל וְשָׂבוֹעַ וְהִלַּלְתֶּם אֶת שֵׁם יְיָ אֱלֹהֵיכֶם אֲשֶׁר עָשָׂה עִמָּכֶם לְהַפְלִיא. וְלֹא יֵבֹשׁוּ עַמִּי לְעוֹלָם: וִידַעְתֶּם כִּי בְקֶרֶב יִשְׂרָאֵל אָנִי וַאֲנִי יְיָ אֱלֹהֵיכֶם וְאֵין עוֹד. וְלֹא יֵבֹשׁוּ עַמִּי לְעוֹלָם: כִּי בְשִׂמְחָה תֵצֵאוּ וּבְשָׁלוֹם תּוּבָלוּן. הֶהָרִים וְהַגְּבָעוֹת יִפְצְחוּ לִפְנֵיכֶם רִנָּה וְכָל עֲצֵי הַשָּׂדֶה יִמְחֲאוּ כָף: הִנֵּה

JACOB'S BLESSING TO EPHRAIM AND MANASSAH

The angel who hath redeemed me from all evil, bless the lads; and let my name be named in them, and the name of my fathers, Abraham and Isaac; and let them grow into a multitude in the midst of the earth.

MOSES' BLESSING TO THE CHILDREN OF ISRAEL

The Lord your God hath multiplied you, and behold ye are this day as the stars of heaven for multitude. May the Lord, the God of your fathers, multiply you a thousand fold, and bless you, as He hath promised you.

Blessed shalt thou be in the city, and blessed shalt thou be in the field. Blessed shalt thou be when thou comest in and blessed shalt thou be when thou goest out. Blessed shall be thy basket and thy kneading-trough. Blessed shall be the fruit of thy body and the fruit of thy land and the fruit of thy cattle, the increase of thy cattle, and the young of thy flock. The Lord will command the blessing upon thee in thy storehouses, and in all that thou puttest Thy hand unto; and He will bless Thee in the land which the Lord thy God giveth thee.

The Lord will open unto thee His good treasury, the heaven to give the rain of thy land in its season, and to bless all the work of thy hand; and thou shalt lend unto many nations, and thou shalt not borrow. Happy art thou, O Israel; who is like unto thee, a people saved by the Lord, the shield of thy help, and the sword of thy triumph! And thine enemies shall dwindle away before thee, and thou shalt tread upon their high places.

DIVINE PROMISES TO ISRAEL

I have blotted out as a thick cloud thy transgressions, and as a mist thy sins; return unto Me, for I have redeemed thee. Sing, O ye heavens, for the Lord hath done it; shout aloud, O depths of the earth; break forth into singing, ye mountains and forest, and every tree therein; for the Lord hath redeemed Jacob, and doth glorify Himself in Israel. Our redeemer, the Lord of Hosts is His name, the Holy One of Israel.

O Israel, that art saved by the Lord with an everlasting salvation, ye shall not be ashamed nor confused, world without end. And ye shall eat in plenty and be satisfied, and shall praise the name of the Lord your God, that hath dealt wondrously with you; and My people shall never be put to shame. And ye shall know that I am in the midst of Israel, and that I am the Lord your God, and there is none else; and My people shall never again be put to shame. For ye shall go out with joy, and be led forth with peace; the mountains and the hills shall break forth before you into singing, and all the trees of the field shall clap their hands.

אֵל יְשׁוּעָתִי אֶבְטַח וְלֹא אֶפְחָד. כִּי עָזִּי וְזִמְרָת יָהּ יְיָ. וַיְהִי לִי לִישׁוּעָה: וּשְׁאַבְתֶּם מַיִם בְּשָׂשׂוֹן מִמַּעַיְנֵי הַיְשׁוּעָה: וַאֲמַרְתֶּם בַּיּוֹם הַהוּא. הוֹדוּ לַיְיָ קִרְאוּ בִשְׁמוֹ הוֹדִיעוּ בָעַמִּים עֲלִילֹתָיו. הַזְכִּירוּ כִּי נִשְׂגָּב שְׁמוֹ: זַמְּרוּ יְיָ כִּי גֵאוּת עָשָׂה. מוּדַעַת זֹאת בְּכָל הָאָרֶץ: צַהֲלִי וָרֹנִּי יוֹשֶׁבֶת צִיּוֹן. כִּי גָדוֹל בְּקִרְבֵּךְ קְדוֹשׁ יִשְׂרָאֵל: וְאָמַר בַּיּוֹם הַהוּא. הִנֵּה אֱלֹהֵינוּ זֶה קִוִּינוּ לוֹ וְיוֹשִׁיעֵנוּ. זֶה יְיָ קִוִּינוּ לוֹ נָגִילָה וְנִשְׂמְחָה בִּישׁוּעָתוֹ:

בֵּית יַעֲקֹב לְכוּ וְנֵלְכָה בְּאוֹר יְיָ: וְהָיָה אֱמוּנַת עִתֶּיךָ חֹסֶן יְשׁוּעֹת חָכְמַת וָדָעַת. יִרְאַת יְיָ הִיא אוֹצָרוֹ: וַיְהִי דָוִד לְכָל דְּרָכָיו מַשְׂכִּיל וַייָ עִמּוֹ: פָּדָה בְשָׁלוֹם נַפְשִׁי מִקְּרָב לִי. כִּי בְרַבִּים הָיוּ עִמָּדִי: וַיֹּאמֶר הָעָם אֶל שָׁאוּל הֲיוֹנָתָן יָמוּת אֲשֶׁר עָשָׂה הַיְשׁוּעָה הַגְּדוֹלָה הַזֹּאת בְּיִשְׂרָאֵל. חָלִילָה חַי יְיָ אִם יִפֹּל מִשַּׂעֲרַת רֹאשׁוֹ אַרְצָה. כִּי עִם אֱלֹהִים עָשָׂה הַיּוֹם הַזֶּה. וַיִּפְדּוּ הָעָם אֶת יוֹנָתָן וְלֹא מֵת: וּפְדוּיֵי יְיָ יְשֻׁבוּן וּבָאוּ צִיּוֹן בְּרִנָּה. וְשִׂמְחַת עוֹלָם עַל רֹאשָׁם. שָׂשׂוֹן וְשִׂמְחָה יַשִּׂיגוּ וְנָסוּ יָגוֹן וַאֲנָחָה: הָפַכְתָּ מִסְפְּדִי לְמָחוֹל לִי. פִּתַּחְתָּ שַׂקִּי וַתְּאַזְּרֵנִי שִׂמְחָה: וְלֹא אָבָה יְיָ אֱלֹהֶיךָ לִשְׁמוֹעַ אֶל בִּלְעָם. וַיַּהֲפֹךְ יְיָ אֱלֹהֶיךָ לְּךָ אֶת הַקְּלָלָה לִבְרָכָה כִּי אֲהֵבְךָ יְיָ אֱלֹהֶיךָ: אָז תִּשְׂמַח בְּתוּלָה בְּמָחוֹל וּבַחֻרִים וּזְקֵנִים יַחְדָּו. וְהָפַכְתִּי אֶבְלָם לְשָׂשׂוֹן וְנִחַמְתִּים וְשִׂמַּחְתִּים מִיגוֹנָם:

בּוֹרֵא נִיב שְׂפָתָיִם. שָׁלוֹם שָׁלוֹם לָרָחוֹק וְלַקָּרוֹב אָמַר יְיָ וּרְפָאתִיו: וְרוּחַ לָבְשָׁה אֶת עֲמָשַׂי רֹאשׁ הַשָּׁלִישִׁים לְךָ דָוִיד וְעִמְּךָ בֶן יִשַׁי. שָׁלוֹם שָׁלוֹם לְךָ וְשָׁלוֹם לְעֹזְרֶךָ. כִּי עֲזָרְךָ אֱלֹהֶיךָ. וַיְקַבְּלֵם דָּוִיד וַיִּתְּנֵם בְּרָאשֵׁי הַגְּדוּד: וַאֲמַרְתֶּם כֹּה לֶחָי. וְאַתָּה שָׁלוֹם וּבֵיתְךָ שָׁלוֹם וְכֹל אֲשֶׁר לְךָ שָׁלוֹם: יְיָ עֹז לְעַמּוֹ יִתֵּן יְיָ יְבָרֵךְ אֶת עַמּוֹ בַשָּׁלוֹם:

Behold, God is my salvation; I trust Him and I will not be afraid, for the Lord God is my strength and song; and He is become my salvation. Therefore with joy shall ye draw water out of the wells of salvation. And in that day shall ye say: Give thanks unto the Lord, proclaim His name, declare His doings among the peoples, record that His name is exalted. Sing unto the Lord, for He hath done gloriously; let this be made known in all the earth. Sing for joy, O inhabitants of Zion; for great is the Holy One of Israel in your midst. And it shall be said on that day: Lo, this is our God in whom we placed our hope that He might save us; this is the Lord for whom we have waited; we will be glad and rejoice in His salvation.

OTHER SCRIPTURAL ASSURANCES

O house of Jacob, come and let us walk in the light of the Lord. And the stability of thy times shall be abundance of salvation, wisdom and knowledge, and reverence for the Lord which is His treasure. And David had prospered in all his ways, and the Lord was with Him. He hath delivered my life in peace so that none came nigh me, for there were many that strove with me. And the people said unto Saul: Shall Jonathan die, who hath wrought this great deliverance in Israel? Far from it, as the Lord liveth, there shall not one hair of his head fall to the ground, for with God's help hath he wrought this day. So the people rescued Jonathan that he died not. And the ransomed of the Lord shall return, and come with singing unto Zion, and everlasting joy shall be upon their heads; they shall obtain gladness and joy, and sorrow and sighing shall vanish. Thou didst turn for me my mourning into dancing; Thou didst loose my sackcloth, girding me with gladness. The Lord thy God would not hearken unto Balaam; but the Lord thy God turned the curse into a blessing unto thee, because the Lord thy God loved thee. Then shall the maiden rejoice in the dance, young men and their elders shall together make merry; for I will turn their mourning into joy, and will comfort them and make them rejoice after their sorrow.

GREETINGS OF PEACE

I create the utterance of the lips; peace, peace to him that is far off, and to him that is near, saith the Lord; and I will heal him. A spirit of inspiration came upon Amasai, chief of the captains, and he said: We are with Thee, David, thou son of Jesse; peace, peace be unto thee, and peace be to thine helpers; for thy God helpeth thee. Then David received them, and made them chiefs. And thus shall ye say: All hail and peace be both unto thee, and peace be to thine house, and peace be unto all that Thou hast. May the Lord give strength unto His people; may the Lord bless His people with peace.

אָמַר רַבִּי יוֹחָנָן. בְּכָל מָקוֹם שֶׁאַתָּה מוֹצֵא גְּדֻלָּתוֹ שֶׁל הַקָּדוֹשׁ בָּרוּךְ הוּא. שָׁם אַתָּה מוֹצֵא עַנְוְתָנוּתוֹ. דָּבָר זֶה כָּתוּב בַּתּוֹרָה. וְשָׁנוּי בַּנְּבִיאִים. וּמְשֻׁלָּשׁ בַּכְּתוּבִים: כָּתוּב בַּתּוֹרָה. כִּי יְיָ אֱלֹהֵיכֶם הוּא אֱלֹהֵי הָאֱלֹהִים וַאֲדֹנֵי הָאֲדֹנִים. הָאֵל הַגָּדֹל הַגִּבֹּר וְהַנּוֹרָא אֲשֶׁר לֹא יִשָּׂא פָנִים וְלֹא יִקַּח שֹׁחַד: וּכְתִיב בַּתְרֵהּ. עֹשֶׂה מִשְׁפַּט יָתוֹם וְאַלְמָנָה. וְאֹהֵב גֵּר לָתֶת לוֹ לֶחֶם וְשִׂמְלָה: שָׁנוּי בַּנְּבִיאִים דִּכְתִיב. כִּי כֹה אָמַר רָם וְנִשָּׂא שֹׁכֵן עַד וְקָדוֹשׁ שְׁמוֹ מָרוֹם וְקָדוֹשׁ אֶשְׁכּוֹן. וְאֶת דַּכָּא וּשְׁפַל רוּחַ לְהַחֲיוֹת רוּחַ שְׁפָלִים וּלְהַחֲיוֹת לֵב נִדְכָּאִים: מְשֻׁלָּשׁ בַּכְּתוּבִים דִּכְתִיב. שִׁירוּ לֵאלֹהִים זַמְּרוּ שְׁמוֹ. סֹלּוּ לָרֹכֵב בָּעֲרָבוֹת בְּיָהּ שְׁמוֹ וְעִלְזוּ לְפָנָיו: וּכְתִיב בַּתְרֵהּ. אֲבִי יְתוֹמִים וְדַיַּן אַלְמָנוֹת אֱלֹהִים בִּמְעוֹן קָדְשׁוֹ: יְהִי יְיָ אֱלֹהֵינוּ עִמָּנוּ. כַּאֲשֶׁר הָיָה עִם אֲבֹתֵינוּ. אַל יַעַזְבֵנוּ וְאַל יִטְּשֵׁנוּ: וְאַתֶּם הַדְּבֵקִים בַּייָ אֱלֹהֵיכֶם. חַיִּים כֻּלְּכֶם הַיּוֹם: כִּי נִחַם יְיָ צִיּוֹן. נִחַם כָּל חָרְבֹתֶיהָ וַיָּשֶׂם מִדְבָּרָהּ כְּעֵדֶן וְעַרְבָתָהּ כְּגַן יְיָ. שָׂשׂוֹן וְשִׂמְחָה יִמָּצֵא בָהּ תּוֹדָה וְקוֹל זִמְרָה: יְיָ חָפֵץ לְמַעַן צִדְקוֹ. יַגְדִּיל תּוֹרָה וְיַאְדִּיר:

תהלים קכ״ח

שִׁיר הַמַּעֲלוֹת

אַשְׁרֵי כָּל־יְרֵא יְיָ הַהֹלֵךְ בִּדְרָכָיו:
יְגִיעַ כַּפֶּיךָ כִּי תֹאכֵל אַשְׁרֶיךָ וְטוֹב לָךְ:
אֶשְׁתְּךָ כְּגֶפֶן פֹּרִיָּה בְּיַרְכְּתֵי בֵיתֶךָ
בָּנֶיךָ כִּשְׁתִלֵי זֵיתִים סָבִיב לְשֻׁלְחָנֶךָ:
הִנֵּה כִי־כֵן יְבֹרַךְ גָּבֶר יְרֵא יְיָ:
יְבָרֶכְךָ יְיָ מִצִּיּוֹן וּרְאֵה בְּטוּב יְרוּשָׁלָיִם
כֹּל יְמֵי חַיֶּיךָ:
וּרְאֵה־בָנִים לְבָנֶיךָ שָׁלוֹם עַל־יִשְׂרָאֵל:

The following is a mosaic of various verses.

Rabbi Johanan said: In every passage where thou findest mention of the greatness of the Holy One, blessed be He, there thou findest also mention of His humility. This is written in the Law, repeated in the Prophets, and stated a third time in the Writings. It is written in the Law: For the Lord your God, He is God of gods, and Lord of lords, the great God, the mighty and revered God, who regardeth not persons, nor taketh a bribe. And it is written: He doth execute justice for the fatherless and the widow, and loveth the stranger, in giving him food and raiment. It is repeated in the Prophets, as it is written: For thus saith the high and exalted One that inhabiteth eternity, and whose name is holy, I dwell in the high and holy place with him also that is of a contrite and humble spirit, to revive the spirit of the humble and to revive the heart of the contrite ones. It is a third time stated in the Writings: Sing unto God, sing praises to His name; extol Him that rideth upon the heavens, whose name is the Lord; and exult before Him. And it is written: A father of the fatherless, and a judge of the widows, is God in his holy habitation. The Lord our God be with us, as He was with our fathers; let Him not leave us, nor forsake us. And ye that cleave unto the Lord your God are alive every one of you this day. For the Lord hath comforted Zion; He hath comforted all her waste places, and hath made her wilderness like Eden, and her desert like the garden of the Lord; joy and gladness shall be found therein, thanksgiving and the voice of melody. It pleased the Lord for His righteousness' sake, to make the Torah great and glorious.

PSALM 128

A Song of Ascents.

Happy is every one that reveres the Lord,
That walks in His ways.

When you eat of the labor of your hands,
You shall be happy, and it shall be well with you.

Your wife within your house shall be as a fruitful vine,
Your children like olive plants, around your table.

Behold, surely thus shall the man be blessed
That reveres the Lord.

The Lord bless you out of Zion;
And may you see the good of Jerusalem all the days
of your life;

And see your children's children.
Peace be upon Israel!

הבדלה

When the Havdalah is chanted in the Synagogue, the opening paragraph is omitted.

הִנֵּה אֵל יְשׁוּעָתִי אֶבְטַח וְלֹא אֶפְחָד. כִּי עָזִּי וְזִמְרָת יָהּ יְיָ וַיְהִי לִי לִישׁוּעָה: וּשְׁאַבְתֶּם מַיִם בְּשָׂשׂוֹן מִמַּעַיְנֵי הַיְשׁוּעָה: לַייָ הַיְשׁוּעָה עַל־עַמְּךָ בִרְכָתֶךָ סֶּלָה: יְיָ צְבָאוֹת עִמָּנוּ מִשְׂגָּב־לָנוּ אֱלֹהֵי יַעֲקֹב סֶלָה: לַיְּהוּדִים הָיְתָה אוֹרָה וְשִׂמְחָה וְשָׂשׂוֹן וִיקָר: כֵּן תִּהְיֶה לָּנוּ. כּוֹס יְשׁוּעוֹת אֶשָּׂא וּבְשֵׁם יְיָ אֶקְרָא:

בָּרוּךְ אַתָּה יְיָ אֱלֹהֵינוּ מֶלֶךְ הָעוֹלָם. בּוֹרֵא פְּרִי הַגָּפֶן:

The spice box is taken and the following is said:

בָּרוּךְ אַתָּה יְיָ אֱלֹהֵינוּ מֶלֶךְ הָעוֹלָם. בּוֹרֵא מִינֵי בְשָׂמִים:

Blessing for the light

בָּרוּךְ אַתָּה יְיָ אֱלֹהֵינוּ מֶלֶךְ הָעוֹלָם. בּוֹרֵא מְאוֹרֵי הָאֵשׁ:

בָּרוּךְ אַתָּה יְיָ אֱלֹהֵינוּ מֶלֶךְ הָעוֹלָם. הַמַּבְדִּיל בֵּין קֹדֶשׁ לְחוֹל בֵּין אוֹר לְחֹשֶׁךְ בֵּין יִשְׂרָאֵל לָעַמִּים. בֵּין יוֹם הַשְּׁבִיעִי לְשֵׁשֶׁת יְמֵי הַמַּעֲשֶׂה. בָּרוּךְ אַתָּה יְיָ הַמַּבְדִּיל בֵּין קֹדֶשׁ לְחוֹל:

הַמַּבְדִּיל בֵּין קֹדֶשׁ לְחוֹל. חַטֹּאתֵינוּ יִמְחֹל.
זַרְעֵנוּ וְכַסְפֵּנוּ יַרְבֶּה כַּחוֹל. וְכַכּוֹכָבִים בַּלָּיְלָה:
יוֹם פָּנָה כְּצֵל תֹּמֶר. אֶקְרָא לָאֵל עָלַי גֹּמֵר.
אָמַר שׁוֹמֵר. אָתָא בֹקֶר וְגַם לָיְלָה:
צִדְקָתְךָ כְּהַר תָּבוֹר. עַל חֲטָאַי עָבוֹר תַּעֲבוֹר.
כְּיוֹם אֶתְמוֹל כִּי יַעֲבוֹר. וְאַשְׁמוּרָה בַלָּיְלָה:

Alenu, page 37.

HAVDALAH

NOTE

The Sabbath is welcomed with light and departs with the glowing light of the Havdalah candle. When the shadows deepen and the stars appear in the heavens, we take reluctant leave of our cherished guest. We kindle the Havdalah candle, chant the Hamavdil prayer, and inhale fragrant spices, thus sending the Sabbath forth with a burst of light on wings of song, praying that her blessed influence linger on until we greet her again on the next Sabbath eve.

When the Havdalah is chanted in the Synagogue, the opening paragraph is omitted.

Behold, God is my salvation; I will trust, and will not be afraid, for God, the Lord, is my strength and song, and He is become my salvation. Therefore with joy shall you draw water out of the wells of salvation. Salvation belongeth unto the Lord; Thy blessing be upon Thy people. The Lord of hosts is with us; the God of Jacob is our refuge. The Jews had light and joy, gladness and honor. So be it with us. I will lift the cup of salvation, and call upon the name of the Lord.

Blessed art Thou, O Lord our God, King of the universe, who createst the fruit of the vine.

The spice box is taken and the following is said:

Blessed art Thou, O Lord our God, King of the universe, who createst divers kinds of spices.

Blessing for the light

Blessed art Thou, O Lord our God, King of the universe, who createst the light of the fire.

Blessed art Thou, O Lord our God, King of the universe, who didst make a distinction between holy and profane, between light and darkness, between Israel and the heathen, between the seventh day and the six working days. Praised be Thou, O Lord, who makest a distinction between holy and profane.

May He who sets the holy and profane
Apart, blot out our sins before His sight,
And make our numbers as the sand again,
   And as the stars of night.

Alenu, page 37.

262

הדלקת הנרות לחנוכה

On Saturday Night the lights are kindled before the prayer on page 257.

בָּרוּךְ אַתָּה יְיָ אֱלֹהֵינוּ מֶלֶךְ הָעוֹלָם. אֲשֶׁר קִדְּשָׁנוּ בְּמִצְוֹתָיו וְצִוָּנוּ לְהַדְלִיק נֵר שֶׁל חֲנֻכָּה:

בָּרוּךְ אַתָּה יְיָ אֱלֹהֵינוּ מֶלֶךְ הָעוֹלָם. שֶׁעָשָׂה נִסִּים לַאֲבוֹתֵינוּ בַּיָּמִים הָהֵם בַּזְּמַן הַזֶּה:

The following Blessing is said on the first evening only:

בָּרוּךְ אַתָּה יְיָ אֱלֹהֵינוּ מֶלֶךְ הָעוֹלָם. שֶׁהֶחֱיָנוּ וְקִיְּמָנוּ וְהִגִּיעָנוּ לַזְּמַן הַזֶּה:

הַנֵּרוֹת הַלָּלוּ אֲנַחְנוּ מַדְלִיקִין עַל הַנִּסִּים וְעַל הַתְּשׁוּעוֹת וְעַל הַנִּפְלָאוֹת שֶׁעָשִׂיתָ לַאֲבוֹתֵינוּ עַל־יְדֵי כֹּהֲנֶיךָ הַקְּדוֹשִׁים. וְכָל־שְׁמֹנַת יְמֵי חֲנֻכָּה הַנֵּרוֹת הַלָּלוּ קֹדֶשׁ וְאֵין לָנוּ רְשׁוּת לְהִשְׁתַּמֵּשׁ בָּהֶם אֶלָּא לִרְאוֹתָם בִּלְבַד. כְּדֵי לְהוֹדוֹת לִשְׁמְךָ עַל־נִסֶּיךָ וְעַל־יְשׁוּעָתֶךָ וְעַל־נִפְלְאוֹתֶיךָ:

For מעוז צור, see page 365.

In the Synagogue Psalm 30, page 60, is chanted.

KINDLING OF THE HANUKKAH LIGHTS

On Saturday Night the lights are kindled before the prayer on page 257.

Blessed art Thou, O Lord our God, King of the universe, who hast sanctified us by Thy precepts, and hast enjoined upon us the kindling of the Ḥanukkah light.

Blessed art Thou, O Lord our God, King of the universe, who at this season wroughtest miracles for our fathers in days of old.

The following Blessing is said on the first evening only:

Blessed art Thou, O Lord our God, King of the universe, who hast kept us in life, and hast preserved us, and enabled us to reach this season.

We kindle these light to commemorate the miraculous deliverance and the wonders which Thou didst perform for our fathers through Thy holy priests. During all the eight days of Ḥanukkah these lights are sacred and are not to be used for ordinary purposes; we are only to behold them. We kindle these lights to offer thanks and praise to Thy name for Thy miracles, Thy deliverances and Thy wonders.

For Mooz Tsur, see page 365.

In the Synagogue, Psalm 30, p. 60, is chanted.

לקוטים לקריאה בקהל

SUPPLEMENTARY READINGS

God

Israel

Our Way of Life

America

SUGGESTED READINGS FOR VARIOUS OCCASIONS

GOD, OUR GUARDIAN

PSALM 121

I will lift up mine eyes unto the mountains;
From whence shall my help come?

My help cometh from the Lord,
Who made heaven and earth.

He will not suffer thy foot to be moved,
He that keepeth thee will not slumber.

Behold, He that keepeth Israel
Doth neither slumber nor sleep.

The Lord is thy keeper;
The Lord is thy shade upon thy right hand.

The sun shall not smite thee by day,
Nor the moon by night.

The Lord shall keep thee from all evil;
He shall keep thy soul.

The Lord shall guard thy going out and thy coming in,
From this time forth and forever.

PSALM 23

The Lord is my shepherd, I shall not want;

He maketh me to lie down in green pastures;
He leadeth me beside the still waters.

He restoreth my soul;
He guideth me in straight paths for His name's sake.

Yea, though I walk through the valley of the shadow of death,
I will fear no evil, for Thou art with me;
Thy rod and Thy staff, they comfort me.

Thou preparest a table before me in the presence of mine enemies;
Thou hast anointed my head with oil; my cup runneth over.

Surely goodness and mercy shall follow me all the days of
my life;
And I shall dwell in the house of the Lord forever.

The Eternal Presence

Selected from Psalm 139

O Lord, Thou hast searched me, and knowest me.

Thou knowest my every step;
Thou understandest my thought from afar.

Thou measurest my going about and my lying down,
And art acquainted with all my ways.

For if there be a word on my tongue,
Thou, O Lord, knowest it altogether.

Whither shall I go from Thy spirit?
Or whither shall I flee from Thy presence?

If I ascend up into heaven, Thou art there;
If I make my bed in the nether world, behold, Thou art there.

If I take the wings of the morning,
And dwell in the uttermost parts of the sea,

Even there would Thy hand lead me,
And Thy right hand would hold me.

And if I say: 'Surely the darkness shall envelop me,
And the night shall shut me in;'

Even the darkness is not too dark for Thee,
Yea, the night shineth as the day;
The darkness is even as the light.

I will give thanks unto Thee,
For I am marvelously made;

Wonderful are Thy works;
My soul knoweth right well.

Before my days were fashioned,
In Thy book were they all written down.

How mysterious are Thy purposes, O Lord,
How vast is their number!

Search me, O God, and know my heart,
Try me, and know my thoughts;

And see if there be any guile in me,
And lead me in Thy way forever.

GOD, THE LORD OF NATURE

Selected from Psalm 104

Bless the Lord, O my soul.
O Lord my God, Thou art very great;
Thou art clothed with glory and majesty.

   Thou coverest Thyself with light as with a garment,
   And stretchest out the heavens like a curtain;

Thou buildest Thy chambers on the waters above,
Thou makest the clouds Thy chariot,
Thou ridest upon the wings of the wind;

   Thou makest the winds Thy messengers,
   The flaming fire Thy ministers.

Thou didst establish the earth upon its foundations,
That it should never be moved.

   Thou didst cover it with the deep as with a vesture;
   The waters stood above the mountains.

At Thy rebuke they fled,
At the voice of Thy thunder they hasted away;

   They ascended the mountains and flowed into valleys,
   Unto the place which Thou hadst founded for them;

Thou didst set a bound for the waters,
That they might not return to cover the earth.

   Thou sendest forth springs into the valleys;
   They run between the mountains;

They give drink to every beast of the field,
That all creatures may quench their thirst.

   Beside them dwell the fowl of the heaven,
   From among the branches they raise their song.

Thou sendest down rain upon the mountains from Thy reservoirs;
The earth is full of the fruit of Thy works.

   Thou causest grass to spring up for the cattle,
   And herbs for the service of man.

Thou bringest forth bread out of the earth
To sustain man's life,
And wine to gladden his heart.

   Thou appointest the moon for seasons;
   The sun knoweth its time of setting.

How manifold are Thy works, O Lord!
In wisdom hast Thou made them all.

ALL THINGS COME FROM GOD

Serve the Lord with gladness;
Come before His presence with thanksgiving.

For the Lord, your God, brought you into a good land;
A land of brooks and of fountains
That spring out of valleys and hills;

A land wherein you shall eat bread without scarcity,
And shall lack for nothing.

You shall eat and be satisfied,
And bless the Lord your God
For the good land which He hath given you.

Beware lest you forget the Lord your God,
And forsake His commandments.

When you have eaten and are satisfied,
And have built goodly houses, and dwelt therein,

When your herds and your flocks increase,
And your silver and gold is multiplied,
And all you have is multiplied,

Beware lest your heart be lifted up,
And you forget the Lord your God,

And you say in your heart:
'My own power and the might of my hand has gotten me
this wealth.'

You shall remember the Lord your God,
For it is He that hath given you the power to get wealth.

Thine, O Lord, is the greatness and the power,
And the glory and the victory and the majesty;

All that is in the heaven
And in the earth is Thine;

Thine is the kingdom, O Lord,
And Thou art exalted above all.

Both riches and honor come from Thee,
And Thou rulest over all;

In Thy hand is power and might,
And in Thy hand it is to make great,
And to give strength unto all.

Therefore, our God, we thank Thee,
And praise Thy glorious name.

לקוטים לקריאה בקהל 273

תהלים ק׳

מִזְמוֹר לְתוֹדָה

הָרִיעוּ לַיָי כָּל־הָאָרֶץ:

עִבְדוּ אֶת־יְיָ בְּשִׂמְחָה בֹּאוּ לְפָנָיו בִּרְנָנָה:

דְּעוּ כִּי יְיָ הוּא אֱלֹהִים הוּא עָשָׂנוּ וְלוֹ אֲנַחְנוּ

עַמּוֹ וְצֹאן מַרְעִיתוֹ:

בֹּאוּ שְׁעָרָיו בְּתוֹדָה חֲצֵרֹתָיו בִּתְהִלָּה

הוֹדוּ לוֹ בָּרְכוּ שְׁמוֹ:

כִּי טוֹב יְיָ לְעוֹלָם חַסְדּוֹ וְעַד־דֹּר וָדֹר אֱמוּנָתוֹ:

A Psalm of Thanksgiving

Psalm 100

Acclaim the Lord with joy, all the earth.

Serve the Lord with gladness;
Come before His presence with singing.

Know that the Lord He is God;
It is He that hath made us, and we are His,
His people, and the flock He shepherds.

Enter into His gates with thanksgiving,
And into His courts with praise;
Give thanks unto Him, and bless His name.

For the Lord is good; His lovingkindness endureth forever,
And His faithfulness unto all generations.

GIVE THANKS UNTO THE LORD

O give thanks unto the Lord who alone doeth great wonders;
His lovingkindness endureth forever.

Sing unto the Lord with thanksgiving;
Sing praise upon the harp unto our God;

He covereth the heavens with clouds,
He prepareth rain for the earth,
And maketh the mountains to be green with grass.

He maketh your borders peaceful,
He giveth you the fat of the wheat in plenty.

He is good to the earth, and watereth her
With His rivers that are full of water.

He maketh the earth soft with showers,
And blesseth the growth thereof.

He crowneth the year with His goodness,
And showereth the earth with rich bounties.

The pastures of the wilderness overflow,
And the hills are girded with joy.

The meadows are clothed with flocks;
The valleys also are covered over with corn;
They shout for joy, yea, they sing.

Our garners are filled to overflowing with all manner of store;
Our flocks increase by thousands in our fields.

There is no attack and no enslavement,
And no cry of distress in the broad places.

Blessed be the Lord
For the precious gifts of heaven;

For the precious gifts of the earth,
And the fullness thereof; praise the Lord.

May the Lord give us of His abundance,
And establish the work of our hands.

COMMUNION WITH GOD

Judaism demands of each of us: study and action, *Ma'aseh* and *Talmud*, regarding both of them as means for communion with God. We regard this demand for Study and Practice not as one to be fulfilled only by a small professional group, who may be Jews for the rest of us. Each one of us must devote part of his day to Jewish thought and the Jewish mode of communion with God.

There may be those who feel that they can live quite happily without either religious discipline or communion with God. But they are in grave error. The restlessness which characterizes us, the confusion which has come on our times, the increasing percentage of neuroses among us, and the general unhappiness of all of us in the midst of the greatest affluence the world has yet seen, has come upon us primarily because of the lack of that sense of communion with God which made our forefathers happy in spite of their poverty and their physical suffering. We resemble most closely those little children who, not having yet learned to interpret the symptoms of weariness and hunger, cry when bedtime or mealtime comes, and yet refuse either to go to bed or take their food. Living in a gilded palace, as it were, we are still miserable, for we are essentially orphans, having lost that most precious of all values in life, the sense of the Fatherhood of God.

The feeling of deprivation grows sharper and more poignant, instead of less severe, as we grow older. The time comes to each of us when the burdens of life seem far too heavy to carry, when the brightness of youth begins to fade, and we notice the lengthening shadows which presage our end.

More than ever then do we become homesick; homesick, not for our houses or for our countries, but homesick for the universal Parent of all of us, for that deep affection which is the heart of the universe itself, for the mercy of God; yet a wall of iron has been placed between us and Him, and we cannot find Him. What greater good can a man achieve, either for himself or for the world, than to contribute his effort to piercing this wall, and bring the Father and the children once more into loving communion with one another!

TRUE WORSHIP

Wherewith shall I come before the Lord,
And bow myself before God on high?

Shall I come before Him with burnt offerings,
With calves of a year old?

Will the Lord be pleased with thousands of rams,
With ten thousand rivers of oil?

Shall I give my first-born for my transgressions,
The fruit of my body for the sin of my soul?

You have been told, O man, what is good,
And what the Lord requires of you;

Only to do justly, and to love mercy,
And to walk humbly with your God.

The sacrifice of a wicked man is an abomination to the Lord,
But the prayer of the upright is His delight.

Thus saith the Lord:
Will you steal, murder and commit adultery,
Swear falsely, and walk after other gods,

And then come and stand before Me in My house,
Whereupon My name is called,

And think that merely by uttering words you will be saved,
Saved to continue all these abominations?

When you offer such prayers, I will not hear.
I cannot endure iniquity along with solemn worship.

Hear the word of the Lord,
All who enter these gates to worship.

If you thoroughly mend your ways and your doings;
If you see that justice is done between man and man,

If you oppress not the stranger, the orphan and the widow,
And shed not innocent blood,
Neither walk after other gods,

Then shall your light break forth as the morning,
And your healing shall spring forth speedily;

Your righteousness shall go before you;
The glory of the Lord shall be your protection.

THE HOUSE OF GOD

Our God and God of our fathers,
Do Thou bless us as we gather here with grateful hearts
To consecrate ourselves to Thee.

Because Thou wast with us in all our endeavors,
Our efforts were fruitful, our work not in vain.

Be with us, we pray Thee, in years still before us,
To show us the way and to guide us, O Lord.

May this, Thy House, be our fortress of strength,
To give us courage for the challenges of life.

We thank Thee for the tasks we shared together,
And for the hours we communed here with Thee;

For the joys we found in the fellowship of worship,
For the blessings of courage, comfort and peace;

For the will to strive and the wisdom to accomplish,
For hope when despondent and faith when in doubt;

For comrades who labored, devotedly loyal,
With spirit undaunted, with vision undimmed; —

For all these we thank Thee and praise Thee, our Father;
Thy House is our refuge, our buttress, our strength,

Our bond with the past, our hope for the future,
Our fathers' bequest and our children's sacred trust.

We reverently pause to recall those departed,
Who loyally served with heart and with hand;

They live in this Sanctuary they helped to establish,
They live in our thoughts, in our prayers, in our deeds.

O may we maintain and preserve what they builded,
And bring to fruition the seeds they have sown.

We come with our children to pray at Thine altar,
That their hearts, like ours, may be lifted to Thee,

To find here the truths that their forefathers cherished,
And make this their Holy Place, even as we.

Our old and our young who worship together,
Renew here the pledge that their forefathers made.

Accept then, O Lord, our hearts' earnest devotion,
And keep us united in service to Thee.

Prayer

Prayer, our Rabbis taught, is the Service of the Heart. Nothing is further from the truth than the widespread notion that *to pray* is synonymous with *to beg, to request,* or to *supplicate.* To be sure, to pray means to call upon God to help us. But we need Him not only when we are physically in danger. We need Him also when we are spiritually in danger.

To pray means to seek God's help, "to keep our tongue from evil," "to purify our hearts," "to put into our hearts to understand, to learn and to fulfill in love, the words of the Torah," and thus to keep us unswervingly loyal to truth, goodness, and beauty.

To pray is to feel and to give expression to a deep sense of gratitude. No intelligent, healthy, normal human being should take for granted, or accept without conscious, grateful acknowledgement the innumerable blessings which God in His infinite love bestows upon him daily,—the blessings of parents and loved ones, of friends and country, of health and understanding.

To pray is to express renewed allegiance to the moral and ethical principles which we accept as the guides of our personal lives, and which we recognize as the indispensable foundation stones for a decent human society.

To pray is to meditate on events of the past which testify to God's guiding spirit in the affairs of men, and which give us courage to fight for justice and freedom, and to look confidently and hopefully to the future.

To pray is to try to experience the reality of God, to feel the purity and exaltation that comes from being near Him, and to give to our souls that serenity and peace which neither worldly success nor worldly failure, which neither the love of life, nor the fear of death, can disturb.

OUR STEADFAST FAITH

O Lord, I have set Thee always before me,
Indeed Thou art at my right hand; I shall not stumble.

    Thou art my Lord,
    I have no good but in Thee.

Thou makest me to know the path of life;
In Thy presence is fullness of joy.

    Whom have I in heaven but Thee?
    And on earth I desire none else.

When my heart and my flesh fail,
Thou art my strength and my portion forever.

    O Lord of hosts,
    Happy is the man that trusts in Thee.

Though I am fallen, I shall rise again,
Though I dwell in darkness, Thou art my light.

    Thou art my lamp, O Lord,
    Thou dost illumine my darkness.

My heart is not turned away,
Neither have my steps departed from Thy path.

    In earthquake and storm, I shall not fear,
    Though mountains be moved into the heart of the seas;

Though surging waters roar and foam,
And mountains shake under the storm;

    Though the fig tree may not blossom,
    And there be no fruit on the vines;

Though the olive crop has failed,
And the fields yield no food;

    Though there be no flocks in the field,
    And no herd in the stalls;

Yet will I have faith in Thee, O Lord;
I shall rejoice in the God of my salvation,

    For with Thee is the fountain of life;
    In Thy light do we see light.

THE MEANING OF FAITH

To have faith is to perceive the wonder that is here, and to be stirred by the desire to integrate the self into the holy order of living.

Faith does not spring out of nothing. It comes with the discovery of the holy dimension of our existence.

We live by the certainty that we are not as dust in the wind, that our life is related to the ultimate, the meaning of all meanings.

God's existence can never be tested by human thought. All proofs are mere demonstrations of our thirst for Him. Does the thirsty man need a proof for his thirst?

There is neither advance nor service without faith. Nobody can rationally explain why he should sacrifice his life and happiness for the sake of the good.

Faith does not detach man from thinking, it does not suspend reason. It is opposed not to knowledge but to indifferent aloofness to the essence of living.

Faith means to hold small things great, to take light matters seriously, to distinguish the common and the passing from the aspect of the lasting.

Faith is an awareness of divine mutuality and companionship, a form of communion between God and man.

To regard all that happens as workings of Providence is to deny human responsibility. We must not idolize history.

This world is more frequently subject to the power of man than to the love of God.

Its power is revealed when man is able to exercise defiance in the face of adversity.

Our task is to act, not only to enjoy; to change, not only to accept; to augment, not only to discover the glory of God.

What is it that makes us worthy of life, if not our compassion and ability to help?

We do not exist for our own sake. Life would be preposterous if not for the love it confers.

Faith is a dynamic, personal act, flowing between the heart of man and the love of God.

The man of faith will know when to consent and when to defy.

It is faith from which we draw the sweetness of life, the taste of the sacred, the joy of the imperishably dear. It is faith that offers us a share in eternity.

Faith is the insight that life is not a self-maintaining, private affair, not a chaos of whims and instincts, but an aspiration, a way, not a refuge.

Faith is real only when it is not one-sided but reciprocal. Man can rely on God, if God can rely on man.

We may trust in Him because He trusts in us. Our trustworthiness for God is the measure of the integrity of our faith.

LIFE — FASHIONED BY PRAYER

We cannot make God visible to us, but we can make ourselves visible to Him. So we open our thoughts to Him.

To pray is to take notice of the wonder, to regain the sense of the mystery that animates all beings.

Prayer is our humble answer to the inconceivable surprise of living. It is all we can offer in return for the mystery by which we live. It is gratefulness which makes the soul great.

As a tree torn from the soil, as a river separated from its source, the human soul wanes when detached from what is greater than itself.

Without the ideal, the real turns chaotic; without the universal, the individual becomes accidental. Unless we aspire to the utmost, we shrink to inferiority.

Prayer is our attachment to the utmost. Without God in sight, we are like the scattered rungs of a broken ladder.

Prayer takes the mind out of the narrowness of self-interest, and enables us to see the world in the mirror of the holy. We do not step out of the world when we pray; we merely see the world in a different setting.

Prayer is a way to master what is inferior in us, to discern between the signal and the trivial, between the vital and the futile, by taking counsel with what we know about the will of God, by seeing our fate in proportion to God.

Prayer teaches us what to aspire for. So often we do not know what to cling to. Prayer implants in us the ideals we ought to cherish.

Prayer is no panacea, no substitute for action. It is, rather, like a beam thrown from a flashlight before us into the darkness.

It is in this light that we who grope, stumble and climb, discover where we stand, what surrounds us, and the course which we should choose.

Prayer makes visible the right, and reveals the false. In its radiance we behold the worth of our efforts, the range of our hopes, and the meaning of our deeds.

Envy and fear, despair and resentment, anguish and grief, which lie heavily upon the heart, are dispelled like shadows by its light.

The purpose of prayer is to be brought to God's attention, to be listened to, to be understood by Him; not to know Him, but to be known to Him; not to form judgments about God but to be judged by Him.

To pray is to behold life not only as a result of His power, but as a concern of His will, or to strive to make it a divine concern.

God is not alone when discarded by man. But man is alone.

Prayer is an invitation to God to intervene in our lives, to let His will prevail in our affairs; it is an effort to make Him the Lord of our soul.

What is pride worth if it does not add to the glory of God? We forfeit our dignity when we abandon loyalty to what is sacred; our existence dwindles to trifles.

We barter life for oblivion, and pay the price of toil and pain in the pursuit of aimlessness. Through prayer we sanctify ourselves, our feelings, our ideas.

In prayer we establish a living contact with God, between our concern and His will, between despair and promise, want and abundance.

Life is fashioned by prayer, and prayer is the quintessence of life.

In Praise of God

נִשְׁמַת

All things that live shall praise Thy name
The spirit of all flesh proclaim
Thy sovereignty, O Lord our God.

From everlasting Thou art God,
To everlasting Thou shalt be;
We have no other God but Thee.

Thy goodness and Thy holiness
Support us in all times of stress,
Redeemer, Lord and King.

Thou art the God of first and last,
In every age Thy children raise
Their voices in eternal praise.

With tender love Thy world dost guide,
And for our needs dost Thou provide;
Thou keepest watch eternally.

Thou takest slumber from our eyes,
And to the speechless givest voice;
Through Thy great mercy all rejoice.

Thou raisest those whose heads are bent,
Sustaining all the weak and spent;
To Thee alone we render thanks.

If like the sea our mouths could sing,
Our tongues like murmuring waves implore,
Our lips like spacious skies adore;

And were our eyes like moon or sun,
Our hands like eagles' wings upon
The heavens, to spread and reach to Thee;

And if our feet were swift as hinds,
Yet would we still unable be
To thank Thee, God, sufficiently;

To thank Thee for one-thousandth share
Of all Thy kind and loving care
Which Thou in every age hast shown.

From Egypt didst Thou lead us forth,
From bondage didst Thou set us free,
Redeeming us from slavery.

In famine, food didst Thou provide,
In plenty Thou wast at our side,
To keep and guide us, Lord our God.

From pestilence and sword didst save,
And when we were by ills assailed,
Thy love and mercy never failed.

O Lord, Thy wondrous deeds we praise,
Forsake us not throughout our days;
Be Thou our help forevermore.

Therefore, O Lord, our limbs, our breath,
Our soul, our tongue, shall all proclaim
Thy praise, and glorify Thy name,

And every mouth and every tongue
Declare allegiance without end;
And every knee to Thee shall bend.

The mighty ones shall humble be,
Yea, every heart revere but Thee,
And sing the glory of Thy name.

שמעו אלי, עמי

שִׁמְעוּ אֵלַי, עַמִּי:

מִתּוֹךְ נִשְׁמָתִי אֲנִי מְדַבֵּר עִמָּכֶם, מִתּוֹךְ נִשְׁמַת נִשְׁמָתִי,
מִתּוֹךְ קֶשֶׁר הַחַיִּים שֶׁאֲנִי קָשׁוּר בְּכֻלְּכֶם
וְאַתֶּם כֻּלְּכֶם קְשׁוּרִים בִּי,
מִתּוֹךְ אוֹתָהּ הַהַרְגָּשָׁה שֶׁאֲנִי חָשׁ אוֹתָהּ
עָמֹק יוֹתֵר מִכָּל־הַרְגָּשׁוֹת הַחַיִּים שֶׁלִּי,
שֶׁאַתֶּם, רַק אַתֶּם, רַק כֻּלְּכֶם, כְּלַלְכֶם, כָּל־נִשְׁמוֹתֵיכֶם
כָּל־דּוֹרוֹתֵיכֶם,
רַק אַתֶּם הִנְּכֶם תֹּכֶן חַיַּי:
בָּכֶם אֲנִי חַי, בָּכֶם, בַּחֲטִיבָה הַכּוֹלֶלֶת שֶׁל כֻּלְּכֶם
יֵשׁ לְחַיַּי אוֹתוֹ הַתֹּכֶן שֶׁהוּא קָרוּא חַיִּים,
מִבַּלְעֲדֵיכֶם אֵין לִי כְלוּם:
כָּל־הַתִּקְווֹת, כָּל־הַשְּׁאִיפוֹת, כָּל־הָעֵרֶךְ שֶׁל שְׁוִי הַחַיִּים,
הַכֹּל אֲנִי מוֹצֵא בְּקִרְבִּי רַק עִמָּכֶם,
וַאֲנִי זָקוּק לְהִתְקַשֵּׁר עִם־נִשְׁמוֹתֵיכֶם־כֻּלְּכֶם:
אֲנִי מֻכְרָח לְאַהֲבָה אֶתְכֶם אַהֲבָה אֵין־קֵץ:
אִי־אֶפְשָׁר לִי לְהַרְגִּישׁ שׁוּם הַרְגָּשָׁה אַחֶרֶת:
כָּל־הָאֲהָבוֹת הַקְּטַנּוֹת עִם־הַגְּדוֹלוֹת שֶׁבְּכָל־תַּהֲלוּכוֹת חַיַּי,
כֻּלָּן אֲצוּרוֹת הֵן בְּאַהֲבַתְכֶם, בְּאַהֲבַת כְּלָלוּתְכֶם,
הַכְּלָל שֶׁכָּל־הַפְּרָטִים שֶׁלָּכֶם בּוֹ הוֹיִם וְחַיִּים.

HEARKEN, O MY PEOPLE!

Hearken, O my people!
From the very depths of my soul
I speak unto you;

From the core of life where lies the tie
That binds us one to the other,
With devotion, deep and profound,
I declare unto you

That you, each one of you,
All of you, the whole of you,
Your very souls, your generations, —
Only you are the essence of my life.

I live in you, in each of you, in all of you;
In your life, my life has deeper, truer meaning;
Without you I am as naught.

Hope, aspiration and life's intrinsic worth, —
All this I find only when I am with you.

I am bound up inextricably
With the soul of all of you,
And I love you with infinite love;
I cannot feel otherwise.

All life's loves, small and great,
Are treasured in my love of you,
In my love of all of you.

כָּל־אֶחָד מִכֶּם, כָּל־נְשָׁמָה בּוֹדֶדֶת שֶׁמִּכְּלָל כֻּלְּכֶם,
הוּא נִיצוֹץ גָּדוֹל וְחָשׁוּב מֵאֲבוּקַת אוֹר עוֹלָמִים
הַמְּאִירָה לִי אֶת־אוֹר הַחַיִּים:
אַתֶּם, נוֹתְנִים אַתֶּם לִי תֹּכֶן לַחַיִּים, לַעֲבוֹדָה,
לַתּוֹרָה, לַתְּפִלָּה, לַשִּׁירָה, לַתִּקְוָה:
דֶּרֶךְ הַצִּנּוֹר שֶׁל הֱוָיַתְכֶם אֲנִי חָשׁ אֶת־הַכֹּל, אֲנִי אוֹהֵב אֶת־הַכֹּל:
עַל־כַּנְפֵי הָרוּחַ שֶׁל חִבַּתְכֶם אֲנִי מִתְנַשֵּׂא לְאַהֲבַת הָאֱלֹהִים,
וְהִיא מִתְחַוֶּרֶת לִי, מִתְבָּרֶרֶת אֶצְלִי,
מִשְׁתַּלְהֶבֶת בִּלְבָבִי, מִצְטַחְצַחַת בְּרַעְיוֹנָי:
עִמָּכֶם עַמִּי, אֻמָּתִי, אִמִּי, מְקוֹר חַיַּי,
עִמָּכֶם אֲנִי מְעוֹפֵף לְמֶרְחֲבֵי עוֹלָם:
עִם־נִצְחֲכֶם אֲנִי חַי חַיֵּי נֶצַח, עִם פְּאֵרְכֶם
אֲנִי מָלֵא הוֹד וְתִפְאֶרֶת,
עִם־עֱנוּתְכֶם אֲנִי מָלֵא מַכְאוֹבוֹת, עִם הַצַּעַר שֶׁבְּנִשְׁמַתְכֶם
אֲנִי מָלֵא מְרוֹרוֹת,
עִם־הַדֵּעָה וְהַתְּבוּנָה שֶׁבְּקִרְבְּכֶם הִנְנִי מָלֵא דֵּעָה וּתְבוּנָה:
אוֹצַר חַיִּים הוּא לִי כָּל־קֶצֶב, כָּל־חֹק שֶׁל מַעֲמַד רַגְלֵיכֶם:
אַרְצְכֶם, אֶרֶץ תִּקְוַתְכֶם, קֹדֶשׁ הִיא לִי,
שָׁמֶיהָ לִי מְקוֹר הַחֵן, מְקוֹר פְּאֵר הָעוֹלָמִים:
כַּרְמֶלָּה וְשָׁרוֹנָהּ מְקוֹר הַתִּקְוָה, מְקוֹר הַבְּרָכָה,
מְקוֹר שְׂשׂוֹן הַחַיִּים:
שִׂיחָהּ וּשְׁמִירָהּ עוֹטִים לִפְנֵי הוֹד וְיִפְעַת־עַד:

Each one of you, each individual soul
Is a glowing spark of that torch eternal,
Kindling the light of life for me.

You give meaning to life, to labor,
To learning, to prayer, song and hope;

Through the channel of your being, life pulsates in me;
On the wings of your love I rise to the love of God.

Everything becomes crystal-clear to me, unequivocal,
Like a flame in my heart purifying my thoughts.

With you, O my people, my kin-folk, my mother,
Source of my life,
With you I soar the wide spaces of the world;
In your eternity I have life eternal.

In your glory I am honored, in your sorrow I am grieved,
In your affliction, I suffer anguish,
In your knowledge and understanding,
Behold, I am filled with knowledge and understanding.

Every footstep, wherever you have trod, is a treasure of life.
Your land, the land of your hope, is sacred to me;

Its heavens a source of beauty, of eternal splendor;
Its Carmel and Sharon are the spring of hope,
The fountain of blessing, the source of life's joy.

Even its thorns and thistles are garbed in glory,
In deathless beauty!

את־ספר התפלות הישן

אֶת־סֵפֶר הַתְּפִלּוֹת הַיָּשָׁן, הַנּוֹבֵל מִדְּמָעוֹת,
אֶקַּח בְּיָדַי,
לָאֵל אֱלֹהֵי אֲבוֹתַי, צוּרָם וּמַחְסָם מִקֶּדֶם,
מִמְּצוּקַי אֶקְרָא,
בַּמִּלִּים הָהֵן הַיְשָׁנוֹת, חֲרוּכוֹת כְּאֵב הַדּוֹרוֹת,
מַר־שִׂיחִי אֶשְׁפֹּךְ,
תְּשֶׁאנָּה הֵן, הַיּוֹדְעוֹת שְׁבִילֵי מְרוֹמִים,
תְּלוּנֹתַי אֶל אֵל בִּמְרוֹמִים:
וַאֲשֶׁר קָצְרָה לְשׁוֹנִי לְהַבִּיעַ מֵעֹצֶר זְוָעָה,
וַאֲשֶׁר יִצָּפֵן לְבָבִי,
בְּנִיבָן הַפָּשׁוּט וְהַנֶּאֱמָן לִפְנֵי אֵל תָּשַׁחְנָה,
תִּבְעֶינָה רַחֲמִים:
וְאֵל בַּשָּׁמַיִם, אֲשֶׁר שָׁמַע תְּפִלּוֹת אֲבוֹתַי
וְכֹחַ וָעֹז נָתַן בָּם
לָשֵׂאת וְלִסְבֹּל כָּל־צָרָה וְחֶרְפָּה וְזָדוֹן בָּעוֹלָם
וּלְקַוּוֹת גְּאֻלָּה,
אוּלַי יִשְׁמַע גַּם תְּפִלָּתִי, אֶנְקָתִי יֶאֱסֹף
וִיהִי לְמָגֵן לִי: . . .
. . . וְאֵין עוֹזֵר וְתוֹמֵךְ לִי,
כִּי אִם אֵל בַּשָּׁמַיִם:

THE OLD PRAYER BOOK

This book of prayers, old and stained with tears,
  I take into my hand,

And unto the God of my fathers,
Who from ages past has been their Rock and Refuge,
  I call in my distress.

In ancient words, seared with the pain of generations,
  I pour out my woe.

May these words that know the heavenly paths,
  Ascend aloft unto God on high,

To convey to Him that which my tongue cannot express, —
All that lies deep hidden
  Within my heart.

May these words, simple and true, speak for me before God,
  Entreating His mercy.

Perchance the heavenly God who hearkened to my fathers'
    prayers,
  Who gave them courage and strength

To bear all their sorrow and degradation,
  Yet ever to hope for redemption —

Perchance He will also hear my prayer and hearken to my cry,
  And be to me a protecting shield,

For there is none to help or sustain me,
  But God in heaven.

FEAR NOT, O ISRAEL

Fear not, O Jacob, My servant,
Neither be dismayed, O Israel;

> For lo, I will save you from afar,
> And your children from the lands of captivity.

O Israel, you shall again be quiet and at ease,
And none shall make you afraid.

> For a brief moment have I forsaken you,
> But with great compassion will I gather you.

For even if the mountains depart and the hills move,
My kindness will not depart from you,
Nor My covenant of peace be removed.

> When you pass through the waters, I will be with you,
> And through the rivers, they shall not overflow you;

When you walk through the fire, you shall not be burned,
Neither shall the flame kindle upon you.

> I shall strengthen you, yea, I shall help you,
> Yea, I shall uphold you with the power of righteousness.

Behold, all they that contend with you
Shall be ashamed and confounded;

> They that strive with you
> Shall be as naught and shall perish.

In righteousness shall you be established;
You shall not fear.

> You who have been forsaken, shunned and hated,
> Now will I make you an eternal pride, a joy to all ages.

Fear not, for I am with you;
Be not dismayed, for I am your God.

> Every weapon that is formed against you shall fail,
> And every tongue that shall rise against you, shall you
> disprove.

This is the inheritance of the Lord's servants,
And their salvation from Me, saith the Lord.

ISRAEL'S HISTORY

1

The first part of Jewish history, the Biblical part, is a source from which, for many centuries, millions of human beings belonging to the most diverse denominations have derived instruction, solace, and inspiration. Its heroes have long ago become types and incarnations of great ideas. The events it relates serve as living ethical formulas. But a time will come — perhaps it is not very far off — when the second half of Jewish history, the record of the two thousand years of the Jewish people's life after the Biblical period, will be accorded the same treatment. The thousand years' martyrdom of the Jewish people, its unbroken pilgrimage, its tragic fate, its teachers of religion, its martyrs, philosophers, champions — this whole epic will, in days to come, sink deep into the memory of men. It will speak to the heart and conscience of men, not merely to their curious mind. It will secure respect for the silvery hair of the Jewish people, a people of thinkers and sufferers. It is our firm conviction that the time is approaching in which the second half of Jewish history will be to the noblest part of thinking humanity what its first half has long been to believing humanity, a source of sublime moral truths.

2

In its journey through the desert of life, for eighteen centuries, the Jewish people carried along the Ark of the Covenant, which breathed into its heart ideal aspirations, and even illumined the badge of disgrace affixed to its garment with a saintly glory. The persecuted Jew felt a sublime, noble pride in being singled out to perpetuate and suffer for a religion which reflects eternity, by which the nations of the earth were gradually educated to a knowledge of God and morality from which is to spring the salvation and redemption of the world. Such a people, which disdains its present but has the eye steadily fixed on its future, which lives as it were on hope, is on that very account eternal, like hope.

ISRAEL'S MARTYRDOM

1

If there are ranks in suffering, Israel takes precedence of all the nations; if the duration of sorrows and the patience with which they are borne ennoble, the Jews can challenge the aristocracy of every land; if a literature is called rich in the possession of a few classic tragedies — what shall we say to a National Tragedy lasting for fifteen hundred years, in which the poets and the actors were also the heroes?

2

Combine all the woes that temporal and ecclesiastical tyrannies have ever inflicted on men or nations, and you will not have reached the full measure of suffering which this martyr people was called upon to endure century upon century. It was as if all the powers of earth had conspired — and they did so conspire — to exterminate the Jewish people, or at least to transform it into a brutalized horde. History dare not pass over in silence these scenes of well nigh unutterable misery. It is her duty to give a true and vivid account of them, to evoke due admiration for the superhuman endurance of this suffering people, and to testify that Israel, like Jacob in the days of old, has striven with gods and with men, and has prevailed.

3

When studying the documents referring to Israel's times of agony, I was struck, by the fact that women proved themselves more heroic than the men; and at many a critical moment, it was the desperate courage and the conscience of the women which decided in favor of martyrdom.

4

History is not made by philosophers, but by martyrs, by men whose lives are an object-lesson of their doctrines. The Jewish prophets were at once thinkers and martyrs. Not only did they think their ideals — they lived their ideals, because they were not theirs, but God's.

IN THE DAY OF TROUBLE

O Lord, wherefore hidest Thou Thyself,
And forgettest our affliction and our oppression?

In Thee did our fathers trust;
They trusted and Thou didst deliver them.

Unto Thee they cried and were saved;
In Thee did they trust and were not ashamed.

O God, keep Thou not silence;
Hold not Thy peace and be not still.

For lo, Thine enemies are in an uproar,
And they that hate Thee have lifted up their head;
They take counsel against Thy people.

They have said: 'Come, let us destroy them as a nation,
That the name of Israel be remembered no more.'

They have consulted together with one accord;
Against Thee do they make a covenant.

O Lord, make them like the whirling dust,
As chaff before the wind.

Fill their faces with shame;
O may they seek Thee, O Lord,

That they may know it is Thou alone
Who art the Lord,
The Most High over all the earth.

O God of hosts, restore us;
Cause Thy spirit to be with us and we shall be saved.

Reveal Thyself in the majesty of Thy triumphant power
Over all the inhabitants of Thy world,

That every living form may know that Thou hast formed it,
And every living creature understand that Thou hast created it,

And all with life's breath in them may declare:
'The Lord, God of Israel, is King, and His dominion ruleth
over all.'

A New Heart and a New Spirit

Behold, the days come, saith the Lord,
When the house of Israel will come to know Me.

 I will put My commandments within you and write them
  in your hearts,
 And I will be your God and you shall be My people.

And I will betroth you unto Me forever;
Yea, I will betroth you unto Me in righteousness, in justice,
  and in love.

 And I will betroth you unto Me in faithfulness,
 And you shall know the Lord.

A new heart also will I give you,
And a new spirit will I put within you;

 I will take away the heart of stone,
 And I will give you a heart of flesh.

I will put My spirit within you,
And cause you to walk in My statutes,
And you shall keep My ordinances and do them.

 For My ordinances which I command you
 Are not too difficult for you, neither are they far off.

My laws are not high in the heavens that you should say,
'Who shall go up and bring them down?'

 Neither are they beyond the sea that you should say,
 'Who shall go over the sea for us, and bring them unto us,
 That we may hear them and do them?'

Behold, My ordinances are nigh unto you,
In your very heart that you may do them.

 The day will come when I will break the bow and the sword
 And the battle out of the land,
 And I will make all to lie down safely,

And all people shall know Me,
From the least of them unto the greatest of them,

 And all shall be My people,
 And I will be their God.

Kiddush Hashem

Throughout the centuries the Jew regarded himself not only as an individual but also as a member of a particular and distinctive group. No other people in the world has organized its life around this group feeling as did the Jewish people. As a result those around him have also considered the Jew not as an individual but as a representative of all Jewry. This strong group consciousness saved the Jew from disappearing in the melting-pot of history. But it has also placed a great responsibility on every Jew. It has made each of our actions not only a matter of personal merit or fault but a *Kiddush HaShem* or *Hillul HaShem*, something which sanctifies or desecrates the name of Israel and the God of Israel.

This strong group feeling created a condition where, *Yisrael Arevim zeh bazeh*, Jews are responsible for each other. The act of each Jew reflects on the character of all Israel. No man is perfect, but when a Jew misbehaves, the seriousness of the act is greatly increased by the fact that it is charged against the character and reputation of all Jews. This is a great responsibility indeed. But it has its compensation when we remember that every noble act we perform is not only a fine thing in itself but that it also helps to overcome, at least in part, the prejudice and ill-will to which Israel is exposed.

This responsibility which history imposes upon every individual Jew is even more serious when we no longer live isolated in ghettos. We are in daily contact with those of other groups and the spotlight of their judgment is constantly turned upon us. We must ever be mindful therefore that our behavior is not a personal matter only. It is a daily opportunity for *Kiddush HaShem*. It determines the name and the fame, the fate and the faith of Israel.

Why Israel Survived

We survived because we were inveterate optimists. No obstacle stopped us, no crisis dismayed us, no catastrophe crushed us. We swallowed the bitterness of life and pursued the sweet thereof.

We survived because of Torah. We loved life and our sages knew that life needs direction, norms, discipline. We denied ourselves that we might live. We had the strength to chain the fury of passion, and the wisdom to escape quietism and negation. We placed ourselves under the yoke of the Torah and rejoiced that we had mizvot.

We survived because ours was a genuine democracy. No caste system was permitted to develop, no autocrat went unchallenged. The lowly and the mighty alike were the children of Abraham, Isaac and Jacob. The craftsman, the merchant and farmer, all could become great teachers and be hearkened to by the whole people.

We survived, above all, because of the prophetic voices that broke out in Israel from time to time. We were blessed with men that never made peace with the foibles of the people or the whims of the rulers. We were compelled to listen to denunciations that cried aloud like a trumpet. We were not allowed to sink into the sweet lassitude of dissipation and degeneracy which led so many peoples to despair and death. We were shaken by a mighty hand and outstretched arm. "Wash ye, make you clean . . . cease to do evil; learn to do well; seek judgment, relieve the oppressed, judge the fatherless, plead for the widow."

We survived because of Moses who smashed the popular golden calf, because of Nathan who pointed a finger at his king, "Thou art the guilty man"; because of Elijah who thundered at his king, "Hast thou killed and also taken possession?" There was Amos who demanded, "Let justice well up as the waters and righteousness as a mighty stream."

We cannot all be Moses, Isaiahs, Elijahs, but we dare not forget that we are in the tradition.

A Vision of the Future

We perceive a community great in numbers, mighty in power,
Enjoying life, liberty and the pursuit of happiness;

True life, not mere breathing space;
Full liberty, not mere elbow room;

Real happiness, not that of pasture beasts;
Actively participating in the civic, social and economic progress
of the country,

Fully sharing and increasing its spiritual possessions and ac-
quisitions,
Doubling its joys, halving its sorrows,

Yet deeply rooted in the soil of Judaism;
Clinging to its past, working for its future,

True to its traditions, faithful to its aspirations,
One in sentiment with their brethren wherever they are;

Attached to the land of their fathers
As the cradle and resting place of the Jewish spirit;

Men with straight backs and raised heads,
With big hearts and strong minds,

With no conviction crippled, with no emotion stifled;
Receiving and resisting,
Not yielding like wax to every impress from the outside,

But blending the best they possess
With the best they encounter;

Not a horde of individuals,
But a set of individualities,

Adding a new note to the richness of American life,
Leading a new current into the stream of American civilization;

Not a formless crowd of taxpayers and voters,
But a sharply marked community, distinct and distinguished;

Trusted for its loyalty, respected for its dignity,
Esteemed for its traditions, valued for its aspirations;—

A community such as the Prophet of the Exile saw in his vision:
'And marked will be their seed among the nations,
And their offspring among the peoples;

Everyone that will see them
Will point to them as a community blessed by the Lord.'

Israel's Quest

Time was when men lived as did the beasts. In those days of man's beginnings no vision of goodness, no dream of justice or mercy had as yet been born within the human heart. As once in the physical world, so then in the realm of the spirit —

Darkness was upon the face of the deep.

But even as the spirit of God hovered over chaos, so it moved through the confused souls of primitive men. The divine within them stirred. They could not forever remain content with brutality. Slowly, falteringly, they groped toward a better way of life. Inarticulately, they prayed with the Psalmist:

Show me Thy ways, O Lord,
Teach me Thy paths.

Thus was begun the great pilgrimage, man's march from the bestial to the divine. Each people, in its own way, felt the stirrings of God within itself. Each strove to discover the good life, and aspired to live it.

The Lord hath made known His salvation;
His righteousness hath He revealed in the sight of the nations.

It was not given to all peoples to succeed alike in this quest. Some lost the vision. Others followed false gods. Still others were satisfied with too little.

For all the idols of the peoples are things of nought;
But the Lord made the heavens.

In this universal pilgrimage toward the good life, Israel led the way.

Thou, Israel, art My servant;
I, the Lord, have called thee in righteousness,
And set thee for a light of the nations.

To a mankind contemptful of man, Israel's prophets and sages taught the sanctity of each human being. In an age of cruelty and violence they proclaimed justice, compassion and peace.

One law shall be among you,
For the native and stranger alike.

Through the parables of sages, the songs of poets, the visions of prophets, a new conception of the good life was born. Embodied in Israel's Scripture, it became the precious possession of all men, giving them strength in weariness and hope in despair.

The Law of the Lord is perfect, restoring the soul;
The testimony of the Lord is sure, making wise the simple.

As one who with pain and suffering has cut a path through a trackless wilderness, and then looks back to observe joyfully other men traveling easily the roadway he has chartered, so did our forefathers bless their lot as the bearers of salvation, saying:

> How goodly is our portion,
> How blessed our lot,
> How beautiful our heritage!

Verily our ancestors regarded their role in history as a sign of God's grace, a token of the love of the Almighty for Israel, and through Israel for all mankind.

> For this is your wisdom and your understanding in the sight of the peoples.

May we, the latter day children of Israel continue our people's historic quest for God and His law of righteousness, and together with our fellowmen, may we establish His kingdom of truth, justice and peace.

> And the Lord shall be King over all the earth,
> On that day, the Lord shall be One, and His name one.

ISRAEL'S ROLE IN HISTORY

The history of Israel is the great living proof of the working of divine Providence in the affairs of the world. Alone among the nations Israel has shared in all great movements since mankind became conscious of their destinies. If there is no divine purpose in the long travail of Israel, it is vain to seek for any such purpose in man's life. In the reflected light of that purpose each Jew should lead his life with an added dignity.

Israel is a little people, but it has done great things. It had but a precarious hold on a few crags and highlands between the desert and the deep sea, yet its thinkers and sages with eagle vision took into their thought the destinies of all humanity, and rang out in clarion voice a message of hope to the downtrodden of all races. Claiming for themselves and their people the duty and obligations of a true aristocracy, they held forth to the peoples, ideals of a true democracy founded on right and justice. Their voices have never ceased to re-echo around the world, and the greatest things that have been done to raise men's lot have been always in the spirit, often in the name of the Hebrew prophets.

O LORD, GIVE US MEN!

O Lord, give us fearless men!
Men to meet the trials of life
With faith and vision, steadfast hearts and willing hands;
  Men who dare to do the right,
  And yield not truth to wealth or power.

O Lord, give us righteous men!
Men who are just, men who are free,
Men who respond to their brothers' needs;
  Who work together with resolute will
  To speed the approach of Thy kingdom on earth.

O Lord, give us faithful men!
Men like Abraham, dauntless and true,
Who bring to Thine altar devotion and love;
  Who brave every hardship Thy will to perform,
  Befriending the stranger in homage to Thee;

Men who proclaim Thy sovereignty in witness to Thy truth,
Acknowledging Thy guidance, Thy wisdom, Thy power;
  Men who break every idol blindly wrought,
  Dispelling the darkness with Thy spirit of light.

O Lord, give us steadfast men!
Men like Joseph, who though great in the land,
Remember their kinsmen in time of distress,
  Who seek out their brothers, proffering the hand
  Of kinship and kindness, of rescue and strength;

Who harbor no malice nor sanction revenge,
Forbearing, forgiving, forgetting past wrongs;
  Who contribute richly to the land of their birth,
  Yet never forget Zion, Israel's ancient land.

O Lord, give us inspired men!
Men like Moses, who hearken to Thy voice,
Revealing Thine eternal truths and teaching us Thy Law.
  Lord, give us consecrated leaders, faithful to Thy will,
  Pathfinders through life's bewildering maze.

Give us men to teach us, men to make us know,
That Torah is our way of life, and righteousness our goal.
  With such men to guide us, our faith shall never fail,
  Our courage never falter; our future is assured.

THE MACCABEES

Selected from I Maccabees ch. 1–4

It was on the 25th day of the month Kislev, (the year 168 B. C. E.) when the officers of King Antiochus of Syria had offered idol sacrifice upon the altar of God. They rent in pieces the books of the Torah which they found, and burned them with fire. And the King gave orders that the people of Judea should forsake their Law and the covenant, eat unclean things, profane the Sabbath and pollute the sanctuary. And many chose rather to die than to forsake the holy covenant.

And in those days rose up Mattathias, a priest from Jerusalem and he dwelt at Modin. And he had five sons, John, Simon, Judas (who was called Maccabeus), Eleazar, Jonathan. And he saw the blasphemies that were committed in Judah and in Jerusalem, and Mattathias and his sons rent their clothes, and put on sackclothes, and mourned exceedingly.

And the king's officers came to the city of Modin, and they said to Mattathias: 'Thou art a ruler and an honorable and great man in the city. Go, then, and fulfill the king's command as all the heathens have done, and as also many men of Judea and Jerusalem did. So shalt thou be of the number of the king's friends and thou and thy children shall be honored with silver and gold and many rewards.' But Mattathias answered and spake with a loud voice: 'Though all the nations that are under the king's dominion obey him and fall away every one from the religion of their fathers, yet will I and my sons and brethren walk in the covenant of our fathers. God forbid that we should forsake the Law to depart from our religion either to the right or to the left.' And Mattathias cried throughout the city with a loud voice saying: 'Whosoever is zealous of the Law and maintaineth the covenant, let him follow me.' So he and his sons fled into the mountains, and they went about pulling down the heathen altars, and they recovered the Law out of the hand of the heathens.

Now when the time drew nigh that Mattathias should die, he said to his sons: 'Be ye zealous for the Torah and give your lives for the covenant of your fathers. Remember what our fathers did in times gone by. Throughout all the ages none that put their trust in God were overcome. Therefore be strong, my sons, and show yourselves men in behalf of the Torah; for by it shall ye obtain glory.' So he blessed them and was gathered to his fathers.

Then Judas, called Maccabeus, rose up in his stead, and all his brethren aided him, and they fought courageously the battle of Israel. And when the people saw the great multitude of the enemy's hosts, they said: 'How shall we be able, being so few, to fight against so many people and so strong?' Judas answered: 'With the God of heaven it is all one to deliver us with a large number, or with a small one. For the victory of battle standeth not in the multitude of a host; but strength cometh from God. We fight for our lives and our Torah. The Lord will overthrow them. Be not afraid. Let all the nations know that there is One who will protect and save Israel.'

And Judas led them into battle, and fought like a lion and behold, the hosts of the enemy were vanquished and they fled. And Israel had a great deliverance. And they sang songs of thanksgiving, and praised the Lord of heaven for His goodness, because His mercy endureth forever.

And on the five and twentieth day of Kislev, the same day when three years before the altar of God had been profaned by the heathen, the sanctuary of God was dedicated anew with songs and music, and the people praised the God of heaven who had given them great victory, and they celebrated the Dedication of the Altar for eight days, and there was great rejoicing among the people. Moreover, Judas and his brethren with the whole congregation of Israel ordained that the days of the Dedication of the Altar should be celebrated from year to year for eight days in gladness and thanksgiving.

FAITH TRIUMPHANT

O Lord, Thou hast ever been our fortress and our strength;
From days of old hast Thou upheld our fathers.

> When men rose up against them in the days of Mattathias,
> To desecrate Thine altar and destroy their faith in Thee,

Forcing the brave Judeans to forsake Thy covenant,
Compelling them to follow pagan ways,—

> Then didst Thou, O Lord our God, reveal Thy saving power;
> Thy spirit moved the Maccabees to rise against the foe
> That ruled by force and might.

Right was thus triumphant, faith victorious;
The mighty hosts didst Thou deliver to the weak.

> Thou didst bring low the wicked hordes
> Who sought to crush the faithful few devoted to Thy Law.

When the battle was over, and arrogance subdued,
Thy children all rejoiced and praised Thee in Thy courts.

> They purified Thine altar and kindled there the lamp
> That sheds its rays on all mankind, spreading Thy light afar.

As witness-bearers to the triumph of Thy right,
We kindle lights in gratitude, and praise Thy holy name.

> Through that resplendent victory, Israel was preserved,
> To share Thy truths with all mankind,
> And by these truths to live.

O may we consecrate our lives as did the Maccabees,
And dedicate anew our hearts and souls to Thee.

> The glowing lights of Hanukkah, today as in the past,
> Proclaim that man must live, not by might nor by power,
> But by Thy spirit, O Lord of hosts.

OUR WONDROUS DELIVERANCE

O Lord, our hope in every generation,
We rejoice in the wondrous deliverance
Thou didst bring to pass for our fathers.

   When Haman rose to crush us,
   Thou wast at our side.

Thou didst bring to naught his base designs,
Delivering us from destruction.

   In our day, too, O Lord our God,
   We trust in Thy saving power.

We know it is Thy will
That evil be subdued and righteousness prevail.

   Keep us ever steadfast and just,
   That no weapon formed against us may prosper.

Inspire us like Mordecai of old,
To be unswerving in our devotion to Thee.

   Like Esther, may we ever be eager
   To serve our people, even at the peril of our lives.

Cause us to know as Mordecai knew,
That whether we be born to high or low estate,
We share alike our people's lot.

   That though we dwell in safety, blessed with abundance,
   Our brother's hurt is our hurt, their sorrow, ours.

Hasten the day when all oppression shall cease,
And tyranny shall forever be crushed;

   When strife shall no longer set off man from man,
   But all shall unite in true brotherhood
   To serve each other, and thus, O Lord, serve Thee.

I AM A JEW

1

I will continue to hold my banner aloft. I find myself born — aye, born — into a people and a religion. The preservation of my people must be for a purpose, for God does nothing without a purpose. His reasons are unfathomable to me, but on my own reason I place little dependence; test it where I will, it fails me. The simple, the ultimate in every direction is sealed to me. It is as difficult to understand matter as mind. The courses of the planets are no harder to explain than the growth of a blade of grass. Therefore am I willing to remain a link in the great chain. What has been preserved for four thousand years was not saved that I should overthrow it. My people have survived the prehistoric paganism, the Babylonian polytheism, the aesthetic Hellenism, the sagacious Romanism; and it will survive the modern dilettantism and the current materialism, holding aloft the traditional Jewish ideals inflexibly until the world shall become capable of recognizing their worth.

2

I am a Jew because the faith of Israel demands no abdication of my mind.

I am a Jew because the faith of Israel asks every possible sacrifice of my soul.

I am a Jew because in all places where there are tears and suffering the Jew weeps.

I am a Jew because in every age when the cry of despair is heard the Jew hopes.

I am a Jew because the message of Israel is the most ancient and the most modern.

I am a Jew because Israel's promise is a universal promise.

I am a Jew because for Israel the world is not finished; men will complete it.

I am a Jew because for Israel man is not yet fully created; men are creating him.

I am a Jew because Israel places man and his unity above nations and above Israel itself.

I am a Jew because above man, image of the divine unity, Israel places the unity which is divine.

A WOMAN OF VALOR

Selected from Proverbs, 31

A woman of valor who can find?
Her price is far above rubies.

The heart of her husband trusteth in her,
And he shall have no lack of gain.

She doeth him good and not evil,
All the days of her life.

She looketh well to the ways of her household,
And eateth not the bread of idleness.

She giveth food to her household,
And a portion for her maidens.

Strength and dignity are her clothing,
And she laugheth at the time to come.

She stretcheth out her hand to the poor,
Yea, she reacheth forth her hands to the needy.

She openeth her mouth with wisdom,
And the law of lovingkindness is on her tongue.

Her children rise up and call her blessed,
Her husband also, and he praiseth her:

'Many daughters have done worthily,
But thou excellest them all.'

Grace is deceitful, and beauty is vain,
But a woman that revereth the Lord, she shall be praised.

Give her of the fruit of her hands,
And let her works praise her in the gates.

THE JEWISH MOTHER

Jewish custom bids the Jewish mother, after her preparations for the Sabbath have been completed on Friday evening, to kindle the Sabbath lamp. That is symbolic of the Jewish woman's influence on her own home, and through it upon larger circles. She is the inspirer of a pure, chaste family life whose hallowing influences are incalculable; she is the center of all spiritual endeavors, the confidante and fosterer of every undertaking. To her the Talmudic sentence applies: "It is woman alone through whom God's blessings are vouchsafed to a house."

WOMEN IN ISRAEL

Throughout the ages Thou hast blessed us, O Lord,
With women who tended the altars of our faith.

Through these noble women Israel was redeemed;
Because of them has Israel survived.

They have inspired and guided our youth;
They have preserved and transmitted Thy word.

May the women in our generation like those of the past,
Keep Israel an eternal witness of Thee.

May they, like Sarah, zealously guide their young,
Keeping them constant and steadfast in faith.

Then shall our children remain
Ever devoted to Thee.

May our women, like Rachel, be deeply concerned
For the children of Israel wherever they dwell,

Sharing their glory, feeling their pain,
And helping rebuild the ancient homeland.

May they, like Hannah, who joyfully brought
Her young Samuel to Shiloh for service to God,

Bring our children also in their tender years,
For guidance and light to the House of the Lord,

To learn the traditions, the teachings and laws
Of our prophets and sages, our martyrs and saints.

Then shall our children be imbued in their youth,
With hope for their future through knowledge of their past.

May our women, O Lord, inspire in our young
A love for the Torah, our true way of life.

Through such noble women shall Israel be redeemed;
Through the merits of their children shall Israel survive.

THE JEWISH HOME

Better is a dry morsel and quietness therewith,
Than a house full of feasting amidst strife.

Yea, better to eat herbs where love is,
Than the choicest food and hatred therewith.

Except the Lord build the house,
They labor in vain that build it.

Through wisdom is a house builded,
And by understanding is it established.

By knowledge is the home filled
With all that is pleasant and precious.

Make your house a meeting place for the learned,
And give heed to their words.

If three people have eaten at one table
And have spoken words of Torah,
It is as though they had eaten at God's table.

Blessed is that home
Where the woman regards the ways of her household.

Blessed is the man who has a good wife,
For the number of his days shall be doubled.

Blessed is he who loves his wife and honors her,
And directs his children into paths of righteousness.

When husband and wife are worthy of each other,
The divine spirit rests upon them.

A home where a man loves his wife as himself,
And honors her beyond his own person,
Shall be blessed everlastingly.

A home where children honor their parents
Is a home in which God dwells, and He Himself is honored.

How goodly are your tents, O Jacob,
And your dwellings, O Israel.

The Sabbath Preserved Israel

1

He who feels in his heart a genuine tie with the life of his people cannot possibly conceive of the existence of the Jewish people apart from "Queen Sabbath." We can say without exaggeration that more than Israel preserved the Sabbath, the Sabbath preserved Israel.

2

If I were asked to single out one of the great historical institutions more essential for our preservation than all others, I would not hesitate to declare that it is the observance of the Sabbath. Without this, the home and the Synagogue, the festivals and the holy days, the language and the history of our people, will gradually disappear. If the Sabbath will be maintained by those who have observed it and will be restored to those who have abandoned it, then the permanence of Judaism is assured. Every Jew who has it within his power should aid in the effort to restore the Sabbath to the man from whom it has been taken away. No deeds of charity or philanthropy, no sacrifices of time or fortune made by any Jew, equals in beneficent result the expenditure of time and money looking towards the re-establishment of the Jewish Sabbath among the Jewish people. No amount of prating about morals will ever take the place of rooted habits ruthlessly plucked out.

3

The observance of the Sabbath brings deep and abiding rewards to the Jew. It re-creates his spirit as it regenerates his physical and nervous system. It brings him into communion with God, links him with the profoundest aspirations of Israel, and draws him into the orbit of Torah. It therefore follows inseparably that the failure to observe the Sabbath brings its penalties in the impoverishment of the spirit, the denudation of Jewish values and alienation from the Jewish community, literally "that soul is cut off from its kinsmen."

THE NATURE OF JUDAISM

Judaism has survived through the ages because it has been a dynamic tradition. It always knew how to adapt itself to new thought and new conditions. Moses, the Prophets, Johanan ben Zakkai, Maimonides — each saved Judaism in an hour of crisis by adjusting it to the times. The entire Talmud is essentially a reinterpretation of the earlier Judaism of the Bible to meet the problems of a new age. Even Post-Talmudic Judaism continued this process of growth and development.

Judaism is the complete culture or civilization of the Jewish people. It possesses all the varied attributes of language and literature, art, music, customs and law, institutions and history. We pray in Hebrew not because God understands no other language, but because it is our language, and therefore both the form and content of our thought. Our holiest sentiments must be expressed in the tongue that links us with our ancestors and our brothers everywhere. The practices and customs of Jewish life, our history and our traditions, are precious to us, because their *contents* reflect the noblest aspirations of which man has yet shown himself capable, and because their *forms*, growing out of our own group experience, are closest to us.

Our loyalty to Jewish life is therefore entirely free from a scorn or dislike for other religions and cultures. On the contrary, Judaism makes possible our appreciation of other civilizations. In Bernard Lazare's words, "Being a Jew is the least difficult way of being truly human."

Of all the aspects of Judaism, it is religion that is primary. The recognition of God in the world and the drive for ethical perfection are the two great contributions of the Jew to the world — two that are really one. Perhaps other civilizations can survive without religion, but not Judaism. Our history, our customs, our law, our literature, even our music and art, are intimately connected with the religious and ethical ideals of Judaism.

Jewish nationalism and religion are the body and soul of the living organism which is the Jewish people. Whenever Jewish religion without nationalism has been tried, it has failed. When Jewish nationalism without religion has been attempted, it has been unable to maintain itself after the momentum of the religious dynamic was exhausted.

A vital Judaism in America includes a positive attitude toward Jewish tradition and an equally clear awareness of the necessity for growth and development. It does not deny the patent fact of the peoplehood of Israel, but places the emphasis properly upon the fundamentally religious character of its civilization. It is genuinely American, yet retains its bond of attachment to Israel and its zeal for the rebuilding of Eretz Yisrael.

It offers both hope and direction to all who are seeking to build a living American Judaism that will play its part in fulfilling Israel's Messianic faith in the inevitable victory of universal justice, freedom and peace, which our prophets and sages envisioned as the Kingdom of God on earth.

JUDAISM AND NATIONALISM

The rebirth of Israel's national consciousness and the revival of Judaism are inseparable. When Israel found itself, it found its God. When Israel lost itself, or began to work at its self-effacement, it was sure to deny its God. The selection of Israel, the indestructibility of God's covenant with Israel, the immortality of Israel as a nation, and the final restoration of Israel to its land, where the nation will live a holy life, on holy ground, with all the wide-reaching consequences of the conversion of humanity, and the establishment of the Kingdom of God on earth — all these are the common ideals and the common ideas that permeate the whole of Jewish literature extending over nearly four thousand years.

Torah — The Elixir of Jewish Life

That the Jewish nation has survived the downfall of its state and the destruction of its national sanctuary is above all due to the great genius — Rabban Johanan ben Zakkai — who made of religious study a new form in which the national existence of the Jews found expression, so that by the side of the history of nearly two thousand years of suffering we can point to an equally extensive history of intellectual effort. Studying and wandering, thinking and enduring, learning and suffering, fill this long period. Thinking is as characteristic a trait of the Jew as suffering, or, to be more exact, thinking rendered suffering possible. For it was our thinkers who prevented the wandering nation, this true "wandering Jew" from sinking to the level of brutalized vagrants, of vagabond gypsies.

*　　*　　*

The school is the most original institution created by post-biblical Judaism — a magnificent institution, a veritable fortress unshaken by the storms of the ages. To borrow a simile from the Midrash, the school was the heart that kept watch while the other organs slept. Ideals pass into great historical forces by embodying themselves into institutions, and the Jewish ideal of knowledge became a great historical force by embodying itself in the Jewish school.

In Praise of Torah

Torah is compared to water.
  It cleanses man from what is debasing in life.

Torah is compared to wine.
  Time cannot render it useless; yea, time increases its power.

Torah is compared to oil.
  It mixes not with other elements but preserves its own
    distinctiveness.

Torah is compared to honey.
  It is sweet, rendering man free from the bitterness of hatred.

Torah is compared to a wall.
  It protects its adherents from the violence of the wicked.

Torah is compared to manna.
  It proclaims the equality of rich and poor before God.

Above all, Torah is compared to a crown.
  It sets man above all of God's creatures.

Torah — our Source of Strength

Wisdom gives greater strength
Than ten rulers in a city.

> The true guardians of a city are not its armed men;
> Its consecrated teachers are its guardians.

A city that has no school which teaches the word of God,
That city cannot endure.

> Ignorance cannot yield true righteousness,
> Nor lack of knowledge flower into piety.

Torah gives man insight into God's ways
That he may fulfill the divine call:
'Know the God of your fathers and serve Him.'

> When Jacob's voice is heard in study and prayer,
> The hands of Esau are powerless against him.

Toil not merely for worldly goods,
Find time also for the study of the Torah;

> For if you lack knowledge, what have you acquired?
> If you have acquired knowledge, what do you lack?

He who increases his possessions, increases his worries,
But he who increases his knowledge in the Torah,
Adds to the fullness of life.

> Therefore let us turn to Torah and study it diligently,
> For we can find everything therein.

Let us not depart from Torah,
Nor swerve from contemplating its wisdom.

> Though we grow old and gray in its study.
> It will yield us rich reward.

He who honors the Torah
Will himself be honored by all men.

> Yea, great is Truth;
> Above all things it is triumphant.

ISRAEL'S CROWN OF DISTINCTION

Our great claim to the gratitude of mankind is that we gave to the world the word of God, the Bible. As the poet puts it, we have stormed heaven to snatch down this heavenly gift. We threw ourselves into the breach, and covered it with our bodies against every attack. We allowed ourselves to be slain in hundreds and thousands rather than become unfaithful to it, and we bore witness to its truth, and watched over its purity in the face of a hostile world. The Bible is our sole *raison d'être;* and it is just this which the Higher Anti-Semitism, both within and without our ranks, is seeking to destroy, denying all our claims for the past, and leaving us without hope for the future. This intellectual persecution can only be fought with intellectual weapons, and unless we make an effort to recover our Bible we are irrevocably lost from both worlds.

THE SEFER TORAH

For any community of people to be, and to remain, Jewish, they must be brought up from their tenderest childhood to regard the Sefer Torah as the title-deed of their birthright and pedigree, which they are religiously to hand down unaltered from generation to generation. For is there a Jewish community anywhere, however safely domiciled, which has relinquished the Torah for even one generation and has survived that separation?

Those who forsake the Torah, bringing it into disrepute and weakening the hold it has on us, are working at the destruction of the brotherhood that cradled and sheltered their fathers and forefathers through all the vicissitudes of the bygone ages, to whom they owe their own life and presence on earth. The Torah is a fountain of life. In it is protection greater than in fortresses.

TORAH—OUR WAY OF LIFE

Happy are they that are upright,
And walk in the law of the Lord.

   Happy are they that keep His teachings,
   That seek Him with their whole heart.

The law of the Lord is perfect, restoring the soul;
The teaching of the Lord is sure, making wise the simple.

   The precepts of the Lord are right, rejoicing the heart;
   The commandment of the Lord is pure, enlightening the
      eyes.

The ordinances of the Lord are true,
They are righteous altogether.

   Happy is the man that walks not in the counsel of the
      wicked,
   Nor stands in the way of sinners,
   Nor sits in the seat of the scornful.

But his delight is in the law of the Lord;
And in His law he meditates day and night.

   He shall be like a tree planted by streams of waters,
   That brings forth its fruit in its season,

And whose leaf does not wither;
And in whatever he does he shall prosper.

   Teach me, O Lord, Thy way, that I may walk in Thy
      truth;
   Make my heart firm to revere Thy name.

Open my eyes that I may behold
The wonders of Thy Torah.

   O may my ways be directed
   To observe Thy statutes.

Guide me in Thy truth, and teach me,
For Thou art the God of my salvation.

   Thy word is a lamp unto my feet,
   And a light unto my path.

Teach me to do Thy will,
For Thou art my God.

   Thy teachings ever make for righteousness;
   Give me understanding, and I shall live.

TORAH—OUR TREE OF LIFE

The only real poverty
Is poverty of the mind.

    Reverence for God is the beginning of wisdom,
    And the knowledge of the Eternal is true understanding.

Where there is no knowledge, there is no reverence for God;
Where there is no reverence for God, there is no true knowledge.

    The Torah endows man with modesty and reverence,
    And teaches him to be virtuous, pious, upright and faithful.

Torah keeps him far from sin,
And draws him near to virtue.

    You shall teach diligently
    The word of God to your children.

The moral world is maintained by the instruction of our young;
Their education shall not be interrupted even to rebuild the
    Temple.

    When parents encourage children to study Torah,
    Their influence lives beyond the grave.

He who has studied in his youth
May be compared to writing set down on new parchment;

    But he who begins to study when he is old,
    Is like writing set down on re-used parchment.

If one studies Torah in his youth,
Its words are woven into the texture of his life.

    Train a child in the way he should go,
    And when he is older he will not depart from it.

As long as the voices of children resound with the study of
    Torah,
No enemy can triumph over Israel.

    The Torah is a Tree of Life;
    Happy are they who understand its teachings,
    And fulfill God's commandments.

TORAH AND CHARACTER

Judaism is distinctive for its theory of education. We have a Hebrew word for knowledge which is virtually untranslatable because its deepest and fullest meaning has not yet been grasped by other peoples and tongues. That word is Torah. By Torah, Jewish tradition did not mean essentially the disinterested acquisition of factual information or the cultivation of skills of the body and mind, or even the scholarly exploration of the multi-roomed mansion of worldly wisdom. All these were deemed desirable and necessary only insofar as they expanded the soul, stimulated the moral sensitivity of man, and were channeled in the direction of the promotion of human welfare. Thus Jeremiah declares, "Let not the wise man glory in his wisdom, neither let the mighty man glory in his might, let not the rich man glory in his riches; but let him that glorieth glory in this, that he understandeth and knoweth Me, that I am the Lord who exercises mercy, justice and righteousness on the earth; for in these things I delight, saith the Lord."

Universal literacy is not moral intelligence. The three R's do not spell righteousness. Popular education in our day teaches young people how to make a living, but it largely ignores the necessity of teaching them how to live, and what to live for. Judaism can, in our time, make a significant contribution through its unrivaled tradition of the pre-eminence of Torah, the character-building, soul-cultivating emphasis in learning, calling on man to develop ethical alertness, to master himself rather than to rule over others.

Our religion goes beyond the formulation of universal postulates and idealistic ends. It translates the poetry of moral aspiration into the prose of every day life. It is a religion of behavior as well as of beliefs. It brings down the holy tablets from the heights of Sinai to the valley of decision and the plain of realization. It translates the Torah into life.

The Ten Commandments

1. I am the Lord thy God, who brought thee out of the land of Egypt, out of the house of bondage.

2. Thou shalt have no other gods before Me. Thou shalt not make unto thee a graven image, even any manner of likeness, of any thing that is in heaven above, or that is in the earth beneath, or that is in the water under the earth. Thou shalt not bow down unto them, nor serve them; for I the Lord thy God am a jealous God, visiting the iniquity of the fathers upon the children unto the third and fourth generation of them that hate Me; and showing mercy unto the thousandth generation of them that love Me and keep My commandments.

3. Thou shalt not take the name of the Lord thy God in vain; for the Lord will not hold him guiltless that taketh His name in vain.

4. Observe the Sabbath day, to keep it holy, as the Lord thy God commanded thee. Six days shalt thou labor, and do all thy work; but the seventh day is a Sabbath unto the Lord thy God; in it thou shalt not do any manner of work, thou, nor thy son, nor thy daughter, nor thy man-servant, nor thy maid-servant, nor thine ox, nor thine ass, nor any of thy cattle, nor thy stranger that is within thy gates, that thy man-servant and thy maid-servant may rest as well as thou. And thou shalt remember that thou wast a servant in the land of Egypt, and the Lord thy God brought thee out thence by a mighty hand and by an outstretched arm; therefore the Lord thy God commanded thee to keep the Sabbath day.

5. Honor thy father and thy mother, as the Lord thy God commanded thee, that thy days may be long, and that it may go well with thee upon the land which the Lord thy God giveth thee.

6. Thou shalt not murder.

7. Thou shalt not commit adultery.

8. Thou shalt not steal.

9. Thou shalt not bear false witness against thy neighbor.

10. Thou shalt not covet thy neighbor's wife, neither shalt thou desire thy neighbor's house, his field, or his man-servant, or his maid-servant, his ox, or his ass, or any thing that is thy neighbor's.

WISDOM, WHERE IS IT FOUND?

Selected from Job 28

Wisdom, where is it found?
And Understanding, how may it be attained?
There are mines for silver,
And refineries for gold;
Iron is taken from the earth,
And copper molten out of stones.
Men enter darkness into the furthermost depths,
And grapple for stones in the shadow of death.
Sapphires lie among the stones,
And dust of gold lies with the dust of the ages.
The miner stretches forth his hand among the flinty rocks;
He digs into the mountains at their roots.
He drills out channels in the cliffs;
He binds up streams to draw the water off.
He finds every precious thing,
And all the hidden things he uncovers.
But Wisdom, where is that found?
And Understanding, how may that be attained?
No gold can purchase Wisdom,
Nor silver pay the price of it.
Wisdom is more precious than rubies,
No weight of gold can purchase it,
Since it is hidden from all eyes,
Even from the fowls of the air.
Wisdom where is it found?
And Understanding, how may it be attained?
When God laid the foundations of the earth,
And saw the whole world beneath the heaven;
When He made the winds obey His will,
And meted out the waters, measure by measure;
When He stemmed the mighty floods,
And tempered the fury of the storms,
He saw Wisdom then, and He established it;
But for man He declared:
"Behold, the fear of the Lord, that is Wisdom;
To shun evil, that is Understanding."

THE ETHICS OF JUDAISM

Judaism teaches the unity of the human race.

We all have one Father; one God has created us.

Judaism commands: "Love thy neighbor as thyself," and declares this command of all-embracing love to be the fundamental principle of the Jewish religion.

Judaism therefore forbids every sort of animosity, envy, or unkindness towards any one of whatsoever race, nationality, or religion.

Judaism demands consideration for the life, health, powers, and possessions of one's neighbor.

It therefore forbids injuring a fellowman by force, or cunning, or in any other manner depriving him of his property.

Judaism commands holding a fellowman's honor as sacred as one's own.

It therefore forbids degrading him by evil reports, vexing him with ridicule or mortifying him.

Judaism commands respect for the religious convictions of others.

It therefore forbids aspersion or disrespectful treatment of the customs and symbols of other religions.

Judaism commands the practice of charity towards all, clothing the naked, feeding the hungry, nursing the sick, comforting those that mourn.

It therefore forbids limiting our care to ourselves and our families, and withholding sympathy when our neighbors suffer.

Judaism commands respect for labor; each in his own sphere shall strive for the blessings of life by worthwhile creative activity.

It therefore demands the cultivation and development of all our powers and capabilities.

Judaism commands absolute truthfulness; our yea shall be yea, our nay, nay.

It therefore forbids the distortion of truth and deceit, and condemns hypocrisy.

Judaism commands walking humbly with God and in modesty among men.

It therefore forbids self-conceit, arrogance, and disparagement of the merits of others.

Judaism commands chastity and the sanctity of marriage.

It therefore forbids infidelity, license and lust.

Judaism commands the promotion of the welfare of one's fellow-men.

It therefore forbids indifference to the needs of the community.

Judaism commands that its adherents shall promote the welfare of the state.

It calls upon us to sacrifice property and even life for the highest principles of justice and liberty.

Judaism commands sanctification of the name of God through righteous living.

It bids us exert ourselves to hasten the time in which men shall be united in the love of God and the love of one another.

ETHICAL TEACHINGS

Whether one be a Jew or an adherent of another faith, man or woman, upon each, according to his deeds, will the divine spirit rest.

Every human being, not only the Jew, is beloved by God, since every man is the creature of God, made in His image.

The righteous among all nations have a share in the world to come.

Our Rabbis have taught, 'We must support the poor of all people with the poor of Israel, visit their sick with the sick of Israel, and give honorable burial to their dead as to the dead of Israel, for that will lead to peace.'

'Justice, justice, shalt thou pursue.' Why is the word *justice* written twice? To teach us that we must practise justice at all times, whether it be for our profit or for our loss, and towards all men, Jew and non-Jew alike.

צ י ו ן ה ל א ת ש א ל י

צִיּוֹן הֲלֹא תִשְׁאֲלִי לִשְׁלוֹם אֲסִירָיִךְ
דֹּרְשֵׁי שְׁלוֹמֵךְ וְהֵם יֶתֶר עֲדָרָיִךְ:
מִיָּם וּמִזְרָח וּמִצָּפוֹן וְתֵימָן שְׁלוֹם
רָחוֹק וְקָרוֹב שְׂאִי מִכֹּל עֲבָרָיִךְ:
לִבְכּוֹת עֱנוּתֵךְ אֲנִי תַנִּים. וְעֵת אֶחֱלֹם
שִׁיבַת שְׁבוּתֵךְ אֲנִי כִנּוֹר לְשִׁירָיִךְ:
אַתְּ בֵּית מְלוּכָה וְאַתְּ כִּסֵּא אֲדֹנָי. וְאֵיךְ
יָשְׁבוּ עֲבָדִים עֲלֵי כִסְאוֹת גְּבִירָיִךְ:
מִי־יִתְּנֵנִי מְשׁוֹטֵט בַּמְּקוֹמוֹת אֲשֶׁר
נִגְלוּ אֱלֹהִים לְחֹזַיִךְ וְצִירָיִךְ:
מִי יַעֲשֶׂה־לִּי כְנָפַיִם וְאַרְחִיק נְדֹד
אָנִיד לְבִתְרֵי לְבָבִי בֵּין בְּתָרָיִךְ:
אֶפֹּל לְאַפַּי עֲלֵי אַרְצֵךְ וְאֶרְצֶה אֲבָ־
נַיִךְ מְאֹד וַאֲחֹנֵן אֶת־עֲפָרָיִךְ:
אֶעֱבֹר בְּיַעְרֵךְ וְכַרְמִלֵּךְ וְאֶעֱמֹד בְּגִלְ־
עָדֵךְ וְאֶשְׁתּוֹמְמָה אֶל־הַר עֲבָרָיִךְ:
צִיּוֹן כְּלִילַת יֳפִי אַהֲבָה וְחֵן תִּקְשְׁרִי
מֵאָז. וּבָךְ נִקְשְׁרוּ נַפְשׁוֹת חֲבֵרָיִךְ:
הֵם הַשְּׂמֵחִים לְשַׁלְוָתֵךְ וְהַכּוֹאֲבִים
עַל־שׁוֹמְמוּתֵךְ וּבֹכִים עַל־שְׁבָרָיִךְ:
אִוָּךְ לְמוֹשָׁב אֱלֹהָיִךְ. וְאַשְׁרֵי־אֱנוֹשׁ
יִבְחַר יְקָרֵב וְיִשְׁכֹּן בַּחֲצֵרָיִךְ:

ODE TO ZION

Selected

Zion! wilt thou not ask if peace be with thy captives
That seek thy peace — that are the remnant of thy flocks?

From west and east, from north and south — the greeting
"Peace" from far and near, take thou from every side.

To wail for thine affliction I am like the jackals; but when
     I dream
Of the return of thy captivity, I am a harp for thy songs.

Thou art the house of royalty; thou art the throne of the
     Lord, and how
Do slaves sit now upon thy princes' thrones?

Would I might be wandering in the places where
God was revealed unto thy seers and messengers.

O who will make me wings, that I may fly afar,
And lay the ruins of my cleft heart among thy broken cliffs!

I would fall, with my face upon thine earth and take delight
In thy stones and be tender to thy dust.

I would pass into thy forest and thy fruitful field, and stand
Within thy Gilead, and wonder at thy mount beyond —

Zion! perfect in beauty! love and grace thou didst bind on to thee
Of olden time; and still the souls of thy companions are
     bound up with thee.

It is they that rejoice at thy well-being, that are in pain
Over thy desolation, and that weep over thy ruin.

Thy God hath desired thee for a dwelling-place; and happy is
     the man
Whom He chooseth and bringeth near that he may rest within
     thy courts.

אם אשכחך ירושלים

עַל־נַהֲרוֹת בָּבֶל שָׁם יָשַׁבְנוּ גַּם־בָּכִינוּ
בְּזָכְרֵנוּ אֶת־צִיּוֹן:
עַל־עֲרָבִים בְּתוֹכָהּ תָּלִינוּ כִּנֹּרוֹתֵינוּ:
כִּי שָׁם שְׁאֵלוּנוּ שׁוֹבֵינוּ דִּבְרֵי־שִׁיר
וְתוֹלָלֵינוּ שִׂמְחָה שִׁירוּ לָנוּ מִשִּׁיר צִיּוֹן:
אֵיךְ נָשִׁיר אֶת־שִׁיר־יְיָ עַל־אַדְמַת נֵכָר:
אִם־אֶשְׁכָּחֵךְ יְרוּשָׁלָיִם תִּשְׁכַּח יְמִינִי:
תִּדְבַּק לְשׁוֹנִי לְחִכִּי אִם־לֹא אֶזְכְּרֵכִי
אִם־לֹא אַעֲלֶה אֶת־יְרוּשָׁלַיִם עַל־רֹאשׁ שִׂמְחָתִי:

If I Forget Thee, O Jerusalem

Psalm 137:1-6

By the rivers of Babylon,
There we sat down, yea, we wept,
When we remembered Zion.
There, upon the willows we hung up our harps.
Our captors demanded a song,
And our tormentors bade us be merry:
'Sing us a song of Zion.'
But how could we sing a song of the Lord,
Here in a foreign land?

Congregation rises

If I forget thee, O Jerusalem,
Let my right hand forget its cunning;
Let my tongue cleave to my mouth,
If I remember thee not,
If I set not Jerusalem above my chiefest joy.

OUR LOVE FOR ERETZ YISRAEL

The Jew, even though he was driven from the land, never surrendered his love for it. The Jew transplanted *Eretz Yisrael* into his very consciousness. He imagined that he continued to live in the land of his dreams. He might be living in the cold north or in the sunny south, yet he prayed for rain or for dew at the proper season for them in *Eretz Yisrael.* He celebrated Arbor Day when trees were beginning to bloom in the Holy Land. In whatever clime he lived, he was always under the illusion that he was still in his ancient home. His very name *Jew* was a living protest that he still held his lien upon the land of Judea, from which, though he was torn physically, he was never separated in heart or mind. He sang and he dreamed of *Eretz Yisrael;* it was uppermost in his thoughts in time of supremest joy and darkest sorrow.

The Jew mourned for his ancient land as he would for the dead, yet he never regarded *Eretz Yisrael* as altogether dead. If dead, then it would rise again and experience the resurrection of the dead . . .

And strange as it may seem, the land itself seemed to feel the same—that she belonged to Israel and to Israel alone. Pagan, Christian, Mohammedan, Romans, Egyptians, Turks,—all conquered the land and tried to make it their own. But none succeeded. With a stubborn resistance the land refused to prosper in their hands and preferred to remain in its desolation. She waited patiently for her own beloved. "The land without a people," to use the phrase of Zangwill, "waited for the people without a land."

THE DIVINE PROMISE TO ABRAHAM

And the Lord said unto Abram: 'Lift up now thine eyes, and look from the place where thou art, northward and southward and eastward and westward; for all the land which thou seest, to thee will I give it, and to thy seed for ever. And I will make thy seed as the dust of the earth; so that if a man can number the dust of the earth, then shall thy seed also be numbered. Arise, walk through the land in the length of it and in the breadth of it: for unto thee will I give it.' (Genesis, 13:14–18)

אל ספד

אַל סְפֹד אַל בְּכוֹת בְּעֵת כָּזֹאת
אַל הוֹרִיד רֹאשׁ . . .
עֲבֹד! עֲבֹד! הַחוֹרֵשׁ, חֲרֹשׁ! הַזּוֹרֵעַ, זְרַע!
בְּרֶגַע רַע כִּפְלַיִם עֲמֹל, כִּפְלַיִם יְצֹר,
וּנְטַע וַעֲדֹר, וְסַקֵּל וּגְדֹר,
וּפַלֵּס וְסֹלּ מְסִלַּת דְּרוֹר לְיוֹם הָאוֹר . . .
בִּנְתִיב הָעֱנוּת הוֹלְכָה הַפְּדוּת,
וְצוֹעֵק הַדָּם לְנִשְׁמַת הָעָם,
הִתְנָעֵר וּפְעָל! הִגָּאֵל וּגְאָל!

Mourn Not!

Mourn not, weep not at a time like this
Nor bow your head.
Work! Work! Plow, O Plowman!
Sower, sow your seed!
In time of stress, redouble your toil
Dig, and then plant; clear and fence.
Level and cast up the highway of freedom
Toward a new day of light.
For on the path of pain, redemption comes
And the blood drawn by the tyrant's lash
Cries out to the soul of the people:
"Bestir yourself and work!
Be redeemed! Set others free!"

COMFORT YE, MY PEOPLE!

Comfort ye, comfort ye, My people,
Saith your God.

Awake, awake, put on thy strength, O Zion;
Put on thy beautiful garments, O Jerusalem.

Break forth into joy, sing together,
Ye waste places of Zion.

For the Lord hath comforted His people;
He hath redeemed Jerusalem.

Hear the word of the Lord, O ye nations,
And declare it in the isles afar off:

'He that scattered Israel doth gather him,
And keep him, as a shepherd doth his flock.'

For the Lord hath ransomed Jacob;
He hath redeemed him from the hand of him that is
stronger than he.

They shall come and sing in the height of Zion,
And shall flow unto the goodness of the Lord,

And their soul shall be as a watered garden,
And they shall not pine any more;

For I will turn their mourning into joy,
And will comfort them, and make them rejoice from
their sorrow.

Refrain thy voice from weeping,
And thine eyes from tears;

For thy work shall be rewarded,
And they shall come back from the land of the enemy.

And there is hope for thy future,
And thy children shall return to their own border.

Violence shall no more be heard in thy land,
Desolation nor destruction within thy borders.

Thy people shall be all righteous,
They shall inherit the land forever.

Arise, shine, for thy light is come,
And the glory of the Lord is risen upon thee.

THE RESTORATION OF ZION

If I forget thee, O Jerusalem,
Let my right hand forget its cunning.

> Let my tongue cleave to my mouth,
> If I remember thee not,
> If I set not Jerusalem above my chiefest joy.

The Lord will arise and have compassion upon **Zion;**
For it is time to be gracious unto her.

> The Lord doth build up Jerusalem;
> He gathereth together the dispersed of Israel.

For the Lord will comfort Zion;
He will comfort all her waste places.

> He will make her wilderness like Eden,
> And her desert like the garden of the Lord.

Joy and gladness shall be found therein,
Thanksgiving and the voice of melody.

> The ransomed of the Lord shall return,
> And come with singing unto Zion.

Everlasting joy shall be upon their heads;
They shall obtain gladness and joy,
And sorrow and sighing shall vanish.

> They shall build the waste cities, and inhabit them;
> They shall plant vineyards, and drink the wine thereof.

They shall also make gardens and eat the fruit of them,
And God shall plant them upon their own land.

> And they shall no more be plucked up
> Out of their land which God hath given them.

They shall abide in peaceful habitations,
In safe dwellings, and in quiet resting places.

> Zion shall be redeemed through justice,
> And they that dwell there through righteousness.

Then shall Zion be saved,
And Jerusalem shall dwell in safety,

> For out of Zion shall go forth the Law,
> And the word of God from Jerusalem.

God's Beneficence in Nature

And God said: Let the earth put forth grass, herb yielding seed, and fruit trees bearing fruit after its kind. And it was so . . . and God saw it was good.

When a tree is wantonly cut down, its voice rings from one end of the earth to the other.

When you besiege a city, do not destroy the trees thereof; you may eat of them but you must not cut them down.

A man's life is sustained by trees. Just as others planted for you, plant for the sake of your children.

If you had a sapling in your hand and were told that the Messiah had come, first plant the sapling, then go out to greet him.

Build houses and dwell in them;
Plant gardens and eat the fruit of them.

I, the Lord, will turn the captivity of My people Israel,
And they shall build the waste cities, and inhabit them.

Zion shall no more be termed forsaken,
Neither shall the land be termed desolate any more.

I will open rivers on the high hills,
And fountains in the midst of the valleys;

I will make the wilderness a pool of water,
And the dry land, springs of water.

I will plant in the wilderness the cedar, the acacia tree,
The myrtle and the olive tree.

Be glad then, ye children of Zion,
And rejoice in the Lord your God.

For the pastures of the wilderness are green with grass,
The tree bears its fruit;
The fig-tree and the vine do yield their strength.

Be glad, O land, and rejoice,
For the Lord hath done great things.

MAN, THE CROWN OF CREATION

How manifold are Thy works, O Lord!
In wisdom hast Thou made them all.

   O Lord, our God,
   How glorious is Thy name in all the earth!

When I behold the heavens, the work of Thy fingers,
The moon and the stars which Thou hast established;

   What is man that Thou art mindful of him,
   And the son of man that Thou thinkest of him?

Yet hast Thou made him
But little less than divine,
And hast crowned him with glory and honor.

   Thou hast made him to have dominion
   Over the works of Thy hands;
   All things hast Thou put under his feet.

Beloved of Thee is man, Thine own creation,
Fashioned in Thine image.

   Thou hast given him understanding and insight,
   And hast shown him what is good and what is evil.

Thou hast revealed unto him what is good;
Thou hast given him to choose between right and wrong.

   Thou hast given him a mind,
   That he might use his blessings wisely;

A heart hast Thou given him, and free will,
That he might consider his ways
And live according to Thy will.

   We are mindful of all the great gifts
   Which Thou, O Lord, hast given us;
   May we use them wisely that they may not be in vain.

You have been told, O man, what is good,
And what the Lord requires of you:

   To do justly, to love mercy,
   And to walk humbly with your God.

THE BROTHERHOOD OF MAN

Have we not all one Father?
Has not one God created us?

> Why do we deal treacherously,
> A man against his brother?

Justice, justice shall you pursue,
That you may live in your land.

> If a stranger sojourns with you in your land,
> You shall not wrong him.

The stranger that sojourns with you,
Shall be unto you as the native among you,

> And you shall love him as yourself,
> For you were strangers in the land of Egypt.

One law shall be among you,
For the native and the stranger alike.

> If your fellowman becomes poor and his means fail,
> You shall uphold him.

Harden not your heart to the needy in your midst,
Nor shut your hand to your needy brother;

> But open your hand unto him;
> And lend him sufficient for his needs.

Behold how good and how pleasant it is
When brethren dwell together in unity.

> Hate not your brother in your heart;
> Love your neighbor as yourself.

You shall deal your bread to the hungry,
And bring the poor that are cast out to your house.

> When you see the naked, cover him,
> And hide not yourself from your own flesh.

Then shall your light break forth as the morning,
And your healing shall spring forth speedily;

> Your righteousness shall go before you,
> The glory of God shall be your protection.

Ye Shall be Holy

Selected from Leviticus, 19

Ye shall be holy, for I, the Lord your God, am holy;
Ye shall revere your God; I am the Lord.

   Ye shall keep my Sabbaths and revere my Sanctuary;
   I am the Lord.

Ye shall respect every man his mother
And his father.

   Ye shall rise up before the hoary head,
   And honor the aged among you.

Ye shall not steal; neither shall ye deal falsely,
Nor lie one to another.

   Ye shall do no unrighteousness in court or in commerce,
   In weight or in measure.

Correct balances and just weights shall ye have;
I am the Lord your God.

   Ye shall not oppress your neighbor, nor steal from him;
   The wages of a hired servant
   Shall not abide with you all night until the morning.

Ye shall not be unrighteous in judgment;
Ye shall not be partial even to the poor.

   Ye shall not favor the person of the mighty;
   But in righteousness shall ye judge your neighbor.

Thou shalt not go about slandering people;
Neither shalt thou stand idly by
When thy neighbor's life is in danger.

   And if a stranger sojourn with thee in thy land,
   Thou shalt not wrong him.

The stranger that sojourneth with thee
Shall be unto thee like the native-born.

   Thou shalt love him as thyself,
   For ye were strangers in the land of Egypt.

Thou shalt not hate thy brother in thy heart;
Thou shalt not take vengeance nor bear any grudge.

   Thou shalt love thy neighbor as thyself;
   I am the Lord.

THE CALL TO JUSTICE

Justice, justice shall you pursue,
That you may live in the land which God gives you.

> You shall not pervert judgment, nor favor persons,
> Neither shall you take a bribe,

For a bribe blinds the eyes of the wise,
And perverts the words of the righteous.

> Hear the causes between your brothers,
> Judge righteously your brothers and the stranger.

You shall hear the small and great alike,
You shall not be afraid of the face of any man;
For the judgment is God's.

> Woe unto them that call evil 'good', and good 'evil',
> That turn darkness into light, and light into darkness.

Woe unto them that defend the wicked for a bribe,
And deprive the innocent of his rights.

> Rob not the weak because he is weak,
> Neither crush the poor in thy midst.

Seek justice, relieve the oppressed,
Protect the fatherless, defend the cause of the widow.

> Seek good and not evil, that you may live;
> Then I the Lord, the God of hosts, will be with you.

Hate evil and love what is good,
Yea, establish justice in the land.

> Let justice well up as the water,
> And righteousness as a mighty stream.

For righteousness and justice
Are the foundation of God's throne.

> For the Lord of Hosts is exalted through righteousness,
> And God, the Holy One, is sanctified through justice.

TRUTH—THE SEAL OF GOD

Selected from Ben Sira and Talmud

Speak not against the truth;
And when you lack knowledge, keep silent.

Keep your tongue from speaking falsehood;
Whoever speaks falsely will himself be maligned

Be steadfast in your conviction,
And let your speech be true to it.

Speakers of falsehood are despised by all,
But the faithful are honored in the sight of man.

Be ruler over your speech,
And have control over your words.

Utter no falsehood,
For the habit of it leads to evil.

He who strives for truth and speaks it,
Is worthy in the sight of man.

Falsehood is common, truth is rare;
Yet truth endures while falsehood comes to an evil end.

Oppression and injustice shall be destroyed,
But true dealings shall endure forever.

Do not hesitate to speak the truth when you should
speak,
And do not hide your wisdom as a treasure.

Contend for the truth unto death,
And the Lord will establish your cause.

Truth is the bridge between earth and heaven,
The brightest jewel in the crown of virtue.

Truth is the seal of God;
He who has truth in his heart has God for his guide.

WORLD PEACE

It shall come to pass at the end of days,
That the mountain of the Lord's house shall be established
As the top of the mountains;

It shall be exalted above the hills;
All the nations shall flow unto it.

And many peoples shall go and say,
"Come, let us go up to the mountain of the Lord."

God will teach us His ways,
And we will walk in His paths;

God shall judge between the nations;
He shall decide for many peoples.

And they shall beat their swords into plowshares,
And their spears into pruning forks.

Nation shall not lift up sword against nation;
Neither shall they learn war any more.

The Lord will break the bow and the sword
And the battle out of the land;
He will make the people to lie down in safety.

Violence shall no more be heard in your land,
Neither desolation nor destruction within your borders.

All your children shall be taught of the Lord,
And great shall be the peace of your children.

They shall not hurt nor destroy in all God's holy mountain,
For the earth shall be full of the knowledge of the Lord,
As the waters cover the sea.

The work of righteousness shall be peace,
And the result of righteousness, quietness and confidence
forever.

Then shall they sit every man under his vine
And under his fig tree,
And none shall make them afraid,
For the Lord Himself hath spoken it.

SOCIAL RESPONSIBILITY

There are four characters among men: he who says, What is mine is mine, and what is thine is thine; his is a neutral character. He who says, What is mine is thine and what is thine is mine; he is a boor. He who says, What is mine is thine and what is thine is thine; he is a saint. He who says, What is thine is mine and what is mine is mine; he is wicked.

Giving is not the essential thing, but to give with delicacy of feeling. Scripture does not say, 'Happy is he who giveth to the poor,' but 'Happy is he who wisely considereth the poor.'

As to giving charity, there are four dispositions: he who desires to give charity himself but does not desire others to do so; he who desires that others should give, but will not give charity himself; he who gives and wishes others to give, is saintly; he who will not give and does not wish others to give, is wicked.

The Kingdom of God, the Rabbis held, is inconsistent with the state of social misery. They were not satisfied with merely feeding the poor. Their great ideal was to prevent poverty. They said, 'Try to prevent it by teaching man a trade. Try all methods before you permit him to become an object of charity which must degrade him, tender as your dealings with him may be.'

MAIMONIDES' EIGHT DEGREES OF CHARITY

There are eight degrees in the giving of charity, one higher than the other:

He who gives grudgingly, reluctantly, or with regret.

He who gives less than he should, but gives graciously.

He who gives what he should, but only after he is asked.

He who gives before he is asked.

He who gives without knowing to whom he gives, although the recipient knows the identity of the donor.

He who gives without making his identity known.

He who gives without knowing to whom he gives, neither does the recipient know from whom he receives.

He who helps a fellowman to support himself by a gift, or a loan, or by finding employment for him, thus helping him to become self-supporting.

Open Thy Hand

All Israelites are brothers,
Responsible for one another.

> If there be among you a needy man,
> Do not harden your heart.

Shut not your hand to your needy brother,
But surely open your hand unto him.

> Blessed is he who considers the poor;
> The Lord will deliver him in the days of evil.

Speak for those who cannot speak for themselves,
For all who are threatened with destruction.

> He who stops his ears at the cry of the needy,
> Shall one day cry himself, and shall not be answered.

He who gives unto the poor shall be blessed with abundance,
But he that hides his eyes shall himself be in need.

> He that is gracious unto the needy, honors his Maker,
> But he that oppresses the poor, blasphemes Him

Woe to them that are at ease,
And to them that think they are secure,

> That lie upon beds of ivory,
> And eat the best lambs out of the flock,

But they are not grieved
For the hurt of their people.

> Let the poor rejoice in your joy;
> Share with them your blessings.

The generous heart shall be enriched,
And he that satisfies others shall be satisfied himself.

> And this is the offering you shall take:
> Gold, silver and copper.

He who gives when well, his gift is gold;
He who gives only when ill, his gift is silver;
He who gives only in his will, his gift is copper.

> From Thee, O Lord, comes our wealth,
> And from Thine own, do we give unto Thee.

Labor and Leisure

"Six days shalt thou labor and do all thy work but the seventh day is a Sabbath unto the Lord thy God." Man shall neither disdain labor nor seek only leisure, but alternately toil and rest. May our labor, like Thine, be fruitful and our rest a delight.

When thou eatest of the labor of thy hands,
Happy art thou and it shall be well with thee.

Thou hast given us hands with which to labor and build. May we never use this power to crush our fellowmen. Whenever men, enslaved, cry out to Thee, hear Thou, and set them free.

What mean ye that ye crush My people,
And grind the face of the poor?

It is not Thy will that any man exploit his fellowman, or that any man become enslaved to his own task or career. Labor is noble when it ministers to holiness, but to rest after six days of labor is also to minister to holiness, for it brings joy and peace.

Thou shalt not labor on the Sabbath day,
Neither thou, nor thy children, nor thy servants,
Nor thy cattle, nor thy stranger that is within thy gates.

Hasten, O Lord, that day when every man shall find fulfillment in the dignity of labor and the enjoyment of the fruit of his toil.

There is nothing better
Than that man should rejoice in his work.

"God blessed the Sabbath day and hallowed it." Let us therefore make of the Sabbath, a day of sanctity to replenish body and spirit, to commune with Thee and contemplate Thy teachings. May the spirit of the Sabbath fill every home and every heart.

Everyone that keepeth the Sabbath,
And holdeth fast to God's covenant
Shall be joyful.

The Gift of the Sabbath

Out of a vast and formless mass,
Thou, O Lord, didst fashion a world.

> Light didst Thou bring into darkness,
> Order where all was confusion,
> And living creatures to inhabit the earth.

Man didst Thou create in Thine own image,
Giving him dominion over all Thy works.

> Then didst Thou rejoice in Thy creation·
> Thy work Thou didst behold and it was good.

Thou who hast given us the Sabbath to remember creation,
Implant within us of Thy spirit a spark,

> That we may share with Thee the joy of creation,
> And Thou mayest find our efforts good.

May we, also, bring light where there is darkness,
Ennobling thus the hearts and minds of men.

> Sovereign of all creation, Lord most high,
> Thy power is manifest in the destiny of nations and men.

Thou didst deliver Israel from bondage in Egypt,
For it is Thy will that all men shall be free.

> The Sabbath hast Thou given us to commemorate that freedom,
> To teach us that no man shall be master and no man a slave.

Help us to break every shackle asunder,
Hastening the day when the strong shall be just,
And the weak shall no longer know fear.

> Thou, our Creator, art mindful of Thy handiwork,
> Thine ordinances are all in wisdom conceived.

Thou commandest man to cease from his labor,
That he may find joy and peace in Sabbath rest.

> The Sabbath Thou didst give us for regeneration,
> A day of refreshment of spirit and soul.

For man was not made only to labor;
He must pause and reflect and commune with Thee, O Lord.

> We thank Thee, our Father, for the gift of the Sabbath,
> Thy gift to Israel that blesses all mankind.

The Blessing of Freedom

Thou who art the breath of life,
Who didst create all men alike in dignity,
Thy power is manifest in the destiny of nations.
Thou makest nations great; Thou bringest nations low;
Thou givest freedom even unto the beasts and wingéd fowl;
Thy will it is that all mankind be free.

> "I am the Lord thy God,
> Who brought thee out of the land of Egypt,
> Out of the house of bondage."

We who know the sweet delights of liberty,
Yet look upon ourselves in every age
As if we, too, had once been Pharaoh's slaves,
Can feel the bitterness of those oppressed.
Ours, then, the task to loose all fetters, break all bonds,
And bring men out of slavery.

> "Proclaim liberty throughout the land
> Unto all the inhabitants thereof."

Would we bear the torch of freedom's light
Into a world where men are still in servitude?
Then from our shackles we must first emancipate ourselves, —
From fear, from self contempt,
From ignorance and blinding hate, —
And set our own souls free.

> "Only he is truly free who is devoted to the Torah,
> And observes its commandments."

All who suffer want, imperilled in their quest of daily bread,
Who slave from break of day and dread tomorrow's grim
     uncertainty;
All those who toil ere yet they pass from childhood's years,
Who live in squalor, pale and gaunt, to every evil a prey; —
To human greed these all are slaves, and we must set them free.
Why then, with plenty everywhere, should men still lack their
     bread?

> "Justice shall well up as waters,
> And righteousness as a mighty stream."

THE CALL TO LIBERTY

Nations that defy Thy law of justice and of love,
That stir up hate against the weak, estranging man from man,
That crush the stranger in their midst and shed his blood for
    gain,
And follow their unrighteous ways that lead to strife and war, —
Such nations still to evil are enslaved, but Thou, through us,
Shalt bring to judgment all their wicked ways.

"Man shall do no evil and work no destruction,
For the earth shall be filled with the knowledge of the Lord,
As the waters cover the sea."

Those whom Thou, O Lord, didst free from exile's endless night,
Who breathe again the pure, sweet air of freedom and of hope,
They build once more on Zion's hills, there, where their fathers
    dwelt,
A homeland for a scattered folk made homeless by the foe.
As we recall our nation's birth that made all Israel free,
May we, O Lord, help them fulfill our people's destiny.

"Out of Zion shall go forth the Law,
And the word of God from Jerusalem."

May the day soon dawn, we pray, that day of liberty,
When every shackle forged by man is loosed to set him free,
When serfdom's yoke is broken, every Pharaoh humbled low,
When man shall take his brother's hand and lovingkindness show,
When all are free from poverty, and all are free from fear,
And all are free to worship Thee and to Thy Law adhere.
Then nevermore the wanderer's staff, and nevermore the sword,
For all Thy children everywhere shall live in true accord.
O may we never weary grow and may we never cease
To work for such a blessed world where men shall be at peace.

"Every man shall sit under his vine and under his fig tree,
And none shall make him afraid."

REPENTANCE

At nightfall and at dawn, search well into the nature of your dealings. Let your dealings bring no blush upon the cheek; commit no sin in the expectation of repentance. At first sin is an indifferent stranger; later a welcome guest; finally the master. Better to suffer the derision of man than to be a sinner in the eyes of God.

O God, Thou knowest my folly;
And my trespasses are not hid from Thee;

For I do declare my iniquity;
I am full of concern because of my sin.

If Thou shouldst mark iniquities,
O Lord, who would be without sin in Thy sight?

Create in me a clean heart, O God,
And renew a steadfast spirit within me.

Turn me unto Thee, O Lord, that I may forsake my sins;
Make me mindful of Thy presence that I may mend my ways.

Teach me to forgive my neighbor the injury he did unto me,
So that when I pray, my sins will be forgiven

If man cherishes anger against another,
How can he seek healing from Thee?

If he has no mercy on his fellowman,
How can he expect mercy from God?

I shall not say, 'If I sin, no eye beholds it,
Or if I deal untruly in all secrecy, who will know it?'

If a man fast for his sins, and again does the same,
Who will listen to his prayer?
And what has he gained by his self-affliction?

Evil and abomination dost Thou hate, O Lord,
And Thou dost not let it come nigh to them that truly worship
     Thee.

Let the wicked forsake his way,
And the man of iniquity his thoughts;
And let us return unto Thee, O Lord,

That Thou mayest have compassion upon us,
And in Thy lovingkindness Thou wilt graciously pardon.

SEARCH YOUR WAYS

Selected from Job 31

Help me, O Lord, to search my heart,
And see the folly of my way.

> Do I live falsely?
> Do I hasten to deceit?

Am I indifferent to the rightful cause
Of any servant, man or woman?

> Didst not Thou that made me, also make my fellowman?
> Did not One fashion us both?

Do I withhold aught that the poor require,
Or make a widow suffer want?

> Do I eat my bread alone,
> Sharing it not with the fatherless?

Do I see any in need of clothing,
And not provide for him?

> Do I open my door to the stranger,
> So that he does not lodge in the street?

Do I make gold my hope and say:
"You are my confidence"?

> Do I boast because my wealth is great,
> And my hand has gotten much?

Do I rejoice at the destruction of my foe,
Or exult when evil befalls him?

> Do I fear what the multitude will say,
> Being silent when I should speak forth?

O God, dost Thou not see?
Dost Thou not know my every step?

> What can I say unto Thee when Thou rememberest?
> What can I answer when Thou takest me to task?

Do Thou judge me, O Lord,
And may I not be found lacking in integrity.

The Riches of a Good Name

Two things have I asked of Thee, O Lord;
Deny me them not before I die:—

    Remove far from me falsehood and lies;
    Give me neither poverty nor riches,
    But feed me with mine allotted bread,

Lest I become arrogant and defiant,
Saying, "Who is the Lord?"

    Or lest I become poor and be tempted to steal,
    Thus profaning the name of my God

Better is a little with righteousness,
Than great wealth with injustice.

    Better is the poor that walks in his integrity,
    Than the rich that is perverse in his way.

Will you seek only after riches?
Riches often make themselves wings,
Like an eagle that flies toward heaven.

    For riches are not everlasting;
    Even the crown of royalty does not endure forever.

Store up for yourself a treasure of righteousness and love,
And it shall be more precious than anything you possess.

    When man departs from this world,
    Neither silver nor gold nor precious stones accompany him;
    He is remembered only for his love of Torah and his good deeds.

There are three crowns,
The crown of Torah, the crown of priesthood, and the crown of
    royalty,
But the crown of a good name excels them all.

    He who has acquired a good name,
    Has enriched himself.

Even a long life ends soon,
But a good name endures forever.

    Happy is the man who has acquired a good name,
    And retains it when he departs this world.

A good name is rather to be chosen than great riches,
And honor rather than silver and gold.

BOAST NOT!

Let another man praise you, and not your own mouth;
A stranger's lips, not yours.

When you see a man wise in his own eyes,
Know that there's more hope for a fool than for him.

Boast not yourself of tomorrow;
For you cannot know what a day may bring.

Pride goes before a fall,
As a haughty spirit precedes a downfall.

A man's pride shall bring him low,
But he that is of humble spirit shall attain honor.

Be not wise in your own eyes;
Love the Lord and depart from evil;

For that will mean health to your body,
And marrow to your bones.

Whosoever seeks glory, glory eludes him;
But he who does not pursue it,
Will find that glory seeks him out.

Thus Moses was exceedingly humble
Beyond all men on the face of the earth.

And of God Himself our sages taught,
Wherever is His greatness, there also is His humility.

Thus saith the Lord:
Let not the wise man take pride in his wisdom,

Neither let the mighty man boast of his might;
Let not the rich man glory in his riches;

But let him that glories, glory in this,—
That he understands and knows Me;

That I am the Lord who doeth mercy,
Justice, and righteousness on the earth,
For in these do I delight.

HAPPY IS THE MAN

Happy is the man whose strength Thou art, O Lord,
Whose heart is a highway to Thee.

Happy is the man whom Thou instructest, O Lord,
And teachest out of Thy law.

Happy is the man that finds wisdom,
And he that obtains understanding.

Consider and see that the Lord is good;
Happy is the man that takes refuge in Him.

Happy is the man unto whom the Lord counts not iniquity,
And in whose spirit there is no guile.

Happy is the man that has made the Lord his trust,
And has not turned unto the arrogant.

Happy is the man
That has not walked in the counsel of the wicked,

Nor stood in the way of sinners,
Nor sat in the seat of the scornful,

But his delight is in the law of the Lord,
And in His law he meditates day and night.

Happy is he that has regard for the poor;
The Lord will deliver him in the day of evil.

Happy is the man that reveres the Lord,
That delights greatly in His commandments.

He shall not be afraid of evil tidings;
His heart is steadfast, trusting in the Lord.

Happy are they that keep justice,
That do righteousness at all times.

Happy are they that are upright in the way,
Who walk in the law of the Lord.

Happy are they that keep His testimonies,
That seek Him with their whole heart.

Happy is the people that thus know Him,
Happy is the people whose God is the Eternal.

CLEAN HANDS AND A PURE HEART

There are six things which the Lord hateth,
Yea, seven which are an abomination unto Him,—

Haughty eyes, a lying tongue,
And hands that shed innocent blood;

A heart that devises wicked thoughts,
Feet that are swift to do evil;

A false witness that speaks lies,
And he that sows discord among brethren.

Envy not the man of violence,
And choose none of his ways.

Enter not the path of the wicked,
And walk not in the way of evil men.

Lord, who shall sojourn in Thy tabernacle?
Who shall dwell upon Thy holy mountain?

He that walks uprightly,
And works righteousness,
And speaks the truth in his heart;

He who speaks no slander against his enemy,
Nor does evil to his fellowman,
Nor bears reproach for mistreating his kinsmen;

In whose eyes a vile person is despised,
But he honors them that revere the Lord;
He that keeps his word and changes not;

He that loans not out his money on usury,
Nor takes a bribe against the innocent;

He that does these things shall never be uprooted.

Who shall ascend the mountain of the Lord,
And who shall stand in His holy place?

He that has clean hands and a pure heart;
Who has not taken God's name in vain,
And has not sworn deceitfully.

He shall receive a blessing from the Lord,
And righteousness from the God of his salvation.

THE POWER OF THE WORD

A word fittingly spoken
Is like apples of gold in settings of silver.

Pleasant words are as a honeycomb,
Sweet to the soul, and health to the bones.

Worry in the heart of a man weighs it down,
But a cheerful word makes him glad.

Hatred stirs up strife,
But love covers all transgressions.

A soft answer turns away wrath,
But a grievous word stirs up anger.

There are those whose words pierce like swords,
But the tongue of the wise has healing power.

The heart of the wicked is of little worth,
But the tongue of the righteous is as choice silver.

Like a city broken down and without a wall,
Is he whose temper is unrestrained.

He that is slow to anger is better than the mighty,
And he that subdues his temper
Is mightier than he that takes a city.

When you see a man hasty in his words,
Know that there is more hope for a fool than for him.

He who guards his mouth and his tongue,
Keeps his soul from trouble.

In the multitude of words there lacks not transgression,
But he that refrains his lips is wise.

He that spares his words has knowledge,
And he that controls his temper is a man of discernment.

Both death and life are within the power of the tongue,
And they that use it well shall enjoy its fruit.

Keep my tongue from evil,
And my lips from speaking deceit.

Set a guard to my mouth, O Lord,
Keep watch at the door of my lips.

NOT WORDS BUT DEEDS

Selected from Talmud

Be wise not only in words, but in deeds;
Mere knowledge is not the goal, but action.

Know the God of your fathers,
And serve Him by your deeds.

Let not your wisdom exceed your deeds,
Lest you be like a tree with many branches but few roots.

If the thoughts of your heart be pure,
It is likely that so will be the works of your hand.

Accustom yourself to do good;
Before long it will become your chief delight.

One good deed leads to another,
As every evil deed leads to more wrong-doing.

If others do good through you,
Their deeds will be accounted to you as your own.

Though it is not incumbent upon you to complete the work,
You are not free from doing all you possibly can.

Judge a man by his deeds,
And you will not be led to false judgment.

Say little and do much,
For by your deeds shall you be judged.

If you are wise and rich,
Let your good deeds reveal your wisdom and your wealth.

Honor a man for what he is;
But honor him more for what he does.

Honor not a man for his possessions alone;
Honor him most for the use he makes of them.

When a man departs this world, neither silver nor gold,
Nor precious stones accompany him;
He is remembered only for his love of learning and his good
deeds.

Happy is the man who is rich in good deeds,
For he shall be honored in life,
And be remembered long afterwards for his goodness.

THE ART OF LIVING

Selected from Pirke Avot

What course shall a man pursue in life?
That which does honor to his Maker,
And brings him esteem from his fellowmen.

> The spirit of God takes delight in him
> Who has won the favor of his fellowmen.

Say little and do much,
And receive everyone with a cheerful countenance.

> Do not separate yourself from the community;
> In a place where there are no men, strive to be a man.

Before judging your fellowman,
Put yourself in his place.

> If I am not for myself, who will be for me?
> Yet if I am for myself alone, of what good am I?

Who is wise?
He who learns from all men.

> Who is strong?
> He who is master over his impulses.

Who is rich?
He who rejoices in whatever is his portion.

> Who is honored?
> He who honors his fellowmen.

Do not say, "When I have leisure I shall study;"
You may never have the leisure;
Therefore set a fixed time for the study of Torah.

> The more possessions one has, the more anxiety;
> But the more Torah, the more life.

Let not your learning exceed your deeds,
Lest you be like a tree with many branches and few roots.

> Knowledge of Torah avails much,
> Yet the chief purpose of its study is the doing of God's will.

The more understanding one has, the more righteousness;
The more righteousness, the more peace.

The True Life

Hear, my children, and understand
How to find the true life.

Do you desire life
And seek length of days?

Then keep your tongue from evil,
And your lips from deceit.

Depart from evil and do good,
Seek peace and pursue it.

Keep the commandment of your father,
And forsake not the teaching of your mother.

Keep them continually in your heart
So that they may lead you in the right path.

When you lie down, they shall watch over you,
And when you awaken, they shall talk with you.

For the commandment is a lamp,
Yea, the Torah is a light.

Get knowledge and understanding;
Turn not away from wisdom.

Forsake not wisdom, and wisdom will preserve you;
Cherish it, and it will keep you.

Enter not the path of the wicked,
And walk not in the way of evil men.

Avoid evil,
Turn away from it and do good.

Now, therefore, hearken unto wisdom,
For happy are they that keep its ways.

He who finds wisdom finds true life,
And obtains favor of the Lord.

WORDS OF WISDOM

It is not the place that honors the man,
But the man that honors the place.

Do not consider yourself a giant,
And your neighbor, small as a locust.

He who covets things that are not rightfully his,
Will not only be disappointed in his wish,
But even lose the things that belong to him.

Let a man be yielding as a reed in the wind,
Not hard and unbending like the cedar.

Let him be the first to restrain his tongue in a dispute,
The first also to forgive and to forget.

He who listens to the talebearer shares his sin,
For it is the willing ear that sets the tongue in motion.

Wisdom is the greatest good,
For it does not depart from man.

The wise man harbors neither revenge nor envy;
He speaks good of all men, and belittles none.

He is moderate in his merriment,
And rejoices not at the misfortune of others;
He cleaves to the men of truth and faithfulness.

See that you guard your soul's holiness,
And when you pray, consider before whom you stand.

Visit the sick and suffering,
And let your countenance be cheerful.

Purge your soul from angry passion;
That is the inheritance of fools.

Love the society of learned men,
And strive to know more and more
Of the ways and the works of your Creator.

In Praise of Great Men

A city is overthrown by the mouth of the wicked,
But it is exalted by the blessing of the upright.

Sin is a reproach to any people,
But righteousness exalts a nation.

When the wicked rule, the people sigh,
But when the righteous come to power, the people rejoice.

Where there is no vision, the people perish,
But happy is he that keeps the law.

When the righteous exult, there is great glory,
But when the wicked rule, righteous men must be sought for.

Let us now praise such righteous men,
Famous men, the fathers of our country.

The Lord manifested in them great glory,
Even His mighty power from the beginning.

These men did rule and were renowned for their power,
Giving counsel by their understanding;

Leaders of the people, men of learning,
Wise and eloquent men, rich in ability;

Men of vision and mercy,
Whose righteous deeds have not been forgotten;

Their heritage shall continually remain,
And their names live on unto all generations.

Men will declare their wisdom,
And continually speak their praise.

For the Lord never leaves His people
Without leaders and men of learning,

That they may be instructed and ennobled,
And their destiny exalted.

America — Founded on Biblical Precepts*

We hold these truths to be self-evident, that all men are created equal, that they are endowed by their Creator with certain inalienable rights, that among these are life, liberty and the pursuit of happiness.

Have we not all one Father?
Hath not one God created us?
Why do we deal treacherously, a man against his brother?

We, the people of the United States, in order to form a more perfect union, establish justice, insure domestic tranquility, provide for the common defense, promote the general welfare, and secure the blessings of liberty to ourselves and our posterity, do ordain and establish a Constitution for the United States of America.

Justice, justice shalt thou pursue,
That thou mayest live in the land which God giveth thee.

Congress shall make no law respecting an establishment of religion, or prohibiting the free exercise thereof; or abridging the freedom of speech, or of the press; or the right of the people peaceably to assemble, and to petition the government for a redress of grievances.

Proclaim liberty throughout the land,
Unto all the inhabitants thereof.

Of all the dispositions and habits, which lead to political prosperity, religion and morality are indispensable supports ... Where is the security for property, for reputation, for life, if the sense of religious obligation desert the oaths which are the instruments of investigation in courts of justice? And let us with caution indulge the supposition that morality can be maintained without religion.

It hath been told thee, O man, what is good,
And what the Lord doth require of thee:
Only to do justly and to love mercy,
And to walk humbly with thy God.

---

*These selections are drawn alternately from the classics of American political thought and the Bible.

For happily the government of the United States which gives to bigotry no sanction, to persecution no assistance, requires only that they who live under its protection should demean themselves as good citizens in giving it on all occasions their effectual support.

Righteousness maketh a nation great,
But sin is a reproach to any people.

We here highly resolve that these dead shall not have died in vain — that this nation, under God, shall have a new birth of freedom — and that government of the people, by the people, and for the people, shall not perish from the earth.

Behold, how good and pleasant it is
For brethren to dwell together in unity.

With firmness in the right as God gives us to see the right, let us strive on to finish the work we are in, to do all which may achieve and cherish a just and lasting peace among ourselves and with all nations.

Let justice well up as the waters,
And righteousness as a mighty stream.

In the future days which we seek to make secure, we look forward to a world founded upon four essential human freedoms: freedom of speech and expression — everywhere in the world; freedom of every person to worship God in his own way — everywhere in the world; freedom from want which will secure to every nation a healthy peacetime life for its inhabitants — everywhere in the world; freedom from fear, which means a world-wide reduction of armaments to such a point and in such a thorough fashion that no nation will be in a position to commit an act of physical aggression against any neighbor — everywhere in the world.

And they shall beat their swords into ploughshares,
And their spears into pruning-hooks,
Nation shall not lift up sword against nation,
Neither shall they learn war any more.
But they shall sit every man under his vine
And under his fig tree;
And none shall make them afraid.

The Heritage of America

A Prayer

Lord, God of our fathers, as we gather to pay homage to the founders and builders of this, our country, we ask Thy blessing. With courage and vision, they made of these United States a land of freedom and opportunity. For all that they have so firmly established, we render thanks unto Thee. "Our lines are fallen in pleasant places; yea, we have a goodly heritage."

We are grateful for the faith that made fearless, and the courage that kept firm these valiant men and women. Above all, we are grateful that the spirit of Israel's Prophets so lived in their hearts that they knew all men are created equal in Thy sight, by Thee endowed with the imperishable right to life, liberty and the pursuit of happiness.

In tribute to the Founding Fathers of this blessed Republic, may we strive to keep these United States forever righteous and just. May ours be a land where none shall prey upon or exploit his fellowman, where bigotry and violence shall not be tolerated, where poverty shall be abolished, and all men live amicably as brothers.

Vouchsafe unto us, O Lord, wisdom equal to our strength and courage equal to our responsibilities, to the end that our nation may lead the world in the advancement and fulfillment of human welfare.

May all nations become aware of their common unity and all the peoples of the world be united in the bonds of brotherhood before Thee, the Father of all. Amen.

שירים וזמירות

HYMNS

שירים וזמירות

INDEX OF HYMNS

שלום עליכם

שָׁלוֹם עֲלֵיכֶם. מַלְאֲכֵי הַשָּׁרֵת. מַלְאֲכֵי עֶלְיוֹן.
מִמֶּלֶךְ מַלְכֵי הַמְּלָכִים. הַקָּדוֹשׁ בָּרוּךְ הוּא:

בּוֹאֲכֶם לְשָׁלוֹם. מַלְאֲכֵי הַשָּׁלוֹם. מַלְאֲכֵי עֶלְיוֹן.
מִמֶּלֶךְ מַלְכֵי הַמְּלָכִים. הַקָּדוֹשׁ בָּרוּךְ הוּא:

בָּרְכוּנִי לְשָׁלוֹם. מַלְאֲכֵי הַשָּׁלוֹם. מַלְאֲכֵי עֶלְיוֹן.
מִמֶּלֶךְ מַלְכֵי הַמְּלָכִים. הַקָּדוֹשׁ בָּרוּךְ הוּא:
צֵאתְכֶם לְשָׁלוֹם. מַלְאֲכֵי הַשָּׁלוֹם. מַלְאֲכֵי עֶלְיוֹן.
מִמֶּלֶךְ מַלְכֵי הַמְּלָכִים. הַקָּדוֹשׁ בָּרוּךְ הוּא:

Peace Be Unto You

Peace be unto you, ye ministering angels,
Messengers of the Most High, the King of kings,
The Holy One, blessed be He.
May your coming be in peace, messengers of peace.
Bless me with peace, ye messengers of peace,
And may your departure be in peace, messengers of peace,
Angels of the Most High, blessed be He.

Sho-lōm a-lay-ḥem mal-a-ḥay ha-sho-rays mal-a-ḥay el-yōn,
Mi-me-leḥ mal-ḥay ha-m'lo-ḥeem, ha-ko-dōsh bo-ruḥ hu.
Bō-a-ḥem l'sho-lōm, mal-a-ḥay ha-sho-lōm, mal-a-ḥay el-yōn,
Mi-me-leḥ mal-ḥay ha-m'lo-ḥeem, ha-ko-dōsh bo-ruḥ hu.
Bor-ḥu-nee l'sho-lōm, mal-a-ḥay ha-sho-lōm, mal-a-ḥay el-yōn,
Mi-me-leḥ mal-ḥay ha-m'lo-ḥeem, ha-ko-dōsh bo-ruḥ hu.
Tsay-s'ḥem l'sho-lōm mal-a-ḥay ha-sho-lōm mal-a-ḥay el-yōn,
Mi-me-leḥ mal-ḥay ha-m'lo-ḥeem, ha-ko-dōsh bo-ruḥ hu.

שבת המלכה

הַחַמָּה מֵראשׁ הָאִילָנוֹת נִסְתַּלְּקָה.
בֹּאוּ וְנֵצֵא לִקְרַאת שַׁבָּת הַמַּלְכָּה.
הִנֵּה הִיא יוֹרֶדֶת. הַקְּדוֹשָׁה. הַבְּרוּכָה.
וְעִמָּהּ מַלְאָכִים. צְבָא שָׁלוֹם וּמְנוּחָה.
בֹּאִי בֹּאִי הַמַּלְכָּה. בֹּאִי בֹּאִי הַכַּלָּה.
שָׁלוֹם עֲלֵיכֶם. מַלְאֲכֵי הַשָּׁלוֹם:

קִבַּלְנוּ פְּנֵי שַׁבָּת בִּרְנָנָה וּתְפִלָּה.
הַבַּיְתָה נָשׁוּבָה בְּלֵב מָלֵא גִילָה.
שָׁם עָרוּךְ הַשֻּׁלְחָן. הַנֵּרוֹת יָאִירוּ.
כָּל פִּנּוֹת הַבַּיִת יִזְרְחוּ. יַזְהִירוּ.
שַׁבַּת שָׁלוֹם וּבְרָכָה. שַׁבַּת שָׁלוֹם וּמְנוּחָה.
בֹּאֲכֶם לְשָׁלוֹם. מַלְאֲכֵי הַשָּׁלוֹם:

The Sabbath Queen

The sun on the tree-tops no longer is seen;
Come, gather to welcome the Sabbath, our Queen!
Behold her descending, the holy, the blest,
With angels a cohort, of peace and of rest.
    Draw nigh, O Queen, and here abide;
    Draw nigh, draw nigh, O Sabbath Bride.
Peace be unto you, ye angels of peace.

Ha-ḥa-mo may-rōsh ho-i-lo-nōs nis-tal-ko.
Bō-u v'nay-tsay lik-ras Sha-bos ha-mal-ko.
Hi-nay hee yō-re-des ha-k'dō-sho ha-b'ru-ḥo.
V'i-mo mal-o-ḥeem ts'vo sho-lōm u-m'nu-ḥo.
Bō-ee, bō-ee ha-mal-ko; bō-ee, bō-ee ha-ka-lo.
Sho-lōm a-lay-ḥem mal-a'ḥay ha-sho-lōm.

יה רבון

יָהּ רִבּוֹן עָלַם וְעָלְמַיָּא. אַנְתְּ הוּא מַלְכָּא מֶלֶךְ מַלְכַיָּא.
עוֹבַד גְּבוּרְתֵּךְ וְתִמְהַיָּא. שְׁפַר קֳדָמָךְ לְהַחֲוָיָה:

יָהּ רִבּוֹן עָלַם וְעָלְמַיָּא. אַנְתְּ הוּא מַלְכָּא מֶלֶךְ מַלְכַיָּא.

שְׁבָחִין אֲסַדֵּר צַפְרָא וְרַמְשָׁא.
לָךְ אֱלָהָא דִּי בְרָא כָּל־נַפְשָׁא.
עִירִין קַדִּישִׁין וּבְנֵי אֱנָשָׁא. חֵיוַת בָּרָא וְעוֹפֵי שְׁמַיָּא:

יָהּ רִבּוֹן עָלַם וְעָלְמַיָּא. אַנְתְּ הוּא מַלְכָּא מֶלֶךְ מַלְכַיָּא.

לְמִקְדְּשָׁךְ תּוּב וּלְקֹדֶשׁ קֻדְשִׁין.
אֲתַר דִּי בֵהּ יֶחֱדוּן רוּחִין וְנַפְשִׁין.
וִיזַמְּרוּן שִׁירִין וְרַחֲשִׁין. בִּירוּשְׁלֵם קַרְתָּא דְשׁוּפְרַיָּא:

God of the World

God of the World, eternity's sole Lord!
King over kings, be now Thy name adored!
Blessed are we to whom Thou dost accord
This gladsome time Thy wondrous ways to scan!

Yo ri-bōn o-lam v'o-l'ma-yo ahnt hu mal-ko me-leḥ mal-ḥa-yo.
Ō-vad g'vur-tayḥ v'sim-ha-yo, sha-peer ko-do-moḥ l'ha-ḥ'-vo-yo, (*Repeat Yo-ribōn*)
Sh'vo-ḥeen a-sa-dayr tsaf-ro v'ram-sho,
Loḥ e-lo-ho di v'ro ḥol naf'-sho,
Ee-reen ka-dee-sheen u-v'-nay e-no-sho, ḥay-vas bo-ro v'ō-fay sh-ma-yo. (*Repeat Yo-ribōn*)
L'mik-d'shoḥ tuv u-l'kōdesh kud-sheen
A-sar di vay ye-ḥe-dōn ru-ḥeen v'naf-sheen,
Vee-za-m'rune shee-reen v'ra-ḥa-sheen bee-ru-sh'laym kar'-to di shu f-ra-yo. (*Repeat Yo-ribōn*)

יום זה מכבד

יוֹם זֶה מְכֻבָּד מִכָּל יָמִים. כִּי בוֹ שָׁבַת צוּר עוֹלָמִים:
שֵׁשֶׁת יָמִים תַּעֲשֶׂה מְלַאכְתֶּךָ. וְיוֹם הַשְּׁבִיעִי לֵאלֹהֶיךָ:
שַׁבָּת. לֹא תַעֲשֶׂה בוֹ מְלָאכָה. כִּי כֹל עָשָׂה שֵׁשֶׁת יָמִים:
יוֹם זֶה מְכֻבָּד מִכָּל יָמִים. כִּי בוֹ שָׁבַת צוּר עוֹלָמִים:

רִאשׁוֹן הוּא לְמִקְרָאֵי קֹדֶשׁ. יוֹם שַׁבָּתוֹן. יוֹם שַׁבַּת קֹדֶשׁ:
עַל כֵּן. כָּל אִישׁ בְּיֵינוֹ יְקַדֵּשׁ. עַל שְׁתֵּי לֶחֶם יִבְצְעוּ תְמִימִים:
יוֹם זֶה מְכֻבָּד מִכָּל יָמִים. כִּי בוֹ שָׁבַת צוּר עוֹלָמִים:

הַשָּׁמַיִם מְסַפְּרִים כְּבוֹדוֹ. וְגַם הָאָרֶץ מָלְאָה חַסְדּוֹ:
רְאוּ. כִּי כָל אֵלֶּה עָשְׂתָה יָדוֹ. כִּי הוּא הַצּוּר פָּעֳלוֹ תָמִים:

This Blessed Day

This is the day blessed above all others,
For the Rock of Ages rested thereon.
Six days are days for toil and labor,
But the seventh day is a day unto the Lord.
Toil not! This day is not for labor!
In six days was the world created.

Yōm zeh m'ḥu-bod mi-kol yo-mim mi-kol yo-mim,
Kee vō sho-vas tsur ō-lo-mim tsur ō-lo-mim.
Shay-shes yo-mim ta'aseh m'laḥ-te-ḥo,
V'yōm hash-vi-ee lay-lō-heh-ḥo.
Sha-bos sha-bos lō sa'aseh vō m'lo-ḥo,
Kee ḥōl o-so shay-shess yo-mim. (*Yom zeh*)
Ri-shōn hu l'mik-ro-aye kō-desh,
Yōm sha-bo-sōn, yōm sha-bas kō-desh.
Al kayn kol ish b'yay-nō y'ka-daysh,
Al shtay le-ḥem yiv-ts'u s'-mi-mim. (*Yom zeh*)
Ha-sho-ma-yim m'sahp'rim k'vō-dō,
V'gahm ho-o-rets mol-o ḥas-dō.
R'u kee ḥol aye-leh os-soh yo-dō,
Kee hu ha-tsur po-o-lō so-mim. (*Yom zeh*)

שהשלום שלו

שֶׁהַשָּׁלוֹם שֶׁלּוֹ. יָשִׂים עָלֵינוּ. בְּרָכָה וְשָׁלוֹם.
מִשְּׂמֹאל וּמִיָּמִין. עַל יִשְׂרָאֵל שָׁלוֹם.
הָרַחֲמָן הוּא יְבָרֵךְ אֶת עַמּוֹ בַשָּׁלוֹם.
וְיִזְכּוּ לִרְאוֹת בָּנִים. וּבְנֵי בָנִים.
עוֹסְקִים בַּתּוֹרָה וּבְמִצְוֹת. עַל יִשְׂרָאֵל שָׁלוֹם.
פֶּלֶא יוֹעֵץ. אֵל גִּבּוֹר. אֲבִי עַד. שַׂר שָׁלוֹם:

Hymn of Peace

Father of Peace, grant us Thy peace,
Grant us Thy blessing, Thy blessing of peace.
Wherever they be, grant Israel peace;
Merciful One, Thou art He
Who grantest Thy people peace.
O may we see our children,
Our children and their children,
Devoted to Torah, to Torah and its precepts,—
Yea, grant Israel peace.
Thou wondrous Counsellor, mighty God,
Eternal Father, Prince of Peace!

Sheh-ha-sho-lōm sheh-lō, yo-sim o-lay-nu, yo-sim o-lay-nu b'ro-ḥo v'sho-lōm,
Mis-mōl u-mi-yo-min, ahl yis-ro-ayl sho-lōm,
Ho-ra-ḥa'mon hu y'vo-rayḥ es a-mō va-sho-lōm,
V'yiz-ku lir-ōs bo-nim bo-nim uv'nay vo-nim,
Ōs-kim ba-tō-roh u-v'mits-vōs, al yis-ro-ayl sho-lōm,
Peh-leh yō-ayts, ayl gi-bōr avi-ahd, sar sho-lōm.

צור משלו

צוּר מִשֶּׁלּוֹ אָכַלְנוּ, בָּרְכוּ אֱמוּנַי. שָׂבַעְנוּ וְהוֹתַרְנוּ כִּדְבַר יְיָ:

הַזָּן אֶת עוֹלָמוֹ, רוֹעֵנוּ אָבִינוּ.
אָכַלְנוּ אֶת לַחְמוֹ וְיֵינוֹ שָׁתִינוּ.
עַל כֵּן נוֹדֶה לִשְׁמוֹ וּנְהַלְלוֹ בְּפִינוּ.
אָמַרְנוּ וְעָנִינוּ. אֵין קָדוֹשׁ כַּיְיָ: צור משלו
יִבָּנֶה הַמִּקְדָּשׁ, עִיר צִיּוֹן תְּמַלֵּא.
וְשָׁם נָשִׁיר שִׁיר חָדָשׁ, וּבִרְנָנָה נַעֲלֶה.
הָרַחֲמָן הַנִּקְדָּשׁ, יִתְבָּרַךְ וְיִתְעַלֶּה
עַל כּוֹס יַיִן מָלֵא, כְּבִרְכַּת יְיָ: צור משלו

Our Rock

Rock from whose store we have eaten —
Bless Him, my faithful companions.
Eaten have we and left over —
This was the word of the Lord.

Feeding His world like a shepherd —
Father whose bread we have eaten,
Father whose wine we have drunken,
Now to His name we are singing,
Praising Him loud with our voices,
Saying and singing forever:
Holy is none like the Lord.

Tsur mi-sheh-lō o-ḥal-nu bo-r'ḥu eh-mu-nye,
So-va-nu v'hō-sar-nu ki-dvar a-dō-noy.

Ha-zon es ō-lo-mō rō-aye-nu o-vee-nu,
O-ḥal-nu es laḥ-mō v'yay-nō sho-see-nu,
Al kayn nō-deh lish-mō un-ha-l'lō b'fee-nu,
O-mar-nu v'-o-nee-nu ayn ko-dōsh ka-dō-noy. (*tsur mi-sheh-lo*).

Yi-bo-neh ha-mik-dosh eer tsi-yōn t'ma-lay,
V'shom no-shir shir ḥo-dosh u-vir-no-no na-a-'leh,
Ho-raḥ'-mon ha-nik-dosh, yis-bo-raḥ v'yis-a-leh
Al kōs ya-yin mo-lay k'vir-kas a-dō-noy.

אשא עיני

אֶשָּׂא עֵינַי אֶל הֶהָרִים   מֵאַיִן יָבֹא עֶזְרִי:

עֶזְרִי מֵעִם יְיָ   עֹשֵׂה שָׁמַיִם וָאָרֶץ:

אַל־יִתֵּן לַמּוֹט רַגְלֶךָ   אַל־יָנוּם שֹׁמְרֶךָ:

הִנֵּה לֹא־יָנוּם וְלֹא יִישָׁן   שׁוֹמֵר יִשְׂרָאֵל:

יְיָ שֹׁמְרֶךָ   יְיָ צִלְּךָ עַל־יַד יְמִינֶךָ:

יוֹמָם הַשֶּׁמֶשׁ לֹא־יַכֶּכָּה   וְיָרֵחַ בַּלָּיְלָה:

יְיָ יִשְׁמָרְךָ מִכָּל־רָע   יִשְׁמֹר אֶת־נַפְשֶׁךָ:

יְיָ יִשְׁמָר־צֵאתְךָ וּבוֹאֶךָ   מֵעַתָּה וְעַד־עוֹלָם:

Psalm 121

Unto the hills I lift mine eyes,
Whence comes my help that lies in God,
Who is enthroned above the skies,
Who made the heavens and earth to be.

He guides thy foot o'er mountain steeps,
He slumbers not, thy soul He keeps;
Behold, He slumbers not nor sleeps,
Of Israel the guardian He.

He is thy rock, thy shield and stay,
On thy right hand a shade alway;
The sun ne'er smiteth thee by day,
The moon at night ne'er troubles thee.

The Lord will guard thy soul from sin,
Thy life from harm without, within,
Thy going out and coming in,
From this time forth eternally.

Eh-so aye-nye el heh-ho-reem, may-a-yin yo-vō ez-ree.
Ez-ree may-im a-dō-noy, ō-say sho-may-yim vo-o-rets.
Al yi-tayn la-mōt rag-le-ḥo, al yo-num shō-m're-ḥo.
Hi-nay lō yo-num v'lō yee-shon, shō-mayr yis-ro-ayl.

A-dō-noy shō-m're-ḥo, a-dō-noy tsil-ḥo al yad y'mee-ne-ḥo.
Yō-mom ha-sheh-mesh lō ya-keh-ko, v'yo-ray-aḥ ba-loy-lo.
A-dō-noy yish-mo-r'ḥo mi-kol ro, yish-mōr es naf-sheh-ḥo.
A-dō-noy yish-mor tsay-s'ḥo u-vō-e-ḥo, may-a-to v'ad ō-lom.

מעוז צור

מָעוֹז צוּר יְשׁוּעָתִי. לְךָ נָאֶה לְשַׁבֵּחַ.
תִּכּוֹן בֵּית תְּפִלָּתִי. וְשָׁם תּוֹדָה נְזַבֵּחַ.
לְעֵת תָּכִין מַטְבֵּחַ. מִצָּר הַמְנַבֵּחַ.
אָז אֶגְמוֹר בְּשִׁיר מִזְמוֹר. חֲנֻכַּת הַמִּזְבֵּחַ:
יְוָנִים נִקְבְּצוּ עָלַי. אֲזַי בִּימֵי חַשְׁמַנִּים.
וּפָרְצוּ חוֹמוֹת מִגְדָּלַי. וְטִמְּאוּ כָּל הַשְּׁמָנִים.
וּמִנּוֹתַר קַנְקַנִּים. נַעֲשָׂה נֵס לְשׁוֹשַׁנִּים.
בְּנֵי בִינָה. יְמֵי שְׁמֹנָה. קָבְעוּ שִׁיר וּרְנָנִים:

Rock of Ages

Rock of Ages, let our song praise Thy saving power;
Thou amidst the raging foes, wast our shelt'ring tower.
Furious they assailed us, but Thine arm availed us,
And Thy word broke their sword
When our own strength failed us.

Children of the martyr-race, whether free or fettered,
Wake the echoes of the songs, where ye may be scattered.
Yours the message cheering that the time is nearing
Which will see all men free, tyrants disappearing.

Mo-ōz tsur y'-shu-o-see, l'ḥo no-eh l'sha-bay-aḥ,
Ti-kōn bays t'fee-lo-see, v'shom tō-do n'za-bay-aḥ,
L'ays to-ḥeen mat-bay-aḥ mi-tsor ha-m'na-bay-aḥ,
Oz eg-mōr, b'sheer miz-mōr, ḥa-nu-kas ha-miz-bay-aḥ.

Y'vo-neem nik-b'tsu o-lye, a-zye bee-may ḥash-ma-neem,
U-fo-r'tsu hō-mōs mig-do-lye v'ti-m'u kol ha-sh'mo-neem,
U-mi-nō-sar kan-ka-neem, na-a-so nays l'shō-sha-neem,
B'nay vee-no y'may sh'mō-no, kov-u sheer u-r'no-neem.

אבינו מלכנו

אָבִינוּ מַלְכֵּנוּ. חָנֵּנוּ וַעֲנֵנוּ. אָבִינוּ מַלְכֵּנוּ. חָנֵּנוּ וַעֲנֵנוּ.
כִּי אֵין בָּנוּ מַעֲשִׂים.
עֲשֵׂה עִמָּנוּ צְדָקָה וָחֶסֶד. וְהוֹשִׁיעֵנוּ:
אָבִינוּ מַלְכֵּנוּ. חָנֵּנוּ וַעֲנֵנוּ. וְהוֹשִׁיעֵנוּ:

Our Father, our King,
Be gracious unto us and answer us,
For we are wanting in good deeds;
Deal with us in charity and lovingkindness, and save us.

O-vee-nu mal-kay-nu ḥo-nay-nu va-anay-nu, (*repeat*)
Kee ayn bo-nu ma-a'sim.
A-say i-mo-nu ts'-do-ko vo-ḥeh-sed, (*repeat*)
V'hō-shee-aye-nu.
O'vee-nu mal-kay-nu, ḥo-nay-nu va-anay-nu, (*repeat*)
V'hō-shee-aye-nu.

הנני מוכן ומזומן

הִנְנִי מוּכָן וּמְזוּמָן. הִנְנִי מוּכָן וּמְזוּמָן.
הִנְנִי מוּכָן וּמְזוּמָן. לְקַיֵּם אֶת מִצְוַת בּוֹרְאִי.
כְּמוֹ שֶׁכָּתוּב בַּתּוֹרָה. הִנְנִי מוּכָן וּמְזוּמָן.
וְקִדַּשְׁתֶּם אֶת יוֹם הַשַּׁבָּת. הִנְנִי מוּכָן וּמְזוּמָן.

Behold, I am prepared,
Ready to fulfill the commandments of my Creator,
As it is written in the Torah: Sanctify the Sabbath Day.

Hi-n'nee mu-ḥon u-m'zu mon, (*repeat twice*)
L'ka-yaym es mits-vahs bōr-ee.
K'mō sheh-ko-suv ba-tō-ro, hi-n'-nee mu-ḥon u-m'zu-mon, (*repeat k'mo sheh-ko-suv*)
V'ki-dahsh-tem es yōm ha-sha-bos, hi-n'nee mu-ḥon u-m'zu-mon, (*repeat V'ki-dahsh-tem*)
Hi-n'nee mu-ḥon u-m'zu-mon, (*repeat twice*)
L'ka-yaym es mits-vahs bōr-ee.

ירושלים

מֵעַל פִּסְגַּת הַר הַצּוֹפִים שָׁלוֹם לָךְ יְרוּשָׁלַיִם.
מֵעַל פִּסְגַּת הַר הַצּוֹפִים אֶשְׁתַּחֲוֶה לָךְ אַפָּיִם.
מֵאָה דוֹרוֹת חָלַמְתִּי עָלַיִךְ. לִזְכּוֹת לִרְאוֹת בְּאוֹר פָּנָיִךְ.
יְרוּשָׁלַיִם. יְרוּשָׁלַיִם! הָאִירִי פָּנַיִךְ לִבְנֵךְ!
יְרוּשָׁלַיִם. יְרוּשָׁלַיִם! מֵחָרְבוֹתַיִךְ אֶבְנֵךְ!

מֵעַל פִּסְגַּת הַר הַצּוֹפִים שָׁלוֹם לָךְ יְרוּשָׁלַיִם.
אַלְפֵי גוֹלִים מִקְצוֹת כָּל תֵּבֵל נוֹשְׂאִים אֵלַיִךְ עֵינַיִם.
בְּאַלְפֵי בְרָכוֹת הֲיִי בְרוּכָה. מִקְדַּשׁ מֶלֶךְ עִיר מְלוּכָה.
יְרוּשָׁלַיִם. יְרוּשָׁלַיִם! אֲנִי לֹא אָזוּז מִפֹּה!
יְרוּשָׁלַיִם. יְרוּשָׁלַיִם! יָבֹא הַמָּשִׁיחַ. יָבֹא!

O Jerusalem!

From the heights of Mount Scopus I greet thee,
Peace unto thee, O Jerusalem!
From the peak of Mount Scopus I gaze,
And bow low in rapt adoration.
Through all the ages I've dreamt to behold thee,
I yearned and yearned for the light of thy splendor.
Jerusalem, O Jerusalem, shine forth for thy exile returns
Jerusalem, O Jerusalem, thy ruins I soon shall rebuild.

May-ahl pis-gahs har ha-tsō-fim, sho-lōm loh ye-ru-sho-la-yim,
May-ahl pis-gahs har ha-tsō-fim, esh-ta-ḥa-veh loḥ a-po-yim,
May-o dō-rōs ḥo-lam-tee o-la-yiḥ liz-kōs lir-ōs b'ōr po-no-yiḥ,
Ye-ru-sho-la-yim, ye-ru-sho-la-yim ho-ee-ree fo-na-yiḥ liv-nayḥ.
Ye-ru-sho-la-yim, ye-ru-sho-la-yim may-ḥor-vō-sye-yiḥ ev-nayḥ.

שיר המעלות

בְּשׁוּב יְיָ אֶת־שִׁיבַת צִיּוֹן הָיִינוּ כְּחֹלְמִים׃
אָז יִמָּלֵא שְׂחוֹק פִּינוּ וּלְשׁוֹנֵנוּ רִנָּה
אָז יֹאמְרוּ בַגּוֹיִם הִגְדִּיל יְיָ לַעֲשׂוֹת עִם־אֵלֶּה׃
הִגְדִּיל יְיָ לַעֲשׂוֹת עִמָּנוּ הָיִינוּ שְׂמֵחִים׃
שׁוּבָה יְיָ אֶת־שְׁבִיתֵנוּ כַּאֲפִיקִים בַּנֶּגֶב׃
הַזֹּרְעִים בְּדִמְעָה בְּרִנָּה יִקְצֹרוּ׃
הָלוֹךְ יֵלֵךְ וּבָכֹה נֹשֵׂא מֶשֶׁךְ־הַזָּרַע
בֹּא־יָבֹא בְרִנָּה נֹשֵׂא אֲלֻמֹּתָיו׃

Psalm 126

'Twas like a dream, when by the Lord
From bondage Zion was restored;
Our mouths were filled with mirth and songs
To God, to whom all praise belongs.

The nations owned that God had wrought
Great works, which joy to us had brought;
As southern streams when filled with rain,
He turned our captive state again.

Who sow in tears, with joy shall reap;
Though bearing precious seed they weep
While going forth, yet shall they sing
When, coming back, their sheaves they bring.

Sheer ha-ma-a-lōs, b'shuv A-dō-noy es shee-vas tsi-yōn, ho-yee-nu k'ḥōl-meem,
Oz yi-mo-lay s'ḥōk pee-nu, u-l'shō-nay-nu ri-no,
Oz yō-m'-ru va-gō-yim, hig-deel A-dō-noy, la-a-sōs im-ay-leh,
Hig-deel A-dō-noy la-a-sōs i-mo-nu, ho-yee-nu s'may-ḥeem.
Shu-voh A-dō-noy, es sh'vee-say-nu, ka-a-fee-keem ba-ne-gev,
Ha-zō-r'-eem b'dim-o, b'ri-no yik-tsō-ru.
Ho-lōḥ yay-laḥ u-vo-ḥō nō-say meh-sheḥ ha-zo-ra,
Bō yo-vō v'ri-no nō-say a-lu-mō-sov.

אנא בכח

אָנָּא בְּכֹחַ גְּדֻלַּת יְמִינְךָ תַּתִּיר צְרוּרָה:

קַבֵּל רִנַּת עַמְּךָ שַׂגְּבֵנוּ טַהֲרֵנוּ נוֹרָא:

נָא גִבּוֹר דּוֹרְשֵׁי יִחוּדְךָ כְּבָבַת שָׁמְרֵם:

בָּרְכֵם טַהֲרֵם רַחֲמֵם צִדְקָתְךָ תָּמִיד גָּמְלֵם:

חֲסִין קָדוֹשׁ בְּרוֹב טוּבְךָ נַהֵל עֲדָתֶךָ:

יָחִיד גֵּאֶה לְעַמְּךָ פְּנֵה זוֹכְרֵי קְדֻשָּׁתֶךָ:

שַׁוְעָתֵנוּ קַבֵּל וּשְׁמַע צַעֲקָתֵנוּ יוֹדֵעַ תַּעֲלֻמוֹת.

בָּרוּךְ שֵׁם כְּבוֹד מַלְכוּתוֹ לְעוֹלָם וָעֶד:

A Prayer for Deliverance

Release all captives, we beseech Thee,
Lord whose mighty hand doth set men free;
And hear the glad acclaim of all Thy people
Who praise and glorify but Thee.

Preserve the righteous ones who seek Thee,
And, in love, Thy unity proclaim;
O guard and bless with Thine abundant goodness,
Thy people who revere Thy name.

Thou, Lord, who art alone exalted,
Turn to us and hearken to our plea.
We bless Thee, Thou who knowest all things hidden,
Thy kingdom is unto eternity.

שומר ישראל

שׁוֹמֵר יִשְׂרָאֵל. שְׁמֹר שְׁאֵרִית יִשְׂרָאֵל.
וְאַל יֹאבַד יִשְׂרָאֵל. הָאוֹמְרִים שְׁמַע יִשְׂרָאֵל:
שׁוֹמֵר גּוֹי אֶחָד. שְׁמֹר שְׁאֵרִית עַם אֶחָד.
וְאַל יֹאבַד גּוֹי אֶחָד. הַמְיַחֲדִים שִׁמְךָ יְיָ אֱלֹהֵינוּ יְיָ אֶחָד:
שׁוֹמֵר גּוֹי קָדוֹשׁ. שְׁמֹר שְׁאֵרִית עַם קָדוֹשׁ.
וְאַל יֹאבַד גּוֹי קָדוֹשׁ. הַמְשַׁלְּשִׁים בְּשָׁלֹשׁ קְדֻשּׁוֹת לְקָדוֹשׁ:

O Guardian of Israel, guard the remnant of Israel;
Let not Israel perish,
The people which proclaims: Hear, O Israel.

Shō-mayr shō-mayr yis-ro-ayl sh'mōr sh'aye-ris yis-ro-ayl,
V'al yō-vahd v'al yō-vahd yis-ro-ayl ho-ōm'-rim sh'-ma yis-ro-ayl.

Shō-mayr shō-mayr goy eh-ḥod, sh'mōr sh'aye-ris am eh-ḥod,
V'al yō-vahd goy eh-ḥod, ha-m'ya-ḥa'-dim shim-ḥo a-dō-noy e-lō-hay-nu a-dō-noy e-ḥod.

Shō-mayr shō-mayr goy ko-dōsh, sh'mōr sh'aye-ris am ko-dōsh,
V'al yō-vahd goy ko-dōsh, ha-m'shahl-shim b'sho-lōsh k'du- shōs l'ko-dōsh.

התקוה

כָּל עוֹד בַּלֵּבָב פְּנִימָה. נֶפֶשׁ יְהוּדִי הוֹמִיָּה.
וּלְפַאֲתֵי מִזְרָח קָדִימָה. עַיִן לְצִיּוֹן צוֹפִיָּה:
עוֹד לֹא אָבְדָה תִקְוָתֵנוּ. הַתִּקְוָה שְׁנוֹת אַלְפַּיִם.
לִהְיוֹת עַם חָפְשִׁי בְּאַרְצֵנוּ. בְּאֶרֶץ צִיּוֹן וִירוּשָׁלָיִם:

HATIKVO

Kol ōd ba-lay-vov, pnee-mo, ne-fesh y'hu-dee hō-mi-yo,
U-l'fa-a'say miz'-roḥ ko-dee-mo, a-yin l'tsi-yōn tsō-fi-yoh
Ōd lō ov-do sik-vo-say-nu, ha-tik-vo sh'nōs al-pa-yim,
Li-yōs ahm ḥof-shee b'ar-tzay-nu, b'-eretz tzi-yōn vi-ru-sho-lo-yim.

There Lives a God

There lives a God! Each finite creature
   Proclaims His rule on sea and land;
Throughout all changing forms of nature
   Is clearly shown His mighty hand.
In every place is heard the call:
   The Lord of Hosts has made us all.

There lives a God! When life is waning,
   His love is near and He shall save;
My years are all of His ordaining,
   He only taketh what He gave.
The grave shall not end all for me,
   Thou livest, God, I live in Thee.

At the Dawn I Seek Thee

At the dawn I seek Thee,
   Refuge, Rock sublime;
Set my prayer before Thee in the morning,
   And my prayer at eventime.

I before Thy greatness
   Stand and am afraid;
All my secret thoughts Thine eye beholdeth,
   Deep within my bosom laid.

And, withal, what is it
   Heart and tongue can do?
What is this my strength, and what is even
   This, the spirit in me too?

But, indeed, man's singing
   May seem good to Thee;
So I praise Thee, singing, while there dwelleth
   Yet the breath of God in me.

Come, O Sabbath Day

Come, O Sabbath-day, and bring
Peace and healing on thy wing;
And to every troubled breast
Speak of the divine behest:
Thou shalt rest.

Earthly longings bid retire,
Quench the passions' baneful fire;
To the wayward, sin-oppress'd,
Bring thou the divine behest:
Thou shalt rest.

Wipe from every cheek the tear,
Banish care and silence fear;
All things working for the best,
Teach us the divine behest:
Thou shalt rest.

God is in His Holy Temple

God is in His holy Temple,
Earthly thoughts be silent now,
While with reverence we assemble,
And before His presence bow.
He is with us, now and ever,
When we call upon His name,
Aiding every good endeavor,
Guiding every upward aim.

God is in His holy temple,
In the pure and holy mind;
In the reverent heart and simple;
In the soul from sin refined.
Banish then each base emotion,
Lift us up, O Lord, to Thee,
Let our souls, in pure devotion,
Lord, be Temples worthy Thee.

PRAISE THE LORD

Praise the Lord! One accord,
  Sound throughout creation;
Laud and sing, honor bring
  Him without cessation;
And His fame loud proclaim,
  Ev'ry land and nation.

Lo! the spring joy doth bring;
  Winter's frosts are ended.
Gladness reigns, life remains,
  With sweet pleasure blended.
God doth bear what His care
  And His love defended.

Let Thy will guide us still,
  Let Thy love be o'er us,
Let Thy light in our night,
  Show Thy paths before us.
Ours Thy love, from above,
  And Thy light that leads us.

GOD OF MIGHT

God of Might, God of Right,
  Thee we give all glory;
Thine all praise in these days
  As in ages hoary,
When we hear, year by year
  Freedom's wondrous story.
Now as erst, when Thou first
  Made'st the proclamation,
Warning loud every proud,
  Every tyrant nation,
We, Thy fame still proclaim,
  Bend in adoration.

AMERICA, THE BEAUTIFUL

O beautiful for spacious skies,
  For amber waves of grain,
For purple mountain majesties
  Above the fruited plain!
America! America!
  God shed His grace on thee,
And crown thy good with brotherhood
  From sea to shining sea!

O beautiful for pilgrim feet,
  Whose stern, impassioned stress,
A thoroughfare for freedom beat
  Across the wilderness!
America! America!
  God mend thine every flaw,
Confirm thy soul in self-control,
  Thy liberty in law!

O beautiful for patriot dream
  That sees beyond the years,
Thine alabaster cities gleam,
  Undimmed by human tears!
America! America!
  God shed His grace on thee,
And crown thy good with brotherhood
  From sea to shining sea!

THE STAR-SPANGLED BANNER

O say, can you see, by the dawn's early light,
What so proudly we hailed at the twilight's last gleaming,
Whose broad stripes and bright stars, through the perilous fight,
O'er the ramparts we watched were so gallantly streaming?

And the rockets' red glare, the bombs bursting in air
Gave proof through the night that our flag was still there.
O say, does that star-spangled banner yet wave
O'er the land of the free and the home of the brave?

O, thus be it ever, when free men shall stand
Between their loved homes and war's desolation;
Blest with victory and peace, may our heaven-rescued land
Praise the Power that hath made and preserved us a nation.

Then conquer we must, when our cause it is just,
And this be our motto, 'In God is our trust.'
And the star-spangled banner in triumph shall wave
O'er the land of the free and the home of the brave

AMERICA

My country, 'tis of thee,
Sweet land of liberty,
  Of thee I sing;
Land where my fathers died,
Land of the Pilgrims' pride,
From every mountain side
  Let freedom ring.

Our fathers' God, to Thee.
Author of liberty,
  To Thee we sing;
Long may our land be bright
With freedom's holy light;
Protect us by Thy might,
  Great God, our King.

הערות

NOTES

NOTE ON KABBALAT SHABBAT

The Kabbalat Shabbat, "Welcome to the Sabbath," preceding the Maariv Service, was first introduced in the sixteenth century, in the picturesque city of Safed, perched high above the sea of Galilee in Palestine. It consists of selected psalms extolling God as Creator and acknowledging Him as King and righteous Judge. These psalms are supplemented by the poem, "Lekah Dodi," written in the form of an acrostic on the name of the author, Shelomoh Halevi Alkabez, a member of a group of mystics who looked forward to that day when the Messiah would usher in God's reign on earth.

"Lekah Dodi" is one of the most stirringly beautiful pieces of Hebrew liturgical poetry. Though its phrases are drawn from various Biblical verses, the effect is strikingly original and full of charm. The Sabbath is personified as a Bride, welcomed by her Beloved, the people of Israel. Hence the refrain, "Come my friend, with joy serene to greet the Bride, the Sabbath Queen." This hymn also expresses hope for Zion's restoration and Israel's final redemption. When the closing verse is chanted, it is customary for the people to rise and face the entrance of the synagogue. This is to recall the custom in Safed where the worshippers welcomed with pageantry and song, the approaching Sabbath.

Throughout the centuries, Israel has found spiritual refreshment in the joy and serenity of Queen Sabbath whose arrival transforms the humblest Jewish home into a royal abode. The Sabbath serves to quicken our faith in the goodness of God, to strengthen the bonds of Jewish fellowship, and provides the mood and leisure conducive to the study of the Torah. As Ahad Ha'am so aptly stated, "More than Israel kept the Sabbath, the Sabbath kept Israel." For us, no less than for our forefathers, the Sabbath is an ever-living fountain of life and beauty, the means of an ever-deepening attachment to God, Israel and the Torah.

NOTE ON THE SHEMA

The Shema is the most important prayer in the Jewish liturgy. With the Shema upon their lips, martyrs in every age, including our own, have died for the sanctification of God's name and the glory of Israel. Its words were the very last spoken by pious men in every age, and its sacred syllables the first taught to little children. It is a central feature of the morning and evening service and is recited before retiring at night.

The importance the Shema holds in Jewish law and sentiment is not accidental. It played a central part in the service of the Second Temple and is probably the oldest part of the liturgy. Its three paragraphs, drawn from the pages of the Bible (Deut. 6:4–9, 11:13–21 and Num. 15:37–41), express the fundamental beliefs of Judaism, which, modified and enriched through the ages, remain essentially the same. The Shema opens with the clarion call, "Hear O Israel: the Lord our God, the Lord is One," an avowal of Israel's uncompromising belief in the absolute Unity of God, the basis of the faith in the universal brotherhood of man. Then comes a verse based upon the Bible, proclaiming our allegiance to God's kingdom.

The rest of the first section (Ve'ahavta) emphasizes the theme of the love of God. We are bidden to devote ourselves completely to God's cause, not for the sake of reward, but in a spirit of loving devotion to our Maker. It is characteristic of Judaism that the Bible closely links with it the obligation to educate our children and ourselves to participate in the study of the Torah, in all the circumstances of life.

The next paragraph (Vehaya im shamoa) stresses the theme of retribution, the religious insight that human actions lead to inevitable consequences of good and ill. The Bible states this truth in terms characteristic of ancient thought — obedience to God's law will be rewarded by rains and fertility, while disobedience will be punished by drought and starvation. For us, today, this fundamental truth still holds — an unjust social order and a morally corrupt people cannot attain to lasting prosperity and well-being. Only personal character and social justice can create enduring human happiness.

The third paragraph (Vayomer) deals with the Commandment to put fringes on the garment, a symbol familiar to every Jew. This section stresses the importance of ritual observance in a functioning religion. The Mitzvot or ritual commandments have always been a characteristic mark of Judaism, though often misunderstood both within the Jewish camp and without. This paragraph of the Shema clearly indicates that ritual is a means to an end, "That you may be able to keep all my commandments and be holy unto your God."

The unity of God, love for Him and loyalty to His Kingdom, the duty of educating our children in the Torah, the principle of retribution and the importance of ritual, all these fundamentals are indicated in the three short paragraphs of the Shema. No wonder that Jewish tradition declares that "He who recites the Shema with true inwardness of spirit is as though he had fulfilled all the Commandments of the Torah."

NOTE ON SACRIFICE IN JUDAISM

The traditional Prayer Book contains several references to the ancient system of sacrifices practiced in the Temple in Jerusalem. Some, like *ezehu mekoman* and *pittum haketoret* are legal selections from the Talmud included in the service both to recall the ancient ritual and to express the Jewish concept of study as a mode of divine worship.

The most important section of the service dealing with sacrifices is the Musaf or additional prayer, the central theme of which deals with animal offerings. It is formulated differently for Sabbath (*tikkanta shabbat*), Rosh Ḥodesh (*roshai ḥadashim l'amkha natata*, the Sabbath of Rosh Ḥodesh, (*ata y'tzarta*), and the Festivals (*umipnay ḥata'enu*). They all begin with references to the elaborate sacrificial system in vogue in the ancient Temple in Jerusalem and voice a plea that the scattered household of Israel be reunited, and the ancient ritual of sacrifice be re-established.

It should be borne in mind that animal offerings were not only the central feature of public worship in all ancient religions contemporary with Judaism, but that they marked a great advance over human sacrifice, which was widely practiced and against which Judaism alone protested in antiquity. That the sacrificial system in the Temple did not stifle true religious fervor is borne out by the fact that it coincided with the composition of the world's most exalted religious poetry, the Book of Psalms. However, the prophets and sages of Israel, whose message has been reinforced by two thousand years of history have taught us to recognize that sincere prayer, life-long study and righteous living constitute the highest form of the service of God.

Hence, for many, if not most Jews today, these prayers are reminiscent of Israel's ancient glory, rather than a plea for the future restoration of sacrifices. In order to make this conception more explicit, the traditional text of *Tikkanta Shabbat* and *umipnay ḥata'enu* has been slightly modified. This revised edition is preceded by a brief meditation in which we voice our hope today that a restored Palestine will serve as a spiritual center for world Israel and a creative source for the religious and moral progress of all mankind.

The traditional Amidah also contains a brief reference to the institution of sacrifices in *retzeh*. The text reads "Restore the sanctuary to the sacred shrine and the fire-offerings of Israel and its prayer, accept in favor." This prayer is a readaptation of the ancient formula recited by the priest when sacrifices were offered in the Temple. A medieval Midrash already interpreted the phrase "the fire-offerings of Israel" homiletically, as referring to the martyrs of Israel who have died for God's cause.

Our Prayer Book deletes the words "the fire-offerings of Israel", thus clarifying the meaning of *retzeh* for modern Jews as a daily re-affirmation of their hope for the re-establishment of the religious center of Judaism in the land of Israel.

NOTE ON THE PRELIMINARY BLESSINGS

The Preliminary Blessings are part of the benedictions which the Jew offers in gratitude for the gift of the Torah and for the opportunities to perform its precepts. This fact explains why the Jew felt impelled to bless God for not having made him a heathen, a slave or a woman. For these represent categories excused from the performance of many of the precepts of the Torah.

The Hebrew text of these three blessings has been changed in this Prayer Book from the negative to the positive form, in order to avoid any misconception of Jewish attitude toward these categories, and also to give expression to sentiments in keeping with the weight of Jewish tradition.

It is to be noted that the Talmudic passage which cites these blessings (Menaḥot, 43b), reads: *she'asani yisrael* "that He hath made me an Israelite." Though the original version evidently read *shelo asani goy* and the change to *she'asani yisrael* was made to satisfy the censors, the fact that the Gaon of Vilna accepted the changed version (commentary to Oraḥ Ḥayim 46:4), gives sufficient warrant to adopt this improved text in our Prayer Book, " ... that He hath made me an Israelite."

The second blessing " ... that He hath not made me a slave" also has a variant in the Talmud and in the Tosefta: *shelo asani bur* " ... that He hath not made me an uncultured person" (Tosefta, Berakot 7:18, ed. Zuckermandel). This variation of text gives us also sufficient warrant to change the text to the positive to conform to the structure of the passages.

The third blessing has been the target of much criticism, due mostly to a misunderstanding of the intent of the authors of this benediction. Women, out of respect for and consideration of their duties as home-makers, were excused from the performance of those positive commands, the observance of which depended upon a definite time of the day or season. Since man

rejoiced in the fact that he had the opportunity to observe all
of God's commandments, it was not amiss for him to express
his thanks "that He hath not made me a woman." Again, in the
spirit of the above emendations, expressing the sentiment of
gratitude in the positive rather than in the negative form, this
Prayer Book has adopted a text which can be used by man and
woman alike: *she'asani betzalmo* "that He hath made me in His
image."

That these changes are in the spirit of Jewish tradition is
further evidenced by the fact that the 15th century scholar,
R. Judah Mintz, in one of his Responsa, gives a homiletical —
not a legal — explanation why the original text is worded in the
negative and not in the positive form. And speaking of the
latter, he uses the expressions *she'asani yehudi, ben ḥorin, ish* —
terms almost similar to those adopted in this new Prayer Book.

Perhaps the most striking support for the procedure adopted
here of rephrasing the Preliminary Blessings in positive rather
than in negative form comes from a Genizah fragment published
by J. Mann in the H. U. C. A., vol. 2, p. 277 f. Professor Louis
Ginzberg to whose kindness we owe this reference regards this
prayer as the oldest liturgical text that has reached us. It phrases
the morning benedictions positively as well as negatively, read-
ing as follows:

ברוך אתה ה' אלהינו מלך העולם אשר בראת אותי אדם ולא
בהמה איש ולא אשה ישראל ולא גוי מל ולא ערל חפשי ולא
עבד . . .

ברוך אתה ה' אלהינו מלך העולם אשר בראת אדם הראשון
בדמותו ובצלמו:

NOTE ON THE CHOSEN PEOPLE

No concept of Judaism has been more subject to misunder·
standing and distortion than that of "The Chosen People."
Many have erroneously read into it ideas of clannish pride and
chauvinistic nationalism. It has even been mistakenly identified
with the pernicious doctrine of race superiority despite the fact
that in Judaism a convert from any race is received as a full
fledged member of the Jewish people.

We first meet with this concept when we are told at the very
dawn of our history that God said concerning Abraham, "For
I have known him to the end that he may command his children
and his household after him that they may keep the way of the
Lord to do righteousness and justice." (Gen. 18:19) The meaning
of the term, "The Chosen People," is further clarified in the
account of the giving of the Ten Commandments, "If ye will
hearken unto My voice, and keep My covenant, then ye shall
be Mine own treasure... Ye shall be unto Me a kingdom of
priests, and a holy people." (Ex. 19:5, 6)

The traditional idea of "The Chosen People" involves obliga-
tions rather than privileges. It is a form of noblesse oblige,
imposing upon the House of Israel the responsibility to lead a
life of holiness and righteousness. This moral responsibility is
also clearly expressed in the admonition of the Prophet Amos,
"You only have I known of all the families of the earth, therefore
I will punish you for all your iniquities." (Amos 3:2)

This integral relationship between the concept of "The Chosen
People" and the religious and moral responsibilities of the Jew,
is emphasized in the Prayer Book which invariably links "The
Chosen People" with the Torah, the Sabbath and the Mitzvot.
The moral and spiritual values of Judaism through the medium
of which our people may continue to make a contribution to
mankind are consistently emphasized. The fact that the great
religions of the western world and the ideals of democracy are
rooted in the spiritual heritage of Israel bears eloquent testimony
to the validity of this doctrine.

NOTE ON THE MESSIAH

Judaism has always looked to the future rather than to the past, as the era of the "Golden Age" of mankind, when nation shall not lift up sword against nation and men shall learn war no more. Believing firmly that God's justice and love ultimately must triumph in the world, the prophets of Israel more than 2,500 years ago announced the coming of God's kingdom, the kingdom of peace and righteousness.

The process whereby God's kingdom would become a reality was first envisioned as being entirely within the realm of the human and the natural. Isaiah foretold the birth of a descendant of the House of David who would be endowed with the wisdom and the courage so to manage the affairs of state that men would neither "hurt nor destroy, for the world would be as full of the knowledge of the Lord as the waters cover the sea."

As centuries passed and Jewish suffering was intensified and multiplied, the possibility of the fulfillment of these hopes through a natural process appeared increasingly improbable. Hence the Messiah — the anointed one — took on more and more of the character of a supernatural being who would himself have the power to destroy all evil doers, banish evil and turn men's hearts to justice and love. He would gather Israel's scattered exiles back into the promised land, re-establish a free Jewish state under his benign rule, and bless all men with universal peace and brotherhood.

The Jewish people always thought of David, the faithful servant of God and the heroic champion of his people, as the noblest embodiment of the ideal ruler. The Davidic dynasty, continued in the Babylonian exilarchate, maintained its position of primacy in Jewish history for some 2,000 years. The earliest visions of a messianic era center around "a shoot that shall come forth out of the House of Jesse." Hence, prayers for the coming of the Messiah often took the form of prayers for the restoration of the "House of David" and for the appearance of the "Shoot of David."

For many Jews today, prayers for the coming of the Messiah are the matchless symbol charged with the hopes and the faith of the centuries, that the forces of God's love and justice working in and through men would ultimately triumph in the affairs of mankind.

The hope for the establishment of the Jewish homeland in Palestine, as well as for the organization of a peaceful and just world order, are central and fundamental aspects of this faith. It was this faith which girded the sorely tried spirit of our people in their darkest days. It is this faith which remains indispensable to all who would lovingly labor for a redeemed Israel and mankind.

מקורות

INDEX OF SOURCES

INDEX OF SOURCES

SABBATH AND FESTIVAL PRAYERS

*Translation from Adler's SERVICE OF THE SYNAGOGUE, published by George Routledge & Sons, Limited, London.

SUPPLEMENTARY READINGS

Page	Title	Author	Translator
272	*All Things Come from God		
274	*Give Thanks Unto the Lord		
275	Communion with God	Louis Finkelstein	
276	*True Worship		
277	The House of God	Morris Silverman	
278	Prayer	Simon Greenberg	
279	*Our Steadfast Faith		
280	The Meaning of Faith	Abraham Heschel	
281	Life — Fashioned by Prayer	Abraham Heschel	
283	In Praise of God		Morris Silverman
285	Hearken, O My People!	Abraham I. Kook	Morris Silverman
287	The Old Prayer Book	Jacob Cohen	Morris Silverman
289	*Fear Not, O Israel		
290	Israel's History	Simon Dubnow Moses Gaster	
291	Israel's Martyrdom	Leopold Zunz Heinrich Graetz Solomon Schechter Israel Friedlaender	
292	*In the Day of Trouble		
293	*A New Heart and a New Spirit		
294	Kiddush Hashem	David Aronson	
295	Why Israel Survived	Solomon Goldman	
296	A Vision of the Future	Israel Friedlaender	
297	Israel's Quest	Milton Steinberg	
298	Israel's Role in History	Joseph Jacobs	
299	O Lord, Give Us Men!	Morris Silverman	
302	Faith Triumphant	Morris Silverman	
303	Our Wondrous Deliverance	Morris Silverman	

*Compiled by Morris Silverman.

*Compiled by Morris Silverman.

*Compiled by Morris Silverman.

HYMNS

NOTES

SOURCES OF RESPONSIVE READINGS

272   All Things Come from God, Ps. 100:2; Deut. 8:7 ff.; 1 Chron. 29:11–13.

274   Give Thanks Unto the Lord, Ps. 136:4; 147:7, 8, 14; 65:10–14; 144:13, 14; Deut. 33:13, 16; 30:9.

276   True Worship, Micah 6:6–8; Prov. 15:8; Jer. 7:9, 10; Isaiah 1:15, 13; Jer. 7:2, 5, 6; Isaiah 58:8, 9.

279   Our Steadfast Faith, Ps. 16:8, 2, 11; 73:25, 26; 84:13; Micah 7:8; Ps. 18:29; 44:19; 46:3, 4; Hab. 3:17, 18; Ps. 36:10.

289   Fear Not, O Israel, Jer. 46:27; Isaiah 54:7, 10; 41:10, 11; 54:14; 60:15; 41:10; 54:17.

292   In The Day of Trouble, Ps. 44:25; 22:5, 6; 83:3, 5, 14, 17; 80:8; High Holiday Prayer Book.

293   A New Heart and a New Spirit, Jer. 31:31, 33; Hosea 2:21, 22; Ez. 36:26–28; Deut. 30:11–14; Hosea 2:20; Jer. 31:34; Ez. 36:28.

297   Israel's Quest, Gen. 1:2; Ps. 25:4; 98:2; 96:5; Isaiah 41:8; 42:6; Ex. 12:49; Ps. 19:8; Daily Prayer Book; Deut. 4:6; Zach. 14:9.

307   The Jewish Home, Prov. 17:1; 15:17; Ps. 127:1; Prov. 24:3, 4; Pir. Avot 1:4; 3:4; Prov. 31:27; Ben Sira 26:1; Tal. Sota 17a; Jebomot 62b; Kidushin 30b; Num. 24:5.

312   Torah — Our Source of Strength, Ecc. 7:19; Pal. Tal. Hagigah 1:76; Tal. Shabbat 119; Pir. Avot 2:6; 6:1; 1 Chron. 28:9; Gen. Rabba 65:20; Pir. Avot 4:12; Lev. Rabba 1:6; Pir. Avot 5:25; 1 Esdras 4:38.

314   Torah — Our Way of Life, Ps. 119:1, 2; 19:8–10; 1:1–3; 86:11; 119:18, 5; 25:5; 119:105; 143:10; 119:144.

315   Torah — Our Tree of Life, Tal. Nedarim 41a; Prov. 9:10; Pir. Avot 3:21; 6:1; Deut. 6:7; Tal. Shab. 119; Gen. Rabba 49:4; Pir. Avot 4:25; Avot R. N. 24; Prov. 22:6; Gen. Rabba 65:20.

317   The Ten Commandments, Ex. 20:2 ff.; Deut. 5:6 ff.

326   Comfort Ye, My People, Isaiah 40:1, 52:1, 9; 31:10–13, 16–17; 60:18, 21, 1.

327   The Restoration of Zion, Ps. 137:5, 6; 102:14; 147:2; Isaiah 51:3; 35:10, 11; Amos 9:14, 15; Isaiah 32:18; 1:27; Jer. 33:16; Isaiah 2:3.

328   God's Beneficence in Nature, Gen. 1:11; Pirke R'Eleazar 43; Deut. 20:19; Yalkut Shimoni on Deut.; Midrash; Jer. 29:5; Amos 9:14; Isaiah 62:4; 41:18, 19; Joel 2:21–23.

329   Man, the Crown of Creation, Ps. 104:24; 8:1, 3–6; Pir. Avot 3:18; Talmud; Micah 6:8.

INDEX

SCRIPTURAL READINGS FOR THE FESTIVALS

PASSOVER

First Day — Exodus 12:21–51; Numbers 28:16–25;
Haftarah — Joshua 5:2–6:1.

Second Day — Leviticus 22:26–23:44; Numbers 28:16–25;
Haftarah — 2 Kings 23:1–9, 21–25.

Intermediate Sabbath — Exodus 33:12–34:26; Numbers 28:19–25;
Haftarah — Ezekiel 37:1–14.

Seventh Day — Exodus 13:17–15:26; Numbers 28:19–25;
Haftarah — 2 Samuel 22.

Eighth Day — Deut. 15:19–16:17; (On Sabbath, 14:22–16:17;) Numbers 28:19–25;
Haftarah — Isaiah 10:32–12:6.

SHAVUOT

First Day — Exodus 19 and 20; Numbers 28:26–31;
Haftarah — Ezekiel 1:1–28, 3:12.

Second Day — Deut. 15:19–16:17; (On Sabbath 14:22–16:17;) Numbers 28:26–31;
Haftarah — Habakkuk 2:20–3:1–19.

SUKKOT

First Day — Leviticus 22:26–23:44; Numbers 29:12–16;
Haftarah — Zechariah 14.

Second Day — Leviticus 22:26–23:44; Numbers 29:12–16;
Haftarah — 1 Kings 8:2–21.

Intermediate Sabbath — Exodus 33:12–34:26; Numbers 29: either 17–25, or 23–29, or 26–31 (depending whether it is the 1st, 3rd, or 4th of the Intermediate days);
Haftarah — Ezekiel 38:18–39:16.

Shemini Aẓeret — Deut. 14:22–16:17; Numbers 29:35–30:1;
Haftarah — 1 Kings 8:54–66.

Simḥat Torah — Deut. 33:1–34:12; Genesis 1:1–2:3; Numbers 29:35–30:1;
Haftarah — Joshua 1.

INDEX TO PSALMS